2024年後期試験・2025年前期試験対応版

点数早見表

2024(令和６)年10月１日現在

〈表中の記号〉
(届)：施設基準等届出を要する保険医療機関
(基)：施設基準を満たす保険医療機関
■：外来診療料対象項目
▼：外来迅速検体検査加算対象項目
★：手術前医学管理料対象項目
☆：手術後医学管理料対象項目

〈点数欄〉
外：外来患者のみ算定
入：入院患者のみ算定
(診)：診療所のみ算定
[　]：届出保険医療機関において情報通信機器を用いた場合

Ⅰ-1　初診料・再診料・外来診療料

⑪　初診料（病院・診療所）

区　分	点　数					
	時間内 （乳幼児＋75）	時間外 （一般　＋85） （乳幼児＋200）	休　日 （日曜・祝日 12/29～1/3） （一般　＋250） （乳幼児＋365）	深　夜 （22時～ 翌日6時） （一般　＋480） （乳幼児＋695）	時間外特例 （休日・深夜 を除く） （一般　＋230） （乳幼児＋345）	同一日 複数科 初診
・一般・後期高齢者	291［253］	376［338］	541［503］	771［733］	521［483］	146 ［127］
・乳幼児（6歳未満）	366［328］	491［453］	656［618］	986［948］	636［598］	

※紹介のない患者の初診料、特定妥結率初診料は診療点数早見表参照。
※［　　］：届出保険医療機関において情報通信機器を用いた場合。略号：情初
※同一日複数科初診：同一保険医療機関で同一日に他の傷病について、新たに別の診療科を初診として受診した場合は、2つ目の診療科に限り算定できる。ただし、時間外等加算、乳幼児加算及び他の加算は算定できない。

区　分	明細書略号
同一日複数科初診	複初　（診療科名）点数×○

加　算	略　号	点　数
夜間・早朝等加算（基）（診）	夜早	＋50
機能強化加算（届） （診療所又は許可病床200床未満の病院）	—	＋80
外来感染対策向上加算（月1回）（届）（診）	初感	＋6
発熱患者等対応加算（月1回）	初熱対	＋20
連携強化加算（月1回）（届）（診）	初連	＋3
サーベイランス強化加算（月1回）（届）（診）	初サ	＋1

加　算		略　号	点　数
抗菌薬適正使用体制加算（月1回）（届）（診）		初抗菌適	＋5
医療情報取得加算（月1回）（基） ※令和6年11月30日まで	1	医情1	＋3
	2	医情2	＋1
医療情報取得加算（月1回）（基） ※令和6年12月1日から			＋1
医療DX推進体制整備加算 （月1回）（届）	1	医DX1	＋11
	2	医DX2	＋10
	3	医DX3	＋8

⑫　再診料（一般病床200床未満の病院・診療所）

区　分	点　数							
	時間内 （乳幼児＋38）	時間外等	外来管理 加算	時間外	休　日 （日曜・祝日 12/29～1/3）	深　夜 （22時～ 翌日6時）	時間外特例 （休日・深夜 を除く）	同一日 複数科 再診
・一般・後期高齢者	75［75］		＋52	＋65	＋190	＋420	＋180	38 ［38］
・乳幼児（6歳未満）	113［113］	75［75］		＋135	＋260	＋590	＋250	

※特定妥結率再診料は診療点数早見表参照。
※［　　］：届出保険医療機関において情報通信機器を用いた場合。略号：情再
※同一日複数科再診：同一保険医療機関で同一日に他の傷病について、新たに別の診療科を再診として受診した場合は、2つ目の診療科に限り算定できる。ただし、時間外等加算、乳幼児加算及び他の加算は算定できない。

区　分	明細書略号
同一日複数科再診	複再　（診療科名）点数×○

加　算		略　号	点　数
夜間・早朝等加算（基）（診）		夜早	＋50
時間外対応加算（届）（診）	1	時外1	＋5
	2	時外2	＋4
	3	時外3	＋3
	4	時外4	＋1
明細書発行体制等加算（基）（診）		明	＋1
地域包括診療加算（届）（診）	1	再包1	＋28
	2	再包2	＋21
認知症地域包括診療加算（基）（診）	1	再認包1	＋38
	2	再認包2	＋31
薬剤適正使用連携加算 （退院（所）月から2月目までに1回限り）		薬適連	＋30

加　算		略　号	点　数
外来感染対策向上加算（月1回）（届）（診）		再感	＋6
発熱患者等対応加算（月1回）		再熱対	＋20
連携強化加算（月1回）（届）（診）		再連	＋3
サーベイランス強化加算（月1回）（届）（診）		再サ	＋1
抗菌薬適正使用体制加算（月1回）（届）（診）		再抗菌適	＋5
医療情報取得加算（3月に1回）（基） ※令和6年11月30日まで	3	医情3	＋2
	4	医情4	＋1
医療情報取得加算（3月に1回）（基） ※令和6年12月1日から			＋1
看護師等遠隔診療補助加算（届）		看師補	＋50

※外来管理加算が算定できない項目
⑫　電話再診　⑬　慢性疼痛疾患管理　㊵　処置　㊿　手術・輸血　㊿　麻酔
㊵　生体検査（超音波検査等、脳波検査等、神経・筋検査、耳鼻咽喉科学的検査、眼科学的検査、負荷試験等、ラジオアイソトープを用いた諸検査、内視鏡検査）　㊵　放射線治療、リハビリテーション、精神科専門療法

⑫　外来診療料（一般病床200床以上の病院）

<table>
<tr><th rowspan="2">区　分</th><th colspan="7">点　数</th></tr>
<tr><th>時間内
（乳幼児＋38）</th><th>時間外等</th><th>時間外</th><th>休　日
（日曜・祝日
12/29～1/3）</th><th>深　夜
（22時～
翌日6時）</th><th>時間外特例
（休日・深夜
を除く）</th><th>同一日
複数科
再診</th></tr>
<tr><td>・一般・後期高齢者</td><td colspan="2">76［75］</td><td>＋65</td><td>＋190</td><td>＋420</td><td>＋180</td><td rowspan="2">38
［38］</td></tr>
<tr><td>・乳幼児（6歳未満）</td><td>114［113］</td><td>76［75］</td><td>＋135</td><td>＋260</td><td>＋590</td><td>＋250</td></tr>
</table>

※特定妥結率外来診療料は診療点数早見表参照。
※［　　］：届出保険医療機関において情報通信機器を用いた場合。略号：情外
※同一日複数科再診：同一保険医療機関で同一日に他の傷病について、新たに別の診療料を再診として受診した場合は、2つ目の診療料に限り算定できる。ただし、時間外等加算、乳幼児加算及び他の加算は算定できない。

区　分	明細書略号
同一日複数科再診	複外診（診療科名）点数×○

<table>
<tr><th colspan="2">加　算</th><th>略　号</th><th>点　数</th></tr>
<tr><td rowspan="2">医療情報取得加算（3月に1回）（基）
※令和6年11月30日まで</td><td>3</td><td>医情3</td><td>＋2</td></tr>
<tr><td>4</td><td>医情4</td><td>＋1</td></tr>
</table>

<table>
<tr><th>加　算</th><th>略　号</th><th>点　数</th></tr>
<tr><td>医療情報取得加算（3月に1回）（基）
※令和6年12月1日から</td><td></td><td>＋1</td></tr>
<tr><td>看護師等遠隔診療補助加算（届）</td><td>看師補</td><td>＋50</td></tr>
</table>

※電話等による再診料・外来管理加算は算定できない。
※外来診療料に含まれる項目
　㊵　創傷処置1（100cm^{2}未満）、創傷処置2（100cm^{2}以上500cm^{2}未満）、爪甲除去（麻酔を要しないもの）、穿刺排膿後薬液注入、皮膚科軟膏処置1（100cm^{2}以上500cm^{2}未満）、膀胱洗浄、後部尿道洗浄（ウルツマン）、腟洗浄、眼処置、義眼処置、睫毛抜去、耳処置、耳管処置、鼻処置、口腔・咽頭処置、間接喉頭鏡下喉頭処置、ネブライザ、超音波ネブライザ、介達牽引、矯正固定、変形機械矯正術、消炎鎮痛等処置、腰部又は胸部固定帯固定、低出力レーザー照射、肛門処置
　㊿　［D000］尿中一般物質定性半定量検査、［D001・1～21］尿中特殊物質定性定量検査、［D002］尿沈渣（鏡検法）、［D002-2］尿沈渣（フローサイトメトリー法）、［D003・1～8］糞便検査（「9」カルプロテクチン（糞便）除く）、［D005・1～8、10、11］血液形態・機能検査（「9」HbA1c、「12」デオキシチミジンキナーゼ（TK）活性、「13」ターミナルデオキシヌクレオチジルトランスフェラーゼ（TdT）、「14」骨髄像、「15」造血器腫瘍細胞抗原検査（一連につき）除く）
※包括されている検査項目に係る判断料は外来診療料に含まれず、別に算定できる。
※包括されている検査のみを行った場合でも、外来迅速検体検査加算、採血料は算定できる。

⑳　ベースアップ評価料

<table>
<tr><th colspan="2">名　称</th><th colspan="16">点　数</th></tr>
<tr><td rowspan="6">ベースアップ評価料
※訪問診療時を除く。</td><td rowspan="2">外来・在宅ベースアップ評価料（Ⅰ）
（1日につき）（届）</td><td colspan="8">初診時　外ベアⅠ初</td><td colspan="8">再診時等　外ベアⅠ再</td></tr>
<tr><td colspan="8">6</td><td colspan="8">2</td></tr>
<tr><td rowspan="3">外来・在宅ベースアップ評価料（Ⅱ）
（1日につき）（届）</td><td colspan="8">初診時　外ベアⅡ1～8</td><td colspan="8">再診時等　外ベアⅡ再1～8</td></tr>
<tr><td>1</td><td>2</td><td>3</td><td>4</td><td>5</td><td>6</td><td>7</td><td>8</td><td>1</td><td>2</td><td>3</td><td>4</td><td>5</td><td>6</td><td>7</td><td>8</td></tr>
<tr><td>8</td><td>16</td><td>24</td><td>32</td><td>40</td><td>48</td><td>56</td><td>64</td><td>1</td><td>2</td><td>3</td><td>4</td><td>5</td><td>6</td><td>7</td><td>8</td></tr>
</table>

初診料・再診料共通

●夜間・早朝等加算

施設基準を満たす保険医療機関（診療所に限る）については、診療時間として表示する時間であって、6時～8時、18時～22時（土曜は6時～8時、12時～22時）・休日・深夜に診察を行った場合は、診療時間内であっても、夜間・早朝等加算が算定できる（ただし、時間外特例加算、小児科標榜医療機関の時間外等加算の特例を算定する場合は、夜間・早朝等加算は算定できない）。

明細書略号
夜間・早朝等加算･･･　夜早

←摘要欄の⑪⑫コードに略号を記載する。

初診料・再診料・外来診療料共通

●小児科標榜医療機関の時間外等加算の特例

小児科（小児外科を含む）を標榜する医療機関において、6歳未満の患者に対して診療時間として表示する時間であって、夜間（標準時間：6時～8時、18時～22時（土曜は6時～8時、12時～22時））・休日・深夜に診察を行った場合は、診療時間内であっても、夜間（時間外）・休日・深夜加算を算定できる。

<table>
<tr><th colspan="2">明細書略号</th></tr>
<tr><th>時間外等</th><th>6歳未満</th></tr>
<tr><td>夜間加算</td><td>小特夜</td></tr>
<tr><td>休日加算</td><td>小特休</td></tr>
<tr><td>深夜加算</td><td>小特深</td></tr>
</table>

←摘要欄の⑪⑫コードにそれぞれの略号を記載する。

⑨⓪ 入院料等

一般病棟入院基本料一覧表（1日につき）

※外泊の入院料は、入院基本料×0.15の点数。
※栄養管理体制を満たすことができない病院は、1日につき40点を減算する。略号：栄40減
※身体的拘束最小化に関する基準を満たすことができない保険医療機関は、1日につき40点を減算する。略号：拘40減
※退院が特定の時間帯に集中しているものとして厚生労働大臣が定める保険医療機関においては、別に厚生労働大臣が定める患者の退院日の入院基本料は、所定点数の92/100に相当する点数で算定する。略号：午前減
※入院日及び退院日が特定の日に集中しているものとして厚生労働大臣が定める保険医療機関においては、別に厚生労働大臣が定める日の入院基本料は、所定点数の92/100に相当する点数で算定する。略号：土日減

一般病棟入院基本料		急性期一般入院基本料						地域一般入院基本料		
		急一般1	急一般2	急一般3	急一般4	急一般5	急一般6	地一般1	地一般2	地一般3
基本点数		1,688	1,644	1,569	1,462	1,451	1,404	1,176	1,170	1,003
初期加算	14日以内	＋450								
	15～30日以内	＋192								
重症児（者）受入連携加算		—						重受連 ＋2,000（入院初日）		
救急・在宅等支援病床初期加算		—						病初 ＋150（転院又は入院日から14日限度）		

入院基本料等加算

名称			略号	点数	備考
急性期充実体制加算（1日につき）（入院日から14日限度）（届）					・急性期一般入院料1を算定するものに限る。 ・総合入院体制加算は別に算定できない。
1	7日以内の期間		急充1	440	
	8日以上11日以内の期間			200	
	12日以上14日以内の期間			120	
2	7日以内の期間		急充2	360	
	8日以上11日以内の期間			150	
	12日以上14日以内の期間			90	
注	小児・周産期・精神科充実体制加算（届）	イ 急性期充実体制加算1の場合	—	＋90	
		ロ 急性期充実体制加算2の場合		＋60	
	精神科充実体制加算（届）		精充	＋30	
臨床研修病院入院診療加算（入院初日）（基）					・研修医が実際に臨床研修を実施している場合に算定。
1	基幹型		臨修	40	
2	協力型			20	
救急医療管理加算（1日につき）（入院日から7日限度）（届）					・救急応需態勢の医療機関に緊急入院をした重症患者が対象。 ・別表第7の3の1～12のいずれかの状態の場合は「1」を、1～12に準ずる場合又は13（その他の重症な状態）の場合は「2」を算定。 ・摘要欄に「1～12」（「13」については「救医2」を算定する場合）のうち該当する状態を記載し、「2.3.4.6.7.8」の状態に該当する場合は、それぞれの入院時の状態に係る指標又は具体的な状態を記載。
1	救急医療管理加算1		救医1	1,050	
2	救急医療管理加算2		救医2	420	
	「その他の重症な状態」が50％以上			＋210	
注	乳幼児加算（6歳未満）		乳救医	＋400	
	小児加算（6歳以上15歳未満）		小救医	＋200	
超急性期脳卒中加算（入院初日）（届）			超急	10,800	・脳梗塞と診断された患者に発症後4.5時間以内に組織プラスミノーゲン活性化因子を投与されたもの又は発症後4.5時間以内に他医療機関の外来で組織プラスミノーゲン活性化因子を投与された患者の入院治療を行った場合に算定。
診療録管理体制加算（入院初日）（届）	1	診療録管理体制加算1	録管1	140	
	2	診療録管理体制加算2	録管2	100	
	3	診療録管理体制加算3	録管3	30	
医師事務作業補助体制加算（入院初日）（届）	1	イ 15対1補助体制加算	医1の15	1,070	
		ロ 20対1補助体制加算	医1の20	855	
		ハ 25対1補助体制加算	医1の25	725	
		ニ 30対1補助体制加算	医1の30	630	
		ホ 40対1補助体制加算	医1の40	530	
		ヘ 50対1補助体制加算	医1の50	450	
		ト 75対1補助体制加算	医1の75	370	
		チ 100対1補助体制加算	医1の100	320	
	2	イ 15対1補助体制加算	医2の15	995	
		ロ 20対1補助体制加算	医2の20	790	
		ハ 25対1補助体制加算	医2の25	665	
		ニ 30対1補助体制加算	医2の30	580	
		ホ 40対1補助体制加算	医2の40	495	
		ヘ 50対1補助体制加算	医2の50	415	
		ト 75対1補助体制加算	医2の75	335	
		チ 100対1補助体制加算	医2の100	280	
地域加算（1日につき）	1	1級地	—	18	
	2	2級地		15	
	3	3級地		14	
	4	4級地		11	
	5	5級地		9	
	6	6級地		5	
	7	7級地		3	

名称	略号	点数	備考
急性期看護補助体制加算（1日につき）（入院日から14日限度）（届）			
1　25対1急性期看護補助体制加算（看護補助者5割以上）	急25上	240	
2　25対1急性期看護補助体制加算（看護補助者5割未満）	急25	220	
3　50対1急性期看護補助体制加算	急50	200	
4　75対1急性期看護補助体制加算	急75	160	
注　イ　夜間30対1急性期看護補助体制加算（届）	夜30	＋125	
注　ロ　夜間50対1急性期看護補助体制加算（届）	夜50	＋120	
注　ハ　夜間100対1急性期看護補助体制加算（届）	夜100	＋105	
注　夜間看護体制加算（届）	急夜看	＋71	
注　イ　看護補助体制充実加算1（届）	急看充1	＋20	
注　ロ　看護補助体制充実加算2（届）	急看充2	＋5	
看護職員夜間配置加算（1日につき）（入院日から14日限度）（届）			
1　イ　看護職員夜間12対1配置加算1	看職12夜1	110	
1　ロ　看護職員夜間12対1配置加算2	看職12夜2	90	
2　イ　看護職員夜間16対1配置加算1	看職16夜1	70	
2　ロ　看護職員夜間16対1配置加算2	看職16夜2	45	
乳幼児加算（1日につき）			・3歳未満の患者。
イ　病院（特別入院基本料等除く）	乳	333	
幼児加算（1日につき）			・3歳以上6歳未満の患者。
イ　病院（特別入院基本料等除く）	幼	283	
療養環境加算（1日につき）（届）	環境	25	
重症者等療養環境特別加算（届）（1日につき）　1　個室	重境	300	・病状が重篤で、絶対安静を必要とする患者。 ・病状が重篤ではないが、手術又は知的障害のため常時監視を要し、適時適切な看護及び介助を必要とする患者。
重症者等療養環境特別加算（届）（1日につき）　2　2人部屋	重境	150	
がん拠点病院加算（入院初日）（基）			・他の保険医療機関等からの紹介で入院した悪性腫瘍の疑い（最終的に悪性腫瘍と診断された患者）又は悪性腫瘍の患者。 ・悪性腫瘍の疑いがある患者であって、入院中に悪性腫瘍と診断された場合は、確定診断を行った日に算定。 ・がん治療連携管理料を算定している場合は、算定できない。
1　がん診療連携拠点病院加算			
1　イ　がん診療連携拠点病院	がん診	500	
1　イ　特例型に指定された病院に入院した患者	がん診	300	
1　ロ　地域がん診療病院	がん診	300	
1　ロ　特例型に指定された病院に入院した患者	がん診	100	
2　小児がん拠点病院加算（20歳未満）	小児がん	750	
注　がんゲノム拠点病院加算（基）	—	＋250	
医療安全対策加算（入院初日）（届）　1　医療安全対策加算1	安全1	85	・組織的な医療安全対策を実施している保険医療機関において算定。
医療安全対策加算（入院初日）（届）　2　医療安全対策加算2	安全2	30	
注　医療安全対策地域連携加算1（届）	安全地連1	＋50	
注　医療安全対策地域連携加算2（届）	安全地連2	＋20	
感染対策向上加算（入院初日）（届）			・院内に感染制御チームを設置し、院内感染状況の把握、抗菌薬の適正使用、職員の感染防止等を行うことによる医療機関の感染防止対策の実施や地域の医療機関等が連携して実施する感染症対策の取組等の体制の確保を要する保険医療機関。 ・「3」は、入院初日及び入院期間が90日を超えるごとに1回算定。
1　感染対策向上加算1	感向1	710	
1　注　指導強化加算（届）	感指	＋30	
2　感染対策向上加算2	感向2	175	
3　感染対策向上加算3	感向3	75	
注　連携強化加算（届）（「2」又は「3」のみ）	感連	＋30	
注　サーベイランス強化加算（届）（「2」又は「3」のみ）	感サ	＋3	
注　抗菌薬適正使用体制加算（届）	抗菌適	＋5	
患者サポート体制充実加算（入院初日）（届）	患サポ	70	・がん拠点病院加算を算定している場合は、算定できない。
術後疼痛管理チーム加算（1日につき）（届）（手術翌日から3日限度）	術疼管	100	・マスク又は気管内挿管による閉鎖循環式全身麻酔を併う手術後に継続した硬膜外麻酔後における局所麻酔剤の持続的注入、神経ブロックにおける麻酔剤の持続的注入又は麻薬を静脈内注射により投与しているもの（覚醒下のものに限る）に対して、術後疼痛管理を行った場合に算定。
後発医薬品使用体制加算（入院初日）（届）　1　後発医薬品使用体制加算1	後使1	87	・後発の医薬品の品質、安全性、安定供給体制等の情報を収集・評価し、その結果を踏まえ後発医薬品の採用を決定する体制が整備されている保険医療機関。
2　後発医薬品使用体制加算2	後使2	82	
3　後発医薬品使用体制加算3	後使3	77	
データ提出加算（入院初日）（届）　1　イ　200床以上の病院	デ提1	145	・厚生労働省が実施するDPC評価の退院患者調査に準拠したデータを正確に作成し、継続して提出している保険医療機関。 （データ提出加算「3」、「4」は省略）
1　ロ　200床未満の病院	デ提1	215	
2　イ　200床以上の病院	デ提2	155	
2　ロ　200床未満の病院	デ提2	225	
入退院支援加算（退院時1回）（届）			・「1」「2」は、悪性腫瘍、認知症又は誤嚥性肺炎等の急性呼吸器感染症、生活困窮者等の退院困難な要因を有する患者の入退院支援を行った場合に算定。
1　入退院支援加算1			
1　イ　一般病棟入院基本料等の場合	入退支1	700	
2　入退院支援加算2			・「3」は、新生児特定集中治療室管理料、新生児特定集中治療室重症児対応体制強化管理料又は新生児集中治療室管理料を算定した患者で退院困難な要因を有する患者の入退院支援を行った場合に算定。 ・（入退院支援加算「1」、「2」の「ロ」療養病棟入院基本料等は省略）
2　イ　一般病棟入院基本料等の場合	入退支2	190	
3　入退院支援加算3	入退支3	1,200	
注　4　地域連携診療計画加算（退院時1回）（届）	地連診計	＋300	
注　5　入退院支援加算（特定地域）（届）			
注　5　イ　一般病棟入院基本料等の場合	入退支地域	95	
注　6　小児加算（15歳未満）（「1」又は「2」のみ）	入退支小	＋200	
注　7　イ　入院時支援加算1（届）	入退入1	＋240	
注　7　ロ　入院時支援加算2（届）	入退入2	＋200	
注　8　総合機能評価加算（届）	—	＋50	
注　9　入院事前調整加算	入前	＋200	

⑧⓪ 看護職員処遇改善評価料（1日につき）

看護職員処遇改善評価料1～165（届） 略号：看処遇1～看処遇165 「その他」欄に記載

区分	点数	区分	点数	区分	点数	区分	点数	区分	点数	区分	点数	区分	点数	区分	点数
1	1	146	150	149	180	152	210	155	240	158	270	161	300	164	330
≀	≀	147	160	150	190	153	220	156	250	159	280	162	310	165	340
145	145	148	170	151	200	154	230	157	260	160	290	163	320		

⑧⓪ 入院ベースアップ評価料（1日につき）

入院ベースアップ評価料1～165（届） 略号：入ベア1～入ベア165 「その他」欄に記載

区分	点数
1	1
≀	≀
165	165

⑨⑦ 入院時食事療養費

名称			略号	金額	算定の要件
入院時食事療養（Ⅰ）					・施設基準に適合している保険医療機関。 ・1日に3食を限度として算定。
(1)	(2) 以外の食事療養を行う場合	1食につき	Ⅰ	670（円）	
(2)	流動食（市販されているものに限る）のみ経管栄養法により提供した場合	1食につき	Ⅲ	605（円）	
注	食堂加算	1日につき	—	＋50（円）	・要件を満たす食堂を備えている病棟又は診療所単位。
	特別食加算	1食につき	—	＋76（円）	・医師の発行する食事箋に基づき特別食が提供された場合。 ・1日に3食を限度として算定。 ・(2) 流動食（市販されているものに限る）のみ経管栄養法を提供した場合は、算定できない。
入院時食事療養（Ⅱ）					・入院時食事療養（Ⅰ）の適合保険医療機関以外。 ・1日に3食を限度として算定。
(1)	(2) 以外の食事療養を行う場合	1食につき	Ⅱ	536（円）	
(2)	流動食（市販されているものに限る）のみ経管栄養法により提供した場合	1食につき	Ⅳ	490（円）	

※特別食加算が算定できる特別食

腎臓食、肝臓食（肝庇護食、肝炎食、肝硬変食、閉鎖性黄疸食〔胆石症及び胆嚢炎による閉鎖性黄疸の場合も含む〕）、糖尿食、胃潰瘍食（十二指腸潰瘍を含む。単なる流動食を除く）、貧血食、膵臓食、脂質異常症食、痛風食、てんかん食、フェニールケトン尿症食、楓糖尿症食、ホモシスチン尿症食、ガラクトース血症食、治療乳、無菌食及び特別な場合の検査食（単なる流動食及び軟食を除く）

（心臓疾患、妊娠高血圧症候群等に対して減塩食療法（食塩相当量が総量（1日量）6g未満の減塩食。妊娠高血圧症候群の減塩食の場合は、日本高血圧学会、日本妊娠高血圧学会等の基準に準じる）を行う場合は、腎臓食に準ずる。）

入院時食事療養費の標準負担額（1食につき）

区分	金額	区分		金額
一般・現役並み所得者	490（円）	低所得者（70歳未満） 低所得者Ⅱ（70歳以上）	過去1年間の入院期間が90日以内	230（円）
指定難病患者又は小児慢性特定疾病児童等（低所得者に該当しない者）	280（円）		過去1年間の入院期間が90日超	180（円）
		低所得者Ⅰ	70歳以上	110（円）

⑬　医学管理等

※特定疾患療養管理料、ウイルス疾患指導料、小児特定疾患カウンセリング料、小児科療養指導料、てんかん指導料、難病外来指導管理料、皮膚科特定疾患指導管理料、慢性疼痛疾患管理料、小児悪性腫瘍患者指導管理料、耳鼻咽喉科特定疾患指導管理料、⑭在宅療養指導管理料［C100～C121］、⑳心身医学療法は特に規定する場合を除き、同一月に算定できない。

	通則加算	略号	点数	備考
3	外来感染対策向上加算（月1回）（届）（診）	医感	外6	・初診料、再診料の「外来感染対策向上加算」の施設基準届出診療所において、下記の指導料等を算定した場合に算定。ただし、初診料、再診料又は精神科訪問看護・指導料の「外来感染対策向上加算」を算定した月は算定できない。 〔小児科外来診療料、外来リハビリテーション診療料、外来放射線照射診療料、地域包括診療料、認知症地域包括診療料、小児かかりつけ診療料、外来腫瘍化学療法診療料、救急救命管理料、退院後訪問指導料〕
	発熱患者等対応加算	医熱対	外20	
4	連携強化加算（月1回）（届）（診）	医連	外3	
5	サーベイランス強化加算（月1回）（届）（診）	医サ	外1	
6	抗菌薬適正使用体制加算（月1回）（届）（診）	医抗菌適	外5	

※［　］：届出保険医療機関において情報通信機器を用いた場合

	名称	略号	点数	備考	特	ウ	薬	悪	皮膚（Ⅰ）（Ⅱ）	在宅療養
					他指導料との併算定可否（一部抜粋）					
特定疾患療養管理料（月2回）				・厚生労働大臣の定める疾患を主病とする患者。 ・初診料算定日又は退院日から1月以内は算定できない。	—	×	○	○	×	×
1	診療所	特 情特	外225 外［196］							
2	病院100床未満	特 情特	外147 外［128］							
3	病院100床以上200床未満	特 情特	外87 外［76］							
生活習慣病管理料（Ⅰ）（月1回）（基）					×	×	×	×	×	○（＊1）
1	脂質異常症を主病とする場合	生1脂	610	【（Ⅰ）と（Ⅱ）共通】 ・許可病床数が200床未満の病院又は診療所にて、脂質異常症、高血圧症、糖尿病を主病とする患者。 ・初診料算定月は算定できない。 ・外来管理加算、医学管理等（一部の医学管理等を除く）は算定できない。 ・糖尿病を主病とする場合であって、C101在宅自己注射指導管理料との併算定はできない。						
2	高血圧症を主病とする場合	生1高	660							
3	糖尿病を主病とする場合	生1糖	760							
注	血糖自己測定指導加算（年1回）		＋500							
注	外来データ提出加算（届）	外デ	＋50							
生活習慣病管理料（Ⅱ）（月1回）（基）		生2 情生2	333 ［290］							
注	血糖自己測定指導加算（年1回）	自指加	＋500	・（Ⅰ）を算定した場合は検査、注射、病理診断は算定できない。						
注	外来データ提出加算（届）	外デ	＋50	・（Ⅰ）の算定月から起算して6月以内は（Ⅱ）は算定できない。						
ウイルス疾患指導料				・「イ」は1回限り。肝炎ウイルス疾患、成人T細胞白血病に罹患している患者。 ・「ロ」は月1回。後天性免疫不全症候群に罹患している患者。	×	—	○	○	×	×
イ	ウイルス疾患指導料1	ウ1 情ウ1	240 ［209］							
ロ	ウイルス疾患指導料2	ウ2 情ウ2	330 ［287］							
ロ	注　HIV患者加算（届）		＋220							
悪性腫瘍特異物質治療管理料（月1回）				・すでに悪性腫瘍と確定している患者。	○	○	○	—	○	○
イ	尿中BTAに係るもの	悪 （腫瘍マーカー名）	220	・同一月のイとロは重複算定できない。						
ロ	その他のもの（1）1項目の場合		360	・腫瘍マーカー検査料、採血料（同一日のB-V）は算定できない。						
ロ	その他のもの（2）2項目以上の場合		400	・初回月加算は、前月に腫瘍マーカー検査を行っている場合は算定できない。						
ロ	その他のもの　注　初回月加算		＋150	尿中BTAに係るもの＝腫瘍マーカー検査［D009－「1」］　1.尿中BTA						

その他のもの＝腫瘍マーカー検査［D009－「2」～「36」］

2. α-フェトプロテイン（AFP）
3. 癌胎児性抗原（CEA）
4. 扁平上皮癌関連抗原（SCC抗原）
5. 組織ポリペプタイド抗原（TPA）
6. NCC-ST-439、CA15-3
7. DUPAN-2
8. エラスターゼ1
9. 前立腺特異抗原（PSA）、CA19-9
10. PIVKA-Ⅱ半定量、PIVKA-Ⅱ定量
11. CA125
12. 核マトリックスプロテイン22（NMP22）定量（尿）
    核マトリックスプロテイン22（NMP22）定性（尿）
13. シアリルLe^x-i抗原（SLX）
14. 神経特異エノラーゼ(NSE)
15. SPan-1
16. CA72-4、シアリルTn抗原（STN）
17. 塩基性フェトプロテイン（BFP）、
    遊離型PSA比（PSA F/T比）
18. サイトケラチン19フラグメント（シフラ）
19. シアリルLe^x抗原（CSLEX）
20. BCA225
21. サイトケラチン8・18（尿）
22. 抗p53抗体
23. Ⅰ型コラーゲン-C-テロペプチド（ICTP）
24. ガストリン放出ペプチド前駆体（ProGRP）
25. CA54/61
26. α-フェトプロテインレクチン分画（AFP-L3%）
27. CA602、組織因子経路インヒビター2（TFPI2）
28. γ-セミノプロテイン（γ-Sm）
29. ヒト精巣上体蛋白4（HE4）
30. 可溶性メソテリン関連ペプチド
31. S2、3PSA%
32. プロステートヘルスインデックス（phi）
33. 癌胎児性抗原（CEA）定性（乳頭分泌液）
    癌胎児性抗原（CEA）半定量（乳頭分泌液）
34. HER2蛋白
35. アポリポ蛋白A2（APOA2）アイソフォーム
36. 可溶性インターロイキン-2レセプター（sIL-2R）

※［　　］：届出保険医療機関において情報通信機器を用いた場合

名称			略号	点数	備考	他指導料との併算定可否（一部抜粋）					
						（特）	（ウ）	（薬）	（悪）	皮膚（Ⅰ）（Ⅱ）	在宅療養
特定薬剤治療管理料					・月１回（例外あり・欄外※参照）。 ・下記「特定薬剤治療管理料１　一覧表」の薬剤を投与している患者に対して薬物血中濃度を測定し計画的な治療管理を行った場合。 ・抗てんかん剤、免疫抑制剤以外を投与している患者は４月目以降50/100で算定。 ・血中濃度測定に係る費用、採血料（同一日のＢ－Ｖ）は算定できない。 ・薬１ は保医発通知の（1）のアの（イ）～（ナ）までに規定するものの中から該当するものを摘要欄に記載。	○	○	—	○	○	○
イ	特定薬剤治療管理料１（ロ以外の患者）		薬１（初回算定年月）	470							
	注	初回月加算		＋280							
		臓器移植後３月加算	（臓器移植年月日）	＋2,740							
ロ	特定薬剤治療管理料２（サリドマイド及びその誘導体を投与している患者）		薬２	100							

特定薬剤治療管理料１　一覧表

対象薬剤	対象疾患	外来・入院		
		初回月	２～３月	４月～
①ジギタリス製剤	心疾患	750	470	235
②ジギタリス製剤の急速飽和	重症うっ血性心不全	740（１回に限り）		
③抗てんかん剤	てんかん	750	470	470
④てんかん重積状態の患者に対して抗てんかん剤の注射等を行った場合	全身性けいれん発作重積状態	740（１回に限り）		
⑤免疫抑制剤（シクロスポリン、タクロリムス水和物、1ミコフェノール酸モフェチル、2エベロリムス）	臓器移植後の免疫抑制剤を投与している患者	470	470	470
		臓器移植月含め３月　＋2,740		—
◇1を含む２種類以上の免疫抑制剤の測定・精密管理をした場合		６月に１回　＋250（同月◇◆併算定不可）		
◆2を含む２種類以上の免疫抑制剤の測定・精密管理をした場合		初回投与月含め３月は月１回、４月目以降は４月に１回　＋250（同月◇◆併算定不可）		
⑥テオフィリン製剤	気管支喘息、喘息性（様）気管支炎、慢性気管支炎、肺気腫、未熟児無呼吸発作	750	470	235
⑦不整脈用剤 プロカインアミド、N－アセチルプロカインアミド、ジソピラミド、キニジン、アプリンジン、リドカイン、ピルジカイニド塩酸塩、プロパフェノン、メキシレチン、フレカイニド、シベンゾリンコハク酸塩、ピルメノール、アミオダロン、ソタロール塩酸塩、ベプリジル塩酸塩	不整脈	750	470	235
⑧ハロペリドール製剤、ブロムペリドール製剤	統合失調症	750	470	235
⑨リチウム製剤	躁うつ病	750	470	235
⑩バルプロ酸ナトリウム、カルバマゼピン	躁うつ病、躁病	750	470	470
⑪シクロスポリン	ベーチェット病で活動性・難治性眼症状を有するもの又はその他の非感染性ぶどう膜炎（既存治療で効果が不十分で、視力低下のおそれのある活動性の中間部又は後部の非感染性ぶどう膜炎に限る）、再生不良性貧血、赤芽球癆、尋常性乾癬、膿疱性乾癬、乾癬性紅皮症、関節症性乾癬、全身型重症筋無力症、アトピー性皮膚炎（既存治療で十分な効果が得られない患者に限る）、ネフローゼ症候群、川崎病の急性期	750	470	470
⑫タクロリムス水和物	全身型重症筋無力症、関節リウマチ、ループス腎炎、潰瘍性大腸炎、間質性肺炎（多発性筋炎又は皮膚筋炎に合併するものに限る）	750	470	470
⑬サリチル酸系製剤	若年性関節リウマチ、リウマチ熱、慢性関節リウマチ	750	470	235
⑭メトトレキサート	悪性腫瘍	750	470	235
⑮エベロリムス	結節性硬化症	750	470	235
⑯アミノ配糖体抗生物質、グリコペプチド系抗生物質（テイコプラニン、3バンコマイシン）、トリアゾール系抗真菌剤（ボリコナゾール）	数日間以上投与している入院中の患者	入750	入470	入235
3の複数回測定・精密管理をした場合		入1,000		
⑰トリアゾール系抗真菌剤（ボリコナゾール）	重症又は難治性真菌感染症、造血幹細胞移植の患者（深在性真菌症予防を目的とするもの）	750	470	235
⑱イマチニブ	イマチニブを投与している患者	750	470	235
⑲シロリムス製剤	リンパ脈管筋腫症	750	470	235
⑳スニチニブ（抗悪性腫瘍剤として）	腎細胞癌	750	470	235
㉑バルプロ酸ナトリウム	片頭痛	750	470	235
㉒治療抵抗性統合失調症治療薬（クロザピン）	統合失調症	750	470	235
㉓ブスルファン	ブスルファンを投与している患者	750	470	235

※別の疾患に対して別の薬剤を投与した場合は、それぞれ算定できる（②又は④の740点算定月は、①又は③の所定点数は算定不可）。
※２種類以上の抗てんかん剤を投与し、同一月に個々に測定・管理を行った場合は、当該管理を行った月において、２回に限り所定点数を算定。

※［　　］：届出保険医療機関において情報通信機器を用いた場合

名称	略号	点数	備考	他指導料との併算定可否（一部抜粋）特	ウ	薬	悪	皮膚(Ⅰ)(Ⅱ)	在宅療養
てんかん指導料（月１回）	てんかん 情てんかん	外250 外[218]	・小児科、神経科、神経内科、精神科、脳神経外科、心療内科標榜担当医。 ・てんかん（外傷性を含む）の患者。 ・初診料算定日又は退院日から１月以内は算定できない。	×	×	○	○	×	×
難病外来指導管理料（月１回）	難病 情難病	外270 外[235]	・対象疾患あり。 ・初診料算定日又は退院日から１月以内は算定できない。	×	×	○	○	×	× （※）
注　人工呼吸器導入時相談支援加算（文書提供月から１月限度、１回限り）	人呼支援	外＋500							
慢性疼痛疾患管理料（月１回） （外来管理加算算定不可）	疼痛 （算定日） （※初回算定月のみ記載）	外130 （診療所のみ）	・変形性膝関節症、筋筋膜性腰痛症等の患者。 ・介達牽引、矯正固定、変形機械矯正術、消炎鎮痛等処置、腰部又は胸部固定帯固定、低出力レーザー照射、肛門処置は、算定できない（薬剤の費用除く）。	×	×	○	○	×	×
皮膚科特定疾患指導管理料（月１回）			・皮膚科・皮膚泌尿器科標榜担当医、対象疾患あり。 ・初診料算定日又は退院日から１月以内は算定できない。 ・同一月のイとロは重複算定不可。	×	×	○	○	—	×
イ　皮膚科特定疾患指導管理料（Ⅰ）	皮膚（Ⅰ） 情皮膚（Ⅰ）	外250 外[218]							
ロ　皮膚科特定疾患指導管理料（Ⅱ）	皮膚（Ⅱ） 情皮膚（Ⅱ）	外100 外[87]							

（※）在宅自己注射指導管理料の「2」1以外の場合を除く。

名称	略号	点数	備考
外来栄養食事指導料			・厚生労働大臣が定める特別食を必要とする患者又はがん患者等に対して、当該保険医療機関の管理栄養士が具体的な献立等によって指導を行った場合に、初回月は月２回、その他の月は月１回算定（初回はおおむね30分以上、２回目以降はおおむね20分以上の指導）。 ・届出保険医療機関において、外来化学療法を実施している悪性腫瘍の患者に対して、必要な指導を月２回以上行った場合に限り、月の２回目の指導時に「イ」(2) の①を算定。ただし、外来腫瘍化学療法診療料を算定した同日であること。摘要欄に指導した年月日を全て記載。 ・「専門管理栄養士による指導」は、外来化学療法を実施している悪性腫瘍の患者に対して指導を行った場合に月１回算定。 ・「イ」(1) の①と②、「イ」(2) の①と②、「ロ」(1) の①と②、「ロ」(2) の①と②は同一月併せて算定できない。 ・「ロ」は、当該診療所以外（栄養ケア・ステーション又は他の保険医療機関に限る）の管理栄養士による指導が行われた場合。
イ　外来栄養食事指導料１			
イ　(1) 初回　① 対面	外栄初対1	外260	
イ　(1) 初回　② 情報通信機器等	外栄初情1	外[235]	
イ　(2) ２回目以降　① 対面	外栄2対1	外200	
イ　(2) ２回目以降　② 情報通信機器等	外栄2情1	外[180]	
イ　専門管理栄養士による指導（届）	外栄専	外260	
ロ　外来栄養食事指導料２（診療所のみ）			
ロ　(1) 初回　① 対面	外栄初対2	外250	
ロ　(1) 初回　② 情報通信機器等	外栄初情2	外[225]	
ロ　(2) ２回目以降　① 対面	外栄2対2	外190	
ロ　(2) ２回目以降　② 情報通信機器等	外栄2情2	外[170]	
入院栄養食事指導料（週１回）			・厚生労働大臣が定める特別食を必要とする患者又はがん患者等に対して、当該保険医療機関の管理栄養士が具体的な献立等によって指導を行った場合に、入院中２回限り算定（初回はおおむね30分以上、２回目はおおむね20分以上の指導）。ただし、１週間に１回限り。 ・「ロ」は、当該診療所以外（栄養ケア・ステーション又は他の保険医療機関に限る）の管理栄養士による指導が行われた場合。
イ　入院栄養食事指導料１　(1) 初回	入栄1	入260	
イ　入院栄養食事指導料１　(2) ２回目	入栄1	入200	
ロ　入院栄養食事指導料２（診療所のみ）　(1) 初回	入栄2	入250	
ロ　入院栄養食事指導料２（診療所のみ）　(2) ２回目	入栄2	入190	
喘息治療管理料（月１回）			・「イ」は、ピークフローメーターを用いて計画的な管理を行った場合に算定。 ・「重度喘息患者治療管理加算」は20歳以上を対象とし、算定した場合は、摘要欄に加算に係る第１回目の年月日を記載。 ・「ロ」は、６歳未満又は65歳以上の患者であって、吸入ステロイド薬を服用する際に吸入補助器具を必要とする者に対して、吸入補助器具を用いた服薬指導等を行った場合に算定。
イ　喘息治療管理料１　(1) １月目	喘息1	外75	
イ　喘息治療管理料１　(2) ２月目以降	喘息1	外25	
イ　注　重度喘息患者治療管理加算（届）　イ　１月目	喘息1	外+2,525	
イ　注　重度喘息患者治療管理加算（届）　ロ　2月目以降6月目まで	喘息1	外+1,975	
ロ　喘息治療管理料２（初回限り）	喘息2	外280	
乳幼児育児栄養指導料	乳栄 情乳栄	外130 外[113]	・初診時、３歳未満、小児科（小児外科を含む）標榜担当医が育児・栄養指導等を行った場合に算定。
地域連携夜間・休日診療料（届）	地域夜休	外200	・夜間、休日又は深夜であって、保険医療機関があらかじめ地域に周知している時間に患者を診療した場合に算定（急性発症又は急性増悪した患者を対象とし、慢性疾患の継続的な治療等のための受診については算定できない）。
院内トリアージ実施料（届）	トリ	外300	・夜間・休日又は深夜において、初診料算定患者（救急用自動車等により緊急搬送された者を除く）であって、当該患者の来院後速やかに院内トリアージが実施された場合に算定。
肺血栓塞栓症予防管理料（入院中１回）	肺予	入305	・病院（療養病棟を除く）、診療所（療養病床を除く）。 ・肺血栓塞栓症を発症する危険性が高い患者に、予防のための弾性ストッキング、間歇的空気圧迫装置を用いた場合（ストッキング等の費用を含む）。
薬剤管理指導料（届）			・週１回、月４回。 ・入院中の患者のうち、「1」は厚生労働大臣が定める患者に対して、「2」はそれ以外の患者に対して、薬剤師が投薬又は注射及び薬学的管理指導を行った場合に算定。 ・薬管1 を算定した場合は、薬剤名を摘要欄に記載。 ・算定月に㉗調基は算定できない。
1　特に安全管理が必要な医薬品が投薬又は注射されている患者	薬管1 （算定日）	入380	
2　1以外の患者	薬管2 （算定日）	入325	
注　麻薬管理指導加算	麻加	入＋50	・麻加 を算定した場合は、指導年月日を摘要欄に記載。

※他省略

<table>
<tr><th colspan="2">名　称</th><th>略　号</th><th>点　数</th><th>備　考</th></tr>
<tr><td colspan="2">診療情報提供料（Ⅰ）
（紹介先、情報提供先ごとに月1回）</td><td>情Ⅰ
（算定日）</td><td>250</td><td>・保険医療機関 → 別の保険医療機関、市町村、保健所、精神保健福祉センター、指定居宅介護（予防）支援事業者等、地域包括支援センター、保険薬局、精神障害者施設、グループホーム、介護老人保健施設、介護医療院、学校医等（大学を除く）
・保険医療機関以外の機関へ情報提供を行った場合は、その提供先を摘要欄に記載。</td></tr>
<tr><td rowspan="7">注</td><td>退院時診療状況添付患者紹介加算
（退院月又は翌月のみ）</td><td>情Ⅰ退
（退院日）</td><td>＋200</td><td>・保険医療機関（退院時） → 別の保険医療機関、精神障害者施設、介護老人保健施設、介護医療院</td></tr>
<tr><td>ハイリスク妊婦紹介加算
（妊娠中1回限り）</td><td>情Ⅰ妊</td><td>＋200</td><td>・ハイリスク妊産婦共同管理料（Ⅰ）届出保険医療機関 → 別のハイリスク妊産婦共同管理料（Ⅰ）届出保険医療機関</td></tr>
<tr><td>認知症専門医療機関紹介加算</td><td>情Ⅰ認紹</td><td>＋100</td><td>・保険医療機関 → 認知症鑑別診断等の専門保険医療機関</td></tr>
<tr><td>認知症専門医療機関連携加算</td><td>情Ⅰ認連</td><td>外＋50</td><td>・保険医療機関（すでに認知症専門医療機関で認知症と診断された患者の症状増悪の場合） → 認知症専門保険医療機関</td></tr>
<tr><td>精神科医連携加算</td><td>情Ⅰ精</td><td>外＋200</td><td>・精神科を標榜していない保険医療機関 → 精神科標榜医療機関</td></tr>
<tr><td>肝炎インターフェロン治療連携加算</td><td>情Ⅰ肝</td><td>外＋50</td><td>・保険医療機関 → 肝炎インターフェロン治療専門医療機関</td></tr>
<tr><td colspan="4">他省略</td></tr>
<tr><td colspan="2">診療情報提供料（Ⅱ）（月1回）</td><td>情Ⅱ
（算定日）</td><td>500</td><td>・保険医療機関が、治療法の選択等に関して別の保険医療機関の医師の意見を求める患者からの要望を受けて、治療計画、検査結果、画像診断に係る画像情報等必要な情報を添付し、診療状況を示す文書を患者に提供した場合。</td></tr>
<tr><td colspan="2">薬剤情報提供料</td><td>薬情</td><td>外4</td><td rowspan="2">・月1回（処方内容に変更があるときは、その都度算定できる）。
・処方日数のみの変更又は処方箋交付の場合は算定できない。
・「注」は、処方した薬剤の名称を患者の求めに応じて手帳に記載した場合。</td></tr>
<tr><td>注</td><td>手帳記載加算</td><td>手帳</td><td>外＋3</td></tr>
<tr><td colspan="2">手術前医学管理料</td><td>手前</td><td>1,192</td><td>・月1回。当該手術に係る手術料を算定した日に算定。
・硬膜外麻酔、脊椎麻酔、マスク又は気管内挿管による閉鎖循環式全身麻酔を行った患者。
・手術前1週間以内に行った下記の包括項目（検査・画像）は、1回目は算定できず、2回目以降算定できる。
・算定月に 判血 判生Ⅰ 判免 は算定できない。
・同一月にD208心電図検査を算定する場合は、算定の期日にかかわらず、所定点数の90／100で算定。</td></tr>
<tr><td colspan="4">手術後医学管理料</td><td rowspan="3">・1日につき、手術翌日3日間。
・入院日から10日以内にマスク又は気管内挿管による閉鎖循環式全身麻酔を伴う手術を行った患者。
・手術翌日より3日間に行った下記の包括項目（検査）は、算定できない。
・算定月（算定の3日間が月をまたがる場合は最初の日が属する月のみ） 判尿 判血 判生Ⅰ は算定できない。
・同一手術について、手術前医学管理料と同一月に算定する場合は、所定点数の95/100で算定。</td></tr>
<tr><td>1</td><td>病院の場合
（療養・結核・精神病棟を除く）</td><td rowspan="2">手後</td><td>入
1,188</td></tr>
<tr><td>2</td><td>診療所の場合
（療養病床を除く）</td><td>入
1,056</td></tr>
<tr><th colspan="5">手術前医学管理料・手術後医学管理料　包括項目</th></tr>
</table>

【手術前医学管理料・手術後医学管理料　共通包括項目】

［検査］
- 尿中一般物質定性半定量検査（U-検）
- 末梢血液像（自動機械法）、末梢血液像（鏡検法）、末梢血液一般検査
- 総ビリルビン（T-Bil）、直接ビリルビン（D-Bil）又は抱合型ビリルビン、総蛋白（TP）、アルブミン（BCP改良法・BCG法）、尿素窒素（BUN）、クレアチニン、尿酸（UA）、アルカリホスファターゼ（ALP）、コリンエステラーゼ（ChE）、γ-グルタミルトランスフェラーゼ（γ-GT）、中性脂肪（TG）、ナトリウム及びクロール、カリウム、カルシウム、マグネシウム、クレアチン、グルコース（糖）、乳酸デヒドロゲナーゼ（LD）、アミラーゼ（Amy）、ロイシンアミノペプチダーゼ（LAP）、クレアチンキナーゼ（CK）、アルドラーゼ（ALD）、遊離コレステロール（遊離-cho）、鉄（Fe）、血中ケトン体・糖・クロール検査（試験紙法・アンプル法・固定化酵素電極によるもの）、不飽和鉄結合能（UIBC）（比色法）、総鉄結合能（TIBC）（比色法）、リン脂質（PL）、HDL-コレステロール（HDL-cho）、LDL-コレステロール（LDL-cho）、無機リン及びリン酸、総コレステロール（T-cho）、アスパラギン酸アミノトランスフェラーゼ（AST）、アラニンアミノトランスフェラーゼ（ALT）、イオン化カルシウム

【手術前医学管理料　包括項目】

［検査］
- 出血時間、プロトロンビン時間（PT）、活性化部分トロンボプラスチン時間（APTT）
- 梅毒血清反応（STS）定性、抗ストレプトリジンO（ASO）定性、抗ストレプトリジンO（ASO）半定量、抗ストレプトリジンO（ASO）定量、抗ストレプトキナーゼ（ASK）定性、抗ストレプトキナーゼ（ASK）半定量、梅毒トレポネーマ抗体定性、HIV-1抗体、肺炎球菌抗原定性（尿・髄液）、ヘモフィルス・インフルエンザb型（Hib）抗原定性（尿・髄液）、単純ヘルペスウイルス抗原定性、RSウイルス抗原定性、淋菌抗原定性
- HBs抗原定性・半定量、HCV抗体定性・定量
- C反応性蛋白（CRP）定性、C反応性蛋白（CRP）
- 心電図検査（12誘導以上）

［画像］
- エックス線写真診断料の写真診断（E001の1のイ（躯幹）頭部、腹部等）、撮影（E002の1単純撮影）

【手術後医学管理料　包括項目】

［検査］
- 尿蛋白、尿グルコース
- 赤血球沈降速度（ESR）
- 血液ガス分析
- 心電図検査、呼吸心拍監視、経皮的動脈血酸素飽和度測定、終末呼気炭酸ガス濃度測定、中心静脈圧測定、動脈血採取

Ⅱ-2　在宅医療

⑭　在宅医療

	通則加算	略号	点数	備考
5	外来感染対策向上加算（月1回）（届）（診）	在感	外6	・初診料、再診料の「外来感染対策向上加算」の施設基準届出診療所において、下記の指導料等を算定した場合に算定。ただし、初診料、再診料又は精神科訪問看護・指導料の「外来感染対策向上加算」を算定した月は算定できない。 （在宅患者訪問診療料（Ⅰ）、在宅患者訪問診療料（Ⅱ）、在宅患者訪問看護・指導料、同一建物居住者訪問看護・指導料、在宅患者訪問点滴注射管理指導料、在宅患者訪問リハビリテーション指導管理料、在宅患者訪問薬剤管理指導料、在宅患者訪問栄養食事指導料、在宅患者緊急時等カンファレンス料）
	発熱患者等対応加算	在熱対	外20	
6	連携強化加算（月1回）（届）（診）	在連	外3	
7	サーベイランス強化加算（月1回）（届）（診）	在サ	外1	
8	抗菌薬適正使用体制加算（月1回）（届）（診）	在抗菌適	外5	

名称			点数	備考
往診料			720	・患者の求めに応じて患家に訪問して診療を行った場合に算定。 ・初診料、再診料、外来診療料等は算定できる。 ・緊急：標榜時間内に外来患者に対して診療に従事している時間（おおむね8時～13時）に、急性心筋梗塞等が予想される患者に緊急往診を行った場合。 ・夜間：18時～翌日8時（深夜を除く） ・休日：日曜日、国民の祝日、12/29～1/3 ・深夜：22時～翌日6時 ※これらの時間が標榜時間に含まれる場合、夜間・休日往診加算及び深夜往診加算は算定できない。 ・「患家診療時間加算」を算定した場合は、摘要欄に診療時間を記載。
注	ハ	別に厚生労働大臣が定める患者に対し、イからロまでに掲げるもの以外の保険医療機関の保険医が行う場合		
		緊急往診加算	＋325	
		夜間・休日往診加算	＋650	
		深夜往診加算	＋1,300	
	患家診療時間加算 （1時間超え30分又はその端数を増すごとに）		＋100	
	死亡診断加算		＋200	
	他省略			

在宅療養指導管理料

※特に規定するものを除き、月1回に限り算定する。
※2以上の指導管理を行っている場合には特に規定する場合を除き、主たるもののみ算定する。
※入院中の患者に対して退院時に指導管理を行った場合は、退院日に算定できる。
※在宅療養指導管理材料加算について、調剤報酬として算定された場合は算定しない。
※特定疾患療養管理料、ウイルス疾患指導料、小児特定疾患カウンセリング料、小児科療養指導料、てんかん指導料、難病外来指導管理料、皮膚科特定疾患指導管理料、慢性疼痛疾患管理料、小児悪性腫瘍患者指導管理料、耳鼻咽喉科特定疾患指導管理料、⑭在宅療養指導管理料［C100～C121］、⑳心身医学療法は特に規定する場合を除き、同一月に算定できない。
※［　　］：届出保険医療機関において情報通信機器を用いた場合

名称				略号	点数	備考
在宅自己注射指導管理料	1	複雑な場合		注 情注 （情報通信機器を用いた場合）	外1,230 外［1,070］	・インスリン製剤等厚生労働大臣が定める注射を行っている患者。 ・「2」は、難病外来指導管理料との併算定ができる。 ・外来受診（緊急時受診を除く）の際に当該管理料に係る注射薬を注射した場合、「皮内・皮下及び筋肉内注射」「静脈内注射」の費用と薬剤の費用は算定できない。 ・「導入初期加算」「バイオ後続品導入初期加算」は、対面診療を行った場合に限り算定。 ・同一月に「外来腫瘍化学療法診療料」「注射の通則6・外来化学療法加算」を算定している患者については、当該管理料を算定できない。 ・「血糖自己測定器加算」には、血糖自己測定に必要な測定器等の貸与、その他血糖自己測定に係る全ての費用が含まれ、別に算定できない。 ・「注入器加算」は、ディスポーザブル注射器（注射針一体型に限る）、自動注入ポンプ、携帯用注入器、針無圧力注射器を処方した月に限り算定。 ・「注入器用注射針加算」は、注入器用注射針を処方した場合に算定。 ・「注入器用注射針加算」の「1」は、糖尿病等で1日おおむね4回以上自己注射が必要な場合又は血友病で自己注射が必要な場合に算定。
	2	1以外の場合	イ　月27回以下		外650 外［566］	
			ロ　月28回以上		外750 外［653］	
注	導入初期加算（初回指導月から3月に限り月1回）（※）				外＋580	
	バイオ後続品導入初期加算（初回の処方月から3月）			在バイオ	外＋150	
在宅療養指導管理材料加算（一部抜粋）						
	血糖自己測定器加算（3月に3回） 「1」～「4」については、次に掲げる患者に対して加算する。 ・インスリン製剤又はヒトソマトメジンC製剤の自己注射を1日1回以上行っている患者（1型糖尿病の患者及び膵全摘後の患者を除く）。 「1」～「6」については、次に掲げる患者に対して加算する。 ・インスリン製剤の自己注射を1日1回以上行っている患者（1型糖尿病の患者及び膵全摘後の患者に限る）。 ・12歳未満の小児低血糖症の患者。 ・妊娠中の糖尿病患者又は妊娠糖尿病の患者（別に厚生労働大臣が定める者）。 「7」については、次に掲げる患者に対して加算する。 ・インスリン製剤の自己注射を1日1回以上行っている患者。					
	1	月20回以上測定する場合		注糖 （測定回数（「7」除く）） （1型糖尿病の場合はその旨）	外＋350	
	2	月30回以上測定する場合			外＋465	
	3	月40回以上測定する場合			外＋580	
	4	月60回以上測定する場合			外＋830	
	5	月90回以上測定する場合			外＋1,170	
	6	月120回以上測定する場合			外＋1,490	
	7	間歇スキャン式持続血糖測定器によるもの			外＋1,250	
	注	血中ケトン体自己測定器加算（3月に3回）		ケト	外＋40	
	注入器加算（月1回）			入	外＋300	
	注入器用注射針加算（月1回）	1	1型糖尿病、血友病の患者又はこれらに準ずる状態の患者	針 （1の場合は算定理由）	外＋200	
		2	1以外の場合		外＋130	

（※）処方内容に変更があった場合は、さらに1回に限り算定できる。

薬剤を支給した場合の摘要欄への記載方法

総支給単位数、薬剤の総点数、所定単位当たりの薬剤名、支給日数等を記載する。

在宅自己注射指導管理料に使用した薬剤料の記載例	
○○注（薬剤名）300単位　1筒 （支給日数：○日）	点数×回数

Ⅱ-3 投薬

⑳ 投薬

区分			薬剤料	備考
㉑	内服薬	1剤1日分	点数×単位数（投与日数）	・15円以下は1点。 ・15円を超える場合は薬価／10（小数点以下五捨五超入）。 ・向精神薬多剤投与の減算　所定点数×80/100の点数。 ・多剤投与（内服薬7種類以上）の減算　所定点数×90/100の点数。 ・30日以上の投薬の減算（特定機能病院等）　所定点数×40/100の点数。
㉒	屯服薬	1回分	点数×単位数（投与回数）	
㉓	外用薬	1調剤	点数×単位数（1調剤）	

※ビタミン剤については、疾患・症状の原因がビタミンの欠乏又は代謝異常であることが明らかであり食事により摂取することが困難である場合、その他これに準ずる場合であって、医師がビタミン剤の投与が有効と判断した場合に算定できる。

院内処方の場合	略号		点数 外来		点数 入院	備考
調剤料	内服薬・屯服薬（1処方につき） 11		外用薬（1処方につき） 8		（1日につき） 7	・入院の場合は、外泊期間中及び入院実日数を超えた部分は算定できない。
㉕ 処方料（1処方につき）			3歳以上	3歳未満(+3点)	—	・「向精神薬多剤投与」は、3種類以上の抗不安薬、3種類以上の睡眠薬、3種類以上の抗うつ薬、3種類以上の抗精神病薬又は4種類以上の抗不安薬及び睡眠薬の投薬（臨時の投薬等のもの及び3種類の抗うつ薬又は3種類の抗精神病薬を患者の病状等によりやむを得ず投与するものを除く）を行った場合に算定。
	1 向精神薬多剤投与（臨時の投薬等のものを除く）		18	21		
	2 1以外の内服7種類以上（臨時投薬で投薬期間2週間以内のもの及び地域包括診療加算等を算定するものを除く）		29	32		
	3 1及び2以外		42	45		
	特定疾患処方管理加算 月1回	特処	＋56		—	・診療所、許可病床数200床未満の病院。 ・初診日より算定できる。 ・特定疾患を主病とする患者であって、特定疾患に対する薬剤の投与日数が1回の処方で28日以上の場合。
	抗悪性腫瘍剤処方管理加算（届） 月1回	抗悪	＋70		—	・治療開始に当たり投薬の必要性、危険性等について文書により説明を行った上で抗悪性腫瘍剤を処方した場合。
	外来後発医薬品使用体制加算1（届）（診）	外後使1	＋8		—	・後発医薬品の採用を決定する体制が整備されている診療所。
	外来後発医薬品使用体制加算2（届）（診）	外後使2	＋7			
	外来後発医薬品使用体制加算3（届）（診）	外後使3	＋5			
	向精神薬調整連携加算 月1回	向調連	＋12		—	・抗不安薬等が処方された患者で、処方内容を総合的に評価及び調整し、抗不安薬等の種類数又は投与量が減少したものについて、薬剤師又は看護職員に対し、薬剤の種類数又は投薬量が減少したことによる症状の変化等の確認を指示した場合。
㉖ 麻薬等加算	麻薬・向精神薬・覚醒剤原料又は毒薬を調剤・処方した場合		＋2 （調剤料1点＋処方料1点）		（1日につき） 1	・入院の場合は、外泊期間中及び入院実日数を超えた部分は算定できない。
㉗ 調剤技術基本料（調基）（月1回）	14				42 院内製剤加算 院　＋10	・薬剤師常勤の医療機関において、薬剤師の管理のもとに調剤が行われた場合。 ・同一月に処方箋の交付がある場合は算定できない。 ・同一月に薬剤管理指導料又は在宅患者訪問薬剤管理指導料を算定している場合は算定しない。

(80) 処方箋料

院外処方の場合	区分	略号	点数 3歳以上	点数 3歳未満(+3点)	備考
(80) 処方箋料（交付1回につき）	1 向精神薬多剤投与（臨時の投薬等のものを除く）		20	23	・「向精神薬多剤投与」については、処方料の「向精神薬多剤投与」に準ずる。
	2 1以外の内服7種類以上（臨時投薬で投薬期間2週間以内のもの及び地域包括診療加算等を算定するものを除く）		32	35	
	3 1及び2以外		60	63	
	特定疾患処方管理加算（1処方につき）月1回	特処	＋56		・処方料の「特定疾患処方管理加算」に準ずる。
	抗悪性腫瘍剤処方管理加算（届） 月1回	抗悪	＋70		・処方料の「抗悪性腫瘍剤処方管理加算」に準ずる。
	一般名処方加算1（基）	一般1	＋10		・「1」は、後発医薬品のある全ての医薬品（2品目以上）が一般名処方されている場合。 ・「2」は、1品目でも一般名処方されたものがある場合。
	一般名処方加算2（基）	一般2	＋8		
	向精神薬調整連携加算（月1回）	向調連	＋12		・処方料の「向精神薬調整連携加算」に準ずる。

Ⅱ-4　注射

㉚　注射

※注射料の通則の加算は、実施料が算定できない場合は加算できない。

<table>
<tr><th colspan="5">通則加算</th><th>略　号</th><th>加算点数</th><th>算定の要件</th></tr>
<tr><td>3</td><td colspan="4">生物学的製剤注射加算</td><td>—</td><td>＋15</td><td>・トキソイド、ワクチン、抗毒素を注射した場合。</td></tr>
<tr><td>4</td><td colspan="4">精密持続点滴注射加算（1日につき）</td><td>—</td><td>＋80</td><td>・自動輸液ポンプを用いて、1時間に30mL以下の速度で体内（皮下を含む）又は注射回路に薬剤を注入する場合。</td></tr>
<tr><td>5</td><td colspan="4">麻薬注射加算</td><td>—</td><td>＋5</td><td>・麻薬を使用した場合。</td></tr>
<tr><td rowspan="4">6</td><td rowspan="2">イ</td><td rowspan="2">外来化学療法加算1（届）
（1日つき）</td><td>（1）</td><td>15歳未満</td><td rowspan="2">化1</td><td>外＋670</td><td rowspan="4">・外来患者（悪性腫瘍を主病とする患者を除く）に対して、治療開始にあたり必要性、危険性等について文書により説明を行った上で化学療法を行った場合に算定。
・同一月の在宅自己注射指導管理料は併算定不可。
・「静脈内注射」「動脈注射」「点滴注射」「中心静脈注射」「植込型カテーテルによる中心静脈注射」の所定点数に加算。</td></tr>
<tr><td>（2）</td><td>15歳以上</td><td>外＋450</td></tr>
<tr><td rowspan="2">ロ</td><td rowspan="2">外来化学療法加算2（届）
（1日つき）</td><td>（1）</td><td>15歳未満</td><td rowspan="2">化2</td><td>外＋640</td></tr>
<tr><td>（2）</td><td>15歳以上</td><td>外＋370</td></tr>
<tr><td>7</td><td colspan="4">バイオ後続品導入初期加算
（初回使用月から3月限度、月1回）</td><td>バイオ</td><td>外＋150</td><td>・外来患者に対して、バイオ後続品の有効性や安全性等について説明した上で、バイオ後続品を使用した場合。</td></tr>
</table>

※静脈内注射、点滴注射、中心静脈注射又は植込型カテーテルによる中心静脈注射のうち2以上を同一日に併せて行った場合は、主たるもののみ算定する。
※ビタミン剤については、疾患・症状の原因がビタミンの欠乏又は代謝異常であることが明らかであり食事により摂取することが困難である場合、その他これに準ずる場合であって、医師がビタミン剤の投与が有効と判断した場合に算定できる。

<table>
<tr><th colspan="4" rowspan="2">名　称</th><th colspan="4">点　数</th><th rowspan="3">備　考</th></tr>
<tr><th colspan="2">外　来</th><th colspan="2">入　院</th></tr>
<tr><th colspan="3"></th><th>略号</th><th>6歳以上</th><th>6歳未満</th><th>6歳以上</th><th>6歳未満</th></tr>
<tr><td>㉛</td><td colspan="3">皮内、皮下及び筋肉内注射（im）
（1回につき）</td><td colspan="2">25</td><td colspan="2">—</td><td>・外来患者については、薬剤料、手技料ともに1回につき。
・入院患者については、1日の総量価格を薬剤料として算定。
・下記のものは、皮内、皮下及び筋肉内注射に準じて算定。
涙のう内薬液注入、鼓室内薬液注入、局所・病巣内薬剤注入、子宮腟部注射、咽頭注射（軟口蓋注射、口蓋ヒヤリー氏点の注射を含む）、腱鞘周囲注射、血液注射</td></tr>
<tr><td>㉜</td><td colspan="3">静脈内注射（iv）
（1回につき）</td><td>37</td><td>89
（37＋52）</td><td colspan="2">—</td><td>・外来患者については、薬剤料、手技料ともに1回につき。
・入院患者については、1日の総量価格を薬剤料として算定。</td></tr>
<tr><td rowspan="6">㉝</td><td colspan="7">点滴注射（DIV）（1日につき）</td><td rowspan="6">・1日に2回以上の点滴を行った場合は、それぞれの注射に用いた薬剤の総量価格を薬剤料として算定。
・「血漿成分製剤加算」を算定した場合は、1回目の注射実施日を摘要欄に記載。</td></tr>
<tr><td rowspan="2">6歳以上</td><td colspan="2">500mL以上</td><td>102</td><td>—</td><td>102</td><td>—</td></tr>
<tr><td colspan="2">500mL未満</td><td>53</td><td>—</td><td colspan="2">—</td></tr>
<tr><td rowspan="2">6歳未満</td><td colspan="2">100mL以上</td><td>—</td><td>153
（105＋48）</td><td>—</td><td>153
（105＋48）</td></tr>
<tr><td colspan="2">100mL未満</td><td>—</td><td>101
（53＋48）</td><td colspan="2">—</td></tr>
<tr><td colspan="2">血漿成分製剤加算
（当該1回目の注射を行った日に限る）</td><td>血漿</td><td colspan="4">＋50</td></tr>
<tr><td rowspan="2">㉝</td><td colspan="3">中心静脈注射（IVH）
（1日につき）</td><td>140</td><td>190
（140＋50）</td><td>140</td><td>190
（140＋50）</td><td rowspan="2">・「血漿成分製剤加算」を算定した場合は、1回目の注射実施日を摘要欄に記載。</td></tr>
<tr><td colspan="2">血漿成分製剤加算
（当該1回目の注射を行った日に限る）</td><td>血漿</td><td colspan="4">＋50</td></tr>
<tr><td rowspan="2">㉝</td><td colspan="3">中心静脈注射用カテーテル挿入</td><td>1,400</td><td>1,900
（1,400＋500）</td><td>1,400</td><td>1,900
（1,400＋500）</td><td rowspan="2">・カテーテル挿入に伴う検査、画像診断の費用は、所定点数に含まれる。</td></tr>
<tr><td colspan="3">静脈切開法加算
（別に厚生労働大臣が定める患者）</td><td>—</td><td>（3歳未満）
＋2,000</td><td>—</td><td>（3歳未満）
＋2,000</td></tr>
<tr><td>㉝</td><td colspan="3">腱鞘内注射（1回につき）</td><td colspan="4">42</td><td></td></tr>
<tr><td>㉝</td><td colspan="3">関節腔内注射（1回につき）</td><td colspan="4">80</td><td>・検査、処置を目的とする穿刺と同時に実施した場合は、当該検査若しくは処置又は関節腔内注射のいずれかのみ算定。</td></tr>
<tr><td>㉝</td><td colspan="3">結膜下注射</td><td colspan="4">42</td><td>・両眼に行った場合は、それぞれ片眼ごとに算定。</td></tr>
<tr><td>㉝</td><td colspan="3">角膜内注射</td><td colspan="4">35</td><td></td></tr>
<tr><td>㉝</td><td colspan="3">球後注射</td><td colspan="4">80</td><td></td></tr>
<tr><td>㉝</td><td colspan="3">硝子体内注射</td><td colspan="4">600</td><td rowspan="2">・両眼に行った場合は、それぞれ片眼ごとに算定。</td></tr>
<tr><td>注</td><td colspan="3">未熟児加算</td><td colspan="4">＋600</td></tr>
<tr><td>㉝</td><td colspan="3">腋窩多汗症注射（片側につき）</td><td colspan="4">200</td><td>・同一側の2箇所以上に行った場合においても、1回のみ算定。</td></tr>
</table>

Ⅱ-5　処置

㊵　処置

※外来管理加算は算定できない。
※手術当日、手術に関連して行う処置の費用（ギプス除く）は算定できない。

<table>
<tr><th colspan="3">通則加算</th><th>略号</th><th>加算点数</th><th>算定の要件</th></tr>
<tr><td rowspan="8">5</td><td rowspan="4">イ</td><td>時間外加算1（外来患者、即日入院を含む）（届）</td><td>外</td><td>＋80/100</td><td rowspan="8">・「イ」は時間外加算等届出保険医療機関において、所定点数1,000点以上の処置が行われた場合に算定。
・「ロ」は時間外加算等届出保険医療機関以外の保険医療機関において、所定点数150点以上の処置が行われた場合に算定。
・「所定点数」とは、「注」による加算（プラスチックギプス加算及びギプスに係る乳幼児加算を含む）を合計した点数（処置医療機器等加算、薬剤料、特定保険医療材料料を除く）。</td></tr>
<tr><td>休日加算1（外来患者、入院患者、即日入院を含む）（届）</td><td>休</td><td>＋160/100</td></tr>
<tr><td>深夜加算1（外来患者、入院患者、即日入院を含む）（届）</td><td>深</td><td>＋160/100</td></tr>
<tr><td>時間外特例加算（外来患者、即日入院を含む）（届）</td><td>特外</td><td>＋80/100</td></tr>
<tr><td rowspan="4">ロ</td><td>時間外加算2（外来患者、即日入院を含む）</td><td>外</td><td>＋40/100</td></tr>
<tr><td>休日加算2（外来患者、即日入院を含む）</td><td>休</td><td>＋80/100</td></tr>
<tr><td>深夜加算2（外来患者、即日入院を含む）</td><td>深</td><td>＋80/100</td></tr>
<tr><td>時間外特例加算（外来患者、即日入院を含む）</td><td>特外</td><td>＋40/100</td></tr>
</table>

［処置名称］　■：外来診療料対象項目

<table>
<tr><th colspan="2" rowspan="2">処置範囲</th><th colspan="8">点　数</th></tr>
<tr><th colspan="2">創傷処置</th><th colspan="2">熱傷処置
初回処置日から
2月以内
（初回処置月日記載）</th><th>重度褥瘡処置
初回処置日から
2月以内
（1日につき）</th><th colspan="2">皮膚科軟膏処置</th></tr>
<tr><td>1</td><td>100cm²未満
（外来及び手術後の入院のみ）</td><td colspan="2">■　52</td><td colspan="2">135
（第1度熱傷の場合は基本診療料に含まれ算定できない。）</td><td>90</td><td colspan="2">（100cm²未満は基本診療料に含まれ算定できない。）</td></tr>
<tr><td>2</td><td>100cm²以上500cm²未満</td><td colspan="2">■　60</td><td colspan="2">147</td><td>98</td><td>1</td><td>■　55</td></tr>
<tr><td>3</td><td>500cm²以上3,000cm²未満</td><td colspan="2">90</td><td colspan="2">337</td><td>150</td><td>2</td><td>85</td></tr>
<tr><td>4</td><td>3,000cm²以上6,000cm²未満</td><td colspan="2">160</td><td>630</td><td rowspan="2">（6歳未満）
乳幼　＋55</td><td>280</td><td>3</td><td>155</td></tr>
<tr><td>5</td><td>6,000cm²以上</td><td>275</td><td>（6歳未満）
乳幼　＋55</td><td>1,875</td><td>500</td><td>4</td><td>270</td></tr>
</table>

※同一疾病又はこれに起因する病変に対して、創傷処置、皮膚科軟膏処置、湿布処置が行われた場合は、それぞれの部位の処置面積を合算し主たる点数のみ算定する。
※同一部位に対して、創傷処置、皮膚科軟膏処置、面皰圧出法、湿布処置が行われた場合は、主たる点数のみ算定する。
※熱傷には、電撃傷、薬傷、凍傷が含まれる。
※手術後の入院患者に対して創傷処置1、熱傷処置1又は重度褥瘡処置1を行った場合は、手術日から起算して14日を限度として算定する。
※手術後の創傷処置は、回数にかかわらず1日につき算定する。

［処置名称］　■：外来診療料対象項目

<table>
<tr><th colspan="2">一般処置</th><th>略号</th><th>点　数</th><th>備　考</th></tr>
<tr><td colspan="4">下肢創傷処置</td><td rowspan="4">・創傷処置、爪甲除去（麻酔を要しないもの）、穿刺排膿後薬液注入との併算定不可。
・複数の下肢創傷がある場合は主たるもののみ算定。
・軟膏の塗布又は湿布の貼付のみの処置では算定できない。</td></tr>
<tr><td>1</td><td colspan="2">足部（踵を除く）の浅い潰瘍</td><td>135</td></tr>
<tr><td>2</td><td colspan="2">足趾の深い潰瘍又は踵の浅い潰瘍</td><td>147</td></tr>
<tr><td>3</td><td colspan="2">足部（踵を除く）の深い潰瘍又は踵の深い潰瘍</td><td>270</td></tr>
<tr><td colspan="3">絆創膏固定術</td><td>500</td><td>・足関節捻挫又は膝関節靱帯損傷に対して、絆創膏固定術を行った場合に算定。
・交換は原則として週1回とする。</td></tr>
<tr><td colspan="3">鎖骨又は肋骨骨折固定術</td><td>500</td><td>・鎖骨骨折固定術後の包帯交換は、創傷処置に準じて算定し、肋骨骨折固定術の2回目以降の絆創膏貼用は、絆創膏固定術に準じて算定。</td></tr>
<tr><td colspan="3">■爪甲除去（麻酔を要しないもの）</td><td>外70</td><td>・下肢創傷処置、熱傷処置、重度褥瘡処置、副鼻腔手術後の処置との併算定不可。</td></tr>
<tr><td colspan="4">ドレーン法（ドレナージ）（1日につき）</td><td rowspan="4">・「1. 持続的吸引」は、圧をかけて排液した場合。
・「2. その他のもの」は、自然排液の場合（ペンローズドレーン、フィルムチューブドレーン等を使用した場合）。
・「1」と「2」は、同一日併算定不可。</td></tr>
<tr><td>1</td><td colspan="2">持続的吸引を行うもの</td><td>50</td></tr>
<tr><td>2</td><td colspan="2">その他のもの</td><td>25</td></tr>
<tr><td>注</td><td>乳幼児加算（3歳未満）</td><td>乳幼</td><td>＋110</td></tr>
<tr><td colspan="3">持続的胸腔ドレナージ
（開始日）（1日1回）</td><td>825</td><td rowspan="2">・2日目以降はドレーン法（ドレナージ）の所定点数を算定。</td></tr>
<tr><td>注</td><td>乳幼児加算（3歳未満）</td><td>乳幼</td><td>＋110</td></tr>
<tr><td colspan="3">胃持続ドレナージ（開始日）</td><td>50</td><td rowspan="2">・2日目以降はドレーン法（ドレナージ）の所定点数を算定。</td></tr>
<tr><td>注</td><td>乳幼児加算（3歳未満）</td><td>乳幼</td><td>＋110</td></tr>
<tr><td colspan="3">持続的腹腔ドレナージ
（開始日）（1日1回）</td><td>550</td><td rowspan="2">・2日目以降はドレーン法（ドレナージ）の所定点数を算定。</td></tr>
<tr><td>注</td><td>乳幼児加算（3歳未満）</td><td>乳幼</td><td>＋110</td></tr>
<tr><td colspan="3">高位浣腸、高圧浣腸、洗腸</td><td>65</td><td rowspan="3">・高位浣腸、高圧浣腸、洗腸、摘便、腰椎麻酔下直腸内異物除去又は腸内ガス排気処置（開腹手術後）を同一日に行った場合は、主たるもののみ算定。</td></tr>
<tr><td>注</td><td>乳幼児加算（3歳未満）</td><td>乳幼</td><td>＋55</td></tr>
<tr><td colspan="3">摘便</td><td>100</td></tr>
</table>

［処置名称］　■：外来診療料対象項目

一般処置				略号	点数	備考
酸素吸入（1日につき）					65	・酸素代：購入価格×使用リットル数×1.3（補正率）＝使用価格（1円未満四捨五入）÷10＝酸素代（1点未満四捨五入） ・窒素代：価格（0.12円）×使用リットル数＝使用価格（1円未満四捨五入）÷10＝窒素代（1点未満四捨五入）
人工腎臓（1日につき）						・「1」～「3」の所定点数には透析液（灌流液）、血液凝固阻止剤、生理食塩水及び厚生労働大臣が定める注射薬の費用は含まれる。 ・妊娠中以外の患者に対して1月に15回以上人工腎臓と持続緩徐式血液濾過を併せて実施した場合（人工腎臓のみを15回以上実施した場合を含む）は、15回目以降の人工腎臓又は持続緩徐式血液濾過は算定できない。ただし、薬剤料（透析液、血液凝固阻止剤、エリスロポエチン製剤、ダルベポエチン製剤、エポエチンベータペゴル製剤、HIF-PH阻害剤及び生理食塩水を含む）又は特定保険医療材料料は、別に算定できる。 ・算定日を摘要欄に記載。 ・慢性維持透析以外の患者に「その他の場合」として算定した場合は、その理由として通知の（8）のア～エまで（エについては（イ）～（ヌ）まで）に規定するものの中から該当するものを摘要欄に記載。
1	慢性維持透析を行った場合1（届）	イ	4時間未満		1,876	
		ロ	4時間以上5時間未満		2,036	
		ハ	5時間以上		2,171	
2	慢性維持透析を行った場合2（届）	イ	4時間未満		1,836	
		ロ	4時間以上5時間未満		1,996	
		ハ	5時間以上		2,126	
3	慢性維持透析を行った場合3	イ	4時間未満		1,796	
		ロ	4時間以上5時間未満		1,951	
		ハ	5時間以上		2,081	
4	その他の場合				1,580	
注	時間外・休日加算（17時以降開始・21時以降終了・休日に行った場合）				外＋380	
	導入期加算（届）（血液透析開始日から1月限り、1日につき）	イ	1		＋200	・「導入期加算」を算定した場合は、導入年月日を摘要欄に記載。
		ロ	2		＋410	
		ハ	3		＋810	
	障害者等加算（1日につき）			障	＋140	・「障害者等加算」を算定した場合は、通知の（18）のア～ツまでに規定するものの中から該当するものを摘要欄に記載。
	透析液水質確保加算（届）			水	＋10	
	下肢末梢動脈疾患指導管理加算（届）（月1回）				＋100	
	長時間加算（1回につき）				＋150	・「長時間加算」は、通常の人工腎臓では管理困難な徴候を有する患者に6時間以上行った場合。
	慢性維持透析濾過加算（届）				＋50	
	透析時運動指導等加算（指導開始日から90日）				＋75	・「透析時運動指導等加算」算定日の疾患別リハビリテーション料は算定できない。

救急処置				略号	点数	備考
救命のための気管内挿管					500	・人工呼吸を併せて行った場合は、人工呼吸の所定点数を合わせて算定できる。
注	乳幼児加算（6歳未満）			乳幼	＋55	
人工呼吸						・同一日の呼吸心拍監視、新生児心拍・呼吸監視、カルジオスコープ（ハートスコープ）、カルジオタコスコープ、経皮的動脈血酸素飽和度測定、非観血的連続血圧測定、喀痰吸引、干渉低周波去痰器による喀痰排出、酸素吸入、突発性難聴に対する酸素療法の費用は、所定点数に含まれる。
1	30分までの場合				302	
2	30分を超えて5時間までの場合				302	
	30分又は端数を増すごとに				＋50	
3	5時間を超えた場合（1日につき）	イ	14日目まで		950	
			注　腹臥位療法加算（1回につき）		＋900	
		ロ	15日目以降		815	
注	覚醒試験加算（1日につき）（14日限度）				＋100	
	離脱試験加算（1日につき）				＋60	

皮膚科処置			点数	備考
いぼ等冷凍凝固法	1	3箇所以下	210	・脂漏性角化症、軟性線維腫に対する凍結療法は、本区分により算定。
	2	4箇所以上	270	
軟属腫摘除	1	10箇所未満	120	・伝染性軟属腫の内容除去は、本区分として算定。
	2	10箇所以上30箇所未満	220	
	3	30箇所以上	350	
面皰圧出法			49	・顔面、前胸部、上背部等に多発した面皰に対して行った場合に算定。
鶏眼・胼胝処置（月2回）			170	・同一部位について、その範囲にかかわらず月2回に限り算定。

泌尿器科処置	点数	備考
■膀胱洗浄（1日につき）	60	・膀胱洗浄、留置カテーテル設置、導尿（尿道拡張を要するもの）又は後部尿道洗浄（ウルツマン）を同一日に行った場合は、主たるもののみ算定。 ・留置カテーテル設置時に使用する注射用蒸留水又は生理食塩水等の費用は所定点数に含まれ別に算定できない。
留置カテーテル設置	40	
導尿（尿道拡張を要するもの）	40	

産婦人科処置			点数	備考
■腟洗浄（熱性洗浄を含む）			外56	
子宮腔洗浄（薬液注入を含む）			56	
子宮出血止血法	1	分娩時のもの	780	
	2	分娩外のもの	45	

［処置名称］　■：外来診療料対象項目

眼科処置			点　数	備　考
■眼処置			外25	・片眼帯、巻軸帯を必要とする処置、蒸気罨法、熱気罨法、イオントフォレーゼ及び麻薬加算含む。
■睫毛抜去（1日1回）	1	少数の場合	外25	・上眼瞼と下眼瞼に行った場合でも1回として算定。 ・5～6本程度の睫毛抜去は「1」を算定。又、「1. 少数の場合」を他の眼科処置又は眼科手術と併施した場合は算定できない。
	2	多数の場合	45	
結膜異物除去（1眼瞼ごと）			100	
鼻涙管ブジー法			45	

耳鼻咽喉科処置			略 号	点　数	備　考
通則7	耳鼻咽喉科乳幼児処置加算（1日につき）			＋60	・耳鼻咽喉科（標榜する保険医療機関）を担当する医師が、6歳未満の乳幼児に処置（J095～J115-2）を行った場合（J113の乳幼児加算は併算定不可）。
通則8	耳鼻咽喉科小児抗菌薬適正使用支援加算（月1回）（基）			＋80	・急性気道感染症、急性中耳炎又は急性副鼻腔炎により受診した6歳未満の乳幼児に対して、処置（J095～J115-2）を行った場合であって、抗菌薬の投与の必要性が認められないため抗菌薬を使用しない者に対して、療養上必要な指導及び当該処置の結果説明を行い、文書により説明内容を提供した場合に耳鼻咽喉科を担当する専任の医師が診療を行った初診時に算定。
■耳処置（耳浴及び耳洗浄を含む）				外27	・点耳又は簡単な耳垢栓除去は、基本診療料に含まれ算定できない。
鼓室処置（片側）				62	・鼓室洗浄及び鼓室内薬液注入の費用を含む。
■耳管処置（耳管通気法、鼓膜マッサージ及び鼻内処置を含む）					
1	カテーテルによる耳管通気法（片側）			外36	
2	ポリッツェル球による耳管通気法			外24	
■鼻処置（鼻吸引、単純鼻出血及び鼻前庭の処置を含む）				外16	・口腔・咽頭処置を併せて行った場合であっても16点。 ・鼻洗浄は、基本診療料に含まれ算定できない。
■口腔・咽頭処置				外16	・鼻処置を併せて行った場合であっても16点。
扁桃処置				40	・咽頭処置の費用を含む。
■間接喉頭鏡下喉頭処置（喉頭注入を含む）				外32	
副鼻腔手術後の処置（片側）				45	・同一日の副鼻腔自然口開大処置の費用は算定できない。
扁桃周囲膿瘍穿刺（扁桃周囲炎を含む）				180	
副鼻腔洗浄又は吸引（注入を含む）（片側）					
1	副鼻腔炎治療用カテーテルによる場合			55	
2	1以外の場合			25	
鼻出血止血法（ガーゼタンポン又はバルーンによるもの）				240	
耳管ブジー法（通気法又は鼓膜マッサージの併施を含む）（片側）				45	
耳垢栓塞除去（複雑なもの）	1	片側		90	・簡単な耳垢栓塞除去は、基本診療料に含まれ算定できない。
	2	両側		160	
	注	6歳未満	乳幼	＋55	
■ネブライザ				外12	
■超音波ネブライザ（1日につき）				24	

整形外科的処置		略 号	点　数	備　考
関節穿刺（片側）			120	
注	乳幼児加算（3歳未満）	乳幼	＋110	
ガングリオン穿刺術			80	
ガングリオン圧砕法			80	
鋼線等による直達牽引（2日目以降。観血的に行った場合の手技料を含む）（1局所1日につき）			62	・1局所とは、上肢の左右、下肢の左右及び頭より尾頭までの躯幹のそれぞれをいい、全身を5局所に分ける。 ・「鋼線等による直達牽引（2日目以降）」と「消炎鎮痛等処置」「腰部又は胸部固定帯固定」「低出力レーザー照射」又は「肛門処置」を併せて行った場合 → 「鋼線等による直達牽引（2日目以降）」のみ算定。
注	乳幼児加算（3歳未満）	乳幼	＋55	
■介達牽引（1日につき）			35	・「介達牽引」「矯正固定」又は「変形機械矯正術」を同一日に併せて行った場合 → 主たるもののみ算定。 ・「介達牽引」「矯正固定」又は「変形機械矯正術」と「消炎鎮痛等処置」「腰部又は胸部固定帯固定」「低出力レーザー」又は「肛門処置」を併せて行った場合 → 主たるもののみ算定。
■矯正固定（1日につき）			35	
■変形機械矯正術（1日につき）			35	
■消炎鎮痛等処置（1日につき）				・「消炎鎮痛等処置」「腰部又は胸部固定帯固定」「低出力レーザー」「肛門処置」を同一日に併せて行った場合 → 主たるもののみ算定。
1	マッサージ等の手技による療法（あんま、マッサージ、指圧）		35	
2	器具等による療法（電気療法、赤外線治療、熱気浴、ホットパック、超音波療法、マイクロレーダー等）		35	
3	湿布処置（半肢の大部又は頭部、頸部及び顔面の大部以上にわたる範囲のもの）		外35 （診療所のみ）	・同一日に「消炎鎮痛等処置」の「1」～「3」のうち2以上を併せて行った場合、主たるもののみ算定。
■腰部又は胸部固定帯固定（1日につき）			35	・腰部又は胸部固定帯を使用した場合は給付の都度、処置医療機器等加算として腰部、胸部又は頸部固定帯加算170点を算定。

ギプス		点数
四肢ギプス包帯		
	1 鼻ギプス	310
	2 手指及び手、足（片側）	490
	3 半肢（片側）	780
	4 内反足矯正ギプス包帯（片側）	1,140
	5 上肢、下肢（片側）	1,200
	6 体幹から四肢にわたるギプス包帯（片側）	1,840
体幹ギプス包帯		1,500
鎖骨ギプス包帯（片側）		1,250
ギプスベッド		1,400
斜頸矯正ギプス包帯		1,670
先天性股関節脱臼ギプス包帯		2,400
脊椎側弯矯正ギプス包帯		3,440
治療用装具採寸法（1肢につき）		200
治療用装具採型法	1 体幹装具	700
	2 四肢装具（1肢につき）	700
	3 その他（1肢につき）	200

備考

ギプスシャーレ	所定点数×0.2	切割使用した場合
ギプス除去料	所定点数×0.1	他医療機関装着のもののみ
ギプス修理料	所定点数×0.1	ギプスベッド、ギプス包帯の修理
ギプスシーネ	所定点数×1.0	ギプスで作った副木として使用

・乳幼児（6歳未満 [乳幼]）に対してJ122～J129-4までのギプスを行った場合は、所定点数の55／100を加算。

「体幹ギプス」「鎖骨ギプス」「ギプスベッド」「斜頸矯正ギプス」「先天性股関節脱臼ギプス」「脊椎側弯矯正ギプス」に対して、プラスチックギプスを使用した場合は、所定点数の20/100を加算。

※同一日に重複算定できない処置（主たるもののみ算定）
喀痰吸引、内視鏡下気管支分泌物吸引、干渉低周波去痰器による喀痰排出、間歇的陽圧吸入法、鼻マスク式補助換気法、体外式陰圧人工呼吸器治療、ハイフローセラピー、高気圧酸素治療、インキュベーター、人工呼吸、持続陽圧呼吸法、間歇的強制呼吸法、気管内洗浄（気管支ファイバースコピーを使用した場合を含む）、ネブライザ、超音波ネブライザ

※同一日に「酸素吸入」「突発性難聴に対する酸素療法」「酸素テント」の費用が含まれる処置
間歇的陽圧吸入法、体外式陰圧人工呼吸器治療、鼻マスク式補助換気法、ハイフローセラピー、インキュベーター、人工呼吸、持続陽圧呼吸法、間歇的強制呼吸法、気管内洗浄（気管支ファイバースコピーを使用した場合を含む）

※基本診療料に含まれ算定できない処置
浣腸、注腸、吸入、100cm^{2}未満の第1度熱傷処置、100cm^{2}未満の皮膚科軟膏処置、洗眼、点眼、点耳、簡単な耳垢栓除去、鼻洗浄、狭い範囲の湿布処置その他処置料に掲げられていない処置であって、簡単なもの（簡単な物理療法を含む）

Ⅱ-6　手術・輸血

㊿　手術

※外来管理加算は算定できない。
※手術当日、手術（自己血貯血を除く）に関連して行う処置の費用（ギプスを除く）及び注射の手技料は算定できない。
※内視鏡を用いた手術を行う場合、これと同時に行う内視鏡検査料は算定できない。
※手術に使用される外皮用殺菌剤（イソジン液等）は算定できない。

通則加算			略号	加算点数	備考
7		体重1,500g未満児加算（一部の手術のみ）	未満	＋400/100	・「通則7」「通則8」「通則12」は、輸血料、手術医療機器等加算、薬剤料、特定保険医療材料料に対しては加算できない。 ・K914～K917-5までに掲げるものは、「通則12」の加算は算定できない。
		新生児加算（生後28日未満）（一部の手術のみ）	新	＋300/100	
8		乳幼児加算（3歳未満）（K618除く）	乳幼	＋100/100	
		幼児加算（3歳以上6歳未満）（K618除く）	幼	＋50/100	
12	イ	時間外加算1（外来患者、即日入院を含む）（届）	外	＋80/100	
		休日加算1（外来患者、入院患者、即日入院を含む）（届）	休	＋160/100	
		深夜加算1（外来患者、入院患者、即日入院を含む）（届）	深	＋160/100	
		時間外特例加算（外来患者、即日入院を含む）（届）	特外	＋80/100	
	ロ	時間外加算2（外来患者、即日入院を含む）	外	＋40/100	
		休日加算2（外来患者、入院患者、即日入院を含む）	休	＋80/100	
		深夜加算2（外来患者、入院患者、即日入院を含む）	深	＋80/100	
		時間外特例加算（外来患者、即日入院を含む）	特外	＋40/100	
9		頸部郭清術加算（一部の手術のみ）　片側		＋4,000	
		頸部郭清術加算（一部の手術のみ）　両側		＋6,000	
10		HIV抗体陽性患者加算（観血的手術を行った場合）		＋4,000	
11		メチシリン耐性黄色ブドウ球菌（MRSA）、B型肝炎（HBs又はHBe抗原陽性の者に限る）、C型肝炎、結核の感染患者に対してのマスク又は気管内挿管による閉鎖循環式全身麻酔、硬膜外麻酔、脊椎麻酔を伴う手術加算		＋1,000	
14		・神経移植術、骨移植術、植皮術、動脈（皮）弁術、筋（皮）弁術、遊離皮弁術（顕微鏡下血管柄付きのもの）、複合組織移植術、自家遊離複合組織移植術（顕微鏡下血管柄付きのもの）、粘膜移植術若しくは筋膜移植術と他の手術とを併施した場合は、それぞれ算定できる。 ・大腿骨頭回転骨切り術若しくは大腿骨近位部（転子間を含む）骨切り術と骨盤骨切り術、臼蓋形成手術若しくは寛骨臼移動術とを併施した場合は、それぞれ算定できる。 ・喉頭気管分離術と血管結紮術で開胸若しくは開腹を伴うものとを同時に行った場合は、それぞれ算定できる。 ・先天性気管狭窄症手術とK538～K628に掲げる手術を同時に行った場合は、それぞれ算定できる。			
		複数手術に係る費用の特例	（併施）	主たる手術の所定点数＋従たる手術の所定点数×50／100	

手術医療機器等加算			点数	備考
脊髄誘発電位測定等加算	1	脳、脊椎、脊髄、大動脈瘤又は食道の手術に用いた場合	＋3,630	それぞれ対象手術のみ加算できる。 ・「胃瘻造設時嚥下機能評価加算」を届出保険医療機関以外の保険医療機関において算定する場合は、所定点数の80/100で算定する。
	2	甲状腺又は副甲状腺の手術に用いた場合	＋3,130	
超音波凝固切開装置等加算			＋3,000	
創外固定器加算			＋10,000	
イオントフォレーゼ加算			＋45	
副鼻腔手術用内視鏡加算			＋1,000	
副鼻腔手術用骨軟部組織切除機器加算			＋1,000	
止血用加熱凝固切開装置加算			＋700	
自動縫合器加算			＋2,500	
自動吻合器加算			＋5,500	
微小血管自動縫合器加算			＋2,500	
心拍動下冠動脈、大動脈バイパス移植術用機器加算			＋30,000	
術中グラフト血流測定加算			＋2,500	
体外衝撃波消耗性電極加算			＋3,000	
画像等手術支援加算	1	ナビゲーションによるもの	＋2,000	
	2	実物大臓器立体モデルによるもの	＋2,000	
	3	患者適合型手術支援ガイドによるもの	＋2,000	
術中血管等描出撮影加算			＋500	
人工肛門・人工膀胱造設術前処置加算（届）			＋450	
胃瘻造設時嚥下機能評価加算（届）			＋2,500	
凍結保存同種組織加算（届）			＋81,610	
レーザー機器加算（届）	1	レーザー機器加算1	＋50	
	2	レーザー機器加算2	＋100	
	3	レーザー機器加算3	＋200	
超音波切削機器加算			＋1,000	
切開創局所陰圧閉鎖処置機器加算			＋5,190	

	名　称	点　数	備　考
創傷処理			・切・刺・割創又は挫創に対して切除、結紮又は縫合（ステープラーによる縫合を含む）を行う場合に算定。なお、ここで「筋肉、臓器に達するもの」とは、単に創傷の深さを指すものではなく、筋肉、臓器に何らかの処理を行った場合をいう。 ・「真皮縫合」の露出部とは、頭部、頸部、上肢にあっては肘関節以下及び下肢にあっては膝関節以下をいう。 ・「3」のイについては、長径20cm以上の重度軟部組織損傷に対し、全身麻酔下で実施した場合に限り算定。
1	筋肉、臓器に達するもの（長径5cm未満）	1,400	
2	筋肉、臓器に達するもの（長径5cm以上10cm未満）	1,880	
3	筋肉、臓器に達するもの（長径10cm以上）		
	イ　頭頸部のもの（長径20cm以上のものに限る）	9,630	
	ロ　その他のもの	3,090	
4	筋肉、臓器に達しないもの（長径5cm未満）	530	
5	筋肉、臓器に達しないもの（長径5cm以上10cm未満）	950	
6	筋肉、臓器に達しないもの（長径10cm以上）	1,480	
注	真皮縫合加算（露出部のみ）	＋460	
	デブリードマン加算（当初1回）	＋100	
小児創傷処理（6歳未満）			
1	筋肉、臓器に達するもの（長径2.5cm未満）	1,400	
2	筋肉、臓器に達するもの（長径2.5cm以上5cm未満）	1,540	
3	筋肉、臓器に達するもの（長径5cm以上10cm未満）	2,860	
4	筋肉、臓器に達するもの（長径10cm以上）	4,410	
5	筋肉、臓器に達しないもの（長径2.5cm未満）	500	
6	筋肉、臓器に達しないもの（長径2.5cm以上5cm未満）	560	
7	筋肉、臓器に達しないもの（長径5cm以上10cm未満）	1,060	
8	筋肉、臓器に達しないもの（長径10cm以上）	1,950	
注	真皮縫合加算（露出部のみ）	＋460	
	デブリードマン加算（当初1回）	＋100	
皮膚切開術			・切開を加えた長さではなく、膿瘍、せつ又は蜂窩織炎等の大きさをいう。
1	長径10cm未満	640	
2	長径10cm以上20cm未満	1,110	
3	長径20cm以上	2,270	

㊿　輸血

※外来管理加算は算定できない。

	輸　血	点　数	備　考
1	自家採血輸血（200mLごとに）		・「1回目」とは、一連の輸血における最初の200mLの輸血をいい、2回目以降とはそれ以外の輸血をいう。
	イ　1回目	750	
	ロ　2回目以降	650	
2	保存血液輸血（200mLごとに）		・輸血と補液を同時に行った場合は、輸血の量と補液の量は、別々のものとして算定。
	イ　1回目	450	
	ロ　2回目以降	350	
3	自己血貯血		・「自己血貯血」を行った場合は、貯血量、手術予定日（自己血貯血を外来で行った場合又は自己血貯血を行った月と手術予定日の月が異なる場合に限る）を摘要欄に記載。
	イ　6歳以上（200mLごとに）		
	（1）液状保存の場合	250	
	（2）凍結保存の場合	500	
	ロ　6歳未満（体重1kgにつき4mLごとに）		・6歳未満の患者に「自己血貯血」を行った場合は、患者の体重を摘要欄に記載。
	（1）液状保存の場合	250	
	（2）凍結保存の場合	500	
4	自己血輸血		
	イ　6歳以上（200mLごとに）		
	（1）液状保存の場合	750	
	（2）凍結保存の場合	1,500	
	ロ　6歳未満（体重1kgにつき4mLごとに）		・6歳未満の患者に「自己血輸血」「希釈式自己血輸血」を行った場合は、患者の体重及び輸血量を摘要欄に記載。
	（1）液状保存の場合	750	
	（2）凍結保存の場合	1,500	
5	希釈式自己血輸血		
	イ　6歳以上（200mLごと）	1,000	
	ロ　6歳未満（体重1kgにつき4mLごとに）	1,000	
6	交換輸血（1回につき）	5,250	
注	血液型検査（ABO式及びRh式）	＋54	
	不規則抗体検査（月1回）	＋197	・「不規則抗体検査」 → 頻回に輸血を行う場合にあっては、1週間に1回に限り197点を加算（週1回以上、当該月で3週以上にわたり行われるもの）。
	HLA型クラスⅠ（A、B、C）（一連につき）	＋1,000	
	HLA型クラスⅡ（DR、DQ、DP）（一連につき）	＋1,400	
	血液交叉試験加算（1回につき）	＋30	・「血液交叉試験」「間接クームス検査」は自家採血を使用する場合は供血者ごとに、保存血を使用する場合は、血液バッグ（袋）1バッグごとにそれぞれ算定。
	間接クームス検査加算（1回につき）	＋47	
	コンピュータクロスマッチ加算（1回につき）	＋30	・コンピュータクロスマッチ加算を算定した場合は、「血液交叉試験加算」及び「間接クームス検査加算」は算定できない。
	乳幼児加算（6歳未満）	＋26	
	血小板洗浄術加算	＋580	

	名　称	略　号	点　数	備　考
輸血管理料（月1回）（届）				・赤血球濃厚液（浮遊液含む）、血小板濃厚液、自己血輸血、新鮮凍結血漿、アルブミン製剤の輸注を行った場合に算定。
1	輸血管理料Ⅰ	輸管Ⅰ	220	
	注　輸血適正使用加算（届）		＋120	
2	輸血管理料Ⅱ	輸管Ⅱ	110	
	注　輸血適正使用加算（届）		＋60	
注	貯血式自己血輸血管理体制加算（届）		＋50	

Ⅱ-7　麻酔

(50)　麻酔

※外来管理加算は算定できない。
※同一の目的のために２以上の麻酔を行った場合の麻酔料及び神経ブロック料は、主たる麻酔の所定点数のみ算定する。

	通則加算	略号	点数	備考
2	未熟児加算（出生時体重2,500g未満で出生後90日以内）	未	＋200/100	・「通則2」「通則3は、酸素代、窒素代、麻酔管理料に対しては加算できない。
	新生児加算（生後28日未満）	新	＋200/100	
	乳児加算（1歳未満）	乳	＋50/100	
	幼児加算（1歳以上３歳未満）	幼	＋20/100	
3	時間外加算（外来患者、即日入院を含む）	外	＋40/100	
	休日加算（外来患者、入院患者、即日入院を含む）	休	＋80/100	
	深夜加算（外来患者、入院患者、即日入院を含む）	深	＋80/100	
	時間外特例加算（外来患者、即日入院を含む）	特外	＋40/100	

名称			点数	備考
迷もう麻酔			31	・吸入麻酔であって、実施時間が10分未満の場合に算定。
筋肉注射による全身麻酔、注腸による麻酔			120	
静脈麻酔				・「1」は、静脈麻酔の実施の下、検査、画像診断、処置、手術が行われた場合であって、麻酔時間が10分未満の場合に算定。 ・「2」及び「3」は、静脈注射用麻酔剤を用いた全身麻酔を10分以上行った場合に算定。 ・「3」については、常勤の麻酔科医が専従で当該麻酔を実施した場合に算定。
1	短時間のもの		120	
2	十分な体制で行われる長時間のもの（単純な場合）		600	
3	十分な体制で行われる長時間のもの（複雑な場合）		1,100	
	注	麻酔管理時間加算（2時間超えた場合）	＋100	
注	幼児加算（3歳以上6歳未満）		＋所定点数の10/100	
硬膜外麻酔				・実施時間は、硬膜外腔に局所麻酔剤を注入した時点を開始時間とし、当該検査、画像診断、処置、手術の終了した時点を終了時間とする。
1	頸・胸部	2時間まで	1,500	
		注　麻酔管理時間加算（2時間超え30分又は端数を増すごとに）	＋750	
2	腰部	2時間まで	800	
		注　麻酔管理時間加算（2時間超え30分又は端数を増すごとに）	＋400	
3	仙骨部	2時間まで	340	
		注　麻酔管理時間加算（2時間超え30分又は端数を増すごとに）	＋170	
硬膜外麻酔後における局所麻酔剤の持続的注入（1日につき）（麻酔当日を除く）			80	・精密持続注入とは、自動注入ポンプを用いて1時間に10mL以下の速度で局所麻酔剤を注入するものをいう。
注	精密持続注入加算（1日につき）		＋80	
脊椎麻酔（2時間まで）			850	・実施時間は、くも膜下腔に局所麻酔剤を注入した時点を開始時間とし、当該検査、画像診断、処置、手術の終了した時点を終了時間とする。
注	麻酔管理時間加算（2時間超え30分又は端数を増すごとに）		＋128	
上・下肢伝達麻酔			170	
球後麻酔及び顔面・頭頸部の伝達麻酔（瞬目麻酔及び眼輪筋内浸潤麻酔を含む）			150	・球後麻酔と顔面伝達麻酔を同時に行った場合は、主たるもののみ算定し、重複算定できない。
開放点滴式全身麻酔			310	・ガス麻酔器を使用する10分以上20分未満の麻酔は、本区分により算定。

名称			略号	点数	備考
麻酔管理料（Ⅰ）（届）			麻管Ⅰ		・届出保険医療機関で常勤の麻酔科医が麻酔前後の診察を行い、「1」又は「2」のいずれかの麻酔を行った場合に算定。 ・「長時間麻酔管理加算」は、対象手術にあたって、閉鎖循環式全身麻酔の実施時間が8時間を超えた場合。 ・「周術期薬剤管理加算」は、当該保険医療機関の薬剤師が、病棟等において薬剤関連業務を実施している薬剤師等と連携して周術期に必要な薬学的管理を行った場合に算定。
1	硬膜外麻酔又は脊椎麻酔			250	
	注	帝王切開術時麻酔加算		＋700	
2	マスク又は気管内挿管による閉鎖循環式全身麻酔			1,050	
	注	長時間麻酔管理加算		＋7,500	
		周術期薬剤管理加算（届）		＋75	
麻酔管理料（Ⅱ）（届）			麻管Ⅱ		・届出保険医療機関で常勤の麻酔科標榜医の指導の下に、麻酔を担当する医師又は常勤の麻酔科医が麻酔前後の診察を行い、「1」又は「2」のいずれかの麻酔を行った場合に算定。 ・麻酔管理料（Ⅰ）の「周術期薬剤管理加算」と同様。
1	硬膜外麻酔又は脊椎麻酔			150	
2	マスク又は気管内挿管による閉鎖循環式全身麻酔			450	
注	周術期薬剤管理加算（届）			＋75	

区分	細目	名称	点数	備考
マスク又は気管内挿管による閉鎖循環式全身麻酔（2時間まで）				・実施時間は、閉鎖循環式全身麻酔器を患者に接続した時点を開始時間とし、麻酔器から離脱した時点を終了時間とする。 ・酸素代：購入価格×使用リットル数×1.3（補正率）＝使用価格（1円未満四捨五入）÷10＝酸素代（1点未満四捨五入） ・窒素代：価格（0.12円）×使用リットル数＝使用価格（1円未満四捨五入）÷10＝窒素代（1点未満四捨五入） [同一日に算定できない検査] ・呼吸心拍監視、新生児心拍、呼吸監視、カルジオスコープ（ハートスコープ）、カルジオタコスコープ ・体温（深部体温を含む）測定 ・経皮的動脈血酸素飽和度測定 ・終末呼気炭酸ガス濃度測定 ・「厚生労働大臣が定める麻酔が困難な患者」を算定する場合は、保医発通知の（4）のア～ハまでに規定するものの中から該当するものを摘要欄に記載。
1		・人工心肺を用いた低体温で行う心臓手術 ・K552-2冠動脈、大動脈バイパス移植術（人工心肺を使用しないもの）であって低体温で行うもの ・分離肺換気及び高頻度換気法が併施される麻酔		
	イ	厚生労働大臣が定める麻酔が困難な患者	24,900	
	ロ	イ以外	18,200	
	注	麻酔管理時間加算（2時間超え30分又は端数を増すごとに）	＋1,800	
2		・坐位における脳脊髄手術 ・人工心肺を用いる心臓手術（低体温で行うものを除く） ・K552-2冠動脈、大動脈バイパス移植術（人工心肺を使用しないもの）（低体温で行うものを除く） ・低体温麻酔 ・分離肺換気による麻酔 ・高頻度換気法による麻酔（1に掲げる場合を除く）		
	イ	厚生労働大臣が定める麻酔が困難な患者	16,720	
	ロ	イ以外	12,190	
	注	麻酔管理時間加算（2時間超え30分又は端数を増すごとに）	＋1,200	
3		・1若しくは2以外の心臓手術 ・伏臥位で行われる麻酔（1又は2に掲げる場合を除く）		
	イ	厚生労働大臣が定める麻酔が困難な患者	12,610	
	ロ	イ以外	9,170	
	注	麻酔管理時間加算（2時間超え30分又は端数を増すごとに）	＋900	
4		・腹腔鏡を用いた手術若しくは検査 ・側臥位で行われる麻酔（1～3に掲げる場合を除く）		
	イ	厚生労働大臣が定める麻酔が困難な患者	9,130	
	ロ	イ以外	6,610	
	注	麻酔管理時間加算（2時間超え30分又は端数を増すごとに）	＋660	
5		・その他の場合		
	イ	厚生労働大臣が定める麻酔が困難な患者	8,300	
	ロ	イ以外	6,000	
	注	麻酔管理時間加算（2時間超え30分又は端数を増すごとに）	＋600	
注		硬膜外麻酔併施加算		
	イ	頸・胸部	＋750	
	イ	注　麻酔管理時間加算（2時間超え30分又は端数を増すごとに）	＋375	
	ロ	腰部	＋400	
	ロ	注　麻酔管理時間加算（2時間超え30分又は端数を増すごとに）	＋200	
	ハ	仙骨部	＋170	
	ハ	注　麻酔管理時間加算（2時間超え30分又は端数を増すごとに）	＋85	・「非侵襲的血行動態モニタリング加算」は、別に厚生労働大臣が定める麻酔が困難な患者について、腹腔鏡下手術（K672-2腹腔鏡下胆嚢摘出術及びK718-2腹腔鏡下虫垂切除術を除く）が行われる場合において、術中に非侵襲的血行動態モニタリングを実施した場合に算定。 ・「術中脳灌流モニタリング加算」は、K561ステントグラフト内挿術（血管損傷以外の場合において、胸部大動脈に限る）、K609動脈血栓内膜摘出術（内頸動脈に限る）、K609-2経皮的頸動脈ステント留置術又は人工心肺を用いる心臓血管手術において、術中に非侵襲的に脳灌流のモニタリングを実施した場合に算定。
		術中経食道心エコー連続監視加算		
		冠動脈疾患若しくは弁膜症のものに行われる場合	＋880	
		弁膜症のものに対するカテーテルを用いた経皮的心臓手術が行われる場合	＋1,500	
		臓器移植術加算	＋15,250	
		神経ブロック併施加算　イ　別に厚生労働大臣が定める患者に対して行う場合	＋450	
		神経ブロック併施加算　ロ　イ以外の場合	＋45	
		非侵襲的血行動態モニタリング加算	＋500	
		術中脳灌流モニタリング加算	＋1,000	

神経ブロック料

名称	点数	備考
神経幹内注射	25	
カテラン硬膜外注射	140	・刺入する部位にかかわらず所定点数を算定。
トリガーポイント注射（1日につき1回）	70	・トリガーポイント注射と神経幹内注射は同時に算定できない。
神経ブロックにおける麻酔剤の持続的注入（1日につき）（チューブ挿入当日を除く）	80	・「精密持続注入加算」とは、自動注入ポンプを用いて1時間に10mL以下の速度で麻酔剤を注入するものをいう。
注　精密持続注入加算（1日につき）	＋80	

Ⅱ-8　検査

㊿ 検査

よく出る検査項目

［検査名称］　■：外来診療料対象項目　★：手術前医学管理料対象項目　☆：手術後医学管理料対象項目

名　称	点　数（6歳以上）
U－検（■★☆）26点・沈（鏡検法）（■）27点	53×回数
B－末梢血液一般（■★☆）21点・像（自動機械法）（■★☆）15点・ESR（■☆）9点	45×回数
B－出血（★）15点・PT（★）18点・APTT（★）29点	62×回数
B－CRP定性（★）16点・梅毒血清反応（STS）定性（★）15点・梅毒トレポネーマ抗体定性（★）32点	63×回数
B－HBs抗原定性・半定量（★）29点・HCV抗体定性・定量（★）102点	131×回数
B－CRP（★）16点・梅毒血清反応（STS）定量 34点・梅毒トレポネーマ抗体定量 53点	103×回数
肺気分画（判呼 140点）	90×回数
ECG12（★☆）	130×1
ECG12 減	117×回数
超音波断層（胸腹部）（※摘要欄に具体的な臓器又は領域を記載）	530×1
超音波断層（胸腹部） 減 （※摘要欄に具体的な臓器又は領域を記載）	477×回数

検体検査料

	検体検査実施料の通則加算	略　号	点　数	備　考
1	時間外緊急院内検査加算（1日につき）	緊検 開始日時（引き続き入院した場合はその旨）	200	・標榜時間以外の時間・休日・深夜に外来患者（外来から引き続き入院をした場合を含む）に対して、緊急に検体検査を行った場合。 ・同一日に外来迅速検体検査加算は算定できない。
3	外来迅速検体検査加算（1項目につき）（1日5項目限度）	外迅検（引き続き入院した場合はその旨）	10	・外来患者（外来から引き続き入院をした場合を含む）のみ算定。 ・厚生労働大臣が定める検体検査を検査実施日のうちに説明した上で文書により情報を提供し、当該検査の結果に基づく診療が行われた場合。

［厚生労働大臣が定める検査］

- 尿中一般物質定性半定量検査、尿沈渣（鏡検法）
- 糞便中ヘモグロビン
- 赤血球沈降速度（ESR）、末梢血液一般検査、ヘモグロビンA1_c（HbA1_c）
- プロトロンビン時間（PT）、フィブリン・フィブリノゲン分解産物（FDP）定性、フィブリン・フィブリノゲン分解産物（FDP）半定量、フィブリン・フィブリノゲン分解産物（FDP）定量、Dダイマー
- 総ビリルビン（T-Bil）、総蛋白（TP）、アルブミン（BCP改良法・BCG法）、尿素窒素（BUN）、クレアチニン、尿酸（UA）、アルカリホスファターゼ（ALP）、コリンエステラーゼ（ChE）、γ-グルタミルトランスフェラーゼ（γ-GT）、中性脂肪（TG）、ナトリウム及びクロール、カリウム、カルシウム、グルコース、乳酸デヒドロゲナーゼ（LD）、クレアチンキナーゼ（CK）、HDL-コレステロール、総コレステロール、AST、ALT、LDL-コレステロール、グリコアルブミン
- 甲状腺刺激ホルモン（TSH）、遊離サイロキシン（FT_4）、遊離トリヨードサイロニン（FT_3）
- 癌胎児性抗原（CEA）、α-フェトプロテイン（AFP）、前立腺特異抗原（PSA）、CA19-9
- C反応性蛋白（CRP）
- 排泄物、滲出物又は分泌物の細菌顕微鏡検査の「その他のもの」

	名　称	略　号	点　数	備　考
	検体検査判断料			
1	尿・糞便等検査判断料　☆	判尿	34	それぞれ月1回。
2	遺伝子関連・染色体検査判断料	判遺	100	
3	血液学的検査判断料　★☆	判血	125	
4	生化学的検査（Ⅰ）判断料　★☆	判生Ⅰ	144	
5	生化学的検査（Ⅱ）判断料	判生Ⅱ	144	
6	免疫学的検査判断料　★	判免	144	
7	微生物学的検査判断料	判微	150	
注	検体検査管理加算（届）			・月1回。 ・検体検査判断料のいずれかを算定した場合に算定。ただし、同一月に検体検査管理加算（Ⅰ）～（Ⅳ）の重複算定はできない。 ・検体検査管理加算（Ⅰ）は、外来患者又は入院患者に対し、検体検査管理加算（Ⅱ）、（Ⅲ）、（Ⅳ）は、入院患者に対して算定。
	検体検査管理加算（Ⅰ）（届）	検管Ⅰ	＋40	
	検体検査管理加算（Ⅱ）（届）	検管Ⅱ	＋100	
	検体検査管理加算（Ⅲ）（届）	検管Ⅲ	＋300	
	検体検査管理加算（Ⅳ）（届）	検管Ⅳ	＋500	
	国際標準検査管理加算（届）	国標	＋40	・検体検査管理加算（Ⅱ）、（Ⅲ）又は（Ⅳ）を算定した場合。
	遺伝カウンセリング加算（届）	遺伝	＋1,000	・対象の検査を行い、その結果について患者又はその家族等に対し遺伝カウンセリングを行った場合に月1回算定。
	遺伝性腫瘍カウンセリング加算（届）	遺伝腫	＋1,000	・対象の検査を行い、その結果について患者又はその家族等に対し遺伝カウンセリングを行った場合に月1回算定。
	骨髄像診断加算	骨診	＋240	・対象の検査を行い、血液疾患に関する専門の知識を有する医師が、その結果を文書により報告した場合に月1回算定。
	免疫電気泳動法診断加算	—	＋50	・対象の検査を行い、当該検査に関する専門の知識を有する医師が、その結果を文書により報告した場合に算定。

尿・糞便等検査　判尿　☆ 34点（月１回限り）

※尿中一般物質定性半定量検査に係る判断料は算定できない。

［検査名称］ ■：外来診療料対象項目　▼：外来迅速検体検査加算対象項目　★：手術前医学管理料対象項目　☆：手術後医学管理料対象項目

名　称	略　称	点　数	備　考
■▼尿中一般物質定性半定量検査（院内検査）★☆ ［比重、pH、蛋白定性（E）、グルコース（Z）、ウロビリノゲン（uro）、ウロビリン定性、ビリルビン、ケトン体、潜血反応、試験紙法による尿細菌検査（亜硝酸塩）、食塩、試験紙法による白血球検査（白血球エステラーゼ）、アルブミン］	尿中一般 U－検	26	・この検査のみでは 判尿 は算定できない。 ・左記［　］内の項目が含まれる。

	尿中特殊物質定性定量検査	略　称	点　数	備　考
1	■尿蛋白　☆	U－タン	7	
2	■VMA定性（尿）		9	
	■尿グルコース　☆	U－トウ		
3	■ウロビリノゲン（尿）	U－ウロ	16	
	■先天性代謝異常症スクリーニングテスト（尿）			
	■尿浸透圧			
4	■ポルフィリン症スクリーニングテスト（尿）		17	
5	■N－アセチルグルコサミニダーゼ（NAG）（尿）	U－NAG	41	
6	■アルブミン定性（尿）		49	
7	■黄体形成ホルモン（LH）定性（尿）	U－LH	72	
	■フィブリン・フィブリノゲン分解産物（FDP）（尿）	U－FDP		
8	■トランスフェリン（尿）		98	・「8」トランスフェリン（尿）、「9」アルブミン定量（尿）、「15」Ⅳ型コラーゲン（尿）を同時→主たるもののみ算定。 ・「8」トランスフェリン（尿）は、3月に1回。 ・「9」アルブミン定量（尿）は、3月に1回。
9	■アルブミン定量（尿）		99	
10	■ウロポルフィリン（尿）		105	
	■トリプシノーゲン2（尿）			
11	■δアミノレブリン酸（δ－ALA）（尿）	U－δ－ALA	106	
12	■ポリアミン（尿）		115	
13	■ミオイノシトール（尿）		120	・「13」ミオイノシトール（尿）は、1年に1回。
14	■コプロポルフィリン（尿）		131	
15	■Ⅳ型コラーゲン（尿）		184	・「15」Ⅳ型コラーゲン（尿）は、3月に1回。
16	■総ヨウ素（尿）		186	
	■ポルフォビリノゲン（尿）			
17～21省略				

名　称	略　称	点　数	備　考
■▼尿沈渣（鏡検法）（院内検査）	U－沈（鏡検法）	27	・同一検体の尿沈渣（鏡検法）又は尿沈渣（フローサイトメトリー法）とD017細菌顕微鏡検査（細菌塗抹）を同時　→　主たるもののみ算定。
注　■染色標本加算	/染色	＋9	
■尿沈渣（フローサイトメトリー法）（院内検査）	U－沈（フローサイトメトリー法）	24	

	糞便検査	略　称	点　数	備　考
1	■虫卵検出（集卵法）（糞便）	F－集卵	15	
	■ウロビリン（糞便）			
2	■糞便塗抹顕微鏡検査（虫卵、脂肪及び消化状況観察含む）	F－塗	20	
3	■虫体検出（糞便）		23	
4	■糞便中脂質		25	
5	■糞便中ヘモグロビン定性		37	
6	■虫卵培養（糞便）		40	
7	■▼糞便中ヘモグロビン		41	
8	■糞便中ヘモグロビン及びトランスフェリン定性・定量		56	
9	カルプロテクチン（糞便）		268	

	穿刺液・採取液検査	略　称	点　数	備　考
1	ヒューナー検査		20	
2	関節液検査		50	・「関節液検査」は、関節水腫を有し結晶性関節炎が疑われる者に対して実施した場合、一連につき1回。D017微生物学的検査の細菌顕微鏡検査（細菌塗抹）を同時　→　主たるもののみ算定。
3	胃液又は十二指腸液一般検査	G－胃液、十二指腸液	55	
4	髄液一般検査	PL－検	62	
5	精液一般検査		70	
6	頸管粘液一般検査		75	
7	顆粒球エラスターゼ定性（子宮頸管粘液）		100	
	IgE定性（涙液）			
8	顆粒球エラスターゼ（子宮頸管粘液）		116	
9～18省略				

血液学的検査 判血 ★☆ 125点（月１回限り）

※静脈血採取料（B－V）（１日につき）40点（外来のみ）、６歳未満　75点（外来のみ）

［検査名称］ ■：外来診療料対象項目 ▼：外来迅速検体検査加算対象項目 ★：手術前医学管理料対象項目 ☆：手術後医学管理料対象項目

	血液形態・機能検査	略称・略号	点数	備考
1	■▼赤血球沈降速度（ESR）（院内検査）☆	ESR・血沈	9	
2	■網赤血球数	レチクロ	12	
3	■血液浸透圧		15	・「4」好酸球数、「3」末梢血液像（自動機械法）又は「6」末梢血液像（鏡検法）を同時 → 主たるもののみ算定。
	■好酸球（鼻汁・喀痰）			
	■末梢血液像（自動機械法）★☆	像（自動機械法）		
4	■好酸球数		17	
5	■▼末梢血液一般検査 ★☆ ［赤血球数（R）、白血球数（W）、血色素測定（Hb）、ヘマトクリット値（Ht）、血小板数（PL）］		21	・末梢血液像一般検査は、［ ］内の全部又は一部を行った場合に算定。 ・D006「34」血小板凝集能、D005「5」末梢血液一般を同時 → D006「34」血小板凝集能のみ算定。
6	■末梢血液像（鏡検法）★☆	像（鏡検法）	25	・「6」末梢血液像（鏡検法）の「特殊染色加算」は、特殊染色ごとに加算。
	注 ■特殊染色加算	特染	＋37	
7	■血中微生物検査		40	
	■DNA含有赤血球計数検査			
8	■赤血球抵抗試験		45	
9	▼ヘモグロビンA1c（HbA1c）	HbA1c	49	・同一月に「9」HbA1c、D007「17」グリコアルブミン、D007「21」1,5AGを行った場合は、月1回に限り主たるもののみ算定（妊娠中の患者等については、診療報酬点数表参照）。
10	■自己溶血試験		50	
	■血液粘稠度			
11	■ヘモグロビンF（HbF）	HbF	60	
12	デオキシチミジンキナーゼ（TK）活性	TK活性	233	
13	ターミナルデオキシヌクレオチジルトランスフェラーゼ（TdT）	TdT	250	
14	骨髄像		788	・「14」骨髄像の「特殊染色加算」は、特殊染色ごとに加算。
	注 特殊染色加算	特染	＋60	
15	造血器腫瘍細胞抗原検査（一連につき）		1,940	

	出血・凝固検査	略称	点数	備考
1	出血時間 ★	出血	15	・「1」出血時間には耳朶採血料が含まれる。
2	▼プロトロンビン時間（PT）★	PT	18	
3	血餅収縮能		19	
	毛細血管抵抗試験			
4	フィブリノゲン半定量	Fib半定量	23	
	フィブリノゲン定量	Fib定量		
	クリオフィブリノゲン			
5	トロンビン時間		25	
6	蛇毒試験		28	
	トロンボエラストグラフ			
	ヘパリン抵抗試験			
7	活性化部分トロンボプラスチン時間（APTT）★	APTT	29	
8	血小板粘着能		64	
9	アンチトロンビン活性		70	
	アンチトロンビン抗原			
10	▼フィブリン・フィブリノゲン分解産物（FDP）定性	FDP定性	80	
	▼フィブリン・フィブリノゲン分解産物（FDP）半定量	FDP半定量		
	▼フィブリン・フィブリノゲン分解産物（FDP）定量	FDP定量		
	プラスミン			
	プラスミン活性			
	α_1－アンチトリプシン			
11	フィブリンモノマー複合体定性		93	
12～35省略				
同一検体を用いて13～32の項目を3項目以上行った場合は、所定点数にかかわらず、検査項目数に応じて算定する。				
イ	3項目又は4項目		530	
ロ	5項目以上		722	

生化学的検査（Ⅰ）　判生Ⅰ　★☆ 144点（月１回限り）

※静脈血採取料（B－V）（１日につき）40点（外来のみ）、６歳未満　75点（外来のみ）

［検査名称］ ▼：外来迅速検体検査加算対象項目　★：手術前医学管理料対象項目　☆：手術後医学管理料対象項目

	血液化学検査	略　称	点　数	備　考
1	▼総ビリルビン ★☆	BIL/総，T－Bil	11	
	直接ビリルビン又は抱合型ビリルビン ★☆	BIL/直，D－Bil		
	▼総蛋白 ★☆	TP		・「1」総蛋白、アルブミン（BCP改良法・BCG法）、「4」タン分画を同時　→　主たるもの２つのみ算定。
	▼アルブミン（BCP改良法・BCG法） ★☆	Alb（BCP改良法・BCG法）		
	▼尿素窒素 ★☆	BUN		
	▼クレアチニン ★☆	Crea		
	▼尿酸 ★☆	UA		
	▼アルカリホスファターゼ（ALP）★☆	ALP		
	▼コリンエステラーゼ（ChE）★☆	ChE		
	▼γ－グルタミルトランスフェラーゼ（γ－GT）★☆	γ－GT		
	▼中性脂肪（TG）★☆	TG		
	▼ナトリウム及びクロール（併せて１項目とする）★☆	Na,Cl		
	▼カリウム ★☆	K		
	▼カルシウム ★☆	Ca		・「1」カルシウム、「7」イオン化カルシウムを同時　→　主たるもののみ算定。
	マグネシウム ★☆	Mg		
	クレアチン ★☆			
	▼グルコース ★☆	血糖・Gl・BS・Glu		
	▼乳酸デヒドロゲナーゼ（LD）★☆	LD		
	アミラーゼ ★☆	Amy		
	ロイシンアミノペプチダーゼ（LAP）★☆	LAP		
	▼クレアチンキナーゼ（CK）★☆	CK		
	アルドラーゼ ★☆	ALD		
	遊離コレステロール ★☆	遊離－cho		
	鉄（Fe）★☆	Fe		
	血中ケトン体・糖・クロール検査（試験紙法・アンプル法・固定化酵素電極によるもの）★☆			
	不飽和鉄結合能（UIBC）（比色法）★☆	UIBC（比色法）		・「1」UIBC（比色法）、TIBC（比色法）を同時　→　主たるもののみ算定。
	総鉄結合能（TIBC）（比色法）★☆	TIBC（比色法）		
2	リン脂質 ★☆	PL	15	
3	▼HDL－コレステロール ★☆	HDL－cho	17	
	無機リン及びリン酸（併せて１項目とする）★☆	P,HP4		
	▼総コレステロール ★☆	T－cho		・「3」HDL-cho、T-cho、「4」LDL-choを同時　→　主たるもの２つのみ算定。
	▼アスパラギン酸アミノトランスフェラーゼ（AST）★☆	AST		
	▼アラニンアミノトランスフェラーゼ（ALT）★☆	ALT		
4	▼LDL－コレステロール ★☆	LDL－cho	18	・「4」タン分画、「1」総蛋白、アルブミン（BCP改良法・BCG法）を同時　→　主たるもの２つのみ算定。
	蛋白分画	タン分画		
5	銅（Cu）	Cu	23	
6	リパーゼ		24	
7	イオン化カルシウム ★☆		26	
8	マンガン（Mn）	Mn	27	・「8」マンガン（Mn）は、１月以上（胆汁排泄能の低下している患者は２週間以上）高カロリー静脈栄養法が行われている患者に対して３月に１回。
同一検体を用いて１～８の項目を５項目以上行った場合は、所定点数にかかわらず、検査の項目数に応じて算定する。				
イ	５項目以上７項目以下		93	
ロ	８項目又は９項目		99	
ハ	10項目以上		103	
注	入院時初回加算（入院して初めて行う（生Ⅰ）検査の包括対象項目を10項目以上行った場合に加算する。		入＋20	・「初回加算」は、基本的検体検査実施料を算定している場合は加算できない。

［検査名称］ ▼：外来迅速検体検査加算対象項目 ☆：手術後医学管理料対象項目

	血液化学検査		略称	点数	備考
9	ケトン体			30	・「9」ケトン体、「19」ケトン体分画を同時 → 「19」ケトン体分画のみ算定。
10	アポリポ蛋白	イ 1項目の場合		31	
		ロ 2項目の場合		62	
		ハ 3項目以上の場合		94	
11	アデノシンデアミナーゼ(ADA)		ADA	32	
12	グアナーゼ		GU	35	
13	有機モノカルボン酸			47	
	胆汁酸		TBA		
14	ALPアイソザイム		ALPアイソ	48	
	アミラーゼアイソザイム		Amyアイソ		
	γ－GTアイソザイム		γ－GTアイソ		
	LDアイソザイム		LDアイソ		
	重炭酸塩				・「14」重炭酸塩、「36」血液ガス分析を同時 → 「36」血液ガス分析のみ算定。
15	ASTアイソザイム		ASTアイソ	49	
	リポ蛋白分画				
16	アンモニア			50	
17	CKアイソザイム		CKアイソ	55	・同一月に「17」グリコアルブミン、「21」1,5AG、D005「9」HbA1cを行った場合は、月1回に限り主たるもののみ算定（妊娠中の患者等については診療報酬点数表参照）。
	▼グリコアルブミン				
18	コレステロール分画			57	
19	ケトン体分画			59	
	遊離脂肪酸				
20	レシチン・コレステロール・アシルトランスフェラーゼ(L－CAT)		L－CAT	70	
21	グルコース－6－リン酸デヒドロゲナーゼ(G－6－PD)		G－6－PD	80	
	リポ蛋白分画(PAGディスク電気泳動法)				
	1,5－アンヒドロ－D－グルシトール(1,5AG)		1,5AG		
	グリココール酸				
22	CK－MB(蛋白量測定)			90	
23	LDアイソザイム1型			95	
	総カルニチン				
	遊離カルニチン				
24	ALPアイソザイム及び骨型アルカリホスファターゼ(BAP)		ALPアイソ及びBAP	96	・「24」ALPアイソザイム及び骨型アルカリホスファターゼ(BAP)、「47」ALPアイソ(PAG電気泳動法)、D008「26」骨型アルカリホスファターゼ(BAP)を同時 → 主たるもののみ算定。
25	フェリチン半定量			102	
	フェリチン定量				
26	エタノール			105	・「27」リポ蛋白(a)は、3月に1回。
27	リポ蛋白(a)			107	・「28」ヘパリンは、1月に1回。
28	ヘパリン			108	・「28」KL-6、「35」SP-A、「39」SP-Dを同時 → 主たるもののみ算定。
	KL－6				・同一月の「29」心筋トロポニンⅠ、TnT定性・定量 → 主たるもののみ算定。
29	心筋トロポニンⅠ			109	
	心筋トロポニンT(TnT)定性・定量		TnT定性・定量		
	アルミニウム(Al)		Al		・「30」シスタチンC、「32」ペントジンを同時 → 主たるもののみ算定。
30	シスタチンC			112	
31	25-ヒドロキシビタミン			117	・「30」シスタチンCは、3月に1回。
32	ペントシジン			118	・「32」ペントシジンは、3月に1回。
33	イヌリン			120	・「33」イヌリンは、6月に1回。
34	リポ蛋白分画(HPLC法)			129	
35	肺サーファクタント蛋白－A(SP－A)		SP－A	130	
	ガラクトース				
36	血液ガス分析(院内検査)☆		血液ガス	131	
	Ⅳ型コラーゲン				
	ミオグロビン定性				・動脈血採取料(B-A)(1日につき)☆60点(入院・外来)。(乳幼児加算(6歳未満)＋35点)
	ミオグロビン定量				
	心臓由来脂肪酸結合蛋白(H－FABP)定性		H－FABP定性		
	心臓由来脂肪酸結合蛋白(H－FABP)定量		H－FABP定量		
37	亜鉛(Zn)		Zn	132	
38	アルブミン非結合型ビリルビン			135	
39～65省略					

生化学的検査（Ⅱ） 判生Ⅱ 144点（月1回限り）

※静脈血採取料（B－V）（1日につき）40点（外来のみ）、6歳未満 75点（外来のみ）

［検査名称］ ▼：外来迅速検体検査加算対象項目

	内分泌学的検査	略称	点数	備考
1	ヒト絨毛性ゴナドトロピン（HCG）定性	HCG定性	55	・「1」HCG定性、「17」HCG-β、「18」HCG定量又はHCG半定量を同時 → 主たるもののみ算定。
2	11－ハイドロキシコルチコステロイド（11－OHCS）	11－OHCS	60	
3	ホモバニリン酸（HVA）	HVA	69	
4	バニールマンデル酸（VMA）	VMA	90	
5	5－ハイドロキシインドール酢酸（5－HIAA）	5－HIAA	95	
6	プロラクチン（PRL）	PRL	98	
	▼甲状腺刺激ホルモン（TSH）	TSH		
7	トリヨードサイロニン（T_3）	T_3	99	
8	レニン活性		100	・「8」レニン活性、「10」レニン定量を同時 → 主たるもののみ算定。
	インスリン（IRI）	IRI		
9	ガストリン		101	
10	レニン定量		102	
11	サイロキシン（T_4）	T_4	105	
12	成長ホルモン（GH）	GH	105	
	卵胞刺激ホルモン（FSH）	FSH		
	C－ペプチド（CPR）	CPR		
	黄体形成ホルモン（LH）	LH		
13	テストステロン		119	
14	▼遊離サイロキシン（FT_4）	FT_4	121	
	▼遊離トリヨードサイロニン（FT_3）	FT_3		
	コルチゾール			
15	アルドステロン		122	
16	サイログロブリン		128	
17～53省略				
同一検体を用いて12～51の項目を3項目以上行った場合は、所定点数にかかわらず、検査項目に応じて算定する。				
イ	3項目以上5項目以下		410	
ロ	6項目又は7項目		623	
ハ	8項目以上		900	

	腫瘍マーカー	略称	点数	備考
1	尿中BTA		80	・腫瘍マーカー検査は、悪性腫瘍の患者であることが強く疑われる者に対して、悪性腫瘍の診断の確定又は転帰の決定までの間に1回を限度として算定。 ・「3」CEAと「7」DUPAN-2を同時 → 主たるもののみ算定。
2	▼α－フェトプロテイン（AFP）	AFP	98	
3	▼癌胎児性抗原（CEA）	CEA	99	
4	扁平上皮癌関連抗原（SCC抗原）	SCC抗原	101	
5	組織ポリペプタイド抗原（TPA）	TPA	110	
6	NCC－ST－439		112	・「6」CA15-3と「19」CSLEXを同時 → 主たるもののみ算定。
	CA15－3			
7	DUPAN－2		115	
8	エラスターゼ1		120	
9	▼前立腺特異抗原（PSA）	PSA	121	
	▼CA19－9			
10	PIVKA－Ⅱ半定量		131	
	PIVKA－Ⅱ定量			
11	CA125		136	・「11」CA125と「27」CA602を同時 → 主たるもののみ算定。 ・「14」NSEと「24」ProGRPを同時 → 主たるもののみ算定。 ・「12」NMP22定量又はNMP22定性及び「21」サイトケラチン8・18（尿）を同時 → 主たるもののみ算定。
12	核マトリックスプロテイン22（NMP22）定量（尿）	NMP22定量	139	
	核マトリックスプロテイン22（NMP22）定性（尿）	NMP22定性		
13	シアリルLe^{X}-i抗原（SLX）	SLX	140	
14	神経特異エノラーゼ（NSE）	NSE	142	
15	SPan-1		144	
16～36省略				
同一検体を用いて2～36の項目を2項目以上行った場合は、所定点数にかかわらず、検査の項目数に応じて算定する。				
イ	2項目		230	
ロ	3項目		290	
ハ	4項目以上		385	

免疫学的検査 判免 ★144点（月1回限り）

※静脈血採取料（B－V）（1日につき）40点（外来のみ）、6歳未満　75点（外来のみ）

［検査名称］　★：手術前医学管理料対象項目

	免疫血液学的検査	略称	点数	備考
1	ABO血液型	ABO	24	
	Rh（D）血液型	Rh（D）		
2	Coombs試験			
	イ　直接		34	
	ロ　間接		47	
3	Rh（その他の因子）血液型		148	
4～11省略				

	感染症免疫学的検査	略称	点数	備考
1	梅毒血清反応（STS）定性　★	STS定性	15	・梅毒血清反応（STS）とは、従来の梅毒沈降反応（ガラス板法、VDRL法、RPR法、凝集法等）をいう。
	抗ストレプトリジンO（ASO）定性　★	ASO定性		
	抗ストレプトリジンO（ASO）半定量　★	ASO半定量		
	抗ストレプトリジンO（ASO）定量　★	ASO定量		
2	トキソプラズマ抗体定性		26	
	トキソプラズマ抗体半定量			
3	抗ストレプトキナーゼ（ASK）定性　★	ASK定性	29	
	抗ストレプトキナーゼ（ASK）半定量　★	ASK半定量		
4	梅毒トレポネーマ抗体定性　★		32	・「4」マイコプラズマ抗体定性又は半定量、「27」マイコプラズマ抗原定性（免疫クロマト法）、「36」マイコプラズマ抗原定性（FA法）を同時　→　主たるもののみ算定。
	マイコプラズマ抗体定性			
	マイコプラズマ抗体半定量			
5	梅毒血清反応（STS）半定量	STS半定量	34	
	梅毒血清反応（STS）定量	STS定量		
6	梅毒トレポネーマ抗体半定量		53	
	梅毒トレポネーマ抗体定量			
7	アデノウイルス抗原定性（糞便）		60	・「7」アデノウイルス抗原定性（糞便）、「8」ロタウイルス抗原定性（糞便）又は定量（糞便）を同時　→　主たるもののみ算定。
	迅速ウレアーゼ試験定性			
8	ロタウイルス抗原定性（糞便）		65	・「9」クラミドフィラ・ニューモニエIgG抗体、「29」クラミドフィラ・ニューモニエIgM抗体を同時　→　主たるもののみ算定。
	ロタウイルス抗原定量（糞便）			
9	ヘリコバクター・ピロリ抗体定性・半定量		70	・「10」クラミドフィラ・ニューモニエIgA抗体、「29」クラミドフィラ・ニューモニエIgM抗体を同時　→　主たるもののみ算定。
	クラミドフィラ・ニューモニエIgG抗体			
10	クラミドフィラ・ニューモニエIgA抗体		75	
11	ウイルス抗体価（定性・半定量・定量）（1項目あたり）		79	・「11」ウイルス抗体価（定性・半定量・定量）は、同一検体について8項目を限度として算定。
12	クロストリジオイデス・ディフィシル抗原定性		80	・「11」ウイルス抗体価（定性・半定量・定量）、「44」グロブリンクラス別ウイルス抗体価を同時　→　主たるもののみ算定。
	ヘリコバクター・ピロリ抗体			
	百日咳菌抗体定性			
	百日咳菌抗体半定量			
13～66省略				

	肝炎ウイルス関連検査	略称	点数	備考
1	HBs抗原定性・半定量　★		29	
2	HBs抗体定性		32	
	HBs抗体半定量			
3	HBs抗原		88	
	HBs抗体			
4	HBe抗原		98	
	HBe抗体			
5	HCV抗体定性・定量　★		102	
	HCVコア蛋白			
6	HBc抗体半定量・定量		130	・「6」HBc抗体半定量・定量、「8」HBc-IgM抗体を同時　→　主たるもののみ算定。
7	HCVコア抗体		143	
8	HA－IgM抗体		146	・「8」HA-IgM抗体、HA抗体を同時　→　主たるもののみ算定。
	HA抗体			
	HBc－IgM抗体			
9～14省略				
同一検体を用いて3～14の項目を3項目以上行った場合は、所定点数にかかわらず、検査の項目数に応じて算定する。				
イ	3項目		290	
ロ	4項目		360	
ハ	5項目以上		425	

［検査名称］　▼：外来迅速検体検査加算対象項目　★：手術前医学管理料対象項目

	自己抗体検査	略　称	点　数	備　考
1	寒冷凝集反応	COLD	11	
2	リウマトイド因子（RF）定量	RF定量	30	・「2」RF定量、「8」抗ガラクトース欠損IgG抗体定性又は定量を同時 → 主たるもののみ算定。
3	抗サイログロブリン抗体半定量		37	
	抗甲状腺マイクロゾーム抗体半定量			
4	Donath－Landsteiner試験		55	
5	抗核抗体（蛍光抗体法）定性		99	
	抗核抗体（蛍光抗体法）半定量			
	抗核抗体（蛍光抗体法）定量			
6	抗インスリン抗体		107	
7	抗核抗体（蛍光抗体法を除く）		110	・「2」RF定量、「8」抗ガラクトース欠損IgG抗体定性又は定量、「9」MMP－3、「15」C_1q結合免疫複合体、「25」モノクローナルRF結合免疫複合体、「26」IgG型リウマトイド因子を同時に3項目以上 → 主たるもの2項目を算定。 ・「8」抗ガラクトース欠損IgG抗体定性又は定量、「9」MMP-3、「15」C_1q結合免疫複合体、「24」抗シトルリン化ペプチド抗体定性又は定量、「25」モノクローナルRF結合免疫複合体、「26」IgG型リウマトイド因子を同時に2項目以上 → 主たるもののみ算定。 ・「11」抗甲状腺ペルオキシダーゼ抗体、「3」抗甲状腺マイクロゾーム抗体半定量を同時 → 主たるもののみ算定。
8	抗ガラクトース欠損IgG抗体定性		111	
	抗ガラクトース欠損IgG抗体定量			
9	マトリックスメタロプロテイナーゼ－3（MMP－3）	MMP－3	116	
10	抗サイログロブリン抗体		136	
11	抗甲状腺ペルオキシダーゼ抗体		138	
12	抗Jo－1抗体定性		140	
	抗Jo－1抗体半定量			
	抗Jo－1抗体定量			
13	抗RNP抗体定性		144	
	抗RNP抗体半定量			
	抗RNP抗体定量			
14	抗Sm抗体定性		147	
	抗Sm抗体半定量			
	抗Sm抗体定量			
15	C_1q結合免疫複合体		153	
16	抗Scl－70抗体定性		157	
	抗Scl－70抗体半定量			
	抗Scl－70抗体定量			
	抗SS－B/La抗体定性			
	抗SS－B/La抗体半定量			
	抗SS－B/La抗体定量			
17	抗DNA抗体定量		159	
	抗DNA抗体定性			
18	抗SS－A/Ro抗体定性		161	
	抗SS－A/Ro抗体半定量			
	抗SS－A/Ro抗体定量			
19	抗RNAポリメラーゼⅢ抗体		170	
20～49省略				
同一検体を用いて10～16、18、19、23及び37の項目を2項目又は3項目以上行った場合は、所定点数にかかわらず、検査の項目数に応じて算定する。				
イ	2項目		320	
ロ	3項目以上		490	

	血漿蛋白免疫学的検査	略　称	点　数	備　考
1	C反応性蛋白（CRP）定性　★	CRP定性	16	・「1」CRP定性又はCRP、「6」SAAを同時 → 主たるもののみ算定。
	▼C反応性蛋白（CRP）★	CRP		
2	赤血球コプロポルフィリン定性		30	
	グルコース－6－ホスファターゼ（G－6－Pase）	G－6－Pase		
3	グルコース－6－リン酸デヒドロゲナーゼ（G－6－PD）定性	G－6－PD	34	
	赤血球プロトポルフィリン定性			
4	血清補体価（CH_{50}）	CH_{50}	38	・「4」免疫グロブリンは、IgG・IgA・IgM・IgDを測定した場合、それぞれ所定点数を算定。
	免疫グロブリン			
5	クリオグロブリン定性		42	
	クリオグロブリン定量			
6	血清アミロイドA蛋白（SAA）	SAA	47	
7	トランスフェリン（Tf）	Tf	60	
8	C_3	C_3	70	
	C_4	C_4		
9	セルロプラスミン		90	
10	β_2－マイクログロブリン	β_2－m	98	
11	非特異的IgE半定量	IgE（RIST）半定量	100	
	非特異的IgE定量	IgE（RIST）定量		
12	トランスサイレチン（プレアルブミン）		101	
13	特異的IgE半定量・定量 （1回の限度点数）	IgE（RAST） 半定量・定量	110 1,430限度	・「13」IgE（RAST）半定量・定量は、特異抗原の種類ごとに算定。
14～30省略				

微生物学的検査 判微 150点（月１回限り）

［検査名称］ ▼：外来迅速検体検査加算対象項目

	名称	略称・略号	点数	備考
排泄物、滲出物又は分泌物の細菌顕微鏡検査（細菌塗抹）				・同一検体を用いて細菌顕微鏡検査（細菌塗抹）とD002尿沈渣（鏡検法）又はD002-2尿沈渣（フローサイトメトリー法）を同時に行った場合は、主たるもののみ算定。
1	蛍光顕微鏡、位相差顕微鏡、暗視野装置等を使用するもの	S－蛍光、位相差、暗視野M	50	
	注　集菌塗抹法加算		＋35	
2	保温装置使用アメーバ検査		45	
3	▼その他のもの	S－M	67	
細菌培養同定検査				［細菌培養同定検査の主な検体］ ・「1」喀痰、咽頭液、鼻汁、気管支液等 ・「2」糞便、胃液、胆汁等 ・「3」血液、胸水、腹水、関節液等 ・「4」尿、婦人科の分泌物等 ・「5」耳漏、膿、婦人科以外の分泌物、眼脂、皮膚等
1	口腔、気道又は呼吸器からの検体	S－培同定（検体名）	180	
2	消化管からの検体		200	
3	血液又は穿刺液		225	
4	泌尿器又は生殖器からの検体		190	
5	その他の部位からの検体		180	
6	簡易培養	S－培	60	
注	嫌気性培養加算	嫌培	＋122	
	質量分析装置加算		入＋40	
細菌薬剤感受性検査				・「細菌薬剤感受性検査」は、結果として菌が検出できず、実施できなかった場合は算定しない。
1	１菌種	S－ディスク（菌種数）	185	
2	２菌種		240	
3	３菌種以上		310	
4	薬剤耐性菌検出		50	
5	抗菌薬併用効果スクリーニング		150	
酵母様真菌薬剤感受性検査			150	
抗酸菌分離培養検査				
1	抗酸菌分離培養（液体培地法）		300	
2	抗酸菌分離培養（それ以外のもの）		209	
抗酸菌同定（種目数にかかわらず一連につき）			361	・「抗酸菌薬剤感受性検査」は、4薬剤以上使用した場合に限り算定。
抗酸菌薬剤感受性検査（培地数に関係なく）			400	
他省略				

生体検査料

	通則加算	加算点数	備考
1	新生児加算（生後28日未満）	＋所定点数の100/100	・新生児加算、乳幼児加算は一部加算できない項目あり。 ・幼児加算はD200～D242、D306、D308、D310、D312、D313、D317、D325に掲げる検査のみ（一部加算できない項目あり）。
	乳幼児加算（３歳未満）	＋所定点数の 70/100	
2	幼児加算（３歳以上６歳未満）	＋所定点数の 40/100	

	名称		略号	点数	備考
生体検査判断料					
1	呼吸機能検査等判断料		判呼	140	・それぞれ月１回。 ・新生児加算、乳幼児加算、幼児加算は対象外。
2	脳波検査判断料	脳波検査判断料１（届）	判脳１	350	
		脳波検査判断料２	判脳２	180	
3	神経・筋検査判断料		判神	180	
4	ラジオアイソトープ検査判断料		判ラ	110	

※検査料の末尾に（片側）と記載のある検査を両側に行った場合は、所定点数の２倍の点数を算定する。
※新・乳：新生児・乳幼児加算ができる項目　※幼：幼児加算ができる項目
※減：同一月の同一検査２回目以降90/100の点数で算定する項目
［検査名称］ ★：手術前医学管理料対象項目　☆：手術後医学管理料対象項目

呼吸循環機能検査等			減	加算 新・乳	加算 幼	略称・略号	点数	判断料	備考
スパイログラフィー等検査								判呼 140	
1	肺気量分画測定（安静換気量測定、最大換気量測定含む）		—	○	○	肺気分画	90		
2	フローボリュームカーブ（強制呼出曲線含む）						100		
3	機能的残気量測定						140		
4	呼気ガス分析						100		
5	左右別肺機能検査						1,010		
基礎代謝測定			—	○	○	BMR	85		
心臓カテーテル法による諸検査（一連の検査について）								—	・カテーテルの種類、挿入回数によらず、一連として算定し、諸監視、血液ガス分析、心拍出量測定、脈圧測定、肺血流量測定、透視、造影剤注入手技、造影剤使用撮影、エックス線診断の費用は所定点数に含まれる。 ・エックス線撮影に使用したフィルム代は、画像診断に掲げるフィルムの点数により算定。
1	右心カテーテル		減	—	—		3,600		
2	左心カテーテル						4,000		
注	新生児加算（生後28日未満）	右心カテーテルの場合					＋10,800		
		左心カテーテルの場合					＋12,000		
	乳幼児加算（３歳未満）	右心カテーテルの場合					＋3,600		
		左心カテーテルの場合					＋4,000		
	卵円孔・欠損孔加算						＋800		
	ブロッケンブロー加算						＋2,000		
	伝導機能検査加算						＋400		
	ヒス束心電図加算						＋400		
	診断ペーシング加算						＋400		
	期外刺激法加算						＋800		
	冠攣縮誘発薬物負荷試験加算						＋800		
	冠動脈造影加算						＋1,400		
	血管内超音波検査加算又は血管内光断層撮影加算					血超 血光断	＋400		
	冠動脈血流予備能測定検査加算					冠血予	＋600		
	冠動脈血流予備能測定検査加算（循環動態解析装置）						＋7,200		
	血管内視鏡検査加算（届）					血内	＋400		
	心腔内超音波検査加算					心超	＋400		
心電図検査								—	
1	四肢単極誘導及び胸部誘導を含む最低12誘導 ★☆		減	○	○	ECG12	130		
2	ベクトル心電図、体表ヒス束心電図 ☆						150		
3	携帯型発作時心電図記憶伝達装置使用心電図検査 ☆						150		
4	加算平均心電図による心室遅延電位測定 ☆						200		
5	その他（６誘導以上）☆					ECG6	90		
注	他医療機関で描写した心電図の診断料（１回につき）		—	—	—		70		
負荷心電図検査								—	・同一日に行われた「心電図検査」は算定できない。
1	四肢単極誘導及び胸部誘導を含む最低12誘導		減	○	○	ECG12フカ	380		
2	その他（６誘導以上）					ECG6フカ	190		
注	他医療機関で描写した負荷心電図の診断料（１回につき）		—	—	—		70		
ホルター型心電図検査	1	30分又はその端数を増すごとに	減	○	○		90	—	・解析に係る費用は、所定点数に含まれる。
	2	８時間を超えた場合					1,750		
トレッドミルによる負荷心肺機能検査、サイクルエルゴメーターによる心肺機能検査			減	○	○		1,600	—	・同一日に行われた「スパイログラフィー等検査」「心電図検査」は算定できない。
注	連続呼気ガス分析加算						＋520		
リアルタイム解析型心電図			減	○	○		600	—	
心音図検査			減	○	○	PCG・PKG	150	—	

※検査料の末尾に（片側）と記載のある検査を両側に行った場合は、所定点数の２倍の点数を算定する。
※新・乳：新生児・乳幼児加算ができる項目　※幼：幼児加算ができる項目
※減：同一月の同一検査２回目以降90/100の点数で算定する項目　　　　　［検査名称］　☆：手術後医学管理料対象項目

超音波検査等（外来管理加算算定不可）				減	加算 新・乳	加算 幼	略称・略号	点数	備考
超音波検査（記録に要する費用を含む）									・同一の部位に同時に２以上の方法を併用する場合は、主たる方法のみ算定。 ・同一の方法による場合は、部位数にかかわらず１回のみ算定。 ・「2.断層撮影法・ロ・(1)」胸腹部を算定する場合は、検査を行った領域（複数の領域に行った場合はその全て）について摘要欄に当該項目を記載し、カ.「その他」の場合は、具体的な臓器又は領域を記載。 ア．消化器領域 イ．腎・泌尿器領域 ウ．女性生殖器領域 エ．血管領域（大動脈・大静脈等） オ．腹腔内・胸腔内の貯留物等 カ．その他 ・「2.断層撮影法・ロ・(3)」の体表には、肛門、甲状腺、乳腺、表在リンパ節等を含む。 ・「4.ドプラ法」について、「ロ」及び「ハ」を併用　→　主たるもののみ算定。 ・心臓超音波検査に伴って同時に記録した心電図、心音図、脈派図及び心機図の検査の費用を含む。 ・※閉麻：マスク又は気管内挿管による閉鎖循環式全身麻酔
1	Aモード法			減	○	○		150	
2	断層撮影法（心臓超音波検査を除く）								
	イ	訪問診療時に行った場合（月１回）		減	○	○		400	
	ロ	その他の場合							
		(1)	胸腹部	減	○	○		530	
		(2)	下肢血管					450	
		(3)	その他（頭頸部、四肢、体表、末梢血管等）					350	
3	心臓超音波検査				○	○			
	イ	経胸壁心エコー法		減				880	
	ロ	Mモード法						500	
	ハ	経食道心エコー法						1,500	
	ニ	胎児心エコー法（月１回）（届）		—				300	
		注	胎児心エコー法診断加算					＋1,000	
	ホ	負荷心エコー法		減				2,010	
4	ドプラ法（１日につき）			減	○	○			
	イ	胎児心音観察、末梢血管血行動態検査						20	
	ロ	脳動脈血流速度連続測定						150	
		注	微小栓子シグナル加算					＋150	
	ハ	脳動脈血流速度マッピング法						400	
5	血管内超音波法			減	○	○		4,290	
注	「2」断層撮影法又は「3」心臓超音波検査の造影剤使用加算（造影剤注入手技料、麻酔料（閉麻※除く）含む）			減	○	○		＋180	
	「2」断層撮影法のパルスドプラ法加算							＋150	
骨塩定量検査（４月に１回）				—	○	○			・「1」の「大腿骨同時撮影加算」は、DEXA法による腰椎撮影及び大腿骨撮影を同一日に行った場合にのみ算定。 ・「2」の「大腿骨同時検査加算」は、REMS法により腰椎及び大腿骨の骨塩定量検査を同一日に行った場合にのみ算定。
1	DEXA法による腰椎撮影							360	
	注	大腿骨同時撮影加算					腿撮	＋90	
2	REMS法（腰椎）							140	
	注	大腿骨同時検査加算						＋55	
3	MD法、SEXA法等							140	
4	超音波法							80	

監視装置による諸検査				減	加算 新・乳	加算 幼	略称	点数	備考
呼吸心拍監視☆、新生児心拍・呼吸監視、カルジオスコープ（ハートスコープ）、カルジオタコスコープ									・算定開始月日を摘要欄に記載する。 ・「呼吸心拍監視」「人工呼吸」を同時　→　「人工呼吸」のみ算定。 ・「マスク又は気管内挿管による閉鎖循環式全身麻酔」と同一日は算定できない。
1	１時間以内又は１時間につき			—	—	—		50	
2	３時間を超えた場合（１日につき）	イ	７日以内の場合	—	—	—		150	
		ロ	７日を超え14日以内の場合					130	
		ハ	14日を超えた場合					50	
経皮的動脈血酸素飽和度測定（１日につき）☆				—	○	○		35	・「経皮的動脈血酸素飽和度測定」「人工呼吸」を同時　→　「人工呼吸」のみ算定。 ・「マスク又は気管内挿管による閉鎖循環式全身麻酔」と同一日は算定できない。
終末呼気炭酸ガス濃度測定（１日につき）☆				—	○	○		100	・「マスク又は気管内挿管による閉鎖循環式全身麻酔」と同一日は算定できない。

脳波検査等（外来管理加算算定不可）		減	加算 新・乳	加算 幼	略称	点数	判断料		備考
脳波検査（過呼吸、光及び音刺激による負荷検査を含む）		—	○	○	EEG	720	判脳1	350	・脳波検査判断料１（届）
注	賦活検査加算					＋250	判脳2	180	
	他医療機関で描写した脳波の診断料（１回につき）		—	—		70	—		

神経・筋検査（外来管理加算算定不可）			減	加算 新・乳	加算 幼	略称	点数	判断料	備考
筋電図検査			—	○	○			判神 180	
1	筋電図検査（１肢につき）（針電極にあっては１筋につき）					EMR	320		
2	誘発筋電図（神経伝導速度測定を含む）（１神経につき）						200		
	注	複数神経加算（２神経以上１神経増すごと）					＋150 1,050限度		
3	中枢神経磁気刺激による誘発筋電図（一連につき）（届）						800		
	注	「3」について届出保険医療機関以外					所定点数の80/100		
4	単線維筋電図（一連につき）（届）						1,500		

耳鼻咽喉科学的検査（外来管理加算算定不可）			減	加算 新・乳	加算 幼	略称	点数	備考
自覚的聴力検査								
1	標準純音聴力検査、自記オージオメーターによる聴力検査		—	○	—		350	
2	標準語音聴力検査、ことばのききとり検査						350	
3	簡易聴力検査		—	○	—			
	イ	気導純音聴力検査					110	
	ロ	その他（種目数にかかわらず一連につき）					40	
4	後迷路機能検査（種目数にかかわらず一連につき）						400	
5	内耳機能検査（種目数にかかわらず一連につき）、耳鳴検査（種目数にかかわらず一連につき）						400	
6	中耳機能検査（種目数にかかわらず一連につき）						150	

※検査料の末尾に（片側）と記載のある検査を両側に行った場合は、所定点数の２倍の点数を算定する。
※新・乳：新生児・乳幼児加算ができる項目　※幼：幼児加算ができる項目
※減：同一月の同一検査２回目以降90/100の点数で算定する項目

眼科学的検査（外来管理加算算定不可）	減	加算 新・乳	加算 幼	略称・略号	点数	備考
精密眼底検査（片側）	―	○	―	精眼底	56	
眼底カメラ撮影				眼底カメラ		
1 通常の方法の場合 イ アナログ撮影	―	○	―		54	・「眼底カメラ撮影（1のロの場合を除く）」又は「細隙灯顕微鏡検査」に使用したフィルムの費用は、10円で除した点数を算定。 ・フィルム代＝価格÷10（小数点以下四捨五入） ・インスタントフィルムは、1回に16点を限度。
1 通常の方法の場合 ロ デジタル撮影					58	
2 蛍光眼底法の場合					400	
3 自発蛍光撮影法の場合					510	
注 広角眼底撮影加算				広眼	＋100	
細隙灯顕微鏡検査（前眼部及び後眼部）	―	○	―	精密スリットM	110	
網膜電位図（ERG）	―	○	―	ERG	230	
精密視野検査（片側）	―	○	―	精視野	38	
量的視野検査（片側） 1 動的量的視野検査	―	○	―		195	
量的視野検査（片側） 2 静的量的視野検査					290	
精密眼圧測定	―	○	―	精眼圧	82	
注 負荷測定加算					＋55	
細隙灯顕微鏡検査（前眼部）	―	○	―	スリットM	48	

負荷試験等（外来管理加算算定不可）	減	加算 新・乳	加算 幼	略称	点数	備考
肝及び腎のクリアランステスト	―	○	―		150	・「肝及び腎のクリアランステスト」又は「糖負荷試験」に伴って行った注射、採血、検体測定の費用はそれぞれ所定点数に含まれ算定できない。
注 尿管カテーテル法加算					＋1,200	
注 膀胱尿道ファイバースコピー加算					＋950	
注 膀胱尿道鏡検査加算					＋890	
糖負荷試験						
1 常用負荷試験（血糖、尿糖検査含む）	―	○	―	GTT	200	
2 耐糖能精密検査（常用負荷試験及び血中インスリン測定又は常用負荷試験及び血中C－ペプチド測定を行った場合）、グルカゴン負荷試験					900	

内視鏡検査の通則加算	略号	加算点数	備考
1 超音波内視鏡検査加算	超内	＋300	・「通則3」は、初診料（同一日複数科初診を含む）を算定した日に限り算定できる。
3 他医療機関で撮影した内視鏡写真の診断料（1回につき）		＋70	
5 時間外加算（外来患者、即日入院を含む）		＋所定点数の40/100	・「通則5」は、D295～D296-2、D298～D323、D325内視鏡検査を行った場合に加算。
5 休日加算（外来患者、入院患者、即日入院を含む）		＋所定点数の80/100	
5 深夜加算（外来患者、入院患者、即日入院を含む）		＋所定点数の80/100	
5 時間外特例加算（外来患者、即日入院を含む）		＋所定点数の40/100	

内視鏡検査（外来管理加算算定不可）（処置又は手術と同時に行った内視鏡検査は算定不可）（内視鏡検査当日に、検査に関連して行う注射実施料は算定不可）	減	加算 新・乳	加算 幼	略称・略号	点数	備考
関節鏡検査（片側）	減	○	―	E－関節	760	
気管支ファイバースコピー	減	○	―	EF－気管支	2,500	
注 気管支肺胞洗浄法検査同時加算					＋200	
食道ファイバースコピー	減	○	○	EF－食道	800	
注 粘膜点墨法加算				墨	＋60	
注 狭帯域光強調加算				狭光	＋200	
胃・十二指腸ファイバースコピー	減	○	○	EF－胃・十二指腸	1,140	
注 胆管・膵管造影法加算					＋600	・「EF-胃・十二指腸」の「胆管・膵管造影法加算」には諸監視、造影剤注入手技、エックス線診断の費用（フィルム代除く）が含まれ算定できない。
注 粘膜点墨法加算				墨	＋60	
注 胆管・膵管鏡加算					＋2,800	
注 狭帯域光強調加算				狭光	＋200	
胆道ファイバースコピー	減	○	―		4,000	
小腸内視鏡検査 1 バルーン内視鏡によるもの	減	○	○	EF-小腸	6,800	・「小腸内視鏡検査」は、2種類以上行った場合は、主たるもののみ算定。ただし、「3」のカプセル型内視鏡によるものを行った後に、診断の確定又は治療を目的として「1」のバルーン内視鏡によるもの又は「2」のスパイラル内視鏡によるものを行った場合は、いずれの点数も算定。
小腸内視鏡検査 2 スパイラル内視鏡によるもの					6,800	
小腸内視鏡検査 3 カプセル型内視鏡によるもの					1,700	
小腸内視鏡検査 3 注 内視鏡的留置術加算（15歳未満）					＋260	
小腸内視鏡検査 4 その他のもの					1,700	
小腸内視鏡検査 4 注 粘膜点墨法加算				墨	＋60	
大腸内視鏡検査						・「大腸内視鏡検査1」のイ、ロ、ハは、同一検査として扱う。
1 ファイバースコピーによるもの イ S状結腸	減	○	○	EF－S状結腸	900	
1 ファイバースコピーによるもの ロ 下行結腸及び横行結腸				EF－下行結腸・横行結腸	1,350	
1 ファイバースコピーによるもの ハ 上行結腸及び盲腸				EF－上行結腸・盲腸	1,550	
1 ファイバースコピーによるもの ハ 注 バルーン内視鏡加算					＋450	
2 カプセル型内視鏡によるもの					1,550	
2 注 内視鏡的留置術加算（15歳未満）					＋260	
注 粘膜点墨法加算				墨	＋60	
注 狭帯域光強調加算				狭光	＋200	
腹腔ファイバースコピー	減	○	―	EF－腹腔	2,160	
膀胱尿道ファイバースコピー	減	○	○	EF－膀胱尿道	950	・「尿管カテーテル法（ファイバースコープによるもの）」には、これと同時に行う膀胱尿道ファイバースコピー又は膀胱尿道鏡検査が含まれ算定できない。
注 狭帯域光強調加算				狭光	＋200	
尿管カテーテル法（ファイバースコープによるもの）（両側）	減	○	―	EF－尿カテ	1,200	
腎盂尿管ファイバースコピー（片側）	減	○	―	EF－腎盂尿管	1,800	

診断穿刺・検体採取料

※手術にあたって診断穿刺又は検体採取を行った場合は算定しない。
※処置の部と共通の項目は同一日に算定できない。　［検査名称］☆：手術後医学管理料対象項目

名称			略称	点数	備考
血液採取（1日につき）	1	静脈	B－V	外40	・「血液採取2、その他」は、耳朶、指先等の末梢血等。
	2	その他	B－C	外6	
	注	乳幼児加算（6歳未満）		＋35	
脳室穿刺				500	
	注	乳幼児加算（6歳未満）		＋100	
後頭下穿刺				300	
	注	乳幼児加算（6歳未満）		＋100	
腰椎穿刺、胸椎穿刺、頸椎穿刺（脳脊髄圧測定を含む）				260	
	注	乳幼児加算（6歳未満）		＋100	
骨髄穿刺	1	胸骨		260	
	2	その他		300	
	注	乳幼児加算（6歳未満）		＋100	
骨髄生検				730	
	注	乳幼児加算（6歳未満）		＋100	
関節穿刺（片側）				100	
	注	乳幼児加算（3歳未満）		＋100	
上顎洞穿刺（片側）				60	
扁桃周囲炎又は扁桃周囲膿瘍における試験穿刺（片側）				180	
腎嚢胞又は水腎症穿刺				240	
	注	乳幼児加算（6歳未満）		＋100	
ダグラス窩穿刺				240	
リンパ節等穿刺又は針生検				200	
センチネルリンパ節生検（片側）（届）	1	併用法		5,000	
	2	単独法		3,000	
乳腺穿刺又は針生検（片側）	1	生検針によるもの		690	
	2	その他		200	
甲状腺穿刺又は針生検				150	・「経皮的針生検法」は、骨髄、リンパ節、乳腺、甲状腺、前立腺、腎以外の臓器等。
経皮的針生検法（透視、心電図検査及び超音波検査を含む）				1,600	
経皮的腎生検法				2,000	・「経皮的腎生検法」の所定点数には、心電図検査及び超音波検査が含まれる。
前立腺針生検法					
	1	MRI撮影及び超音波検査融合画像によるもの（届）		8,210	
	2	その他のもの		1,540	
内視鏡下生検法（1臓器につき）				310	・「内視鏡下生検法」は、下記の項目の区分ごとに1臓器とする。 ・「1」組織切片によるものについて、下記のものは区分ごとに1臓器とする。摘要欄に通知(1)の(ア)～(ケ)までのいずれかを選択し、選択する臓器又は部位がない場合は(コ)その他を選択し、具体的な部位等を記載。
子宮腟部等からの検体採取	1	子宮頸管粘液採取		40	ア. 気管支及び肺臓 イ. 食道 ウ. 胃及び十二指腸 エ. 小腸 オ. 盲腸 カ. 上行結腸、横行結腸及び下行結腸 キ. S状結腸 ク. 直腸 ケ. 子宮体部及び子宮頸部 コ. その他
	2	子宮腟部組織採取		200	
	3	子宮内膜組織採取		370	
その他の検体採取	1	胃液・十二指腸液採取（一連につき）		210	
	2	胸水・腹水採取（簡単な液検査を含む）		220	
		注　乳幼児加算（6歳未満）		＋60	
	3	動脈血採取（1日につき）☆	B－A	60	・「動脈血採取」は、血液回路から採取した場合は算定できない。 ・「副腎静脈サンプリング」は、カテーテルの種類、挿入回数によらず一連として算定し、透視、造影剤注入手技、造影剤使用撮影及びエックス線診断の費用は、全て所定点数に含まれる。エックス線撮影に用いられたフィルムの費用は「画像診断」のフィルム料の所定点数により算定。
		注　乳幼児加算（6歳未満）		＋35	
	4	前房水採取		420	
		注　乳幼児加算（6歳未満）		＋90	
	5	副腎静脈サンプリング（一連につき）		4,800	
		注　乳幼児加算（6歳未満）		＋1,000	
	6	鼻腔・咽頭拭い液採取		25	

Ⅱ-9　病理診断

⑹0　病理診断

病理診断・判断料

名称				略号	点数	備考
病理診断料						・病理診断を専ら担当する医師が勤務する病院又は病理診断を専ら担当する常勤の医師が勤務する診療所において、下記のいずれかの組織標本に基づく診断を行った場合又は他の医療機関で作製した組織標本を診断した場合。
1	組織診断料（月１回）			判組診	520	・病理組織標本作製 ・電子顕微鏡病理組織標本作製 ・免疫染色（免疫抗体法）病理組織標本作製 ・術中迅速病理組織標本作製
2	細胞診断料（月１回）			判細診	200	・迅速細胞診 ・細胞診「2」（穿刺吸引細胞診、体腔洗浄等によるもの）
注	4	イ	病理診断管理加算１（届）			・病理診断を専ら担当する常勤の医師が病理診断を行い、その結果を文書により報告した場合。
			（1）組織診断を行った場合	病管１	120	
			（2）細胞診断を行った場合		60	
		ロ	病理診断管理加算２（届）			・「悪性腫瘍病理組織標本加算」は、悪性腫瘍に係る手術の検体から「病理組織標本作製の1」又は「免疫染色（免疫抗体法）病理組織標本作製」より作製された組織標本に基づく診断を行った場合。摘要欄に検体を摘出した手術名称を記載。
			（1）組織診断を行った場合	病管２	320	
			（2）細胞診断を行った場合		160	
	5	悪性腫瘍病理組織標本加算（届）			＋150	
病理判断料（月１回）				判病判	130	・同一月に病理診断料との重複算定はできない。

病理標本作製料

※病理標本作製にあたって、3臓器以上の標本作製を行った場合は、3臓器を限度として算定する。
※リンパ節については所属リンパ節ごとに1臓器として数える。ただし、複数の所属リンパ節が1臓器について存在する場合は、当該複数の所属リンパ節を1臓器として数える。

名称			略称・略号	点数	備考
病理組織標本作製					・「1」組織切片によるものについて、下記のものは区分ごとに1臓器とする。摘要欄に通知（1）の（ア）～（ケ）までのいずれかを選択し、選択する臓器又は部位がない場合は（コ）その他を選択し、具体的な部位等を記載。 ア．気管支及び肺臓　イ．食道　ウ．胃及び十二指腸　エ．小腸　オ．盲腸　カ．上行結腸、横行結腸及び下行結腸　キ．Ｓ状結腸　ク．直腸　ケ．子宮体部及び子宮頸部　コ．その他
1	組織切片によるもの（1臓器につき）		T－M	860	
2	セルブロック法によるもの（1部位につき）		T－M	860	・「2」セルブロック法によるものは、摘要欄に通知（6）に規定するもののうち該当する対象疾患名を選択して記載。
電子顕微鏡病理組織標本作製（1臓器につき）				2,000	・腎組織、内分泌臓器の機能性腫瘍（甲状腺腫を除く）、異所性ホルモン産生腫瘍、軟部組織悪性腫瘍、ゴーシェ病等の脂質蓄積症、多糖体蓄積症等に対する生検及び心筋症に対する心筋生検の場合において、電子顕微鏡による病理診断のための病理組織標本を作製した場合に算定。
免疫染色（免疫抗体法）病理組織標本作製					
1	エストロジェンレセプター			720	
2	プロジェステロンレセプター			690	
3	HER2タンパク			690	
4	EGFRタンパク			690	
5	CCR4タンパク			10,000	
6	ALK融合タンパク			2,700	
7	CD30			400	
8	その他（1臓器につき）			400	
	注	確定診断のため4種類以上の抗体を用いた免疫染色標本作製を実施した場合	4免 （対象疾患名、染色抗体数）	＋1,200	
注	1及び2を同一月に実施した場合の加算			＋180	・「1」と「2」を同一月に実施した場合は、いずれか主たる所定点数と「注」加算（180点）を算定。
術中迅速病理組織標本作製（1手術につき）			T－M/OP	1,990	・手術の途中において迅速凍結切片等による標本作製及び鏡検を完了した場合に、1手術につき1回算定。
迅速細胞診					・手術、気管支鏡検査（超音波気管支鏡下穿刺吸引生検法の実施時に限る）又は内視鏡検査（膵癌又は胃粘膜下腫瘍が疑われる患者に対する超音波内視鏡下穿刺吸引生検法の実施時に限る）の途中において腹水及び胸水等の体腔液又は穿刺吸引検体による標本作製及び鏡検を完了した場合に、1手術又は1検査につき1回算定。
1	手術中の場合（1手術につき）			450	
2	検査中の場合（1検査につき）			450	
細胞診（1部位につき）					・同一又は近接した部位より同時に数検体を採取して標本作製を行った場合は、1回として算定。
1	婦人科材料等によるもの		スメア	150	
	注	婦人科材料等液状化検体細胞診加算		＋45	
2	穿刺吸引細胞診、体腔洗浄等によるもの			190	・「2」は喀痰細胞診、気管支洗浄細胞診、体腔液細胞診、体腔洗浄細胞診、体腔臓器擦過細胞診、髄液細胞診等を指す。
	注	液状化検体細胞診加算		＋85	

Ⅱ-10　画像診断

⑩　画像診断

通則加算			略　号	点数	備　考
3	時間外緊急院内画像診断加算（1日につき）		緊画 開始日時 （引き続き入院の場合はその旨）	110	・標榜時間以外の時間・休日・深夜に外来患者（引き続き入院した場合を含む）に対して緊急のために画像撮影及び診断を行った場合。
4	画像診断管理加算1（届）	エックス線写真診断	写画1	70	・それぞれの診断ごとに月1回。 ・画像診断医による画像診断（文書報告）が行われた場合。
		核医学診断	核画1		
		コンピューター断層診断	コ画1		
5	画像診断管理加算2（届）	核医学診断	核画2	175	
		コンピューター断層診断	コ画2		
	画像診断管理加算3（届）	核医学診断	核画3	235	
		コンピューター断層診断	コ画3		
	画像診断管理加算4（届）	核医学診断	核画4	340	
		コンピューター断層診断	コ画4		

他医撮影診断料（他医療機関の撮影フィルムの診断料）

区　分					点　数	備　考
エックス線写真診断	1	単純撮影	イ	頭部・胸部・腹部・脊椎等	85	・撮影部位及び撮影方法（単純撮影、造影剤使用撮影、特殊撮影、乳房撮影を指し、アナログ撮影又はデジタル撮影の別は問わない）別に1回の算定。 ・1つの撮影方法については撮影回数、写真枚数にかかわらず1回として算定。
			ロ	その他（四肢）	43	
	2	特殊撮影（一連につき）			96	
	3	造影剤使用撮影			72	
	4	乳房撮影（一連につき）			306	
コンピューター断層診断					450	・初診料（同一日複数科初診料含む）を算定した日に限り算定できる。

造影剤注入手技料

区　分			点　数
点滴注射（1日につき）	6歳以上	500mL未満	外53
		500mL以上	102
	6歳未満（＋48点）	100mL未満	外101
		100mL以上	153
動脈注射（1日につき）	内臓の場合		155
	その他の場合		45
動脈造影カテーテル法	イ	主要血管の分枝血管を選択的に造影撮影した場合	3,600
	注	頸動脈閉塞試験加算	＋1,000
	ロ	イ以外	1,180
	注	血流予備能測定検査加算	＋400

区　分			点　数
静脈造影カテーテル法			3,600
内視鏡下造影剤注入	イ	気管支ファイバースコピー挿入	2,500
	注	気管支肺胞洗浄法検査同時加算	＋200
	ロ	尿管カテーテル法（両側）	1,200
腔内注入及び穿刺注入	イ	注腸	300
	ロ	腰椎穿刺注入、胸椎穿刺注入、頸椎穿刺注入、関節腔内注入、上顎洞穿刺注入、気管内注入（内視鏡下の造影剤注入によらないもの）、子宮卵管内注入、胃・十二指腸ゾンデ挿入による注入、膀胱内注入、腎盂内注入、唾液腺注入	120
嚥下造影			240

※フィルム料の算定は撮影方法（単純撮影・造影剤使用撮影・特殊撮影・乳房撮影）ごとに使用枚数を合算し、小数点以下を四捨五入して端数処理をする。
※6歳未満の乳幼児に対して、胸部単純撮影又は腹部単純撮影を行った場合は、フィルム料を1.1倍して算定する。

画像記録用フィルム（デジタル、核医学、CT・MRI撮影用）

規　格	価　格	点数 1枚	2枚	3枚	4枚	5枚
半切	226（円）	22.6	45.2	67.8	90.4	113.0
大角	188（円）	18.8	37.6	56.4	75.2	94.0
大四ツ切	186（円）	18.6	37.2	55.8	74.4	93.0
B4	149（円）	14.9	29.8	44.7	59.6	74.5
四ツ切	135（円）	13.5	27.0	40.5	54.0	67.5
六ツ切	115（円）	11.5	23.0	34.5	46.0	57.5
24cm×30cm	145（円）	14.5	29.0	43.5	58.0	72.5

エックス線フィルム料（アナログ用）

規　格	価　格	点数 1枚	2枚	3枚	4枚	5枚
半切	120（円）	12.0	24.0	36.0	48.0	60.0
大角	115（円）	11.5	23.0	34.5	46.0	57.5
大四ツ切	76（円）	7.6	15.2	22.8	30.4	38.0
四ツ切	62（円）	6.2	12.4	18.6	24.8	31.0
六ツ切	48（円）	4.8	9.6	14.4	19.2	24.0
八ツ切	46（円）	4.6	9.2	13.8	18.4	23.0
カビネ	38（円）	3.8	7.6	11.4	15.2	19.0

エックス線診断料

画像診断管理加算（届）	1	写画1	70

［名称］★：⑬手術前医学管理料対象診断料・撮影料

※電子画像管理加算＝ 電画 一連の撮影につき算定する（フィルムの費用は算定できない）。
※写真診断の単純撮影において、下記の部位は「頭部・胸部・腹部・脊椎」により算定する。
　耳、副鼻腔、骨盤、腎、尿管、膀胱、頸部、腋窩、股関節部、肩関節部、肩胛骨、鎖骨
〈撮影料の加算〉
　新生児：＋所定点数×80/100、3歳未満（新生児を除く）：＋所定点数×50/100、3歳以上6歳未満：＋所定点数×30/100

診断料（デジタル撮影料）

撮影方法	電画	部位等	診断料	撮影料	年齢	撮影回数				
						1回	2回	3回	4回	5回
単純撮影X－P	57	頭部・胸部・腹部・脊椎	85★	68★	一般	153	230	306	383	459
					3歳以上6歳未満	173	261	347	434	520
					3歳未満	187	281	374	468	561
		その他（四肢）	43	68★	一般	111	167	222	278	333
					3歳以上6歳未満	131	198	263	329	394
					3歳未満	145	218	290	363	435
造影剤使用撮影X－P	66	消化管等	72	154	一般	226	339	452	565	678
					3歳以上6歳未満	272	408	544	681	817
					3歳未満	303	455	606	758	909
		脳脊髄腔	72	302	一般	374	561	748	935	1,122
					3歳以上6歳未満	465	697	929	1,162	1,394
					3歳未満	525	788	1,050	1,313	1,575
特殊撮影X－P（一連につき） ・パントモグラフィー ・断層（トモグラフィー・トモ） ・狙撃（スポット、SP） ・側頭骨・上顎骨・副鼻腔曲面断層 ・児頭骨盤不均衡特殊撮影	58	単独	96	270	一般	366				
					3歳以上6歳未満	447				
					3歳未満	501				
		他方併用	48	270	一般	318				
					3歳以上6歳未満	399				
					3歳未満	453				
乳房撮影X－P（一連につき）	54	単独	306	202	一般	508				
透視診断（X－D）	—	—	110	—	—	110				

診断料（アナログ撮影料）

撮影方法	部位等	診断料	撮影料	年齢	撮影回数				
					1回	2回	3回	4回	5回
単純撮影X－P	頭部・胸部・腹部・脊椎	85★	60★	一般	145	218	290	363	435
				3歳以上6歳未満	163	245	326	408	489
				3歳未満	175	263	350	438	525
	その他（四肢）	43	60★	一般	103	155	206	258	309
				3歳以上6歳未満	121	182	242	303	363
				3歳未満	133	200	266	333	399
造影剤使用撮影X－P	消化管等	72	144	一般	216	324	432	540	648
				3歳以上6歳未満	259	389	518	648	778
				3歳未満	288	432	576	720	864
	脳脊髄腔	72	292	一般	364	546	728	910	1,092
				3歳以上6歳未満	452	677	903	1,129	1,355
				3歳未満	510	765	1,020	1,275	1,530
特殊撮影X－P（一連につき） ・パントモグラフィー ・断層（トモグラフィー・トモ） ・狙撃（スポット、SP） ・側頭骨・上顎骨・副鼻腔曲面断層 ・児頭骨盤不均衡特殊撮影	単独	96	260	一般	356				
				3歳以上6歳未満	434				
				3歳未満	486				
	他方併用	48	260	一般	308				
				3歳以上6歳未満	386				
				3歳未満	438				
乳房撮影X－P（一連につき）	単独	306	192	一般	498				
透視診断（X－D）	—	110	—	—	110				

※新生児、他一部については省略。

画像診断管理加算（届）	核医学診断		
	1	核画1	70
	2	核画2	175
	3	核画3	235
	4	核画4	340

核医学診断料

撮影料	点数	甲状腺ラジオアイソトープ摂取率測定加算	断層撮影負荷試験加算	新生児加算 乳幼児加算 幼児加算	核医学診断（月1回）	電子画像管理加算 電画
シンチグラム（画像を伴うもの）（※1）		＋100	―	・新生児加算 ＋所定点数の80/100 ・乳幼児加算：3歳未満 ＋所定点数の50/100 ・幼児加算：3歳以上6歳未満 ＋所定点数の30/100	370	＋120 （一連の撮影について1回） （フィルムの費用は算定不可）
1 部分（静態）（一連につき）	1,300					
2 部分（動態）（一連につき）	1,800					
3 全身（一連につき）	2,200					
シングルホトンエミッションコンピューター断層撮影（同一のラジオアイソトープを用いた一連の検査につき）（※1）	1,800	＋100	＋所定点数の50/100			
ポジトロン断層撮影（届）		―	―	・新生児加算　＋1,600 ＋1,280（※2） ・乳幼児加算：3歳未満 ＋1,000 ＋800（※2） ・幼児加算：3歳以上6歳未満　＋600 ＋480（※2） （※2）届出医療機関以外	450	
1 ^{15}O標識ガス剤を用いた場合（一連の検査につき）	7,000					
2 ^{18}FDGを用いた場合（一連の検査につき）	7,500					
3 ^{13}N標識アンモニア剤を用いた場合（一連の検査につき）	9,000					
4 ^{18}F標識フルシクロビンを用いた場合（一連の検査につき）	2,500	―	―			
5 アミロイドPETイメージング剤を用いた場合（一連の検査につき）		―	―	―		
イ 放射性医薬品合成設備を用いた場合	12,500					
ロ イ以外の場合	2,600					

※他省略

（※1）ラジオアイソトープ等の注入手技料は算定できない。

※ポジトロン断層撮影、ポジトロン断層・コンピューター断層複合撮影、ポジトロン断層・磁気共鳴コンピューター断層複合撮影、乳房用ポジトロン断層撮影を届出保険医療機関以外の保険医療機関で行った場合は、所定点数の80/100の点数で算定する。

画像診断管理加算（届）	コンピューター断層診断		
	1	コ画1	70
	2	コ画2	175
	3	コ画3	235
	4	コ画4	340

コンピューター断層撮影診断料

撮影料	点数	CT・MRI同一月の2回目以降	造影剤使用加算（※3）	大腸CT撮影加算（基）（※3）	各部CT・MRI撮影加算（届）	新生児加算 乳幼児加算 幼児加算	コンピューター断層診断（月1回）	電子画像管理加算 電画
コンピューター断層撮影（CT撮影）（一連につき）			＋500		冠動脈CT撮影加算 ＋600 外傷全身CT加算 ＋800	〈頭部外傷を除く〉 ・新生児加算 ＋所定点数(＋造影剤使用加算)の80/100 ・乳幼児加算3歳未満 ＋所定点数(＋造影剤使用加算)の50/100 ・幼児加算：3歳以上6歳未満 ＋所定点数(＋造影剤使用加算)の30/100 〈頭部外傷に対して〉 ・新生児加算 ＋所定点数(＋造影剤使用加算)の85/100 ・乳幼児加算3歳未満 ＋所定点数(＋造影剤使用加算)の55/100 ・幼児加算：3歳以上6歳未満 ＋所定点数(＋造影剤使用加算)の35/100	450	＋120 （一連の撮影について1回） （フィルムの費用は算定不可）
1 イ 64列以上のマルチスライス型の機器（届）				＋620				
1 イ 1 共同利用施設の場合	1,020	816						
1 イ 2 その他の場合	1,000	800						
1 ロ 16列以上64列未満のマルチスライス型の機器（届）	900	720		＋500				
1 ハ 4列以上16列未満のマルチスライス型の機器（届）	750	600		―				
1 ニ イ、ロ又はハ以外	560	448						
2 脳槽CT撮影（造影を含む）（※3）	2,300	1,840	―	―	―			
磁気共鳴コンピューター断層撮影（MRI撮影）（一連につき）			＋250	―	頭部MRI撮影加算「1」のみ＋100 心臓MRI撮影加算＋400 乳房MRI撮影加算＋100 全身MRI撮影加算＋600 肝エラストグラフィ加算＋600			
1 3テスラ以上の機器（届）								
1 イ 共同利用施設の場合	1,620	1,296						
1 ロ その他の場合	1,600	1,280						
2 1.5テスラ以上3テスラ未満の機器（届）	1,330	1,064						
3 1又は2以外	900	720						

※他省略

※MRI撮影について、別に厚生労働大臣の定める施設基準に適合しているものとして地方厚生局長等に届け出た保険医療機関において、15歳未満の小児に対して、麻酔を用いて鎮静を行い、1回で複数の領域を一連で撮影した場合は、小児鎮静下MRI撮影加算として、当該撮影の所定点数に80／100に相当する点数を加算する。

（※3）造影剤注入手技料、麻酔料（マスク又は気管内挿管による閉鎖循環式全身麻酔を除く）の費用を含む。

⑧⓪　リハビリテーション

※外来管理加算は算定できない。

	名称		略号	点数
心大血管疾患リハビリテーション料				
1	心大血管疾患リハビリテーション料（Ⅰ）（1単位）（届）	「イ」理学療法士による場合 「ロ」作業療法士による場合 「ハ」医師による場合 「ニ」看護師による場合 「ホ」集団療法による場合		205
2	心大血管疾患リハビリテーション料（Ⅱ）（1単位）（届）			125
呼吸器リハビリテーション料				
1	呼吸器リハビリテーション料（Ⅰ）（1単位）（届）	「イ」理学療法士による場合 「ロ」作業療法士による場合 「ハ」言語聴覚士による場合 「ニ」医師による場合		175
2	呼吸器リハビリテーション料（Ⅱ）（1単位）（届）			85
注	【心大血管疾患リハビリテーション料・呼吸器リハビリテーション料共通】			
	早期リハビリテーション加算（1単位）（30日限度）		早リ加	入＋25
	初期加算（1単位）（14日限度）（届）		初期	入＋45
	急性期リハビリテーション加算（1単位）（14日限度）（届）		急リ加	入＋50
	リハビリテーションデータ提出加算（月1回）（届）		—	外＋50
脳血管疾患等リハビリテーション料				
1	脳血管疾患等リハビリテーション料（Ⅰ）（1単位）（届）	「イ」理学療法士による場合 「ロ」作業療法士による場合 「ハ」言語聴覚士による場合 「ニ」医師による場合		245
2	脳血管疾患等リハビリテーション料（Ⅱ）（1単位）（届）			200
3	脳血管疾患等リハビリテーション料（Ⅲ）（1単位）（届）			100
運動器リハビリテーション料				
1	運動器リハビリテーション料（Ⅰ）（1単位）（届）	「イ」理学療法士による場合 「ロ」作業療法士による場合 「ハ」医師による場合		185
2	運動器リハビリテーション料（Ⅱ）（1単位）（届）			170
3	運動器リハビリテーション料（Ⅲ）（1単位）（届）			85
注	【脳血管疾患等リハビリテーション料・運動器リハビリテーション料共通】			
	早期リハビリテーション加算（1単位）（30日限度）		早リ加	＋25
	初期加算（1単位）（14日限度）（届）		初期	＋45
	急性期リハビリテーション加算（1単位）（14日限度）（届）		急リ加	入＋50
	リハビリテーションデータ提出加算（月1回）（届）		—	外＋50
リハビリテーション総合計画評価料				
1	リハビリテーション総合計画評価料1（届）（月1回）		リハ総評1	300
2	リハビリテーション総合計画評価料2（届）（月1回）		リハ総評2	240
注	入院時訪問指導加算（入院中1回）		—	入＋150
	運動量増加機器加算（月1回）		—	＋150

備考

〔心大血管疾患リハビリテーション料〕
・対象患者に対して個別療法又は集団療法であるリハビリテーションを行った場合に、治療開始日から150日を限度（算定日数上限除外対象患者であって、治療を継続することにより状態の改善が期待できると判断される場合は150日を超えて算定できる）。

〔呼吸器リハビリテーション料〕
・対象患者に対して個別療法であるリハビリテーションを行った場合に、治療開始日から90日を限度（算定日数上限除外対象患者であって、治療を継続することにより状態の改善が期待できると判断される場合は90日を超えて算定できる）。

【心大血管疾患・呼吸器リハビリテーション料共通】
・算定単位数、実施日数、疾患名、治療開始年月日を摘要欄に記載。
・「早期リハビリテーション加算」「初期加算」「急性期リハビリテーション加算」は、入院中の対象患者に対して、発症、手術又は急性増悪から7日目又は治療開始日のいずれか早いものからそれぞれの日数を限度として算定できる。早リ加 初期は、発症、手術又は急性増悪の年月日を摘要欄に記載。急リ加は、算定の根拠となった要件［H000(11)に掲げるアからエまでいずれか］を摘要欄に日ごとに記載。

〔脳血管疾患等リハビリテーション料〕
・対象患者に対して個別療法であるリハビリテーションを行った場合に、発症、手術若しくは急性増悪又は最初に診断された日から180日を限度（算定日数上限除外対象患者であって、治療を継続することにより状態の改善が期待できると判断される場合は180日を超えて算定できる）。

〔運動器リハビリテーション料〕
・対象患者に対して個別療法であるリハビリテーションを行った場合に、発症、手術若しくは急性増悪又は最初に診断された日から150日を限度（算定日数上限除外対象患者であって、治療を継続することにより状態の改善が期待できると判断される場合は150日を超えて算定できる）。

【脳血管疾患等・運動器リハビリテーション料共通】
・算定単位数、実施日数、疾患名、発症年月日、手術年月日、急性増悪した年月日又は最初に診断された年月日を摘要欄に記載。
・「早期リハビリテーション加算」及び「初期加算」は、入院中の対象患者又は外来の対象患者に対して、発症、手術又は急性増悪からそれぞれの日数を限度として算定。外来患者で「A246（注4）地域連携診療計画加算」の算定患者はその旨を摘要欄に記載。
・「急性期リハビリテーション加算」は、入院患者であってリハビリテーションを実施する日に対象患者に対して発症、手術又は急性増悪から7日目又は治療開始日のいずれか早いものから起算して14日を限度として算定。算定の根拠となった要件［H000(11)に掲げるアからエまでいずれか］を摘要欄に日ごとに記載。

【疾患別リハビリテーション共通】
・「リハビリテーションデータ提出加算」は、外来患者に対して診療報酬の請求状況、診療内容に関するデータを継続して厚生労働省に提出している場合。

（リハビリテーション総合計画評価料）
・「1」は、届出保険医療機関において、医師、看護師、理学療法士、作業療法士、言語聴覚士等の多職種が共同してリハビリテーション計画を策定し、当該計画に基づき心大血管疾患、脳血管疾患等、廃用症候群、運動器、呼吸器、がん患者又は認知症患者の各リハビリテーションを行い評価を行った場合（「2」該当患者を除く）に算定。
・「2」は、届出保険医療機関において、介護リハビリテーションを予定している患者に対して、医師、看護師、理学療法士、作業療法士、言語聴覚士等の多職種が共同してリハビリテーション計画を策定し、当該計画に基づき脳血管疾患等(Ⅰ)(Ⅱ)、廃用症候群(Ⅰ)(Ⅱ)、運動器(Ⅰ)(Ⅱ)の各リハビリテーションを行い評価を行った場合に算定。

［共通事項］
・疾患別リハビリテーションは、別に厚生労働大臣が定める患者に対して、個別療法を行った場合に算定する（20分以上を1単位とする）。
・心大血管疾患、脳血管疾患等、廃用症候群、運動器、呼吸器の各リハビリテーション料については、患者の疾患等を勘案し、最も適当な区分1つに限り算定する。ただし、病態の異なる複数の疾患を持つ場合には、必要に応じ、それぞれを算定できる。1日6単位（別に厚生労働大臣が定める患者は1日9単位）に限り算定する。
・鋼線等による直達牽引（2日目以降。観血的に行った場合の手技料を含む）、介達牽引、矯正固定、変形機械矯正術、消炎鎮痛等処置、腰部又は胸部固定帯固定、低出力レーザー照射、肛門処置を併せて行った場合は、心大血管疾患、脳血管疾患等、廃用症候群、運動器、呼吸器、がん患者、認知症患者の各リハビリテーション料及び集団コミュニケーション療法料の所定点数に含まれ算定できない。
・慢性疼痛疾患管理料を算定する患者に対して行った心大血管疾患、脳血管疾患等、廃用症候群、運動器、呼吸器の各リハビリテーション料は算定できない。

Ⅱ-12　精神科専門療法

⑳ 精神科専門療法

※外来管理加算は算定できない。
※特に規定する場合を除き、精神科を標榜する保険医療機関において算定する。
※[　　　]：届出保険医療機関において情報通信機器を用いた場合。

名称	略号	点数	備考
通院・在宅精神療法（1回につき）			・診療に要した時間が5分を超えた場合に限り算定。ただし、初診料（同一日複数科初診料を含む）を算定する初診の日は、診療に要した時間が30分を超えた場合に算定。 ・退院後4週間以内は、「1」と「2」を合わせて週2回、その他の場合は「1」と「2」を合わせて週1回限度。 ・特定疾患療養管理料、生活習慣病管理料（Ⅱ）を算定している患者には算定しない。 ・1回の処方において、3種類以上の抗うつ薬又は3種類以上の抗精神病薬を投与した場合で、別に厚生労働大臣が定める要件を満たさない場合、所定点数の50/100の点数により算定。 ・退院後4週間以内の患者については、摘要欄に退院年月日を記載。 ・摘要欄に診療に要した時間を10分単位で記載。 ・通院・在宅精神療法を算定した場合は、同じ日に標準型精神分析療法は算定できない。 ・情報通信機器を用いて行った場合は、所定点数に代えて、それぞれ357点、274点を算定する（ただし、当該患者に対して、1回の処方において、3種類以上の抗うつ薬又は3種類以上の抗精神病薬を投与した場合には、算定できない）。また、「注3～5、注7～11」の加算はすべて算定できない。 ・「特定薬剤副作用評価加算」は、1のハの（1）並びに2のハの（1）及び（2）について、抗精神病薬を服用している患者に客観的な指標による当該薬剤の副作用の評価を行った場合に算定。ただし、I002-2精神科継続外来支援・指導料の「注4」の加算を算定する月は算定できない。 ・「措置入院後継続支援加算」は、1のイの算定患者に対して、看護師、准看護師又は精神保健福祉士が月1回以上、療養状況等を踏まえ、治療・社会生活等に係る助言や指導を継続して行った場合に算定。 ・「療養生活継続支援加算」は、重点的な支援を要する患者に対して、保健師、看護師又は精神保健福祉士が患者又はその家族等に対し、地域生活継続のための対面による20分以上の面接及び関係機関との連絡調整を行った場合に算定。 ・「心理支援加算」は、心的外傷に起因する症状を有する患者に対して、公認心理師が対面による支援を30分以上実施した場合に算定。 ・「児童思春期支援指導加算」は、「1」通院精神療法を算定する20歳未満の患者に対して保健師、看護師、作業療法士、精神保健福祉士又は公認心理師等が共同して必要な支援を行った場合に算定。 ・「早期診療体制充実加算」は、精神疾患の早期発見及び症状の評価等の診療体制が確保されている届出医療機関において、患者（必要に応じて患者の家族等）に対して、必要な指導、服薬管理等を行った場合に算定。 ・「20歳未満加算」、「児童思春期精神科専門管理加算」、「児童思春期支援指導加算」は併せて算定できない。
1 通院精神療法			
1 イ 入院措置退院後、支援期間にある患者の療養を担当する精神科の医師が行った場合		外660	
1 ロ 初診料算定日60分以上 (1) 精神保健指定医		外600	
1 ロ 初診料算定日60分以上 (2) (1)以外の場合		外550	
1 ハ イ及びロ以外の場合			
1 ハ (1) 30分以上 ① 精神保健指定医		外410 [357]	
1 ハ (1) 30分以上 ② ①以外の場合		外390	
1 ハ (2) 30分未満 ① 精神保健指定医		外315 [274]	
1 ハ (2) 30分未満 ② ①以外の場合		外290	
2 在宅精神療法			
2 イ 入院措置退院後、支援期間にある患者の療養を担当する精神科の医師が行った場合		外660	
2 ロ 初診料算定日60分以上 (1) 精神保健指定医		外640	
2 ロ 初診料算定日60分以上 (2) (1)以外の場合		外600	
2 ハ イ及びロ以外の場合			
2 ハ (1) 60分以上 ① 精神保健指定医		外590	
2 ハ (1) 60分以上 ② ①以外の場合		外540	
2 ハ (2) 30分以上60分未満 ① 精神保健指定医		外410	
2 ハ (2) 30分以上60分未満 ② ①以外の場合		外390	
2 ハ (3) 30分未満 ① 精神保健指定医		外315	
2 ハ (3) 30分未満 ② ①以外の場合		外290	
注 20歳未満加算（当該保険医療機関の精神科を最初に受診した日から1年以内）		＋320	
注 児童思春期精神科専門管理加算（届）			
イ 16歳未満の患者に行った場合 (1) 16歳未満（当該保険医療機関の精神科を最初に受診した日から2年以内）		＋500	
イ 16歳未満の患者に行った場合 (2) (1)以外の場合		＋300	
ロ 20歳未満の患者に60分以上行った場合（当該保険医療機関の精神科を最初に受診した日から3月以内）（1回限り）		＋1,200	
注 特定薬剤副作用評価加算（月1回）	副評	＋25	
注 措置入院後継続支援加算（3月に1回）		＋275	
注 療養生活継続支援加算（届）（初回算定月から1年を限度、月1回）			
イ 直近の入院において、B015精神科退院時共同指導料1を算定した患者の場合		＋500	
ロ イ以外の患者の場合		＋350	
注 心理支援加算（初回算定月から2年を限度、月2回）		＋250	
注 児童思春期支援指導加算（届）			
イ 60分以上行った場合（当該保険医療機関の精神科を最初に受診した日から3月以内）（1回限り）		＋1,000	
ロ イ以外の場合 (1) 当該保険医療機関の精神科を最初に受診した日から2年以内		＋450	
ロ イ以外の場合 (2) (1)以外の場合		＋250	
注 早期診療体制充実加算（届）			
イ 病院の場合 (1) 当該保険医療機関の精神科を最初に受診した日から3年以内		＋20	
イ 病院の場合 (2) (1)以外の場合		＋15	
ロ 診療所の場合 (1) 当該保険医療機関の精神科を最初に受診した日から3年以内		＋50	
ロ 診療所の場合 (2) (1)以外の場合		＋15	
標準型精神分析療法（1回につき）		390	・精神科標榜保険医療機関以外においても算定できる。 ・診療時間が45分を超えた場合に限る。
心身医学療法（1回につき）			・精神科標榜保険医療機関以外においても算定できる。 ・初診料を算定する初診の日は、診療時間が30分を超えた場合に限る。 ・初診時に算定した場合は、当該診療に要した時間を摘要欄に記載。 ・入院中の患者は、入院日から4週間以内は週2回、4週間超えは週1回。 ・外来患者は、初診日から4週間以内は週2回、4週間超えは週1回。 ・「入院精神療法」「通院・在宅精神療法」「標準型精神分析療法」を算定している患者には「心身医学療法」は算定できない。
1 入院中の患者		入150	
2 入院中の患者以外の患者 イ 初診時		外110	
2 入院中の患者以外の患者 ロ 再診時		外80	
注 20歳未満加算		所定点数の＋200/100	

2024年 2025年
後期試験・前期試験対応版

医療事務
診療報酬請求事務能力認定試験（医科）

合格テキスト&問題集

編著●森岡 浩美

日本能率協会マネジメントセンター

本書の内容に関するお問い合わせについて

平素は日本能率協会マネジメントセンターの書籍をご利用いただき、ありがとうございます。

弊社では、皆様からのお問い合わせへ適切に対応させていただくため、以下①～④のようにご案内いたしております。

①お問い合わせ前のご案内について

現在刊行している書籍において、すでに判明している追加・訂正情報を、弊社の下記Webサイトでご案内しておりますのでご確認ください。

https://www.jmam.co.jp/pub/additional/

②ご質問いただく方法について

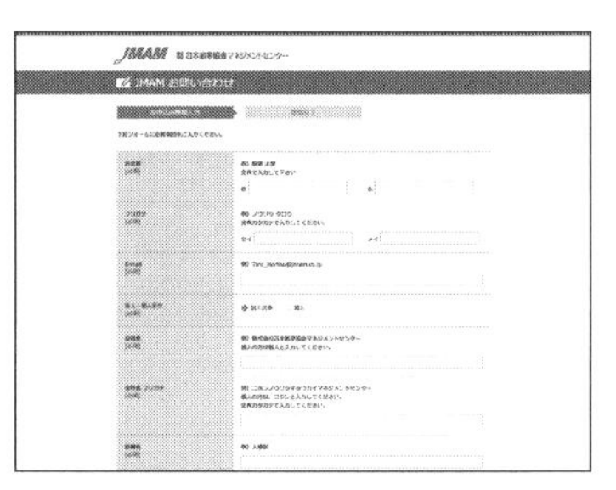

①をご覧いただきましても解決しなかった場合には、お手数ですが弊社Webサイトの「お問い合わせフォーム」をご利用ください。ご利用の際はメールアドレスが必要となります。

https://www.jmam.co.jp/inquiry/form.php

なお、インターネットをご利用ではない場合は、郵便にて下記の宛先までお問い合わせください。電話、FAXでのご質問はお受けいたしておりません。

〈住所〉　〒103-6009　東京都中央区日本橋2-7-1　東京日本橋タワー9F

〈宛先〉　㈱日本能率協会マネジメントセンター　ラーニングパブリッシング本部　出版部

③回答について

回答は、ご質問いただいた方法によってご返事申し上げます。ご質問の内容によっては弊社での検証や、さらに外部へ問い合わせることがございますので、その場合にはお時間をいただきます。

④ご質問の内容について

おそれいりますが、本書の内容に無関係あるいは内容を超えた事柄、お尋ねの際に記述箇所を特定されないもの、読者固有の環境に起因する問題などのご質問にはお答えできません。資格・検定そのものや試験制度等に関する情報は、各運営団体へお問い合わせください。

また、著者・出版社のいずれも、本書のご利用に対して何らかの保証をするものではなく、本書をお使いの結果について責任を負いかねます。予めご了承ください。

はじめに

診療報酬請求事務能力認定試験は、学科試験、実技試験（外来カルテ症例・入院カルテ症例）より成り立っています。

本書の「試験の概要について」でも述べていますが、診療報酬請求事務能力認定試験は、かなり難易度の高い試験として、全国の医療機関において高い評価を受けています。専門学校等の皆さまからも、この認定試験に向けた対策がなかなか難しいという声を聞き、どうしたら合格への近道になるかということを主旨に掲げ、対策教材を開発したいと考えました。

そこで、医療現場での経験や医療系の教育に長く携わり、認定試験対策の経験も豊富なスタッフと、今までにない方法での対策書として、2005年より本書を発刊してきました。

本書の特徴として、第1章では、診療報酬請求事務能力認定試験の過去の実技・学科試験の問題を分析しています。まず、医療関連法規等は、分野の中でも多種多岐にわたっていますので、法規を専門とする執筆者により、過去の学科問題によくみられる医療関連法規等の傾向の分析をし、演習問題を通じてわかりやすく解説しています。また、基本診療料と特掲診療料の項目では、過去の実技試験問題の抜粋を中心に、そのなかで何がポイントかということに焦点を合わせて、コード番号ごとの解説を行っています。

第2章は、実技試験問題対策です。レセプト作成の方法解説に従い、まずは外来・入院それぞれの過去5回分のカルテ症例に挑戦してください。その後、オリジナルの演習問題に着手し理解を深めましょう。なお、過去問題に関しては、見開きでわかりやすい解答を載せています。また、オリジナル問題の「解答・解説」は、教材としての使いやすさを重視し、別冊にしました。

第3章は、学科試験問題対策です。まずは、各分野ごとに過去の問題を分類し、それぞれ項目ごとの格付け（出題頻度）を行いましたので、学習の手掛かりとしてください。なお、勉強しやすいように、こちらも「解答・解説」は別冊になっています。

さらに、「点数早見表」を収載し、別冊で取外しができる形式にまとめています。この「点数早見表」は、皆さまがご自身で加工したり、当日の試験会場に持ち込んだりするために、使いやすさを心掛けて編集しました。

各専門学校をはじめ、診療報酬請求事務能力認定試験の合格を目指す皆さまにとって、必ずやお役に立てるものと信じています。

2024年10月

森岡浩美

※本書は、2024年10月1日現在の情報（法令等および点数表）をもとに作成されています。

目 次

8 ● 特掲診療料⑤手術・輸血・麻酔

9 ● 特掲診療料⑥検査

10 ● 特掲診療料⑦病理診断

11 ● 特掲診療料⑧画像診断

12 ● 特掲診療料⑨リハビリテーション

第2章　レセプト作成（実技試験問題）演習

第3章　文章問題（学科試験問題）演習

①試験の概要について

診療報酬請求事務能力認定試験ガイドライン（公益財団法人 日本医療保険事務協会公表資料より）

診療報酬請求事務を正しく行うために必要な能力を認定する試験である。学科試験・実技試験があり、以下の事項について問われる。

1 医療保険制度等

（1）被用者保険、国民健康保険、退職者医療、後期高齢者医療等について、それぞれの保険者、加入者、給付、給付率等制度の概要についての知識

（2）給付の内容、すなわち現物給付および療養費についての知識と、給付の対象外とされるもの、給付が制限されるものについての知識

2 公費負担医療制度

生活保護法、精神保健福祉法、障害者総合支援法、感染症法等の法律に基づく公費負担医療制度および特定疾患治療研究事業等によって患者の医療費負担が軽減される制度についての知識

3 保険医療機関等

（1）保険医療機関（保険薬局）の指定および保険医（保険薬剤師）の登録についての知識

（2）特定機能病院、地域医療支援病院、療養病床等の規定と保険医療の取扱いについての知識

4 療養担当規則等

「保険医療機関（保険薬局）及び保険医（保険薬剤師）療養担当規則」および「高齢者の医療の確保に関する法律の規定による療養の給付等の取扱い及び担当に関する基準」について、保険医療または後期高齢者医療を担当する場合に守るべきルールの内容についての知識

・療担規則及び薬担規則並びに療担基準に基づき厚生労働大臣が定める掲示事項等（令和２年５月厚生労働省告示第215号）

5 診療報酬等

（1）診療報酬点数表（医科、歯科、調剤）は保険医療における医療行為の料金表であり、診療報酬の算定にあたり種々の取決めについての算定方法の知識

・基本診療料の施設基準等（令和２年３月厚生労働省告示第58号）

・特掲診療料の施設基準等（令和２年５月厚生労働省告示第214号）

・厚生労働大臣の定める入院患者数の基準及び医師等の員数の基準並びに入院基本料の算定方法（平成26年３月厚生労働省告示第199号）等

（2）入院時食事療養および入院時生活療養の費用の額を算定するための知識

6 薬価基準・材料価格基準

保険医療で使用される医薬品および医療材料の価格とその請求方法についての知識

7 診療報酬請求事務

診療報酬請求書および診療報酬明細書を作成するために必要な知識とその実技

8 医療用語

診療報酬請求事務を行うために必要な病名、検査法、医薬品等の用語およびその略語の主なものの知識

9 医学の基礎知識

主要な身体の部位、臓器等の位置および名称（解剖）、それぞれの機能（生理）、病的状態（病理）および治療方法についての基礎知識

10 薬学の基礎知識

医薬品の種類、名称、規格、剤形、単位等についての基礎知識

11 医療関係法規

医療法による医療施設（病院、診療所等）の規定および医師法、歯科医師法等の医療関係者に関する法律による医療機関の従事者の種類とその業務についての基礎知識

⑫ 介護保険制度
保険者および被保険者、給付の内容等制度の概要についての知識

令和６年度・令和７年度診療報酬請求事務能力認定試験　実施要綱（2024年10月1日現在）

1 受験資格
問わない

2 受験科目
医科、歯科のいずれかを選択

3 出題形式
学科試験：文章問題20題（１題につき４問計80問）
実技試験：外来カルテ症例よりレセプト作成１題　入院カルテ症例よりレセプト作成１題

4 出題範囲
（１）学科試験　①医療保険制度等・公費負担医療制度の概要
②保険医療機関等・療養担当規則等の基礎知識
③診療報酬等・薬価基準・材料価格基準の基礎知識
④医療用語および医学・薬学の基礎知識
⑤医療関係法規の基礎知識
⑥介護保険制度の概要
（２）実技試験　診療報酬請求事務の実技
法令等（点数表を含む）は、第61回は令和６年10月１日現在、第62回は令和７年４月１日現在、施行されているものとする。

5 試験日時
第61回：令和６(2024)年12月15日(日)13時～16時
第62回：令和７(2025)年７月13日(日)13時～16時（予定）

6 試験地
札幌市、仙台市、埼玉県、千葉県、東京都、神奈川県、新潟市、金沢市、静岡市、愛知県、大阪府、岡山市、広島市、高松市、福岡県、熊本市、那覇市

7 受験手数料
9,000円（税込）

8 受験申込期間（インターネットのみ）
第61回：令和６(2024)年９月10日(火)10時～令和６(2024)年10月24日(木)17時
第62回：令和７(2025)年４月10日(木)10時～令和７(2025)年５月23日(金)17時（予定）
※個人申込でインターネット申込が困難な場合は郵送にて申込
※郵送申込希望者は日本医療保険事務協会まで、電話にて受験申込書を請求

9 合否発表
第61回：令和７(2025)年２月20日(木)
第62回：令和７(2025)年９月19日(金)（予定）

〈問い合せ先〉
〒101-0047　東京都千代田区内神田2-5-3　児谷ビル
公益財団法人 日本医療保険事務協会
電話 03(3252)3811　FAX 03(3252)2233
月曜から金曜（祝日を除く）９時～17時
https://www.iryojimu.or.jp

※詳細は上記囲み内HPを要確認

②試験の全体的な傾向について

診療報酬請求事務能力認定試験は、1994（平成６）年12月に第１回の試験が実施され、2024（令和６）年７月には59回目（表記上は第60回）が実施された。

ここでは、過去に出題された項目の統計などを用いて、診療報酬請求事務能力認定試験の傾向と対策について分析を行ったので、ぜひ参考にしていただきたい。

1 受験者の動向

診療報酬請求事務能力認定試験は、各種医療の用語・医療関連の法規において普段聞き慣れない言葉が数多くみられ、また、保険医療における医療行為の料金表である「点数表」の読み方などが問われるため、最初から独学で勉強するのはなかなか困難な試験といえる。

診療報酬請求事務能力認定試験の受験者数と合格者数について、過去10回の推移（図表１）をみると、2019（令和元）年の第51回と2020（令和2）年の第53回は5,000人超であったが、2022（令和４）年の第56回と2023（令和5）年の第58回は、診療報酬の大改定が影響したためか受験者が大幅に減少した。平成23（2011）年の第35回以前は、10,000人を超える回もあった過去に比べ、規模の減少は否めない。ただし、過去10回の合格率は平均36.5％と、難易度が高い試験であり、診療報酬の試験としては、医療機関で最も信頼性の高い試験であることには間違いない。

〈図表１〉　受験者数、合格者数、合格率の推移（医科：過去10回）

区分	受験者数(単位：人)	合格者数(単位：人)	合格率(単位：%)
第50回	3,947	1,374	34.8
第51回	5,337	1,469	27.5
第53回	5,378	2,304	42.8
第54回	3,138	1,177	37.5
第55回	4,913	1,934	39.4
第56回	2,313	655	28.3
第57回	4,162	1,502	36.1
第58回	2,446	905	37.0
第59回	3,659	1,771	48.4
第60回	1,665	553	33.2

（公益財団法人 日本医療保険事務協会公表資料より）

※第52回認定試験は、新型コロナウイルス感染症拡大防止のため中止された。

2 全体的な受験のポイント

受験者の解答と自己採点の結果を調査したところ、学科試験と入院カルテ症例問題は全問正解であっても、外来カルテ症例問題で基本的な算定でいくつかミスをしてしまい合格できなかったというケースなどもみられた。一方、３つの問題の正解率がそれぞれ約70％程度で合格したというケースもある。このことから、必ずしも全問正解しなくてはいけないということではなく、学科試験・実技試験外来カルテ症例問題・入院カルテ症例問題の３つのバランスがとれていることが重要と思われる。つまり、バランスのよい学習をしなければ合格は難しいといえる。

まず、試験範囲の項目について、全体の概要や基本的な知識を自分のものにすることである。参考書等の持ち込みができる試験であるといっても、やはりある程度の基礎知識は身につけておく必要がある。また、点数表の読み方などは、十分理解しておかなければならない。

診療報酬請求事務能力認定試験は、毎回３時間（13時～16時）で行われる。この限られたなかで、いかに有効に時間を使うかも大事なポイントとなってくる。まずは落ち着いて、その問題の要点をとらえ、何に関するものか、またどの法制度に関するものか、点数表でいえばどの項目なのかを把握することが大事である。

3 学科試験のポイント

基本的には、日本医療保険事務協会が示す『診療報酬請求事務能力認定試験ガイドライン』（P.8～9参照）に沿って、全20題合計80問の問題が出題される。

出題形式は４つの選択肢から正しい組み合わせを選ぶ択一式となっている（下記参照）。

次の文章のうち正しいものはどれですか。
(1) ………………………………………………………………
(2) ………………………………………………………………
(3) ………………………………………………………………
(4) ………………………………………………………………
a. (1), (2)　b. (2), (3)　c. (1), (3), (4)　d. (1)～(4)のすべて　e. (4)のみ

●学科試験に割く時間は、“見直しも含め”約１時間！

全３時間の試験のなかで約１時間と考えよう。そうなると、文章問題1問を１分弱で解答しなくてはならず、かなり厳しい時間配分となることがわかる。このため、試験会場に持ち込む資料については、点数表はもちろんのこと、法規関連の参考書なども、どこのページに何が載っていたかなどがすぐに探せるように、細かい目次を作ったり、インデックス等を用いてわかりやすくしておこう。

実際の試験では、最初の30分でまずは80問すべてに目を通し、わからないものは後に回し、確実なものに○と×を付けていくとよい。どこに載っているかわからないもので、貴重な時間をムダにしないようにしよう。

また、点数表や各資料などの読み方を理解し、どこに何が載っているかを素早く引けるように、過去問題等で何度も繰り返し演習しておこう。本書では、過去問題を項目ごとに分けた演習問題を載せている（第３章）。さらに、出題頻度ごとに格付け（A・B・C・D）を行っており、点数表の引き方の演習にはかなりの力がつくと思われる。特に、Aランクのものに関しては、できるだけ自分のものになるまで慣れておくことが重要である。

2024（令和６）年度の診療報酬改定などにより、今後新たに出題が予想される項目もある。

4 実技試験のポイント

●外来カルテ症例の時間配分は約30分！

３つの試験のなかで、解答時間が一番短くすむものである。

過去10回分の外来カルテ症例をみると、第51回、第53回、第57回、第59回は病院、第50回、第54回～第56回、第58回、第60回は診療所の症例である。

カルテのなかに必ず重要な算定ポイントが盛り込まれているため、その見極めと算定もれの防止が大事である。たとえば、年齢加算や管理料等、算定もれがないか必ず見直しをしよう。

●入院カルテ症例の時間配分は１時間～１時間20分！

入院基本料をできるだけ早く正確に算定できることが重要である。また、手術・麻酔等の難解な問題が出たとしても対処できるように、算定方法を理解し繰り返し演習することにより、自分のなかでコツをつかんでおくことである。

やはり、普段からレセプト作成演習を繰り返し行うことが重要であり、そのなかでポイントを見極めることである。本書では、過去のカルテ症例に沿ったポイント解説を行っている（第２章）。ぜひ参考にしていただきたい。

外来カルテ症例出題項目一覧（第50回・第51回、第53回〜第60回）

回	施設規模・対象患者・実日数 傷病名	⑪⑫初・再診	⑬医学管理	⑭在宅	⑳投薬	㉚注射	㊵処置	㊿手術	60検査	70画像診断	80処方箋
第50回	診療所・一般・3日 ・2型糖尿病 ・高血圧症 ・糖尿病性腎症(第2期) ・閉塞性動脈硬化症 ・左下腿挫創 ・腰椎捻挫	⑫再診(時間外加算、明細書発行体制等加算、同一日複数科再診、夜間早朝等加算)	・糖尿病合併症管理料 ・糖尿病透析予防指導管理料				・創傷処置	・創傷処理(真皮縫合加算、デブリードマン加算)	・検体検査(尿、血、生I) ・検体検査管理加算(I) ・外来迅速検体検査加算	・左下腿X-P ・腰椎X-P ・電子画像管理加算 ・時間外緊急院内画像診断加算	・処方箋料「3」(特定疾患処方管理加算)
第51回	病院210床・一般・3日 ・頭部挫創 ・右橈骨遠位端骨折 ・骨粗鬆症の疑い	⑪初診(休日加算) ⑫再診	・薬剤情報提供料 ・地域連携夜間・休日診療料		・内服薬 ・屯服薬 ・調剤技術基本料		・四肢ギプス包帯	・骨折非観血的整復術 ・創傷処理(デブリードマン加算) ・特定保険医療材料料	・検体検査(血・生I・免) ・検体検査管理加算(I) ・外来迅速検体検査加算 ・骨塩定量検査	・頭部X-P ・右前腕部X-P ・CT撮影 ・電子画像管理加算 ・時間外緊急院内画像診断加算	
第53回	病院130床・一般・4日 ・左下肢静脈瘤 ・右下肢蜂窩織炎	⑪初診 ⑫再診(外来管理加算)	・薬剤情報提供料 ・手帳記載加算		・内服薬 ・調剤技術基本料			・下肢静脈瘤血管内焼灼術	・検体検査(尿・血・生I・免) ・検体検査管理加算(I) ・外来迅速検体検査加算 ・超音波検査 ・ECG12	・胸部X-P ・下肢血管造影X-P ・電子画像管理加算	
第54回	診療所・一般・3日 ・2型糖尿病 ・左前腕打撲・挫創 ・頸椎捻挫	⑫再診(明細書発行体制等加算、同一日複数科再診、夜間・早朝等加算)	・薬剤情報提供料 ・手帳記載加算 ・特定疾患療養管理料		・内服薬 ・外用薬		・術後創傷処置	・創傷処理(真皮縫合加算、デブリードマン加算)	・検体検査(血・生I) ・検体検査管理加算(I) ・外来迅速検体検査加算	・前腕X-P ・頸椎X-P ・電子画像管理加算 ・時間外緊急院内画像診断加算	・処方箋料「3」(特定疾患処方管理加算2)
第55回	診療所・一般・4日 ・痛風 ・糖尿病 ・左第1趾基関節滑液包炎	⑪初診(外来感染対策向上加算、連携強化加算、サーベイランス強化加算、医療情報取得加算) ⑫再診(明細書発行体制等加算、外来管理加算、時間外加算)	・診療情報提供料(I)			・滑液嚢穿刺後の注入			・検体検査(尿・血・生I・免) ・検体検査管理加算(I) ・外来迅速検体検査加算	・足部X-P ・電子画像管理加算	・処方箋料「3」
第56回	診療所・一般・3日 ・高血圧症 ・右下腿部打撲・裂創 ・腰椎捻挫	⑪初診(同一日複数科初診) ⑫再診(明細書発行体制等加算、外来感染対策向上加算)	・生活習慣病管理料(II) ・薬剤情報提供料 ・手帳記載加算		・内服薬 ・屯服薬 ・外用薬		・創傷処置「1」	・創傷処理「2」(真皮縫合加算、デブリードマン加算)	・検体検査(生I) ・検体検査管理加算(I)	・右下腿X-P ・腰椎X-P ・電子画像管理加算 ・時間外緊急院内画像診断加算	
第57回	病院120床・一般・4日 ・血栓性外痔核 ・便秘症 ・糖尿病	⑫再診(外来管理加算)	・薬剤情報提供料 ・手帳記載加算 ・診療情報提供料(I)		・内服薬 ・屯服薬 ・外用薬 ・調剤技術基本料「2」		・創傷処置「1」	・痔核手術「3」 ・脊椎麻酔	・検体検査(血・生I・免) ・検体検査管理加算(I)		
第58回	診療所・一般・3日 ・2型糖尿病 ・高血圧症 ・後頭部挫創 ・頸椎捻挫	⑫再診(時間外対応加算4、外来感染対策向上加算、連携強化加算、明細書発行体制等加算、同一日複数科再診)	・生活習慣病管理料(II) ・薬剤情報提供料 ・手帳記載加算		・内服薬 ・屯服薬 ・外用薬		・創傷処置「1」	・創傷処理「5」(時間外加算2、デブリードマン加算)	・検体検査(血・生I) ・外来迅速検体検査加算	・頭部X-P ・頸椎X-P ・電子画像管理加算 ・時間外緊急院内画像診断加算	・処方箋料「3」(一般名処方加算2)
第59回	病院110床・一般・3日 ・2型糖尿病 ・頭部挫創 ・左前腕部挫傷	⑪初診(同一日複数科初診) ⑫再診(外来管理加算)	・生活習慣病管理料(II) ・薬剤情報提供料 ・手帳記載加算		・内服薬		・創傷処置「1」	・創傷処理「4」(時間外加算2、デブリードマン加算)	・検体検査(血・生I) ・検体検査管理加算(I) ・外来迅速検体検査加算	・頭部X-P ・左前腕部X-P ・電子画像管理加算 ・時間外緊急院内画像診断加算	・処方箋料「3」
第60回	診療所・一般・3日 ・2型糖尿病 ・高血圧症 ・右下腿部打撲・挫創 ・腰椎捻挫	⑫再診(時間外対応加算4、外来感染対策向上加算、連携強化加算、明細書発行体制等加算、同一日複数科再診)	・生活習慣病管理料(II) ・薬剤情報提供料 ・手帳記載加算 ・外来栄養食事指導料2		・内服薬	・皮内、皮下及び筋肉内注射 ・生物学的製剤注加算	・創傷処置「1」	・創傷処理「2」(真皮縫合加算、デブリードマン加算)	・検体検査(血・生I) ・検体検査管理加算(I) ・外来迅速検体検査加算	・右下腿X-P ・腰椎X-P ・電子画像管理加算	・処方箋料「3」

※検体検査の（尿・血・生Ⅰ・免）は項目別に記したものであり、判断料ではない。
※名称変更のあったものについては、新名称にて記載している。

※第52回認定試験は、新型コロナウイルス感染症拡大防止のため中止された。

入院カルテ症例出題項目一覧（第50回・第51回、第53回～第60回）

回	施設規模・対象患者・実日数 傷病名	基本診療料	⑬医学管理	⑳投薬	㉚注射	㊵処置	㊿手術・輸血	㊿麻酔	⑥⓪検査	⑦⓪画像診断	⑧⓪その他	⑨⑦食事療養費
第50回	病院324床・一般・4日 ・膀胱癌 ・2型糖尿病の疑い	急一般5・臨修・録管3・医2の30・急25・看職16夜2・環境・安全2・感向1・患サポ・後使3・デ提2・2級地	・薬剤管理指導料「2」 ・肺血栓塞栓症予防管理料	・内服薬	・点滴注射「2」		・膀胱悪性腫瘍手術 ・特定保険医療材料料	・閉鎖循環式全身麻酔 ・麻酔管理料（Ⅰ）	・検体検査（尿・血・生Ⅰ・免） ・術中迅速病理組織標本作製	・胸部X-P ・腹部X-P ・骨盤MRI造影 ・電子画像管理加算		・入院時食事療養(Ⅰ) ・食堂加算
第51回	病院328床・一般・4日 ・変形性腰椎症 ・腰椎椎間板ヘルニア	急一般4・臨修・録管3・医2の30・急25・環境・安全2・感向1・患サポ・デ提2・1級地	・薬剤管理指導料「2」 ・肺血栓塞栓症予防管理料		・点滴注射「2」	・創傷処置	・内視鏡下椎間板摘出（切除）術 ・画像等手術支援加算 ・脊髄誘発電位測定等加算 ・特定保険医療材料料	・閉鎖循環式全身麻酔 ・麻酔管理料（Ⅰ）	・検体検査（尿・血・生Ⅰ・免）	・胸部X-P ・腰椎X-P ・腰部CT（2回目以降） ・電子画像管理加算	・運動器リハビリテーション ・リハ総評	・入院時食事療養(Ⅰ) ・食堂加算
第53回	病院350床・一般・4日 ・右眼窩内腫瘍	急一般1・録管2・医1の25・急25上・環境・安全2・感向1・患サポ・データ2・3級地	・薬剤管理指導料「2」 ・肺血栓塞栓症予防管理料	・内服薬	・点滴注射「2」		・眼窩内腫瘍摘出術 ・画像等手術支援加算 ・自己血輸血 ・輸血管理料Ⅱ	・閉鎖循環式全身麻酔 ・麻酔管理料（Ⅰ）	・検体検査（血・生Ⅰ・免） ・呼吸心拍監視 ・T-M ・T-M/OP ・病理診断管理加算Ⅰ	・頭部X-P ・頭部CT（2回目以降） ・電子画像管理加算		・入院時食事療養(Ⅰ) ・食堂加算
第54回	病院380床・一般・4日 ・狭心症 ・2型糖尿病	急一般3・臨修・録管2・医1の30・急25上・看職12夜1・環境・安全1・感向1・2級地	・薬剤管理指導料「1」 ・肺血栓塞栓症予防管理料	・内服薬	・中心静脈注射 ・点滴注射「2」	・酸素吸入 ・創傷処置	・冠動脈、大動脈バイパス移植術（人工心肺を使用しないもの）「2」 ・吻合器 ・特定保険医療材料料	・閉鎖循環式全身麻酔 ・麻酔管理料（Ⅰ）	・検体検査（血・生Ⅰ・免） ・心電図 ・呼吸心拍監視 ・経皮的動脈血酸素飽和度測定	・胸部X-P		・入院時食事療養(Ⅰ) ・食堂加算
第55回	病院320床・一般・5日 ・右鼻副鼻腔腫瘍	急一般1・臨修・録管2・医1の25・急25上・環境・安全2・感向1・患サポ・1級地	・手術前医学管理料 ・手術後医学管理料 ・薬剤管理指導料「2」 ・肺血栓塞栓症予防管理料	・内服薬	・点滴注射「2」		・鼻副鼻腔腫瘍摘出術 ・画像等手術支援加算「1」 ・自己血輸血 ・輸血管理料Ⅱ	・閉鎖循環式全身麻酔「5」 ・麻酔管理料（Ⅰ）	・検体検査（血・生Ⅰ）	・頭部X-P ・頭部CT（2回目以降） ・電子画像管理加算		・入院時食事療養(Ⅰ) ・食堂加算
第56回	病院320床・一般・4日 ・直腸癌 ・2型糖尿病	急一般4・臨修・録管2・医1の30・急25上・看職12夜2・環境・安全1・感向1・3級地	・薬剤管理指導料「2」 ・肺血栓塞栓症予防管理料		・点滴注射「2」	・創傷処置「1」 ・ドレーン法「1」	・腹腔鏡下直腸切除・切断術「2」 ・自動縫合器 ・自動吻合器 ・特定保険医療材料料	・閉鎖循環式全身麻酔「4」 ・麻酔管理料（Ⅰ）	・検体検査（血・生Ⅰ・免） ・呼吸心拍監視「2」 ・病理組織標本作製	・胸部X-P ・腹部X-P ・電子画像管理加算		・入院時食事療養(Ⅰ) ・特別食加算 ・食堂加算
第57回	病院380床・一般・5日 ・前立腺肥大症 ・尿閉	急一般3・臨修・録管2・医1の30・急25上・看職12夜2・環境・安全1・感向1・デ提2・2級地	・薬剤管理指導料「2」 ・肺血栓塞栓症予防管理料	・内服薬	・点滴注射「2」	・帰室後酸素吸入 ・創傷処置「1」	・膀胱瘻造設術（時間外特例医療機関加算2） ・経尿道的前立腺手術 ・特定保険医療材料料	・閉鎖循環式全身麻酔「5」 ・硬膜外麻酔併施加算 ・麻酔管理料（Ⅰ）	・検体検査（尿・血・生Ⅰ・免） ・超音波検査	・胸部X-P ・電子画像管理加算		・入院時食事療養(Ⅰ) ・食堂加算
第58回	病院240床・一般・4日 ・脳動静脈奇形	急一般4・臨修・録管2・医1の30・急25上・環境・安全1・感向1・デ提2・1級地	・薬剤管理指導料「2」 ・肺血栓塞栓症予防管理料	・内服薬	・点滴注射「2」		・脳動静脈奇形摘出術「2」 ・画像等手術支援加算「1」 ・術中血管等描出撮影加算 ・自己血輸血「4」 ・輸血管理料Ⅱ	・閉鎖循環式全身麻酔「5」 ・麻酔管理料（Ⅰ）	・検体検査（血・生Ⅰ・免） ・呼吸心拍監視「2」	・頭部X-P ・頭部CT ・電子画像管理加算		・入院時食事療養(Ⅰ) ・食堂加算
第59回	病院350床・一般・6日 ・肝細胞癌 ・肝硬変	急一般4・臨修・録管2・医1の30・急25上・環境・安全1・感向1・デ提2・1級地	・薬剤管理指導料「2」 ・肺血栓塞栓症予防管理料		・点滴注射「2」	・酸素吸入 ・ドレーン法「1」	・肝悪性腫瘍ラジオ波焼灼療法「2」 ・超音波凝固切開装置等加算 ・特定保険医療材料料	・閉鎖循環式全身麻酔「4」 ・麻酔管理料（Ⅰ）	・検体検査（尿・血・生Ⅰ・免） ・呼吸心拍監視「2」 ・経皮的動脈血酸素飽和度測定	・胸部X-P ・腹部X-P ・電子画像管理加算		・入院時食事療養(Ⅰ) ・特別食加算 ・食堂加算
第60回	病院300床・一般・6日 ・喉頭悪性腫瘍	急一般1・臨修・録管2・医1の25・急25上・環境・安全2・感向1・患サポ・デ提2・1級地	・薬剤管理指導料「2」 ・肺血栓塞栓症予防管理料	・内服薬	・点滴注射「2」		・喉頭悪性腫瘍手術（切除） ・超音波凝固切開装置等加算 ・特定保険医療材料料	・閉鎖循環式全身麻酔「5」 ・麻酔管理料（Ⅰ）	・検体検査（血・生Ⅰ・免） ・呼吸心拍監視「2」 ・病理組織標本作製	・頭部CT（2回目以降） ・頭部X-P ・電子画像管理加算		・入院時食事療養(Ⅰ) ・食堂加算

※名称変更のあったものについては、新名称にて記載している。

● 用語・略語等の説明 ●

点数表の構成

告示	「通則」と「点数」(1点＝10円)の部分から成る。通則とは、各「部」や各「節」の点数算定の原則を定めたもののこと。
通知	「細則」と「準用点数」から成る。

各種法令の名称

法律	国会の議決を経て天皇が公布するもの。(例) 健康保険法
政令	法律を施行するために内閣が制定する命令。(例) 健康保険法施行令
省令	各省大臣が、主管する行政事務について発する命令。(例) 健康保険法施行規則
告示	国や地方公共団体などが、ある事項を一般に広く知らせるもの。(例) 基本診療料の施設基準等
通知	各省などが、所管の諸機関(都道府県など)や職員に対して、守るべき法令の解釈や運用方針を示すもの。 ①「保発」･･･保険局長名による通知。都道府県知事宛てに、一般的な解釈を示したもの。 ②「保医発」･･･保険局医療課長名による通知。都道府県主管課(部)長宛てに、具体的解釈を示したもの。

一般的用語

区分	診療行為を分類する区分番号のこと。(例)〔A001〕 医科におけるアルファベットによる分類は、以下のとおり。

A	基本診療料	B	医学管理等	C	在宅医療
D	検査	E	画像診断	F	投薬
G	注射	H	リハビリテーション	I	精神科専門療法
J	処置	K	手術	L	麻酔
M	放射線治療	N	病理診断		

以下	その数を含み、またそれより少ない数。(例) 100以下の整数：100、99、98･･･
以上	その数を含み、またそれより多い数。(例) 100以上の整数：100、101、102･･･
未満	その数を含まず、それより少ない数。(例) 100未満の整数：99、98、97･･･
超	その数を含まず、それより多い数。(例) 100超の整数：101、102、103･･･
A又は(若しくは)B	AかBかいずれか一方。
A及び(並びに)B	AとBの両方。
主たる○○により算定	代表的な○○(一般に、点数の高いもの)で算定する。
○○に準じて算定	○○についての告示(「注」の規定も含む)や、通知の規定を適用して算定する。
暦月、暦週	暦(こよみ)上の1月、暦上の1週(日～土曜日)のこと。 暦月による「1月に1回算定」とあれば、前回算定日から実質1か月経過していなくても、暦上の月が変われば再算定できるという意味。 (例) 1月30日に算定し、2月1日に再算定可。
○月目以降	当該月以降(例) 4月目以降＝4月目より。
1月以内の期間	(例) 2月10日から3月9日まで、3月10日から4月9日まで。 ※30日間という意味ではない。
1月を超える	(例) 2月10日からの場合は3月10日から、3月10日からの場合は4月10日から。

一連	治療の対象となる疾患に対して、所期の目的を達するまでに行うひと続きの治療過程のこと。
１日につき	特に規定する場合を除き、午前0時～午後12時のこと。
１時間を超えた場合、30分又はその端数を増すごとに	１時間を超えて時間がかかった場合、30分を単位として、または30分未満の端数に対してという意味。
専従	もっぱら当該業務に従事すること（兼任できない）。
専任	当該業務に責任を持って対処すること（兼任できる）。
特別区	東京23区
届出保険医療機関	別に厚生労働大臣が定める施設基準に適合しているものとして地方厚生（支）局長に届け出た保険医療機関
まるめ	定められた点数を項目数によって算定する（＝包括）。
検案（けんあん）	解剖
急性増悪（ぞうあく）	急激に具合が悪くなること。
病棟・病院の種類	
療養病棟	人員配置、構造設備等の療養環境において、長期療養を行うにふさわしい病床として都道府県知事の許可を受けたもの。診療報酬上では「療養病床」という。療養病床には、医療保険適用のものと、介護保険適用のもの（介護療養型医療施設）がある。
特定機能病院	高度の医療の提供、高度の医療技術の開発および評価、高度の医療に関する研修を実施する能力を備え、それにふさわしい人員配置、構造設備等を有する病院として、厚生労働大臣の承認を受けた病院のこと。病床数400床以上の大学病院の本院、ナショナルセンター等が対象となる。
開放型病院	病院の施設・設備が、病院の存する地域すべての医師に開放利用される病院のこと。開放病床を3床以上有し、地域の医療機関で診察中の患者を、その開放型病院に入院させ、主治医が入院先に赴き、開放型病院の医師と共同で診療にあたる。
地域医療支援病院	かかりつけ医を支援し、地域医療の充実を図ることを目的として整備される病院のこと。施設の共同利用、地域医療従事者の研修なども行う。200床以上の国公立または公的な病院、社会福祉法人等に認められる。「紹介率80％以上または65％以上かつ逆紹介率40％以上」などの原則があり、機能の分担と連携をめざす。都道府県知事が個別に承認する。
紹介受診重点医療機関	医療資源を重点的に活用する外来を地域で基幹的に担う医療機関として都道府県が公表するもの。医療資源を重点的に活用する外来とは、「入院前後の外来や医療機器・設備等、医療資源の活用が大きく、また、初診に占める重点外来の割合40%以上かつ再診に占める重点外来の割合25%以上」または「医療資源を重点的に活用する外来に関する基準を満たさない医療機関であって、紹介受診重点医療機関の役割を担う意向をもつ医療機関（紹介率50%以上および逆紹介率40%以上）」などをいう。
在宅療養支援診療所	在宅療養の患者ため、その地域で主として責任をもって診療にあたる診療所のこと。地方厚生局長等への届出が必要である。24時間いつでも往診、訪問看護が可能な体制を整えている、在宅看取り数や、緊急時の入院受入れ医療機関の名称等を地方厚生局長等に報告しているなど、要件を満たしている診療所が該当する。
在宅療養支援病院	緊急時に在宅で療養を行っている患者が直ちに入院できるなど、必要に応じた医療・看護を提供できる病院のこと。患者が住み慣れた地域で安心して療養生活を送れるよう、患家の求めに応じ24時間往診が可能な体制を確保、または、訪問看護ステーションとの連携により24時間訪問看護の提供が可能な体制を確保する。

● 略称一覧 ●

	検査略称	名　称
A	ABO	ＡＢＯ血液型
	ACE	アンギオテンシンⅠ転換酵素
	ACG	心尖拍動図
	ACTH	副腎皮質刺激ホルモン
	ADA（AD）	アデノシンデアミナーゼ
	ADH	抗利尿ホルモン
	ADNaseB	抗デオキシリボヌクレアーゼＢ
	AFP	α-フェトプロテイン
	Al	アルミニウム
	Alb（BCP改良法・BCG法）	アルブミン（BCP改良法・BCG法）
	ALD	アルドラーゼ
	Ald	アルドステロン
	ALP	アルカリホスファターゼ
	ALPアイソ	ALPアイソザイム
	ALT	アラニンアミノトランスフェラーゼ
	Amy	アミラーゼ
	Amyアイソ	アミラーゼアイソザイム
	ANA	抗核抗体
	ANCA	抗好中球細胞質抗体
	ANP	心房性Na利尿ペプチド
	APTT	活性化部分トロンボプラスチン時間
	ASE	溶連菌エステラーゼ抗体
	ASK	抗ストレプトキナーゼ
	ASO	抗ストレプトリジンＯ
	ASP	連鎖球菌多糖体抗体
	AST	アスパラギン酸アミノトランスフェラーゼ
	ASTアイソ	ASTアイソザイム
	ATLA	成人Ｔ細胞白血病抗原
B	B－～	血液検査
	B－A	動脈血採取
	BAP	骨型アルカリホスファターゼ
	BBT	基礎体温
	B－C	血液採取（耳朶・指尖等）
	BFP	塩基性フェトプロテイン
	BIL／総	総ビリルビン
	BIL／直	直ビリルビン
	BMG、β_2－m	β_2－マイクログロブリン
	BMR	基礎代謝測定
	BNP	脳性Na利尿ペプチド
	BP	血圧
	BS	血糖
	BSG	赤血球沈降速度
	BSP	ブロムサルファレインテスト
	BSR	赤血球沈降速度
	BT	出血時間
	BUN	尿素窒素
	B－V	静脈血採取
	BW	ワッセルマン反応（血液）
C	cAMP	サイクリックAMP
	CAP	シスチンアミノペプチダーゼ
	CAT	幼児・児童用絵画統覚検査
	CBC	血球計算
	Ccr	クレアチニンクリアランステスト
	CEA	癌胎児性抗原
	CH_{50}	血清補体価
	ChE	コリンエステラーゼ
	CK	クレアチンキナーゼ
	CKアイソ	CKアイソザイム
	CPR	Ｃ－ペプチド
	CRA	網膜中心動脈
	CRE、Crea	クレアチニン
	Cr	クレアチン
	CRP	Ｃ反応性蛋白
	CRP定性	Ｃ反応性蛋白定性
	CSLEX	シアリルLe^X抗原
	Cu	銅
	CVP	中心静脈圧
D	D－BIL、D－Bil	直接ビリルビン
	DBT	深部体温計による深部体温測定
	DHEA－S	デヒドロエピアンドロステロン硫酸抱合体
	DNA	デオキシリボ核酸
	DPD	デオキシピリジノリン

	検査略称	名　称
E	E－～	内視鏡検査
	E_2	エストラジオール
	E_3	エストリオール
	ECG、EKG	心電図検査
	ECG携	ホルター型心電図検査
	ECGフカ	負荷心電図検査
	Echo	エステル型コレステロール
	EEG	脳波検査
	EF－～	ファイバースコープ検査
	EMG	筋電図検査
	ENG	電気眼振図検査（エレクトロレチノグラム）
	EOG	眼球電位図検査
	ERG	網膜電位図検査
	ESR	赤血球沈降速度
	EVC	呼気肺活量
F	F－～	糞便検査
	F－集卵	虫卵検出（集卵法）（糞便）
	F－塗	糞便塗抹顕微鏡検査
	FA	蛍光抗体法
	FANA	蛍光抗体法による抗核抗体検査
	FDP	フィブリン・フィブリノゲン分解産物
	Fe	鉄
	FgDP	フィブリノゲン分解産物
	FIA	蛍光免疫測定法
	FSH	卵胞刺激ホルモン
	FT_3	遊離トリヨードサイロニン
	FT_4	遊離サイロキシン
G	G－～	胃液検査
	G－6－Pase	グルコース－６－ホスファターゼ
	G－6－PD	グルコース－６－リン酸デヒドロゲナーゼ
	GAT	癌関連ガラクトース転移酵素
	GFR	糸球体濾過値測定
	GH	成長ホルモン
	Gl	グルコース（血糖）
	GITT	耐糖能精密検査
	Glu	グルコース
	GTT	ブドウ糖負荷試験
	GU	グアナーゼ
H	HA	赤血球凝集反応
	HBE	ヒス束心電図
	Hb	血色素
	HbA_{1c}	ヘモグロビンA_{1c}
	HbF	ヘモグロビンF
	HCG	ヒト絨毛性ゴナドトロピン
	HCG－β	ヒト絨毛性ゴナドトロピン－βサブユニット
	HCGβ－CF	ヒト絨毛性ゴナドトロピンβ分画コアフラグメント
	HDL－cho	HDL－コレステロール
	HDV抗体	デルタ肝炎ウイルス抗体
	H－FABP	心臓由来脂肪酸結合蛋白
	HGF	肝細胞増殖因子
	HI	赤血球凝集抑制反応
	HPL	ヒト胎盤性ラクトーゲン
	HPT	ヘパプラスチンテスト
	Ht、Hct	ヘマトクリット値
	HVA	ホモバニリン酸
I	IAHA	免疫粘着赤血球凝集反応
	IAP	免疫抑制酸性蛋白測定
	ICTP	Ⅰ型コラーゲン－C－テロペプチド
	IEP	血漿蛋白免疫電気泳動法検査
	IF	免疫蛍光法
	Ig	免疫グロブリン
	IGFBP－1定性	膣分泌液中インスリン様成長因子結合蛋白1型定性
	IGFBP－3	インスリン様成長因子結合蛋白3型
	IRI	インスリン
	IRMA	免疫放射定量法

	検査略称	名　称
L	L－CAT	レシチン・コレステロール・アシルトランスフェラーゼ
	LA	ラテックス凝集法
	LAP	ロイシンアミノペプチダーゼ
	LD	乳酸デヒドロゲナーゼ
	LDアイソ	LDアイソザイム
	LDL－cho	LDL－コレステロール
	LH	黄体形成ホルモン
	Lp	リポプロテイン
	LPIA	ラテックス光学的免疫測定法
	LPL	リポ蛋白リパーゼ
	LST	リンパ球刺激試験
M	MAO	モノアミンオキシダーゼ
	Mb	ミオグロビン
	MBP	ミエリン塩基性蛋白
	MDA－LDL	マロンジアルデヒド修飾LDL
	MED	最小紅斑量測定
	MMF	最大中間呼気速度
	Mn	マンガン
	MVV	最大換気量測定
N	NAG	N－アセチルグルコサミニダーゼ
	NEFA	遊離脂肪酸
	NMP22	核マトリックスプロテイン22
	NH_3	アンモニア
	NPN	残余窒素測定
	NSE	神経特異エノラーゼ
	NT－proBNP	脳性Na利尿ペプチド前駆体N端フラグメント
	NTX	Ⅰ型コラーゲン架橋N－テロペプチド
O	OC	オステオカルシン
	OHCS	ハイドロキシコルチコステロイド
	OGTT	経口ブドウ糖負荷試験
P	P	リン（無機リン、リン酸）
	P－関節	関節穿刺
	P－上ガク洞	上顎洞穿刺
	P－ダグラス	ダグラス窩穿刺
	P－Ⅲ－P	プロコラーゲン－Ⅲ－ペプチド
	PAP	前立腺酸ホスファターゼ抗原
	PBI	蛋白結合沃素測定
	PBS	末梢血液像検査
	PCG	心音図検査
	PCT	プロカルシトニン
	PEF	肺機能検査
	PF	P－Fスタディ
	PF_3	血小板第３因子
	PF_4	血小板第４因子
	PH	プロリルヒドロキシラーゼ
	PIC	プラスミン・プラスミンインヒビター複合体
	PICP	Ⅰ型プロコラーゲン－C－プロペプチド
	PK	ピルビン酸キナーゼ
	PL	リン脂質
	PL－検	髄液一般検査
	Pl、Plate	血小板数検査
	PLA_2	ホスフォリパーゼA_2
	POA	膵癌胎児性抗原
	PRA	レニン活性
	PRL	プロラクチン
	ProGRP	ガストリン放出ペプチド前駆体
	PSA	前立腺特異抗原
	PSP	色素排泄試験
	PSTI	膵分泌性トリプシンインヒビター
	PT	プロトロンビン時間
	PTH	副甲状腺ホルモン
	PTHrP	副甲状腺ホルモン関連蛋白
R	RB、RBC	赤血球、赤血球数計算
	RBP	レチノール結合蛋白
	Ret	網赤血球数測定
	RF	リウマトイド因子
	RIA	ラジオイムノアッセイ、放射免疫電気泳動法
	RLP	レムナント様リポ蛋白
	RSV	RSウイルス

	検査略称	名　称
S	S－～	細菌検査
	S－M	排泄物、滲出物、分泌物の細菌顕微鏡検査（その他のもの）
	S－暗視野	排泄物、滲出物、分泌物の細菌顕微鏡検査（暗視野顕微鏡）
	S－位相差M	排泄物、滲出物、分泌物の細菌顕微鏡検査（位相差顕微鏡）
	S－蛍光M	排泄物、滲出物、分泌物の細菌顕微鏡検査（蛍光顕微鏡）
	S－同定	細菌培養同定検査
	S－培	簡易培養検査
	S－ディスク	細菌薬剤感受性検査
	SA	シアル酸
	SAA	血清アミロイドA蛋白
	SCC抗原	扁平上皮癌関連抗原
	sIL－2R	可溶性インターロイキン－2レセプター
	SLX	シアリルLe^x－i抗原
	Sm－Ig	B細胞表面免疫グロブリン
	SP－A	肺サーファクタント蛋白－A
	SP－D	肺サーファクタント蛋白－D
	STN	シアリルTn抗原
	STS	梅毒血清反応
T	T－BIL、T－Bil	総ビリルビン
	T－M	病理組織標本作製
	T－M/OP	術中迅速病理組織標本作製
	TAT	トロンビン・アンチトロンビン複合体
	TBA	胆汁酸
	TBC	サイロキシン結合能
	TBG	サイロキシン結合グロブリン
	Tcho	総コレステロール
	TDH	腸炎ビブリオ耐熱性溶血毒
	TdT	ターミナルデオキシヌクレオチジルトランスフェラーゼ
	Tf	トランスフェリン
	TG	中性脂肪
	TIA	免疫比濁法
	TIBC	総鉄結合能
	TK活性	デオキシチミジンキナーゼ活性
	TL	総脂質
	TnT	心筋トロポニンT
	TP	総蛋白
	TPA	組織ポリペプタイド抗原
	TRAb	抗TSHレセプター抗体
	TRACP－5b	酒石酸抵抗性酸ホスファターゼ
	TSAb	甲状腺刺激抗体
	TSH	甲状腺刺激ホルモン
	TTC還元能	細菌尿検査
	TTT	チモール混濁反応
	T_3	トリヨードサイロニン
	T_4	サイロキシン
U	U－～	尿検査
	U－検	尿中一般物質定性半定量検査
	U－タン	尿蛋白
	U－沈	尿沈渣
	U－沈／㊕染	尿沈渣（染色）
	UA	尿酸
	UBT	尿素呼気試験
	UCG	心エコー図
	ucOC	低カルボキシル化オステオカルシン
	UIBC	不飽和鉄結合能
	UN	尿素窒素
V	VCG	ベクトル心電図検査
	VMA	バニールマンデル酸
W	WB、WBC	白血球、白血球数計算
Z	Z	糖
	Zn	亜鉛
	ZTT	硫酸亜鉛試験（クンケル反応）
α	α_1－AT	α_1－アンチトリプシン
	α_2－MG	α_2－マクログロブリン
β	β_2－m	β_2－マイクログロブリン
	β－TG	β－トロンボグロブリン
γ	γ－GT	γ－グルタミルトランスフェラーゼ
	γ－GTアイソ	γ－GTアイソザイム
	γ－Sm	γ－セミノプロテイン
δ	δ－ALA	δアミノレブリン酸

	画像略称	名　称
A	AG（アンギオグラフィー）	血管造影、動脈撮影
C	CAG	脳血管撮影
	CT	コンピューター断層撮影
D	DIC	点滴静注胆管・胆嚢造影
	DIP	点滴静注腎盂造影
	DSA	デジタル・サブトラクション・アンギオグラフィー法
E	ERCP	内視鏡的逆行性胆管膵管造影
H	HSG	子宮卵管造影
I	IP（IVP）	経静脈性腎盂造影
	IVC	経静脈性胆管（胆嚢）造影
M	MRI	磁気共鳴コンピューター断層
P	PTC	経皮的胆嚢・胆道造影
R	RP	逆行性腎盂造影
X	X−D	エックス線透視診断
	X−P	エックス線写真診断
	X−Ray	エックス線
	X−TV	エックス線テレビジョン
	エンツェファログラフィー	気脳法又は脳写。脳脊髄腔の造影剤使用撮影
	スポット撮影（SP）	狙撃撮影
	トモグラフィー（トモ、TOMO）	断層撮影
	バリウム透視	造影剤使用消化管透視診断
	ピエログラフィー	造影剤使用の腎盂撮影
	ブロンコ	気管支造影
	ミエログラフィー（ミエロ）	脊髄造影撮影
	リンフォグラフィー	造影剤使用リンパ管撮影

試験前日のチェック項目

- □ 受験票
- □ 点数表、各種資料、参考書など（パソコン等電子機器類、携帯電話、スマートフォンは、持込み不可）
  - ＊できるだけ普段からまとめておき、極力コンパクトにわかりやすくしておこう。多くても5冊程度に抑えておこう。
- □ 電卓、筆記用具等（蛍光ペン使用可）
- □ 時計（携帯電話、スマートフォンは不可）
  - ＊試験会場に時計がない場合もあるため。

第1章

実技・学科試験のポイント解説

1 医療関連法規等

1. 医療保険制度

●医療保険制度に関する各法の位置付けを理解しよう。
●健康保険法を中心に、各法の特徴と医療給付の内容を覚えよう。

➡診療報酬請求事務能力認定試験に出題される医療関連法規等
　診療報酬請求事務能力認定試験ガイドラインでは、医療保険制度等、療養担当規則等、公費負担医療制度、医療関係法規、介護保険制度、その他、診療報酬等、薬価基準・材料価格基準など、請求事務を行うために必要な知識を出題範囲としている。詳しくは、P.8～9「試験の概要について」参照。

➡全国健康保険協会管掌健康保険の保険料率
　2024年10月1日現在、令和6年度都道府県単位保険料率となっている（「健康保険法」H18.6.21附則第29条）。

(1) 医療保険制度の位置付け

　社会保障制度は、所得の保障、医療の保障、福祉の保障、公衆衛生の保障を柱とする。このうち、医療保険制度は、図表１．１．１のような体系になっている。

〈図表１．１．１〉医療保険制度の体系

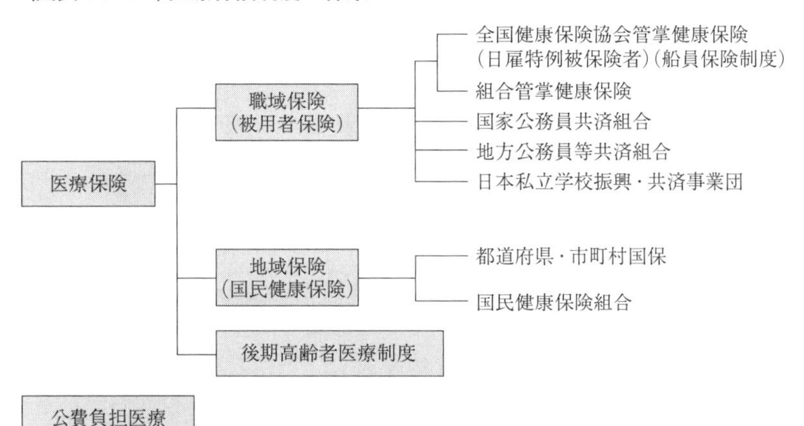

(2) 職域保険（被用者保険）と地域保険（国民健康保険）

基本解説

〈被用者保険〉

- ▶給与所得者等、事業所に雇用されている者が加入することから、職域保険は被用者保険とも呼ばれる。「健康保険（全国健康保険協会管掌と組合管掌に分かれる）」「共済組合保険」がある。
- ▶被用者は保険者に保険料を納入し、被保険者証（保険給付の資格）の交付を受ける。
- ▶保険医療機関は患者（被保険者）の診療に要した費用のうち、給付率に従い、患者から一部負担金を徴収する。
- ▶診療に要した費用の残りは、保険医療機関から支払基金（審査機関）を通して保険者に請求される。このとき作成されるものが「診療報酬明細書」である（図表1.1.2）。

〈図表 1.1.2〉医療保険と診療請求のしくみ

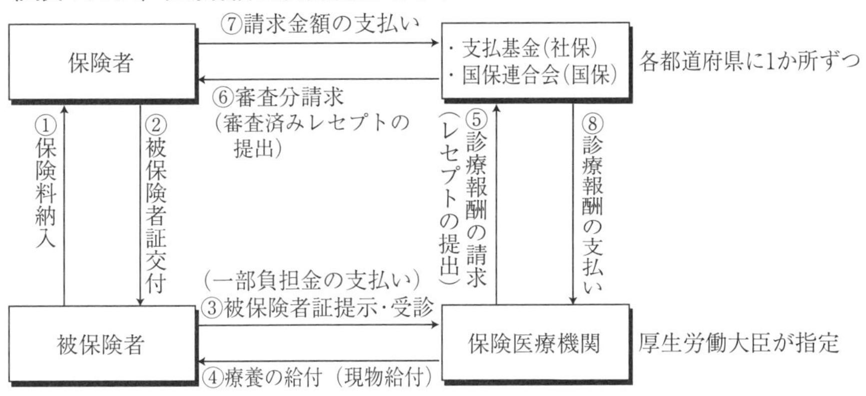

基本解説

〈国民健康保険〉

▶国民健康保険の対象者は、被用者保険の加入者以外の者である。農業や商業を個人で営む人、自由業者、無職の人などが該当する。

▶保険者には、都道府県および市区町村が保険者となる「都道府県・市町村国保」と、同種の事業に従事している人（医師、薬剤師、弁護士、個人の理容師・美容師など）がつくる「国民健康保険組合」がある。

演習問題①

以下の国民健康保険に関する問題のうち、正しいものは○、誤っているものは×に印を付けなさい。

出題頻度　C

1．国民健康保険の保険者は、政府（地方厚生（支）局）である。（○　×）

2．国民健康保険の被保険者は、生活保護法による保護を受けることになった日から、その資格を喪失する。（○　×）

ヒント

(1) 基本解説で述べたとおり、国民健康保険の保険者は都道府県および市区町村と、国民健康保険組合である。

(2) 公費負担医療制度の生活保護法による保護を受けると、その日から国民健康保険の資格を失う。

― 演習問題①の解答 ―

1．×　基本解説・ヒント（1）のとおり。国民健康保険の保険者は政府ではなく、都道府県および市区町村と、国民健康保険組合である（国民健康保険法第3条）。

2．○　ヒント（2）のとおり。ただし、被用者保険各法の資格は喪失しない（国民健康保険法第6条、健康保険法第36条）。

➡出題頻度

本項（P.21～51）の演習問題については、以下の基準でランク付けを行った。

A…過去10回のうち9題以上
B…過去10回のうち6～8題
C…過去10回のうち3～5題
D…過去10回のうち2題以下

演習問題②

以下の保険給付率に関する問題のうち、正しいものは○、誤っているものは×に印を付けなさい。

出題頻度　A

3．医療保険における義務教育就学前の乳幼児の給付割合は、入院、外来とも8割である。（○　×）

4．医療保険における70歳未満の給付割合は、被保険者、被扶養者（義務教育就学前の乳幼児を除く）、入院、外来とも原則として7割である。（○　×）

5．医療保険における75歳以上の後期高齢者の給付割合は、すべて9割である。（○　×）

6．義務教育就学前の乳幼児にかかる保険診療の自己負担額は、両親の所得に関係なく2割である。（○　×）

7．全国健康保険協会における被扶養者の外来にかかる自己負担額の割合は3割である。（○　×）

ヒント

(1) 保険給付率とは、医療にかかった医療費のうち、保険者が負担する割合のことである。何割を保険でまかない、何割を患者の自己負担とするかを規定したもので、社会的・政治的な要因で改正が繰り返されてきているが、現行は図表1.1.3のとおりである。

(2) 給付率には、入院、外来の区別はない。また、患者（被扶養者）が義務教育就学前であっても、親の所得による区別はない。

(3) 船員保険制度は、全国健康保険協会が保険者となって運営し、健康保険相当部分（職務外疾病部門）と船員労働の特性に応じた独自給付を行う。下船後3か月以内の職務外の傷病は、船員法等に基づく独自給付として、船員保険からの10割給付となる。なお、労災保険相当部分（職務上疾病・年金部門）は、労災保険制度にて実施されている。

〈図表1.1.3〉医療費についての保険給付率

対象者	6歳3月末以前（義務教育就学前）	6歳4月（義務教育就学）以降70歳未満	70歳以上75歳未満	75歳以上および65歳以上75歳未満の寝たきり等の者（※）
保険給付率	8割	7割	8割 （現役並み所得者　7割）	9割 （一定以上所得者　8割） （現役並み所得者　7割）
自己負担率	2割	3割	2割 （現役並み所得者　3割）	1割 （一定以上所得者　2割） （現役並み所得者　3割）
			高齢受給者	後期高齢者医療制度

（※）申請に基づき、一定程度の障害の状態にあると後期高齢者医療広域連合の認定を受けた人。

➡一定以上所得者

課税所得が28万円以上、かつ、単身世帯の場合年収200万円以上、複数世帯の場合年収合計320万円以上の後期高齢者医療被保険者をいう。

➡現役並み所得者

課税所得が145万円以上である者、夫婦2人の年収合計が520万円以上の高齢者複数世帯、年収合計が383万円以上の高齢者単身世帯をいう。

― 演習問題②の解答 ―

3. ○　ヒント（1）（2）のとおり（健康保険法第110条第2項）。
4. ○　ヒント（1）（2）のとおり（健康保険法第110条第2項）。
5. ×　図表1.1.3のような区分がある（健康保険法第110条第2項）。
6. ○　家族療養費の支給に扶養義務者の所得による条件はない（健康保険法第110条第2項）。
7. ×　図表1.1.3のような区分があり、6歳4月以降70歳未満の患者の場合に3割負担となる（健康保険法第110条第2項）。

演習問題③

以下の一部負担金に関する問題のうち、正しいものは○、誤っているものは×に印を付けなさい。

出題頻度　C

8．保険診療にかかる一部負担金については、保険医療機関が任意に減免することができる。（○　×）

9．医療保険の一部負担金を支払う場合は、法律により5円未満の端数は切り捨て、5円以上の端数は10円に切り上げることが定められている。（○　×）

10．災害等により被害を受けて支払いが困難であると認定された被保険者も、保険医療機関が任意に患者の一部負担金を減免してはならない。（○　×）

11．医療保険に係る一部負担金が、同一保険医療機関、同一月で自己負担限度額を超えた場合の高額療養費は、入院は現物給付であるが、外来には適用されない。（○　×）

ヒント

(1) 一部負担金の支払いは保険医療機関で診療を受けた人の義務であり、徴収は保険医療機関の責務である。したがって、保険医療機関が任意で一部負担金を減免することはできない。医療保険の一部負担金を支払う場合は、5円未満の端数は切り捨て、5円以上の端数は10円に切り上げることが定められている。

(2) 被保険者が、災害その他特別な理由によって支払いが困難と認められた場合には、以下のような減免制度がある。
  a．一部負担金の減免
  b．一部負担金の支払い免除
  c．保険者による直接徴収とその徴収猶予

(3) 高額療養費は、入院・外来ごとに現物給付化し同一月に同一の医療機関において、窓口での支払いを自己負担限度額までに留められるようにすることができる。この制度は、事前に保険者に「健康保険限度額適用認定申請書」を提出し、「健康保険　限度額適用認定証」の交付を受け、医療機関の窓口に認定証と被保険者証を提出することで利用できる。

― 演習問題③の解答 ―

8. × 一部負担金は、災害等を除き保険医療機関が任意で減免してはならない（健康保険法第74条）。
9. ○ ヒント（1）のとおり（健康保険法第75条）。
10. × ヒント（2）のとおり（健康保険法第75条の2）。
11. × ヒント（3）のとおり（健康保険法第115条）。

演習問題④

以下の保険医療機関の指定および保険医の登録に関する問題のうち、正しいものは○、誤っているものは×に印を付けなさい。 出題頻度 C

12. 保険医療機関の指定は、都道府県知事が行う。 （○ ×）

13. 保険医療機関、保険医、保険薬局等に対する監査結果に基づく行政処分（取消、戒告、注意等）の権限は、都道府県知事にある。 （○ ×）

14. 保険医療機関の指定又は保険医の登録の取消しが行われた場合、厚生労働大臣が再指定又は再登録を行わないことができる期間は、最長２年である。 （○ ×）

ヒント

(1) 保険医療機関の指定および保険医の登録については、厚生労働大臣が行うと定められている（健康保険法第64条・第65条）。これらにかかる指定等の取消しの権限も、厚生労働大臣にある。ただし、手続きは、地方厚生局長等に委任されている（健康保険法施行令）。
(2) 指定を受けてから６年経過すると、指定の効力を失う（健康保険法第68条）。
(3) 保険医療機関および保険医が、保険の指定を取り消された場合、取消しを受けてから５年間は、再指定を受けられない。

― 演習問題④の解答 ―

12. × ヒント（1）のとおり。保険医療機関の指定は厚生労働大臣が行う（健康保険法第65条）。
13. × ヒント（1）のとおり。行政処分の権限は厚生労働大臣にある（健康保険法第80条・第81条）。
14. × ヒント（3）のとおり。保険医療機関、保険医の指定取消しの再指定期間は、5年間である（健康保険法第65条第3項）。

演習問題⑤

以下の医療保険の給付に関する問題のうち、正しいものは○、誤っているものは×に印を付けなさい。 出題頻度 D

15. 被保険者が自己の故意の犯罪行為により事故を起こした場合も、保険給付が行われる。 （○ ×）

16. 医療保険と公費負担医療が併せて適用される場合には、医療保険の給付が優先する。 （○ ×）

17. 被保険者の家族は、保険料を保険者に対して納入していないが、家族療養費の名目で医療給付を受けることができる。 （○ ×）

ヒント

(1) 健康保険法では、「保険給付の制限」として、保険では給付されないものをあげている。主なものは、以下のとおりである。
①単なる疲労、倦怠（けんたい）、正常な出産、美容整形、健康診断やそのための検査、予防注射（一部例外あり）、経済上の理由による妊娠中絶、けんかや酔ったうえでの事故
②厚生労働大臣が承認していない特殊な薬の使用、特殊な療法
③自己の故意の犯罪行為によるもの、または、故意に給付事由を生じさせたとき
④療養の指示に従わないとき

(2) 公費の種類によっては全額公費負担の場合もあるが、公費と医療保険が併用される場合は、医療保険が優先し、その限度額までは公費でまかなわれるわけではない。

<一般の結核患者５％自己負担の場合>

（例）	医療保険負担 70/100	公費負担 25/100	患者負担5/100

(3) 被扶養者が病気やけがをしたときは、被保険者と同様に保険医療機関等において療養の給付（家族療養費）を受けることができる。なお、被扶養者になると、保険料の支払いは一切不要となる。

― 演習問題⑤の解答 ―

15. × ヒント（1）③のとおり（健康保険法第116条）。
16. ○ ヒント（2）のとおり（健康保険法第55条第3項）。
17. ○ ヒント（3）のとおり（健康保険法第110条）。

演習問題⑥

以下の任意継続被保険者に関する問題のうち、正しいものは○、誤っているものは×に印を付けなさい。 出題頻度 D

18. 健康保険の任意継続被保険者は、当該被保険者となった日から起算して1年を経過したときは、その翌日からその資格を喪失する。 （○ ×）

※期間を示す「なった日」「含めて」「翌日から」などの定めに注意する。

19. 健康保険組合の任意継続被保険者は、被保険者の資格を喪失した日の前日まで継続して6月以上の被保険者期間がなければならない。 （○ ×）

20. 健康保険の任意継続被保険者の申し出は、正当な理由がない限り、被保険者の資格を喪失した日から20日以内に行わなければならない。 （○ ×）

ヒント

(1) 任意継続被保険者は、①被保険者となった日から起算して2年を経過したとき、②死亡したとき、③保険料（初回納付を除く）を納付期日までに納付しなかったとき（納付の遅延について正当な理由があると保険者が認めたときを除く）は、その翌日から資格を喪失する。
(2) 任意継続被保険者は、①被保険者となったとき、②船員保険の被保険者となったとき、③後期高齢者医療制度の被保険者となったときは、その日から資格を喪失する。
(3) 任意継続被保険者となるためには、①資格喪失日の前日までに、継続して2か月以上の被保険者期間があること、②資格喪失日から20日以内に被保険者になるための届出をすることが必要である。

― 演習問題⑥の解答 ―

18. × ヒント（1）のとおり。当該被保険者となった日から2年を経過したときは、その翌日から資格を喪失する（健康保険法第38条第1項）。
19. × ヒント（3）のとおり。被保険者の資格を喪失した日の前日まで継続して2月以上の被保険者期間がなければならない（健康保険法第3条第4項）。
20. ○ ヒント（3）のとおり（健康保険法第37条第1項・第3条第4項）。

演習問題⑦

以下のその他の医療保険制度に関する問題のうち、正しいものは○、誤っているものは×に印を付けなさい。

出題頻度 D

21. 通勤途中の事故による傷病については、健康保険で診療を受けることはできない。 （○ ×）

22. 病気やけがの原因が交通事故など第三者の行為による場合は、保険給付の対象とならない。 （○ ×）

ヒント

(1) 労働者災害補償保険（労災保険）… 業務上、通勤途上の病気やけがは、労働者災害補償保険の対象となるため、健康保険を使用することができない。患者負担もない（通勤途上の場合のみ初回に一部負担金が徴収される）。
(2) 自動車損害賠償責任保険（自賠責）…交通事故などの第三者による傷病は、第三者（加害者）が支払うべきものであるため、原則として保険給付の対象外となる。

交通事故の場合

- 第三者の行為によって生じた場合でも、業務外であれば保険給付の対象となる。
- 業務中であれば労災保険との協定により、自賠責が優先となる。自賠責の対象となるようなけがや疾病に関しても同様である。
- 被害者本人の加入保険で医療給付を受けることもできる。ただし、加入保険で医療給付を受けた場合は、被害者の損害賠償請求権が本人ではなく保険者に移る。

― 演習問題⑦の解答 ―

21. ○ ヒント（1）のとおり（健康保険法第1条、第55条第1項）。
22. × ヒント（2）のとおり（健康保険法第57条）。

2. 療養担当規則

●療養担当規則は、出題頻度の高い項目であるため、保険給付の内容と併せて理解することが重要である。

(1) 療養担当規則とは

正式には、「保険医療機関及び保険医療養担当規則」(厚生労働省令) という。

保険診療を行ううえで守らなければならない基本的な規則を定めたもので、保険医療機関としての事務的・経済的な責任および保険医が保険診療を行ううえでの主体性・責任を定めたものである。

基本解説

▶「第1章　保険医療機関の療養担当 (第1条～第11条の3)」保険医療機関が診療報酬制度に基づき、保険請求を行うにあたっての責務…保険医療機関は、その担当する療養の給付に関し、健康保険事業の健全な運営を損なうことのないよう努めなければならない (療養担当規則第2条の4)。

▶「第2章　保険医の診療方針等 (第12条～第23条の2)」保険医が保険診療を行う際の具体的な責務…保険医は、診療に当たっては、健康保険事業の健全な運営を損なう行為を行うことのないよう努めなければならない (療養担当規則第19条の2)。

演習問題①

以下の療養 (医療) の給付内容に関する問題のうち、正しいものは○、誤っているものは×に印を付けなさい。

出題頻度　B

1. 病院である保険医療機関は、医療法の規定に基づき許可を受け、若しくは届出をし、又は承認を受けた病床数の範囲内で、患者を入院させなければならない。
(○　×)

2. 保険医療機関は、国民健康保険の被保険者である患者から療養の給付を求められた場合には、被保険者証の代わりに住民票により受給資格を確認しても差し支えない。
(○　×)

ヒント

(1) 保険給付には、現物給付と現金給付の2つがある。

①現物給付 (療養の給付)

実際にかかる医療費の一部を支払うことで、診療を受けたり、医療材料を直接給付されることである。以下の項目がある。

a. 療養の給付 (診察、投薬、看護、手術、入院等)
b. 保険外併用療養費・・・保険適用となる診療部分 (基礎的部分) を給付、特別なサービスや先進医療は特別料金 (自己負担) となる (P.33 図表1.1.4)。
c. 入院時食事療養費、入院時生活療養費
d. 訪問看護療養費 (医師の指示の下で行われたもの)

➡療養の給付の範囲外

①業務上、通勤途上の病気、けが
②病気とみなされないもの
③不正または不正行為に対する制限
④特殊な薬の使用や特殊な治療法

e．家族療養費等
f．高額療養費（上限額を超えた部分）
②**現金給付**
一定の条件を満たした場合に、直接保険者に申請することにより、現金で支給される傷病手当金、出産手当金、出産育児一時金、埋葬料など。
(2) 保険医療機関は、患者から療養の給付を受けることを求められた場合には、電子資格確認または患者の提出する被保険者証によって療養の給付を受ける資格があることを確かめなければならない。

➡出産育児一時金
事前に届けることにより、保険医療機関等が受取りの代理人となることができる。

➡療養費の償還払い
保険医が必要と認めた、あんま・マッサージ・鍼（はり）・灸の施術、コルセット等の装具を支給した場合、保険証を忘れた患者が緊急に自費で受診をした場合などについて、保険医療機関に直接支払った費用は、後で保険者に申請し、保険者が認めたものについて、現金が還付される。
※費用を支払った日の翌日から2年で時効。

— 演習問題①の解答 —
1. ○　療養担当規則に定めがある（療養担当規則第11条第2項）。
2. ×　ヒント（2）のとおり。電子資格確認または患者の提出する被保険者証で確かめる必要がある（療養担当規則第3条）。

演習問題②

以下の保険薬局への誘導の禁止に関する問題のうち、正しいものは○、誤っているものは×に印を付けなさい。　出題頻度　D

3．保険医療機関は、保険医の発行する処方箋に対し、患者に特定の保険薬局において調剤を受けるべき旨の指示を行ってはならない。　（○　×）

4．保険医は、患者の家族から保険薬局を紹介してほしい旨の依頼があっても、特定の保険薬局を紹介してはならない。　（○　×）

5．保険医は、処方した薬剤を患者が入手しやすい保険薬局を紹介しなくてはならない。　（○　×）

ヒント
(1) 医薬分業の適正、保険医療機関からの薬局の独立性を確保する目的により、患者に対して特定の保険薬局への誘導を行うことを禁じている。
(2) 保険薬局には、特定の保険医療機関および保険医との金品等の受け渡しを禁じている。また、患者の一部負担金を減免することも禁じている。

— 演習問題②の解答 —
3. ○　ヒント（1）のとおり（療養担当規則第2条の5）。
4. ○　ヒント（1）のとおり（療養担当規則第19条の3）。
5. ×　患者の便宜などの理由にかかわらず、紹介してはならない（療養担当規則第19条の3）。

演習問題③

以下の診療の具体的方針に関する問題のうち、正しいものは○、誤っているものは×に印を付けなさい。　出題頻度　C

6．保険医は、単なる疲労回復、正常な分娩または通院に不便等の理由で入院の指示を行ってはならない。　（○　×）

7．各種の検査は、診療上必要があると認められる場合に行い、研究の目的をもって行ってはならない。（○　×）

8．保険医は、厚生労働大臣の定める以外の特殊な療法や新しい療法は行ってはならないため、治験薬に関しても保険診療として扱ってはならない。
（○　×）

9．厚生労働大臣の定める医薬品以外の薬物を患者に施用した場合は、保険医療機関の購入価格により薬剤料を算定する。（○　×）

ヒント

(1) 保険医が行う診療は、健康保険法の保険給付の範囲で実施される。このため、保険給付の制限にあたる正常な出産や単なる疲労、倦怠（けんたい）、健康診断等は、保険による診療として行ってはならない。ただし、妊娠中の疾病はこの限りではない。

また、検査は療養上必要なものに対して行い、研究目的には行ってはならない。

入院の必要が認められないもの
- 単なる疲労回復のため
- 通院に不便であるため
- 入院病院の従業員以外の者が看護を行うため

(2) 保険医が行う診療の具体的方針のなかで、以下の療法は行ってはならないとしている。

①厚生労働大臣の定めるもの以外の特殊な療法や新しい療法
②厚生労働大臣の定める医薬品以外の薬物の投与や使用・処方

ただし、医薬品医療機器等法で定める治験の対象とされる薬物についてはこの限りではないとしている。

— 演習問題③の解答 —

6. ○　ヒント（1）のとおり（療養担当規則第20条第7号）。
7. ○　ヒント（1）のとおり（療養担当規則第20条第1号）。
8. ×　ヒント（2）のとおり。治験薬に対しては例外になっている（療養担当規則第18条・第19条）。
9. ×　ヒント（2）のとおり。保険医は、厚生労働大臣の定める医薬品以外の薬物を患者に使用（施用）したり処方してはならない（療養担当規則第19条）。

演習問題④

以下の入院患者の看護に関する問題のうち、正しいものは○、誤っているものは×に印を付けなさい。　出題頻度　C

10. 保険医療機関は、入院患者に対して、患者の負担により従業員以外の者による看護を受けさせてはならない。（○　×）

11. 保険医療機関は、患者の家族からの申し出がある場合には、看護に支障のない範囲内で付添看護を認めることができる。（○　×）

ヒント

入院患者に対して、保険医療機関の従業員以外の者の看護（付添看護）を受けさせることは禁じられている。

— 演習問題④の解答 —

10. ○　ヒントのとおり（療養担当規則第11条の2）。
11. ×　患者の申し出があっても認めてはならない（療養担当規則第11条の2）。

演習問題⑤

以下の帳簿・記録の保存に関する問題のうち、正しいものは○、誤っているものは×に印を付けなさい。

出題頻度　C

12. 保険医療機関は、療養の給付の担当に関する帳簿または書類、その他の記録を、療養の給付が完結した日から３年間保存しなければならない。
（○　×）

13. 保険医は、患者の診療を行った場合には遅滞なく診療録に必要な事項を記載し、完結した日から３年間保存しなくてはならない。　（○　×）

14. 保険医療機関は、医療費の内容の分かる領収証を交付したときは、その控えを３年間保存しなければならない。　（○　×）

15. 保険医療機関は、保険診療の診療録と自費診療の診療録を区別して整備しなければならない。　（○　×）

ヒント

(1) 帳簿・記録の保存については、以下の定めがある。
①診療録…完結の日から５年間
②帳簿および書類、その他の記録…完結の日から３年間
(2) 医師法には、以下の定めがある（医師法第24条）。
・医師は、患者を診療したときは、遅滞なく診療に関する事項を診療録に記載しなければならない。
・診療録は、病院の管理者または医師が５年間保存しなくてはならない。

— 演習問題⑤の解答 —

12. ○　ヒント（1）のとおり（療養担当規則第9条）。
13. ×　ヒント（2）のとおり（医師法第24条、療養担当規則第9条）。
14. ○　ヒント（1）のとおり。その他の記録に該当する（療養担当規則第9条）。
15. ○　療養の給付に関する必要事項を診療録に記載し、これを他の診療録と区別して整備しなければならない（療養担当規則第8条）。

演習問題⑥

以下の医薬品と処方箋に関する問題のうち、正しいものは○、誤っているものは×に印を付けなさい。

出題頻度　B

16. 処方箋の使用期間は、特に事情のある場合を除き、交付の翌日から４日以内である。　（○　×）

17. 保険医は、交付した処方箋に関し、保険薬剤師から疑義の照会があった場合には、これに適切に対応しなければならない。　（○　×）

18. 新医薬品であって、薬価基準収載日の属する月の翌月の初日から起算して１年を経過していないものは、原則として14日分を限度として投与する。　（○　×）

19. 長期航海の船舶に乗り組む船員保険制度の被保険者に対する投薬量は、療養担当規則の規定にかかわらず、航海日程等を考慮し、１回180日分を限度として投与することができる。　（○　×）

ヒント

(1) 処方箋の使用期間は、保険医が診療を行う際の診療方針のなかで、交付日を含めて４日以内と定められている。ただし、長期の旅行など必要と認められた場合はこの限りではない。

(2) 保険医は、交付した処方箋に関して、保険薬剤師から疑義の照会があった場合、適切に対応しなければならない。

(3) 投薬量の処方は、保険医が診療を行う際の診療方針のなかで、必要と認められた場合にのみ行うことが定められている。

a．厚生労働大臣が定める薬剤…定められた薬剤ごとに、１回14日分１回30日分、１回90日分の限度がある。

b．厚生労働大臣が定める注射薬…１回14日分、１回30日分または90日分の限度がある。なお、新医薬品については、投薬量または投与量の限度は14日とする。ただし、長期航海の船舶に乗り組む船員保険の被保険者に対する投薬量は、航海日程等を考慮し、１回180日分を限度として投与することができる。

— 演習問題⑥の解答 —

16. ×　ヒント（1）のとおり。交付の日を含めて４日以内である（療養担当規則第20条第３号）。

17. ○　ヒント（2）のとおり（療養担当規則第23条第３項）。

18. ○　新医薬品（医薬品医療機器等法第14条の４第１項第１号に規定する新医薬品）であって、薬価基準収載日の属する月の翌月の初日から起算して１年を経過していないものは、投薬量または投与量は14日分を限度とすることが定められている（告示「療担規則及び薬担規則並びに療担基準に基づき厚生労働大臣が定める掲示事項等」第10「2」）。

19. ○　ヒント（3）bのとおり（船員保険法第54条第２項の規定に基づき船員保険の療養の給付の担当又は船員保険の診療の準則を定める省令）。

演習問題⑦

以下の対診と照会に関する問題のうち、正しいものは○、誤っているものは×に印を付けなさい。

出題頻度　D

20. 保険医は、患者の疾病または負傷が自己の専門外にわたるときは、他の保険医療機関に転医または他の保険医の対診を求めるなど診療について適切な措置を講じなければならない。 （○　×）

21. 保険医療機関等は、担当した診療にかかる疾病または負傷に関し、他の保険医療機関からの照会があった場合には、適切に対応しなくてはならない。 （○　×）

ヒント

(1) 保険医が診療を行う際の診療方針のなかで、患者の疾病・負傷が専門外であったり診療に疑義があるときは、他の保険医療機関に転医させたり、他の保険医に対診を求めるなどが定められている。
(2) 保険医療機関保険医は、他の保険医療機関からの照会があった場合には、適切に対応しなくてはならない。

— 演習問題⑦の解答 —
20. ○　ヒント（1）のとおり（療養担当規則第16条）。
21. ○　ヒント（2）のとおり（療養担当規則第2条の2、第16条の2）。

(2) 保険外併用療養費制度

基本解説

▶日本では、混合診療（保険外診療と保険診療との混合）は認められていない。ただし、患者のさまざまなニーズに応えるため、保険適用前の新しい医療技術や薬価基準収載前の医薬品による医療を受けた場合、厚生労働大臣が定める療養については一部保険外診療との併用が認められている。これを保険外併用療養費制度という。

▶基礎的な医療費は保険給付となり、患者自身の希望する先進技術やサービス部分を自己負担（特別の料金）で支払う。

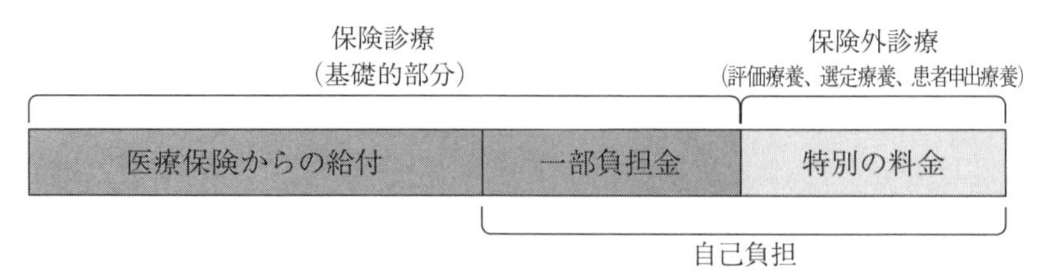

▶「評価療養」と「選定療養」と「患者申出療養」に分けられる（図表1.1.4）。

➡評価療養
厚生労働大臣が定める新しい医療技術による療養であり、保険給付の対象とすべきか評価を行う必要があるもの。

➡選定療養
患者のさまざまなニーズに応えるための特別なサービス。

➡患者申出療養
患者の申出を起点とし未承認薬や先進的な医療等を身近な医療機関で、迅速に受けられるようにするもの。

〈図表1.1.4〉保険外併用療養費制度の種類

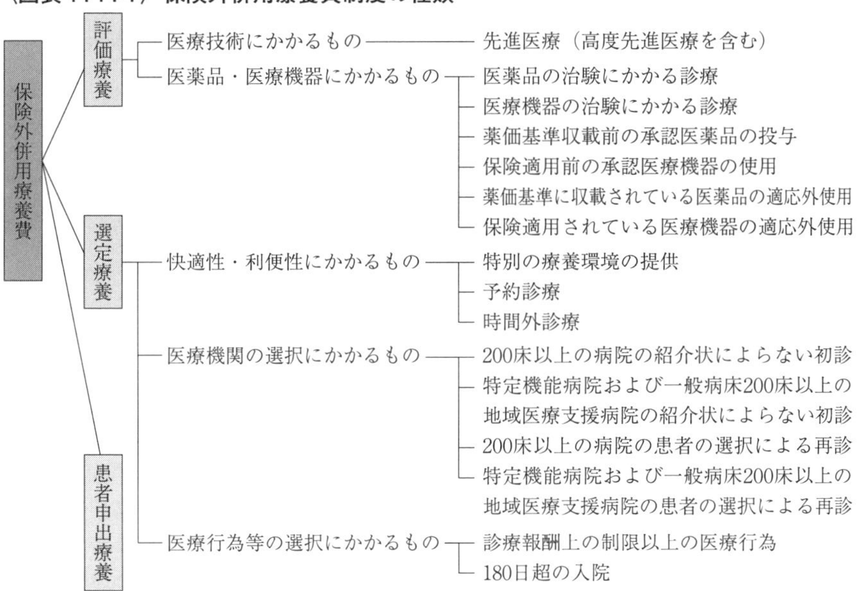

演習問題

以下の保険外併用療養費制度に関する問題のうち、正しいものは○、誤っているものは×に印を付けなさい。 出題頻度　A

1. 保険医療機関の都合で特別療養環境室に入院させた場合でも、特別の料金の支払いを求めることができる。（○　×）

2. 他の保険医療機関からの紹介状を持たずに200床以上の病院（特定機能病院、地域医療支援病院、紹介受診重点医療機関を除く）で初診を受けた患者については、緊急の場合等を除き、特別の料金の支払いを求めることができる。（○　×）

3. 一般病床が200床以上の病院（特定機能病院、地域医療支援病院、紹介受診重点医療機関を除く）である保険医療機関であっても、他の保険医療機関の紹介によらず直接来院した患者について、初診にかかる特別の料金を患者から徴収しなくてもよい。（○　×）

4. 予約診察を行う旨を掲示していない病院において、患者の希望により特別に予約診察を行った場合は、特別の料金を徴収することができる。（○　×）

5. 医科点数表に規定する回数を超えて行う診療にかかる特別の料金は、医科点数表に規定する基本点数をもとに計算される額を標準とする。（○　×）

6. 地方単独の公費負担医療の受給者については、当該医療が特定の障害、特定の疾患等に着目しているものである場合には、初診にかかる特別の料金を徴収できない。（○　×）

7. 医薬品の治験について、治験の内容を患者等に説明することが医療上好ましくないと認められる場合は、保険外併用療養費の支給対象とならない。（○　×）

➡紹介状なし受診時の定額負担徴収

①特定機能病院および一般病床200床以上の地域医療支援病院と紹介受診重点医療機関において、他の保険医療機関から紹介なしに受診した初診患者には7,000円以上、他の病院および診療所に対し逆紹介を行ったにも関わらず再度受診した再診患者には3,000円以上の保険医療機関が定めた額を徴収する（緊急患者等の例外あり）。

②上記①の定額負担を求める患者に対する保険外併用療養費の支給額は、初診料から200点、再診料から50点を控除する。

➡領収証の発行

特別の料金の徴収にあたり、特別の料金部分について、他の医療費と区別した領収証を発行しなければならない。

ヒント

(1) 健康保険法の定める保険外併用療養費制度のうち、基礎的部分は保険診療の給付対象となるが、評価療養や選定療養（先進医療や特別サービス）の部分は特別の料金として自己負担となる。

(2) 評価療養、選定療養の実施にあたり、以下の要件が必要とされる。

①掲示の義務…保険医療機関内の患者が見やすい場所に、内容と料金を掲示しなくてはならない（療養担当規則第２条の６）。

②患者の同意…患者が自主的に選択したものでなくてはならない。また、内容・費用について説明し、患者の同意を得なくてはならない。

③金額および徴収…金額の設定、徴収の有無については、保険医療機関の任意となる（200床以上の特定機能病院等を除く。P.33脇注参照）。

― 演習問題の解答 ―

1. ×　特別の料金の支払いは、図表1.1.4のとおり患者自身の希望による場合に求めることができる（療養担当規則第5条の4第1項）。
2. ○　ヒント（1）図表1.1.4のとおり。
3. ○　ヒント（2）③のとおり。
4. ×　特別の料金の徴収については、ヒント（2）①のとおり、院内の掲示が必要である。
5. ○　医科点数表等をもとに計算する。
6. ○　国の公費負担受給者については、「やむを得ない事情がある場合」に該当するため、初診にかかる特別の料金の徴収を行うことは認められない。
7. ○　ヒント（2）②のとおり。

(3) 療養の給付と直接関係ないサービス等の取扱い

基本解説

▶療養の給付と直接関係のないサービス等に該当するものは、患者からその費用を実費徴収できる。

演習問題

以下の療養の給付と直接関係のないサービス等に関する問題のうち、正しいものは○、誤っているものは×に印を付けなさい。　出題頻度　D

1．日本語を理解できない患者に対する通訳料については、療養の給付と直接関係ないサービスとして、患者から実費を徴収することができる。

（○　×）

2．他院より借りたフィルムの返却時の郵送代は、患者からその費用を徴収することができない。　（○　×）

3．診療録の開示手数料（閲覧、写しの交付等にかかる手数料）は、公的保険給付とは関係ない文書の発行にかかる費用であり、患者から実費を徴収することができる。（○　×）

4．入院患者に対する病衣貸与（手術、検査等を行う場合の病衣貸与を含む）については、患者からその費用を徴収することができる。（○　×）

5．療養の給付と直接関係のないサービス等の費用を患者から徴収する場合は、サービスの内容や料金等について明確かつ懇切に説明し、同意を得なければならない。（○　×）

6．保険診療を行っている患者からインフルエンザ等予防接種の費用を徴収した場合は、保険診療の費用と区別した内容の分かる領収証を発行しなければならない。（○　×）

ヒント

(1) 患者から費用を徴収する場合には、サービスの内容や料金等について保険医療機関の見やすい場所に掲示し、明確かつ懇切に説明のうえ、同意を得なければならない。
(2) 患者から保険医療とは別に費用を徴収した場合は、他の費用と区別した内容のわかる領収証を発行する。

― 演習問題の解答 ―

1. ○　療養の給付と直接関係のないサービスとなる。
2. ×　他院より借りたフィルムの返却時の郵送代は、療養の給付と直接関係ないサービスとなるので患者からその費用を徴収することができる。
3. ○　公的保険給付とは関係がない文書発行料等、および在宅医療にかかる交通費は、実費を徴収することができる。
4. ×　入院患者に対する病衣の貸与は、療養の給付と直接関係のないサービスとなるので患者からの費用徴収が認められるが、手術、検査等の際の病衣の貸与については認められない。
5. ○　ヒント（1）のとおり。
6. ○　ヒント（2）のとおり。

※以上、療養担当規則関連通知「療養の給付と直接関係ないサービス等の取扱い」より。

3. 入院時食事療養費・入院時生活療養費

●入院時食事療養費・入院時生活療養費の違いについて理解しよう。
●入院時食事療養（Ⅰ）および入院時生活療養（Ⅰ）に規定されている加算の内容を学習しよう。

(1) 入院時食事療養費とは

入院患者に対し食事の提供が行われた場合、患者は定められた負担額を支払う（残りは医療費でまかなう）ことで食事の療養が受けられる。なお、所得に応じて食事療養標準負担額が定められている。

(2) 入院時生活療養費とは

療養病床に入院する65歳以上の患者を対象とし、所得に応じて生活療養標準負担額が定められている。

光熱費・水道代相当分（1日当たりの居住費）と、1食につき（1日3食まで）定められた額との合計額を徴収する。

➡入院時食事療養費・入院時食事療養費の標準負担額
別冊「点数早見表」P.6参照。

➡70歳以上の低所得者
・低所得者Ⅱ：世帯全員が住民税非課税の者
・低所得者Ⅰ：世帯全員が住民税非課税であって、その世帯の所得が一定基準以下の者

基本解説

- ▶入院時食事療養費は、医療保険・後期高齢者医療制度を問わず、標準負担額は1食につき（1日3食まで）490円である。ただし、所得の低い人（入院時生活療養の対象者以外で70歳以上を含む）は入院日数により区分されている。
- ▶70歳以上の高齢者のうち世帯全員が非課税であり、かつ所得が一定基準に満たない者は、1食につき（1日3食まで）110円となる。

演習問題

以下の入院時食事療養費に関する問題のうち、正しいものは○、誤っているものは×に印を付けなさい。　出題頻度　C

1. 後期高齢者医療制度の入院時食事療養費の標準負担額は、所得に関係なく、1食につき490円である。（○　×）

2. 後期高齢者医療制度における入院時食事療養費は、所得と入院期間により区分されている。（○　×）

3. 高額療養費の対象となる「一部負担金額等」には、入院時食事療養の標準負担金額が含まれる。（○　×）

4. 入院時食事療養の標準負担金額は、保険診療にかかる一部負担金額と異なり、保険医療機関が任意に減免できる。（○　×）

5. 入院患者が医療保険の70歳以上の高齢者の医療の確保に関する法律の医療受給者である場合は、入院時食事療養費ではなく、入院時生活療養費が給付される。（○　×）

6. 特別食加算に係る貧血食の対象患者は、血中ヘモグロビン濃度 10g/dL 以下であれば、その原因が鉄分の欠乏に由来する患者でなくても差し支えない。
（○　×）

7. 特別食加算に係る脂質異常症の対象患者は、空腹時定常状態におけるLDL−コレステロール値が140mg/dL以上である者又はHDL−コレステロール値が40mg/dL未満である者若しくは中性脂肪値が150mg/dL以上である者である。
（○　×）

ヒント

(1) 高額療養費の一部負担金には、入院時食事療養費・入院時生活療養費とも含まれない。

(2) 入院時食事療養（Ｉ）および入院時生活療養（Ｉ）の届出を行っている保険医療機関において、医師の発行する食事箋に基づき特別食が提供された場合には、特別食加算（１食につき76円）を算定する。
　なお、対象疾患および対象治療食については、厚生労働省告示第99号告示②入院時食事療養費・入院時生活療養費「３　特別食加算」に定められている。

※入院時食事療養および入院時生活療法にかかる特別食は、B001「9」外来栄養食事指導料、B001「10」入院栄養食事指導料（週1回）、B001「11」集団栄養食事指導料にかかる特別食とは異なる内容となっている。

— 演習問題の解答 —

1. ×　所得に応じた区分がある（高齢者の医療の確保に関する法律第74条第2項）。
2. ○　基本解説のとおり（高齢者の医療の確保に関する法律第74条第1項・2項）。
3. ×　入院時食事療養費の標準負担額は、高額療養費の対象とはならない（健康保険法第115条）。
4. ×　入院時食事療養にかかる標準負担額は、健康保険法および高齢者の医療の確保に関する法律の規定に基づき定められているため、保険医療機関は任意に減免できない（厚生労働省告示第99号）。
5. ×　入院時生活療養費が給付されるのは、療養病床に入院する65歳以上の患者である（健康保険法第63条・第85条の2）。
6. ×　貧血食の対象患者は、血中ヘモグロビン濃度が10g/dL以下で、かつ、その原因が鉄分の欠乏に由来する者である（入院時食事療養費・入院時生活療養費「3　特別食加算」）。
7. ○　対象治療食についての定めがある（入院時食事療養費・入院時生活療養費「3　特別食加算」）。

4. 医療関係法規

●医療機関の基本的規定である医療法を整理しよう。
●医療従事者法については医師法を重点的に、義務や業務範囲などを理解しよう。

（1）医療法とは

医療法は、医療機関の施設面・人的構成等を整備し、国民が医療を適正に安心して受けられるよう定められた法律である。

主な内容は、①医療提供の理念規定、②医療施設の整備、③医療施設の人的構成、④構造設備、⑤管理体制である。

・医療法で定める病床

基本解説

▶都道府県知事によって許可される病床の種類を、一般病床、療養病床、結核病床、感染症病床、精神病床の５つに分けている。
▶病床の種類によって、人員配置の定めがある。このうち、一般病床と特定機能病院については、2024年10月1日現在、図表１.１.５のとおりである。

〈図表１.１.５〉一般病床と特定機能病院の人員配置（患者の人数：人員）

人員配置基準	一般病床	特定機能病院（最低基準）
医師数	16：1	すべての入院患者（歯科除く）に対し８：１
看護職員数	3：1	すべての入院患者に対し２：１
薬剤師数	70：1	すべての入院患者に対し30：１

演習問題①

以下の診療所と病院に関する問題のうち、正しいものは○、誤っているものは×に印を付けなさい。

出題頻度　D

1．診療所とは、患者を入院させるための施設を有しないもの又は20人以下の患者を入院させるための施設を有するものをいう。　（○　×）

2．診療所は、病院、病院分院、産院、その他「病院」とまぎらわしい名称をつけてはならない。　（○　×）

ヒント

・診療所…患者収容施設のないもの、または19人以下の患者収容施設を有するもの
・病院…20人以上の患者収容施設を有するもの
　さらに、それぞれの施設について、まぎらわしい名称をつけることを禁じている。

― 演習問題①の解答 ―

1. × ヒントのとおり。診療所とは、患者収容施設のないもの、または19人以下の患者収容施設を有しているものをいう（医療法第１条の5第２項）。
2. ○ 「類似名称の使用禁止」が定められている（医療法第３条）。

演習問題②

以下の病院、診療所等の開設者および管理者に関する問題のうち、正しいものは○、誤っているものは×に印を付けなさい。 出題頻度 C

3．医療機関の開設者は、医師または歯科医師でなくてはならない。（○　×）

4．医療機関は医師でない者も開設できるが、利益を上げることを目的にした場合は開設を認められない。（○　×）

ヒント

(1) 医療法では、営利を目的とした病院または診療所の開設は許可しないとしている。また、管理者は医師でなくてはならないが、開設者は医師である必要はない。

(2) 医師が診療所を開設するときは、開設後10日以内に都道府県知事に届け出なくてはならない。また、医師でない者が開設するときは、事前に都道府県知事の許可が必要である。

➡医療法人

医療機関を開設しようとする社団法人または財団法人である。開業にあたって営利を目的としないことや、管理者は医師でなくてはならないことが医療法に定められている。

― 演習問題②の解答 ―

3. × ヒント（1）（2）のとおり。都道府県知事の許可により、医師以外の者でも開設できる（医療法第７条）。
4. ○ ヒント（1）のとおり（医療法第７条第７項）。

演習問題③

以下の地域医療支援病院、特定機能病院に関する問題のうち、正しいものは○、誤っているものは×に印を付けなさい。 出題頻度 C

5．都道府県知事は、特定機能病院が高度の医療を提供する能力を有しなくなった場合には、その承認を取り消すことができる。（○　×）

6．地域医療支援病院は、集中治療室を有することが施設要件の１つとなっている。（○　×）

7．地域医療支援病院の開設者は、厚生労働省令の定めるところにより、業務に関する報告書を都道府県知事に提出しなければならない。（○　×）

ヒント

(1) 特定機能病院は、以下の要件を備え厚生労働大臣の承認を得て特定機能病院と称することができる。
- 高度の医療の提供・研修、高度の医療技術の開発および評価等を行う能力を有し、他の病院または診療所から紹介された患者に対し、医療を提供する病院であること
- 集中治療室、無菌病室、医薬品情報管理室を備え、400床以上の病床数、16以上の診療科を有する大学病院の本院等であること

(2) 地域医療支援病院は、以下の施設等を有し、以下の主な要件等を備えた都道府県知事の承認を得た病院のことである。
- 集中治療室、化学・細菌および病理の検査施設、病理解剖室、研究室、講義室、図書室等
- 救急医療を提供し、地域の医療従事者の資質の向上を図るための研修を行わせるために施設の設備等を利用させる、原則として200床以上の病院であること
- 他の医療機関からの紹介患者数の比率が80%以上（承認初年度は60%以上)、または紹介率65%以上かつ逆紹介率40%以上、紹介率50%以上かつ逆紹介率70%以上であること

— 演習問題③の解答 —

5. ×　特定機能病院の承認を取り消すことができるのは、厚生労働大臣である（医療法第29条第4項)。
6. ○　ヒント（2）のとおり（医療法第22条)。
7. ○　医療法の定めのとおり（医療法第12条の2)。なお、特定機能病院の開設者の場合は、業務に関する報告書を厚生労働大臣に提出しなければならない（医療法第12条の3)。

（2）医療従事者関係

医療の現場には、さまざまな専門職が従事しており、専門職ごとに資格制度や業務範囲が定められている。医療従事者に関する法律は、医師法を含め全部で18に分類されている。

・医師法の内容

基本解説

▶医師法は、医師としての業務の範囲、権利・義務に関して規定している。
▶医師の任務は、「医療と保健指導を司ることによって、公衆衛生の向上と増進に寄与し、国民の健康的な生活を確保する」ものと定めている。

演習問題①

以下の応招義務等・無診治療等の禁止に関する問題のうち、正しいものは○、誤っているものは×に印を付けなさい。　出題頻度　C

1. 診療に従事する医師は診察治療の求めがあった場合には、正当な事由がなければ、これを拒んではならない。　（○　×）

2．医師が診察した患者が、診察の後24時間以内に死亡した場合、死亡診断書の求めに応じることはできない。 （○　×）

3．医師が自ら診察をしないで処方箋により投薬を行うことは、医師法で禁じられている。 （○　×）

4．医師は自ら診察しないで治療をし、又は診断書若しくは処方箋を交付してはならない。 （○　×）

ヒント

(1) 医師は、診療や治療の求めがあったときは、正当な理由がなければ拒んではならない（応招義務）。
(2) 医師は、検案（けんあん）（解剖）書、出生証明書、死産証書の交付の求めがあったとき、検案・出産への立会い、または診察・治療の実施をしていない場合は、求めに応じてはならない。ただし、診察後24時間以内に死亡した場合の死亡証明書の交付については、この限りではない。
(3) 医師は、診察をせずに診断書および処方箋を交付してはならない。

― 演習問題①の解答 ―

1. ○　ヒント（1）のとおり。「応招義務」の定めがある（医師法第19条）。
2. ×　ヒント（2）のとおり。診察後24時間以内に死亡した場合には求めに応じられる（医師法第20条）。
3. ○　ヒント（3）のとおり（医師法第20条）。
4. ○　ヒント（3）のとおり（医師法第20条）。

演習問題②

以下の医業と医師の名称に関する問題のうち、正しいものは○、誤っているものは×に印を付けなさい。　出題頻度　D

5．医師の資格がない者でも、一般的に認められていれば医療行為を行ってもよい。 （○　×）

6．医師でない者は、医師またはこれにまぎらわしい名称を用いてはならない。 （○　×）

ヒント

医師法では、医師でない人が医業を行うことを禁じている。また、医師でない者が「医師」等のまぎらわしい名称を用いることも禁じている。

― 演習問題②の解答 ―

5. ×　ヒントのとおり（医師法第17条）。
6. ○　ヒントのとおり。「類似名称の禁止」の定めがある（医師法第18条）。

・薬剤師法の内容

基本解説

▶**薬剤師法は、薬剤師としての業務、薬剤師の任務を定めている。**
▶**薬剤師の任務は、「調剤、医薬品の供給その他薬事衛生をつかさどること」と定めている。**

演習問題

以下の処方箋に関する問題のうち、正しいものは○、誤っているものは×に印を付けなさい。
出題頻度　C

1．医師の指示および処方箋があれば、薬剤師以外の者も薬剤の調剤をすることができる。　（○　×）

2．調剤済みの処方箋は、調剤済みとなった日から３年間保存しなければならない。　（○　×）

3．保険薬剤師は、いったん交付された処方箋に関して疑義がある場合は、保険医に代わって調剤の判断をする。　（○　×）

ヒント

(1) 薬剤師法は、薬剤師は、医師の処方箋によらなければ、販売や授与の目的で調剤してはならないとしている。また、処方箋のなかに疑義があったときは、処方箋を交付した医師に問い合わせてから調剤しなくてはならない。
(2) 薬剤師は、調剤後は処方箋に調剤済みとなったことを記入する。保険薬局開設者は、調剤録については最終記入日から３年間、処方箋については調剤済みとなった日から３年間、保存しなくてはならない。

― 演習問題の解答 ―

1. ×　薬剤師の資格がない者は調剤できない（薬剤師法第19条・第23条）。
2. ○　ヒント（2）のとおり。調剤済みの処方箋の保存についての定めがある（薬剤師法第27条）。
3. ×　ヒント（1）のとおり。保険医に問い合わせて調剤する（薬剤師法第24条）。

・栄養士法の内容

基本解説

▶**栄養士法は、栄養士の資格や業務を定めている。**
▶**栄養士とは、「栄養士の名称を用いて栄養の指導に従事する者」と定めている。**

演習問題

以下の免許・任務に関する問題のうち、正しいものは○、誤っているものは×に印を付けなさい。
出題頻度　D

1．栄養士とは、都道府県知事の免許を受けて栄養指導に従事する者をいう。
（○　×）

2．管理栄養士は栄養士と免許は同じであるが、栄養指導や給食管理をより高度な専門知識と技術で行う任務がある。（○　×）

ヒント

(1) 栄養士は都道府県知事による免許であり、管理栄養士は厚生労働大臣による免許である。
(2) 栄養士の任務は、傷病者の療養のための栄養指導と施設における給食の管理である。管理栄養士は、栄養士の任務をより高度な専門知識や技術で行う。なお、病院にあっては100床以上で1名の栄養士、特定機能病院にあっては1名以上の管理栄養士の配置が義務付けられている（医療法施行令第19条第2項、第22条の2）。
(3) 主治医の指導によらない栄養指導は、行ってはならない。

― 演習問題の解答 ―
1. ○　ヒント（1）のとおり（栄養士法第１条）。
2. ×　管理栄養士の免許は厚生労働大臣による（栄養士法第１条）。

・その他の業務に関する法律

演習問題

以下の医療従事者に関する問題のうち、正しいものは○、誤っているものは×に印を付けなさい。
出題頻度　D

1．診療放射線技師は、医師又は歯科医師の具体的な指示を受けなければ、放射線を人体に対して照射してはならない。（○　×）

2．保健師は保健指導に従事することを業とする者であり、傷病者の療養上の指導を行うに当たって主治医があるときは、その指示を受けなければならない。（○　×）

3．臨床工学技士は、医師の具体的な指示を受けなければ、生命維持管理装置の操作を行ってはならない。（○　×）

― 演習問題の解答 ―
1. ○　厚生労働大臣の免許を受け、医師または歯科医師の指示のもとで放射線を人体に照射することを業とする者をいう（診療放射線技師法第26条第１項）。
2. ○　条文のとおり（保健師助産師看護師法第２条・第35条）。
3. ○　条文のとおり（臨床工学技士法第38条）。

5. 後期高齢者医療制度

●職域、地域、家庭において、後期高齢者の特性を活かし、生活を支える医療の提案が与えられる制度である。

（1）後期高齢者医療制度とは

75歳以上の人を対象とし、すべての国民が安心して医療を受けられるよう、高齢者と若者との間での世代間公平や、高齢者間での世代内公平が保たれるように負担の明確化等が図られている。

概要は図表１．１．６のとおりである。

〈図表 1.1.6〉高齢者の医療の確保に関する法律の体系

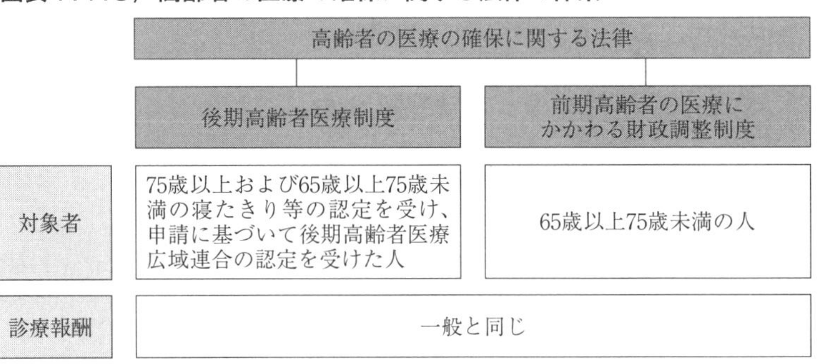

※保険給付率は、P.22 図表1.1.3参照。

後期高齢者医療制度は、心身の特性を踏まえ、必要な視点から、後期高齢者の生活を支える医療をめざす制度である。

・心身の特性…治療の長期化、認知症の問題、在宅医療、終末期医療など。
・必要な視点…生活重視、尊厳に配慮した医療、本人･家族が納得した医療など。

（2）後期高齢者医療制度の定める内容

基本解説

▶後期高齢者医療制度の費用は、図表１．１．７のとおりである。
▶保険者は、後期高齢者医療広域連合である。

〈図表 1.1.7〉後期高齢者医療制度の費用負担

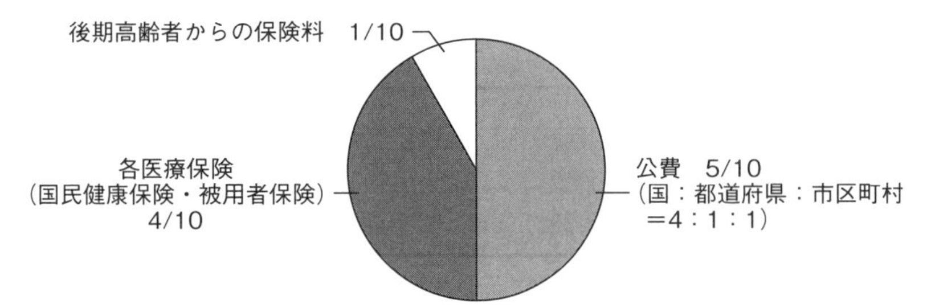

演習問題①

以下の対象者と費用に関する問題のうち、正しいものは○、誤っているものは×に印を付けなさい。　出題頻度　B

1．後期高齢者医療制度による医療は、70歳以上の者を対象にしている。
（○　×）

2．後期高齢者医療制度では、75歳以上（寝たきり等の認定を受けた65歳以上）の医療給付について、国、都道府県、市区町村および保険者が共同で拠出している。 （○ ×）

3．生活保護法による保護者は、後期高齢者医療制度の対象にはならない。 （○ ×）

ヒント

(1) 後期高齢者医療制度の対象者は、75歳以上の人と、65歳以上75歳未満の寝たきり等の認定を受けている人である。受給資格は75歳の誕生日から発生し、給付が受けられる。
(2) 生活保護を受けている世帯に属する人は、後期高齢者医療の被保険者にはなれない。

― 演習問題①の解答 ―

1. ×　75歳以上の人、または65歳以上75歳未満の寝たきり等の認定を受けた人である（高齢者の医療の確保に関する法律第50条）。
2. ×　図表1.1.7参照。後期高齢者からの拠出もある（高齢者の医療の確保に関する法律第93条・第96条・第98条・第100条・第118条）。
3. ○　ヒント（2）のとおり（高齢者の医療の確保に関する法律第51条第1号）。

演習問題②

以下の自己負担に関する問題のうち、正しいものは○、誤っているものは×に印を付けなさい。 出題頻度　B

4．後期高齢者医療制度の医療を受ける患者は自己負担はない。 （○ ×）

5．後期高齢者医療制度の対象者は、自己負担額が限度額を超えた場合には高額療養費が支給される。 （○ ×）

6．現役並み所得者の給付割合について、70歳以上75歳未満は7割であるが、後期高齢者は9割である。 （○ ×）

ヒント

(1) 後期高齢者医療制度の保険給付率は9割（一定以上所得者は8割、現役並み所得者は7割）となり、自己負担は1割（一定以上所得者は2割、現役並み所得者は3割）である。
(2) 高額療養費の支給に関しては、所得区分で分けられている。さらに、個人の外来限度額と自己負担額（外来・入院を問わない）を世帯合算しての限度額に分けられる。

― 演習問題②の解答 ―

4. ×　所得等に応じた自己負担がある（高齢者の医療の確保に関する法律第67条）。
5. ○　ヒント（2）のとおり（高齢者の医療の確保に関する法律第84条）。
6. ×　ヒント（1）のとおり。一定以上所得者は8割、現役並み所得者は7割である（高齢者の医療の確保に関する法律第67条）。

➡70歳以上75歳未満の保険給付率

8割給付。ただし現役並み所得者は7割給付。

➡一定以上所得者

課税所得が28万円以上、かつ、単身世帯の場合年収200万円以上、複数世帯の場合年収合計320万円以上の後期高齢者医療被保険者をいう。

➡現役並み所得者

課税所得が145万円以上である者、夫婦2人の年収合計が520万円以上の高齢者複数世帯、年収合計が383万円以上の高齢者単身世帯をいう。

➡高額医療・高額介護合算療養費制度

医療と介護の年間の世帯負担額の合計が、限度額を超えた場合は、後期高齢者医療保険制度からは「高額介護合算療養費」、介護保険制度からは「高額医療合算介護サービス費」が払い戻される。

6. 介護保険制度

●介護サービスを必要とする人が、自立に必要なサービスを利用できる体制をめざす制度である。

➡介護療養病床

介護療養病床は廃止され、2018年4月から「介護医療院」として長期にわたって療養するための医療と日常生活を送る上での介護を一体として受けられる施設となった。

(1) 介護保険法とは

急速な高齢化にともない、2000年に施行された。介護を必要とする人が、自立した生活を送るために必要なサービスを受けられる制度である。

(2) 介護保険法の定める内容

基本解説

▶介護保険の給付内容は、大きく介護給付と予防給付に分けられている(図表1.1.8)。

▶保険者である市区町村の介護認定審査を受け、要介護(者)認定または要支援(者)認定を受けた者が給付対象となる(介護保険法第19条)。

〈図表1.1.8〉要介護認定とサービス内容

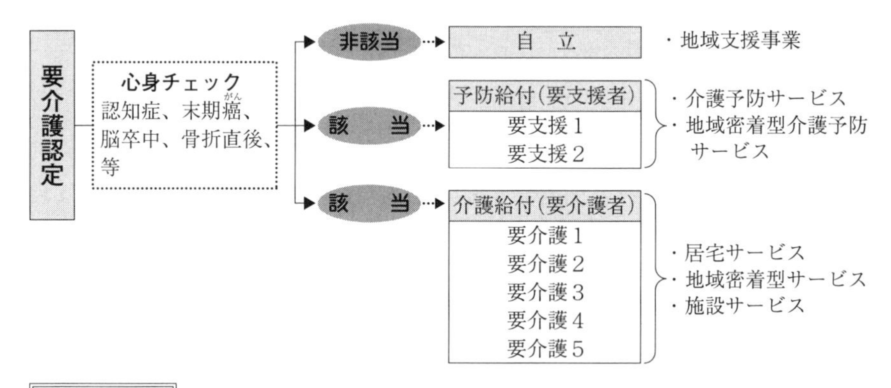

演習問題①

以下の保険者と対象者に関する問題のうち、正しいものは○、誤っているものは×に印を付けなさい。　**出題頻度 C**

1. 介護保険制度は、原則として市町村および特別区により運営されている。(○ ×)

2. 介護保険制度を運営する保険者は、原則として都道府県である。(○ ×)

3. 介護保険制度の被保険者には、65歳以上の第1号被保険者と、40歳以上65歳未満の第2号被保険者がある。(○ ×)

4. 介護保険の第2号被保険者は、医療保険加入者でなくなった日から、その資格を喪失する。(○ ×)

ヒント

(1) 介護保険の運営の主体（保険者）は、市町村と特別区（東京23区）である。国と都道府県は財政面の支援を行う。
(2) 介護保険の対象者は、市区町村に住所を有する第１号被保険者（65歳以上）と第２号被保険者（40歳以上65歳未満の医療保険加入者）である。

― 演習問題①の解答 ―

1. ○　ヒント（1）のとおり（介護保険法第3条）。
2. ×　都道府県は保険者ではなく、財政面で支援を行う（介護保険法第3条・第5条）。
3. ○　ヒント（2）のとおり（介護保険法第9条）。
4. ○　介護保険の第2号被保険者は、40歳以上65歳未満の医療保険加入者である（介護保険法第11条第2項）。

演習問題②

以下の医療保険との調整に関する問題のうち、正しいものは○、誤っているものは×に印を付けなさい。

出題頻度　D

5．入院中以外の患者で要介護３の認定を受けている場合は、医療保険の在宅患者訪問リハビリテーション指導管理料を算定することができる。（○　×）

6．介護老人保健施設への患者紹介のための診療情報提供料は、介護保険から給付される。（○　×）

7．要介護者に対して介護保険で提供する医療サービスは、医療保険サービスよりも優先するため、共通するサービスが医療保険から提供されることはない。（○　×）

8．介護保険適用病床において、緊急の場合の医療または療養の給付を受けたときは、当該保険医療機関の請求については、「入院外」レセプトを使用する。（○　×）

9．緊急のため、介護保険適用病床において、医療保険による医療の給付を受けたときの診療報酬の請求および一部負担の取扱いは、通常の外来の例による。（○　×）

10．同一月に同一患者につき、介護老人保健施設に入所中の診療と入所中以外の外来分の診療がある場合は、それぞれ別個の診療報酬明細書に記載する。（○　×）

※医療機関が行う介護サービスには、訪問看護、訪問リハビリテーション、居宅療養管理指導、通所リハビリテーション、短期入所療養介護、介護療養施設サービス（療養病床に入院等）がある。

ヒント

(1) 原則として、介護保険は医療保険に優先するため、要介護者に提供する医療サービスは、医療保険ではなく、介護保険から提供される。ただし、以下の場合には要介護認定者に医療保険が適用される。
・急に医学的な治療が必要な状態になったとき（急性増悪（ぞうあく））
・末期（まっき）の悪性腫瘍患者であるとき

(2) 介護保険適用病床に入院している要介護認定患者が医療保険の療養の給付を受けたときの請求は、「入院外」レセプトを使用する（医療保険と介護保険の給付調整に関する留意事項及び相互に関連する事項）。

― 演習問題②の解答 ―

5. × ヒント（1）のとおり。医療保険ではなく介護保険からのサービスとなる。
6. × 一般患者を介護老人保健施設に紹介したとしても通常の医療行為であって、介護保険の範囲ではない。
7. ○ ヒント（1）のとおり。
8. ○ ヒント（2）のとおり。
9. ○ 診療報酬明細書および一部負担金の取扱いは、通常の外来の取扱いによる。

※以上、「医療保険と介護保険の給付調整に関する保医発通知」および「医療保険と介護保険の給付調整に関する留意事項及び相互に関連する事項」より。

10. ○ 診療報酬明細書の記載要領に関する一般的事項として定められている（保医発通知「診療報酬請求書等の記載要領等について」）。

演習問題③

以下の介護サービスの給付に関する問題のうち、正しいものは○、誤っているものは×に印を付けなさい。

出題頻度 C

11. 介護保険制度に基づく要介護認定・要支援認定において、要支援者と認定された場合には施設サービスの給付は受けることができない。 （○ ×）

12. 介護保険制度に基づく要介護認定・要支援認定において自立と判定された場合には、介護保険からの給付は受けることができない。 （○ ×）

13. 予防給付は介護保険における保険給付の対象外である。 （○ ×）

ヒント

(1) 要支援認定1・2に該当する人は、介護サービスは受けられず、介護予防サービスを受けることになる（P.46図表1.1.8）。
(2) 介護保険で給付される介護サービスは、居宅サービス、施設サービスがある。介護認定審査で「非該当＝自立」と認定された者は、いずれも受けられない。
(3) 介護保険の給付には、介護給付と予防給付がある（基本解説）。

― 演習問題③の解答 ―

11. ○ ヒント（1）のとおり（介護保険法第7条・第18条・第52条）。
12. ○ ヒント（2）のとおり（介護保険法第52条）。
13. × 基本解説のとおり。予防給付も保険給付の一つである（介護保険法第52条）。

7. 公費負担医療制度

学習のポイント

●医療保障制度には、医療保険制度によるものと、公費負担医療制度によるものがある。
●医療の公的扶助と医療保険との関係を理解しよう。

（1）公費負担医療制度とは

国や地方公共団体が、医療受益者に代わって医療費を負担する制度を公費負担医療制度という（図表1.1.9）。

〈図表1.1.9〉主な公費負担医療制度の体系

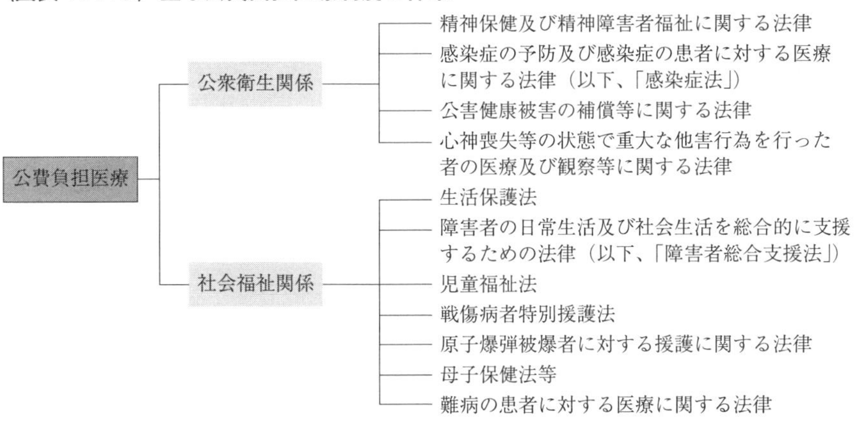

（2）公費負担医療制度と診療報酬請求制度

基本解説

▶特定の疾病を対象に、国として公衆衛生の向上を図る目的から、①診療費の全部または一部を公費で負担するもの、②医療保険の自己負担分を公費で負担するものがある。

演習問題①

以下の感染症法に関する問題のうち、正しいものは○、誤っているものは×に印を付けなさい。

出題頻度　C

1．結核一般患者が医療を受けた場合は、給付対象医療の95％から、医療保険給付額を控除した額が公費負担となる。（○　×）

ヒント

(1) 感染症法には、二類感染症の結核について、結核の予防および結核患者が適切な医療を受けられることの定めがある。以下のように２つに区分される。
・肺結核、肺外結核に該当、かつ、まん延させるおそれがある人…入院患者の医療（第37条）
・肺結核、肺外結核に該当する人…結核一般患者の医療（第37条の２）
(2) 結核一般患者が公費対象医療を受けると、その費用の95％を公費負担とする（5%が患者負担）。患者が医療保険の加入者であれば、医療保険が優先するため、公費負担分は「95%－医療保険給付率」となる（図表1.1.10）。

(3) 従業禁止または命令入所の結核患者の医療費は、全額公費負担となっている。ただし、医療保険等（国民健康保険を除く）により給付を受けることができる場合は、医療保険が優先となり、その限度において公費負担ではなくなる。

なお、従業禁止、命令入所の結核患者の自己負担については、以下のとおりである。

・所得税が147万円超　→　2万円を限度として自己負担する。
・所得税が147万円以下　→　自己負担なし。

〈図表1.1.10〉負担割合の区分（例）

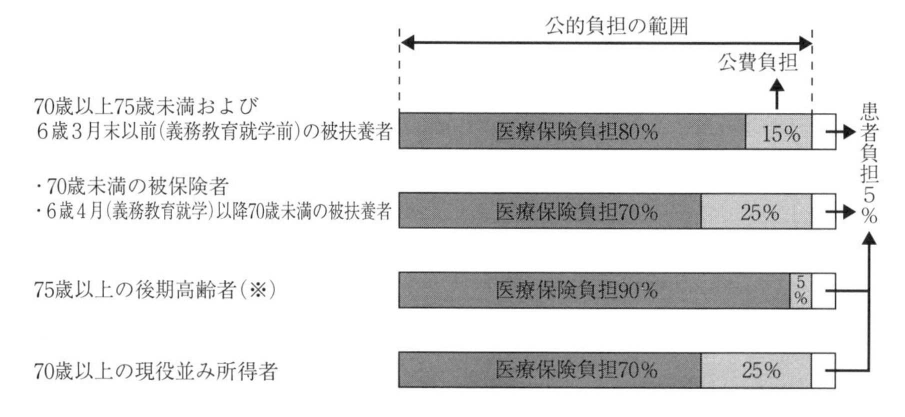

(※)2022年10月より、75歳以上の後期高齢者について、現在1割負担の人のうち、単身世帯で年収200万円以上、夫婦とも75歳以上の2人世帯で年収計320万円以上の人を対象に、2割負担の枠が創設された（医療保険負担80%、公費負担15%）。

― 演習問題①の解答 ―

1. ○　ヒント（2）のとおり（感染症法第37条の2）。

演習問題②

以下の精神保健及び精神障害者福祉に関する法律に関する問題のうち、正しいものは○、誤っているものは×に印を付けなさい。　出題頻度　C

2. 都道府県知事による措置入院が行われた精神障害者の入院医療費については原則として公費で負担されるが、患者の負担能力によっては全額自己負担となる。　（○　×）

3. 精神通院医療等の障害者総合支援法に基づく自立支援医療費の給付率は9割であるが、生活保護受給者については、自己負担限度額が0円であるので、自立支援医療単独の10割給付となる。　（○　×）

4. 精神通院医療は、精神保健及び精神障害者福祉に関する法律による公費負担医療である。　（○　×）

ヒント

(1) 精神保健及び精神障害者福祉に関する法律は、精神障害者の保護と医療を行うことにより、社会復帰の促進・自立等を目的としている。

(2) 措置入院、緊急措置入院の場合は、原則として全額公費負担であるが、所得（負担能力）がある場合は2万円を限度として自己負担となる。ただし、医療保護入院（第33条）、応急入院（第33条の6）については、公費負担の対象とはならない。
(3) 医療保険により給付を受けることができる場合は、医療保険が優先となり、その限度において公費負担を行わない。
・所得税が147万円超　→　2万円を限度として自己負担する。
・所得税が147万円以下　→　自己負担なし。

— 演習問題②の解答 —

2. × ヒント（2）のとおり（精神保健及び精神障害者福祉に関する法律第31条）。
3. ○ 10割給付となる（障害者総合支援法施行令第17条第4項）。
4. × 精神通院医療は、障害者総合支援法による公費負担医療である。なお、更生医療、育成医療も障害者総合支援法による公費負担医療である（障害者総合支援法第1条）。

演習問題③

以下の難病法及び特定疾患治療研究事業に関する問題のうち、正しいものは○、誤っているものは×に印を付けなさい。 出題頻度 D

5. 難病の患者に対する医療等に関する法律の対象疾患については、医療保険における患者負担額が公費負担となるので、入院、外来とも患者の自己負担額はない。 （○ ×）

6. 特定疾患治療研究所事業に係るスモンの公費負担医療については、生計中心者の前年度の所得税課税額等により、患者の自己負担限度額が定められている。 （○ ×）

ヒント

(1) 難病の患者に対する医療等に関する法律は、原因が不明の疾病のため治療が困難であり、かつ、患者負担も高額になる。そこで、治療法が確立されていない難病（現在341疾病）について、医療の確立と患者負担の軽減を図る目的により、法が定められている。患者の自己負担額は2割となり、外来・入院の区別を設定しないで、世帯の所得に応じた医療費の自己負担上限額（月額）が設定される。
(2) 特定疾患治療研究事業は、スモン、難治性肝炎のうち劇症肝炎（継続のみ）(※)、重症急性膵炎（継続のみ）(※)、プリオン病（ヒト由来乾燥硬膜移植によるクロイツフェルト・ヤコブ病に限る）、重症多形滲出性紅斑（急性期）の患者に対する医療費助成制度であって、自己負担は生じない。

— 演習問題③の解答 —

5. × 患者の自己負担は2割となる。
6. × 特定疾患研究事業の対象であるスモンの公費負担医療については、全額公費負担となるので自己負担はない。

➡特定疾患治療研究事業

「難病の患者に対する医療等に関する法律」（難病法）（平成26年法律第50号）の施行に伴い、「スモン」「難治性肝炎のうち劇症肝炎（継続のみ）」「重症急性膵炎（継続のみ）」「プリオン病（ヒト由来乾燥硬膜移植によるクロイツフェルト・ヤコブ病に限る）」「重症多形滲出性紅斑（急性期）」の5疾病以外のすべての疾病が難病法に移行した。

指定難病は、341疾患となる（2024年10月1日現在）。

(※)難治性肝炎のうち劇症肝炎および重症急性膵炎については2014（平成26）年12月31日までに申請した者のみが対象となる。

2 基本診療料①初・再診

1. 初診料

●初診料は、初めて来院したとき、またはすべての傷病が治ゆしたとき、次回の来院時に算定できる。
●同一日に複数の診療科を受診した場合は、2つ目の診療科の初診に限り、146点を算定する（施設基準、年齢、時間の加算なし）。

(1) 乳幼児加算

6歳未満の乳幼児に対して初診を行った場合には、所定点数への加算がある。これを乳幼児加算という。

(2) 時間外等加算

①時間外加算

おおむね8時前と18時以降（22時から翌日6時までを除く）が対象となる（土曜日の場合は8時前と12時以降）。

なお、保険医療機関の都合により時間外に診療が開始された場合には、算定できない。

②休日加算

日曜、祝日、12月29日・30日・31日、1月2日・3日が対象となる休日である。

休日加算の対象となる休日以外の日を休診と標榜している医療機関において、その休診時間に診療が行われた場合、休日加算の対象とはならず、時間外加算の対象となる。

> **（例）診療時間：9時～17時（木・日休診）**
> 木曜日の11時に患者が来院した場合
> ⇒時間外加算を算定する。

③深夜加算

22時から翌日6時までが対象となる。

④時間外加算の特例

夜間の救急医療を確保するために診療を行っている保険医療機関が、夜間に診療した場合に対象となる。該当する医療機関は以下のとおり。

a．地域医療支援病院
b．救急病院等を定める省令に基づき認定された救急病院、救急診療所
c．「救急医療対策の整備事業について」に規定された病院群輪番制病院、病院群輪番制に参加している有床診療所、共同利用型病院

(3) 小児科標榜医療機関の時間外等加算の特例

小児科（小児外科を含む）を標榜する医療機関では、6歳未満の乳幼児を診察した際には、標榜する診療時間内でも、夜間・休日・深夜の加算ができる（図表1.2.1－b参照）。

➡入院患者の初診料

即日入院の場合のみ算定できる。

➡時間外等加算

・「時間外加算」「休日加算」「深夜加算」「時間外加算の特例」「夜間・早朝等加算」は、重複算定できない。
・「日曜の深夜の診療」など、2つ以上の加算に該当する場合は、点数の高いほうのみ算定する。

➡外来・在宅ベースアップ評価料（Ⅰ）「1」、（Ⅱ）1～8「イ」

施設基準の届出を行った保険医療機関にて、1日につき初診時に加算する。医師および歯科医師を除く薬剤師、看護師等の医療従事者（対象職員）に対し、診療報酬で賃金改善を支援するもの（別冊「点数早見表」P.3参照）。

〈図表1.2.1〉時間外等加算

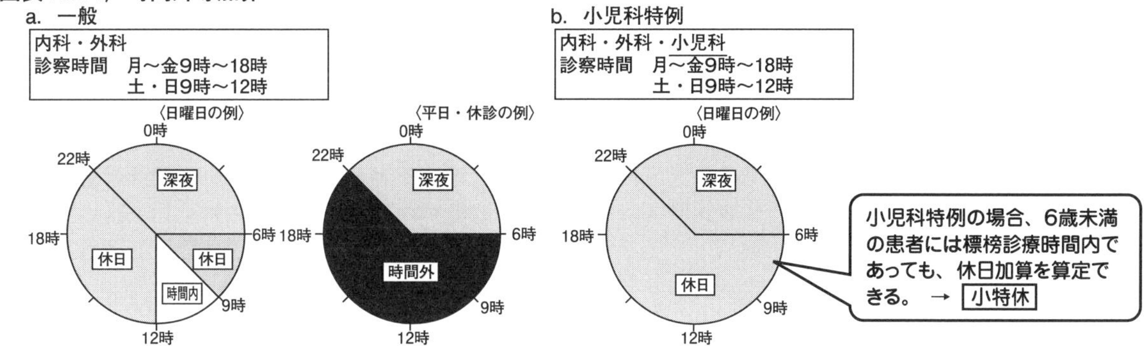

(4) 夜間・早朝等加算

当該医療機関（診療所に限る）が表示する診療時間内であって、夜間・早朝等の時間に初診または再診を行った場合に算定する。

平日の18時から翌日８時までの時間帯（深夜および休日を除く）と、土曜日の正午から翌日８時までの時間帯（深夜および休日を除く）と、休日・深夜が対象となる。

➡夜間・早朝等加算

施設基準を満たしている必要がある。

〈図表1.2.2〉夜間・早朝等加算の時間帯「同一保険医療機関（診療所）」のケース

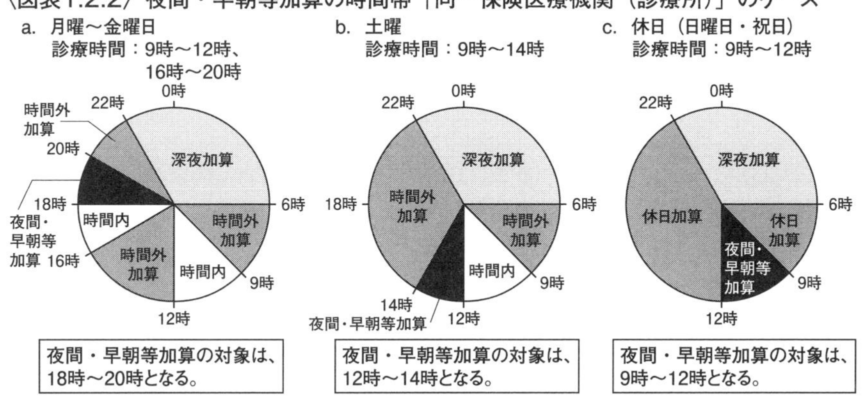

(5) その他加算

①機能強化加算

施設基準に適合しているものとして届け出た診療所、許可病床数が200床未満の病院において初診を行った場合に加算する。

②外来感染対策向上加算

組織的な感染防止対策につき施設基準に適合しているものとして届け出た保険医療機関（診療所に限る）において診療を行った場合、月１回に限り加算する。

③発熱患者等対応加算

発熱その他感染症を疑わせるような症状の患者に対して感染防止対策を講じて初診を行った場合、月１回に限り②の加算にさらに加算する。

④連携強化加算

②の加算を算定した場合、感染防止対策の連携体制につき施設基準に適合しているものとして届け出た保険医療機関において初診を行った場合、月１回に限りさらに加算する。

⑤サーベイランス強化加算

②の加算を算定した場合、感染防止対策の情報を提供する体制につき施設基準に適合しているものとして届け出た保険医療機関において初診を行った場合、月１回に限りさらに加算する。

➡外来感染対策向上加算（発熱患者等対応加算、連携強化加算、サーベイランス強化加算、抗菌薬適正使用体制加算）

初診、再診、医学管理、在宅医療および精神科専門療法（I 012）に規定されているが、届出医療機関で患者1人につき月1回に限り算定可。同一月に初診料の外来感染対策向上加算を算定したときは、外来感染対策向上加算は算定できない。

⑥抗菌薬適正使用体制加算

②の加算を算定した場合、薬剤耐性対策として外来における抗菌薬の適正使用の推進を目的とし、施設基準に適合しているものとして届け出た保険医療機関において初診を行った場合、月１回に限りさらに加算する。

⑦医療情報取得加算

オンライン資格確認を導入し、施設基準を満たす保険医療機関において、現行の健康保険証により患者の診療情報を取得した場合は「1」を、オンライン資格確認（マイナ保険証）により当該患者にかかる診療情報を取得した場合、または、他の保険医療機関から診療情報の提供を受けた場合は「2」を、月１回に限り加算する（2024年６月～11月）。2024年12月からは、マイナ保険証の利用の有無にかかわらず、施設基準を満たす場合は1点を算定する。

⑧医療DX推進体制整備加算

2024年10月からは、医療DX推進にかかる体制として別に厚生労働大臣が定める施設基準を満たす保険医療機関で初診を行った場合は、医療機関ごとの基準により医療DX推進体制整備加算１～３を、月１回に限り加算する。

（6）同日初診料

同一日に他の傷病について新たに別の診療科を初診として受診した場合に、２つ目の診療科に限り算定できる。

ａ．病院に限らず診療所でも算定要件を満たせば算定できる。

ｂ．２科以上の診療科に継続受診している患者が、さらに別の科に初診で受診した場合でも算定できる。また、初診の診療科と再診の診療科の順番は問わない。

ｃ．同日再診（一度帰宅後に受診）の場合にも、２科目が初診であれば146点を算定できる。

◎同日初診料が算定できない場合

ａ．１つ目と２つ目の診療科の医師が同一の場合は算定できない。

ｂ．他の傷病について新たに別の診療科のみを受診し、継続中の診療科を受診しなかった場合（日）は、同日初診料146点は算定せず、再診料を算定する。

ｃ．同一日に他の傷病について、新たに別の診療科を初診として受診した場合、同一疾病または互いに関連のある疾病の場合は算定できない。

　たとえば、糖尿病で継続管理中の患者について、糖尿病性網膜症の疑いで眼科を受診した場合は算定できない。

（7）情報通信機器を用いた場合

施設基準に適合しているものとして届け出た保険医療機関において情報通信機器を用いた初診を行った場合に算定する。

◎算定の基準

a.「オンライン診療の適切な実施に関する指針」に沿って診療を行い、診療内容、診療日および診療時間等の要点を診療録に記載すること。

b. 原則として保険医療機関に所属する保険医が保険医療機関内で実施すること。

c. 患者の急変時等の緊急時には、原則として、必要な対応を行うこと。やむを得ず対応できない場合は、患者が速やかに対面診療を行えるよう事前に受診可能な医療機関を患者に説明し、診療録に記載しておくこと。

d. 対面診療を提供できる体制を有すること。また、患者の状況によって対応困難な場合には、他の医療機関と連携して対応できる体制を有すること。

e. 診療が指針に沿った適切な診察であったことを診療録および診療報酬明細書の摘要欄に記載すること。処方を行う際にも同様に記載すること。

(8) カルテをみるときのポイント

❶ 施設基準を確認する。
❷ 患者の年齢を確認する（6歳未満の加算に注意する）。
❸ 診察開始時間を確認する。
❹ 複数の科での受診がないかを確認する。
❺ 新たな傷病による診療科があるかを確認する。
❻ 入院の場合は、即日入院のみ算定できる。

〈施設の概要等〉

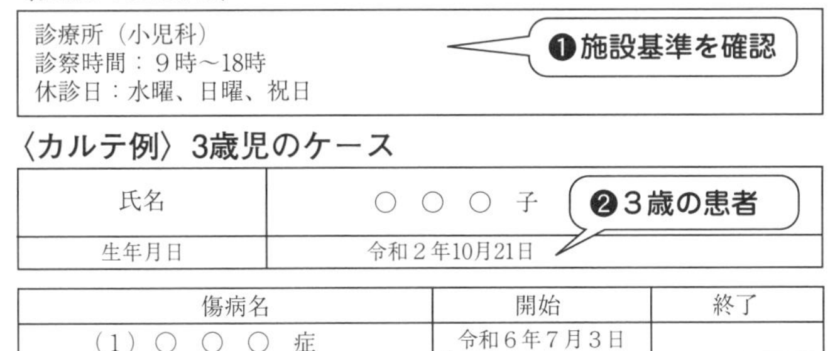

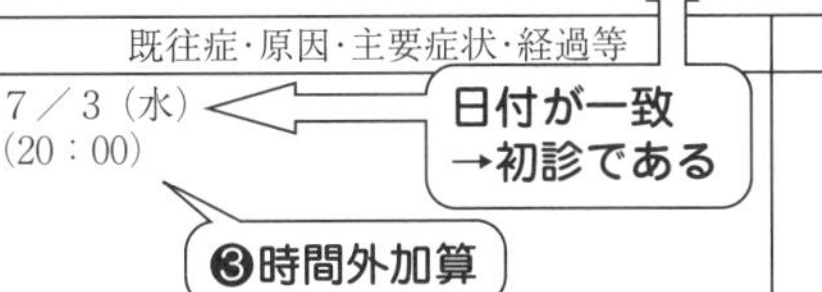

年齢、時間外加算等、
すべて合計した点数を記入
初診料（診療所）291点＋
時間外加算（乳幼児）200点
＝491点

〈レセプト記載例〉

あてはまるものがあれば○囲み

11 初診	（時間外）・休日・深夜	1回491点
12 再診	再　　診	×　回
	外来管理加算	×　回
	時　間　外	×　回

初診の回数を記入

〈施設の概要等〉

病院　120床（内科、小児科、外科、整形外科、皮膚科、泌尿器科）
診療時間：9時～17時
休診日：土曜、日曜、祝日

❶施設基準を確認

〈カルテ例〉同一日に2つの診療科（整形外科、泌尿器科）受診、2つの診療科とも初診のケース

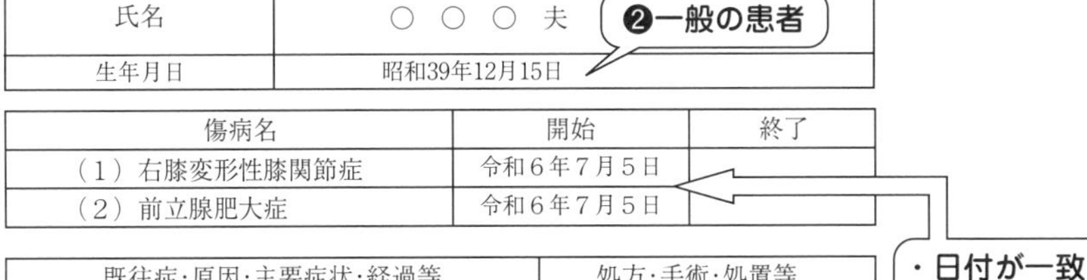

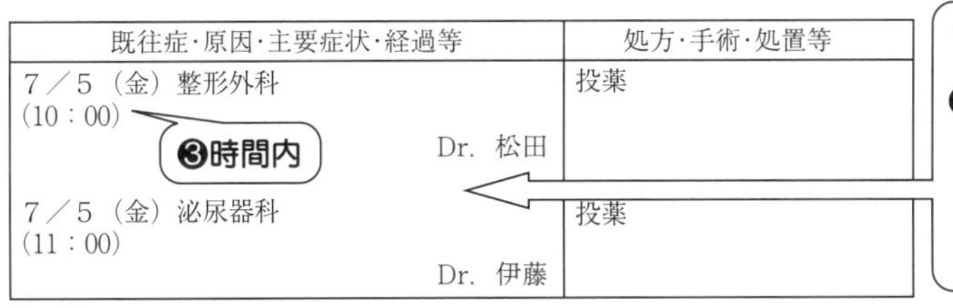

・日付が一致
→初診である
❹同一日に2つの診療科を受診
→1つ目の診療科は291点、2つ目の診療科は146点を算定
→「摘要欄」に 複初 と表示し、診療科名と点数を記載

➡同日初診料①
2つ目の診療科で初診料を算定した場合
1月以内の特定疾患療養管理料は算定できない。ただし、再診料を算定する診療科では、要件を満たせば算定できる。

➡同日初診料②

1つ目の診療科で再診料と外来管理加算を算定した場合

2つ目の診療科で同日初診料を算定して処置を行ったときは、1つ目の診療科で算定した外来管理加算は算定できない。

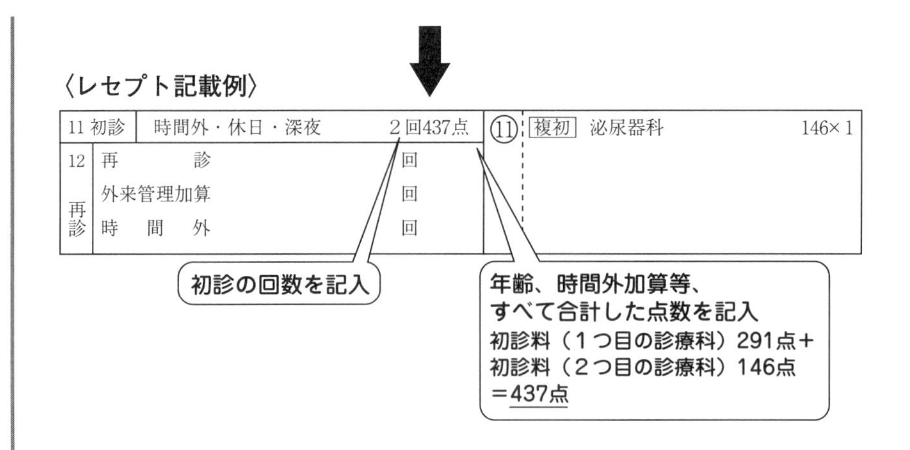
〈レセプト記載例〉

11 初診	時間外・休日・深夜	2回437点	⑪ 複初 泌尿器科 146×1
12 再診	再診	回	
	外来管理加算	回	
	時間外	回	

〈施設の概要等〉

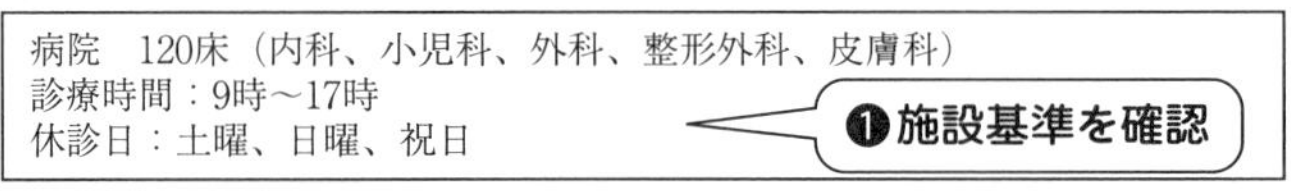
病院　120床（内科、小児科、外科、整形外科、皮膚科）
診療時間：9時～17時
休診日：土曜、日曜、祝日

〈カルテ例〉同一日に2つの診療科（内科、皮膚科）受診、治療継続中に新たな傷病により別の診療科を受診したケース

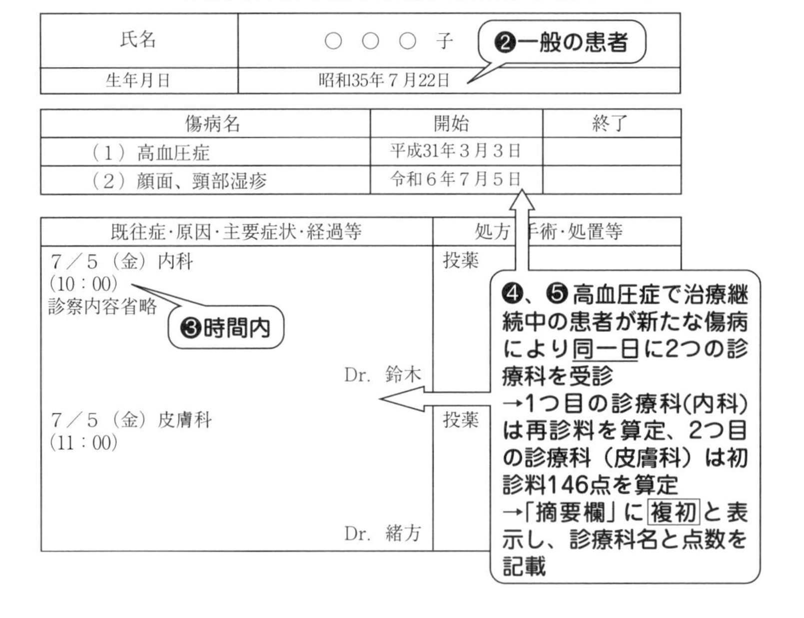

氏名	○ ○ ○ 子
生年月日	昭和35年7月22日

傷病名	開始	終了
（1）高血圧症	平成31年3月3日	
（2）顔面、頸部湿疹	令和6年7月5日	

既往症・原因・主要症状・経過等	処方・手術・処置等
7／5（金）内科 （10：00） 診察内容省略 Dr. 鈴木	投薬
7／5（金）皮膚科 （11：00） Dr. 緒方	投薬

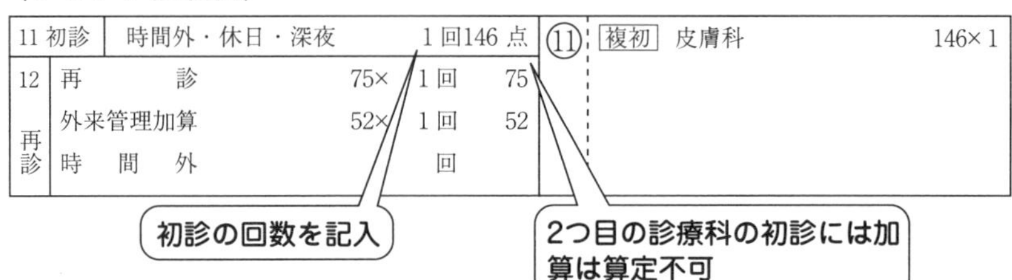
〈レセプト記載例〉

11 初診	時間外・休日・深夜		1回146点	⑪ 複初 皮膚科 146×1
12 再診	再診	75×	1回 75	
	外来管理加算	52×	1回 52	
	時間外		回	

〈施設の概要等〉

病院　120床（内科、小児科、外科、整形外科、皮膚科）
診療時間：9時～17時
休診日：土曜、日曜、祝日

❶施設基準を確認

〈カルテ例〉治療継続中に新たな傷病により別の診療科のみを受診したケース

氏名	○　○　○　子
生年月日	昭和53年９月30日

❷一般の患者

傷病名	開始	終了
（1）糖尿病	令和１年６月６日	
（2）左足関節捻挫	令和６年７月５日	

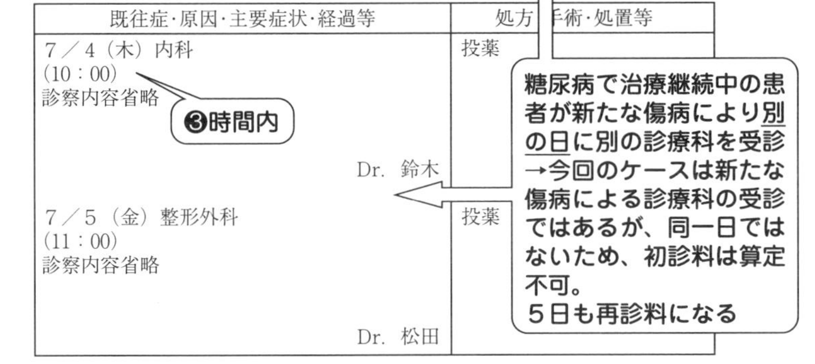

既往症·原因·主要症状·経過等	処方·手術·処置等
７／４（木）内科 (10：00) 診察内容省略 Dr.　鈴木	投薬
７／５（金）整形外科 (11：00) 診察内容省略 Dr.　松田	投薬

〈レセプト記載例〉

11 初診	時間外・休日・深夜		回	点
12 再診	再　　　診	75×	２回	150
	外来管理加算	52×	２回	104
	時　間　外		回	

同一日ではないので初診料は算定不可

2. 再診料

●再診料は、診療所または一般病床数200床未満の病院で再診の都度算定できる。
●同一日に同時に複数の診療科を受診した場合は、２つ目の診療科の再診について、38点を算定する（施設基準、年齢、時間の加算なし）。
●外来管理加算が算定できるかどうかをカルテから読み取る。

(1) 再診料に対する加算

初診料と同様に、乳幼児加算、時間外等加算がある。また、再診の際に、計画的な医学管理を行った場合、外来管理加算が算定できる。

ただし、外来管理加算が算定できない場合もある（別冊「点数早見表」P. 2参照）。

その他、医療情報取得加算、診療所のみを対象とした時間外対応加算、明細書発行体制等加算、地域包括診療加算、認知症地域包括診療加算、夜間・早朝等加算、外来感染対策向上加算、発熱患者等対応加算、連携強化加算、サーベイランス強化加算、抗菌薬適正使用体制加算がある。

●医療情報取得加算

オンライン資格確認を導入し、施設基準を満たす保険医療機関において、現行の健康保険証により患者の診療情報を取得した場合は「3」を、オンライン資格確認（マイナ保険証）により当該患者にかかる診療情報を取得した場合、または、他の保険医療機関から診療情報の提供を受けた場合は「4」を、３月に１回に限り加算する（2025年６月～11月）。2024年12月からは、マイナ保険証の利用の有無にかかわらず、施設基準を満たす場合は1点を算定する。

(2) 電話による再診

患者または看護にあたっている者（家族等）に対し、電話により治療上の指示をした場合にも、再診料を算定できる。また、時間外等加算、乳幼児加算が該当する場合には併せて算定できる。ただし、外来管理加算は、算定できない。

(3) 外来診療料

一般病床の数が200床以上の病院で再診を行った場合に算定する。

外来診療料は、乳幼児加算、時間外等の加算については、一般病床200床未満の「再診料」と同じだが、以下の点が異なるので注意が必要となる。

a．外来管理加算は算定できない。
b．電話による再診の場合は算定できない。
c．検査と処置の項目で包括されているものがある（別冊「点数早見表」P. 3参照）。
・包括されている検査にかかる判断料と採血料（B－V）、外来迅速検体検査加算は、別に算定できる。
・包括されている処置に使用した薬剤料と特定保険医療材料料は、別に算定できる。

➡医療情報取得加算
施設基準を満たす保険医療機関において、3月に1回に限り加算する。

➡外来感染対策向上加算、発熱患者等対応加算、連携強化加算、サーベイランス強化加算、抗菌薬適正使用体制加算
P.53脇注参照。

➡再診料、外来診療料の病床数
再診料、外来診療料でいう病床数は「一般病床」を意味する。

➡時間外対応加算1～4
施設基準に適合しているものとして、届出が必要である。

➡明細書発行体制等加算
施設基準を満たしている必要がある。

➡地域包括診療加算
施設基準に適合しているものとして届出が必要である。

➡認知症地域包括診療加算
施設基準を満たしている必要がある。

(4) カルテをみるときのポイント

❶ 施設基準を確認する。
❷ 患者の年齢を確認する。
❸ 診療開始時間を確認する。
❹ 複数の科での受診がないかを確認する。
❺ 入院では算定できないが、時間外等加算は算定できる。
❻ 診療内容をみて、再診料の場合、外来管理加算が算定できるかを確認する。また、外来診療料の場合、検査または処置の項目で算定できるものとできないものを判断する。

〈施設の概要等〉

診療所（内科、整形外科）
※時間外対応加算３、明細書発行体制等加算
診療時間：９時～18時
休診日：水曜、日曜、祝日

❶施設基準を確認

〈カルテ例〉同日再診のケース

氏名	○ ○ ○ 夫
生年月日	昭和61年5月29日

❷年齢加算なし

傷病名	開始	終了
（1）胃　潰　瘍（主）	令和５年１月６日	
（2）胸　部　打　撲	令和６年７月18日	

既往症・原因・主要症状・経過等	処方・手術・処置等
７／５（金）(10：00) 診療内容省略	７／５ 投薬　**❻外来管理加算あり**
７／12（金） 診療内容省略	７／12 投薬　**❻外来管理加算あり**
７／16（火）(10：00)	７／16 処置　**❻処置を行っているため、外来管理加算なし**
７／16（火）(22：15)　**❸深夜加算** TELによる再診	７／16　**❻電話再診のため、外来管理加算なし**

再診料は、「診療の都度」算定できるため、16日は再診料を2回算定可
※これを「同日再診」という。今回のケースは「同日電話再診」となる。

〈レセプト記載例〉

再診料（診療所）75点＋時間外対応加算3 3点＋明細書発行体制等加算1点 ＝79点×4回

11	初　　診		×	回	
12	再　　診	79	×	4回	316
	外来管理加算	52	×	2回	104
	時　間　外		×	回	
再診	休　　日		×	回	
	深　　夜	420	×	1回	420

⑫ 時外3　3×4
明　1×4
同日電話再診１回

同日再診が行われたときも「摘要欄」に記載
※同日再診の場合は、診療実日数にも注意。今回のケースでは、実日数は「3日」となる。

➡外来・在宅ベースアップ評価料（Ⅰ）「2」、（Ⅱ）1～8「ロ」

施設基準の届出を行った保険医療機関にて、1日につき再診時に加算する。医師および歯科医師を除く薬剤師、看護師等の医療従事者（対象職員）に対し、診療報酬で賃金改善を支援するもの（別冊「点数早見表」P.3参照）。

➡看護師等遠隔診療補助加算

施設基準の届出を行った保険医療機関にて、「看護師等といる患者」に対して情報通信機器を用いた診療を行った場合に加算する。

➡小児科標榜医療機関の時間外等加算の特例

小児科を標榜していれば、小児科単独でなくてもよい。また、小児科を標榜している保険医療機関であれば、小児科以外の診療科で6歳未満の乳幼児を診察した場合にも、加算の特例の対象となる。

➡乳幼児の時間外等

6歳未満の乳幼児に対して時間外等の加算がある場合は、乳幼児加算は算定しない。

※乳幼児の時間外等加算は、一般の患者より、すでに高く設定されているため。

〈施設の概要等〉

❶小児科を標榜する医療機関

診療所（小児科）
※明細書発行体制等加算
診療時間：月・火・木・金曜　9時～17時
　　　　　土曜・日曜　　　　9時～12時
　　　　　水曜・祝日　　　　休診

〈カルテ例〉２歳の患者、小児科特例を算定するケース

傷病名	開始	終了	転帰
（1）てんかん（主）	令和５年７月８日		治ゆ・死亡・中止
（2）上気道炎	令和６年７月14日	令和６年７月 19日	(治ゆ)・死亡・中止

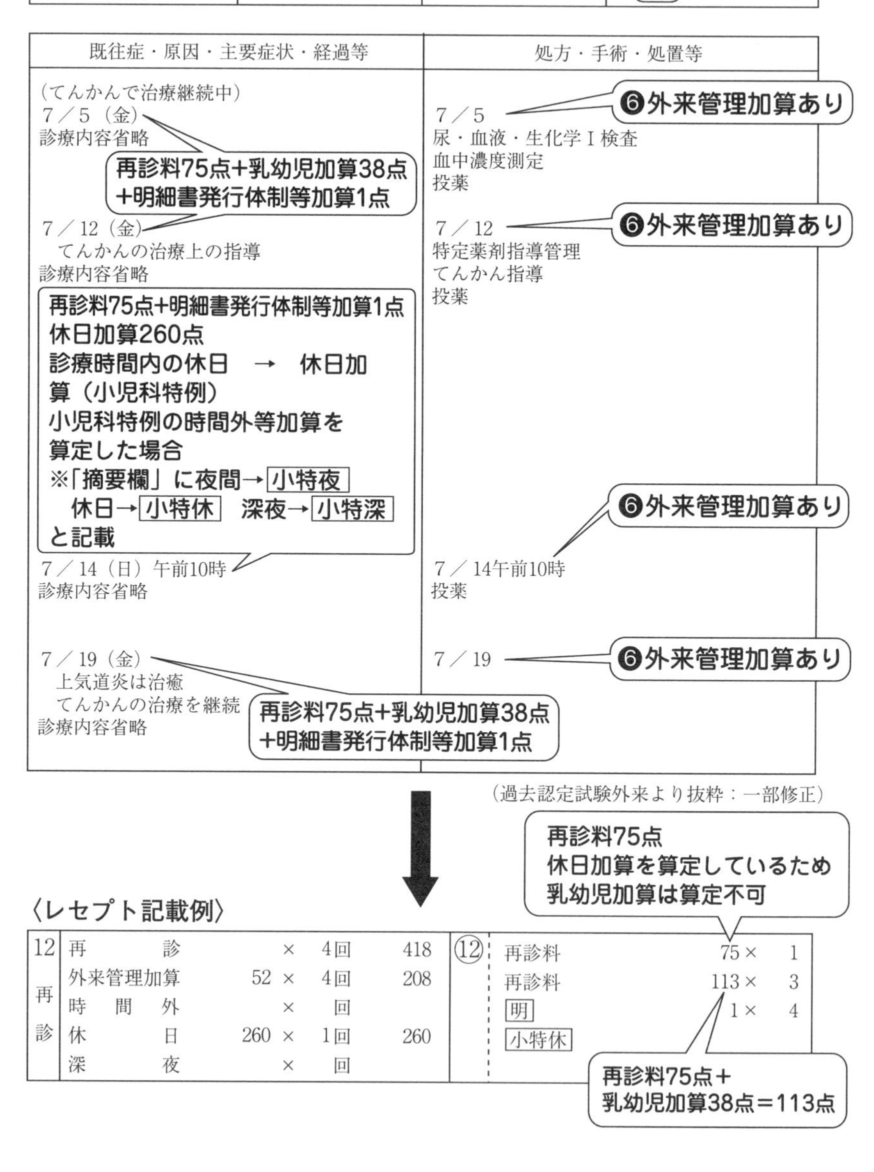

既往症・原因・主要症状・経過等	処方・手術・処置等
（てんかんで治療継続中） ７／５（金） 診療内容省略	７／５ 尿・血液・生化学Ｉ検査 血中濃度測定 投薬
７／12（金） てんかんの治療上の指導 診療内容省略	７／12 特定薬剤指導管理 てんかん指導 投薬
７／14（日）午前10時 診療内容省略	７／14午前10時 投薬
７／19（金） 上気道炎は治癒 てんかんの治療を継続 診療内容省略	７／19

（過去認定試験外来より抜粋：一部修正）

〈レセプト記載例〉

12 再診						⑫		
	再　　診		×	4回	418	再診料	75 ×	1
	外来管理加算	52	×	4回	208	再診料	113 ×	3
	時　間　外		×	回		明	1 ×	4
	休　　日	260	×	1回	260	小特休		
	深　　夜		×	回				

〈施設の概要等〉

❶外来診療料を算定する医療機関

病院・一般病床200床（内科、外科、小児科、皮膚科、泌尿器科） 診療時間：月曜～金曜　９時～17時 　　　　　土曜　　　　９時～12時 　　　　　日曜・祝日　休診

〈カルテ例〉外来診療料のケース

氏名	○　○　○　子
生年月日	昭和53年8月26日

❷年齢加算なし

傷病名	開始	終了
（１）糖尿病	平成29年５月23日	
（２）高血圧症	平成31年４月９日	
（３）急性咽頭炎	令和６年７月５日	

既往症･原因･主要症状･経過等	処方･手術･処置等
糖尿病にて治療継続中 ７／５（金） （診療内容省略）	７／５ 尿一般（蛋白、糖、潜血）沈渣（鏡検法）**包括項目** 末梢血液一般（R、W、Hb、Ht）、像（鏡検法）**包括項目** ＨｂA1c ＴＰ、ＡＳＴ、ＡＬＴ、ＬＤ、ＣＫ、ＴＧ、 Ｔ－cho、LDL－cho、Crea、UA、BS 口腔、咽頭処置 **包括項目**

〈レセプト記載例〉

12					⑥⓪		
	再　　診	76	×	１回	76	B－ＨｂA1c	49×１
	外来管理加算		×	回		B－ＴＰ、ＡＳＴ、ＡＬＴ、 ＬＤ、ＣＫ、ＴＧ、 Ｔ－cho、LDL－cho、 Crea、UA、BS	103×１
再	時　間　外		×	回			
診	休　　日		×	回		B－V	40×１
	深　　夜		×	回		判尿　判血　判生Ⅰ	303×１

❻外来診療料に包括されていない項目のみ算定する

（5）情報通信機器を用いた場合

施設基準に適合しているものとして届け出た保険医療機関において、情報通信機器を用いた再診を行った場合に算定する。なお、当該再診料を算定するときは、外来管理加算は算定できない。

◎算定の基準

a.「オンライン診療の適切な実施に関する指針」に沿って診療を行い、診療内容、診療日および診療時間等の要点を診療録に記載すること。

b. 原則として保険医療機関に所属する保険医が保険医療機関内で実施すること。

c. 患者の急変時等の緊急時には、原則として、必要な対応を行うこと。やむを得ず対応できない場合は、患者が速やかに対面診療を行えるよう事前に受診可能な医療機関を患者に説明し、診療録に記載しておくこと。

d. 対面診療を提供できる体制を有すること。また、患者の状況によって対応困難な場合には、他の医療機関と連携して対応できる体制を有すること。

e. 診療が指針に沿った適切な診察であったことを診療録および診療報酬明細書の摘要欄に記載すること。処方を行う際にも同様に記載すること。

3 基本診療料②入院

1. 入院料

●入院料は、患者を保険医療機関に入院させたときに算定する基本診療料である。
●医療機関ごとに施設基準の設定が異なるため、算定の方法に留意すること。

➡入院料
別冊「点数早見表」P.4～6参照。

※各点数の内容はP.64参照。

➡看護職員処遇改善評価料
地域で新型コロナウイルス感染症に係る医療など一定の役割を担う施設基準届出保険医療機関に勤務する看護職員を対象として、入院基本料等に加算する（別冊「点数早見表」P. 6参照）。

➡入院ベースアップ評価料
施設基準の届出を行った保険医療機関にて、入院基本料等を算定している患者について1日につき加算する。医師および歯科医師を除く薬剤師、看護師等の医療従事者（対象職員）に対し、診療報酬で賃金改善を支援するもの（別冊「点数早見表」P.6参照）。

(1) 外泊期間中の入院料

❶ 入院基本料の基本点数または特定入院料の15%を算定する（精神神経症または精神障害の患者に対しては、入院基本料の基本点数または特定入院料の30%を算定する。なお、算定できる期間は、連続して３日以内に限り、かつ１月（同一暦月）６日以内に限る）。
❷ 外泊期間は、入院期間に算入する。外泊中の入院料を算定する場合、点数に１点未満の端数があるときには、小数点以下の点数を四捨五入して計算する。
❸ ０時から24時まで在院しなかったときは、外泊料を算定する。

〈カルテ例〉「急性期一般入院料６、３級地域」の医療機関に入院中の患者のケース

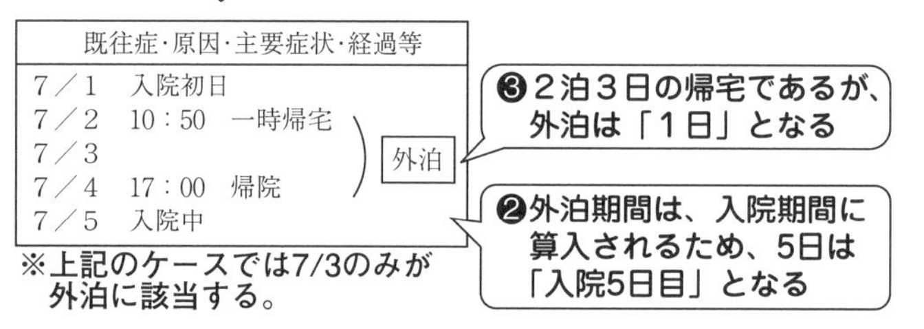
既往症・原因・主要症状・経過等
7／1　入院初日
7／2　10：50　一時帰宅
7／3
7／4　17：00　帰院
7／5　入院中

※上記のケースでは7/3のみが外泊に該当する。

（急一般6（14日以内）、３級地の外泊の計算式）
外泊日以外（7/1, 7/2, 7/4, 7/5）：1,404点＋450点＋14点＝1,868点×４日
外泊日（7/3）：1,404点×15／100＝211点×１日
} 入院料

〈レセプト記載例〉

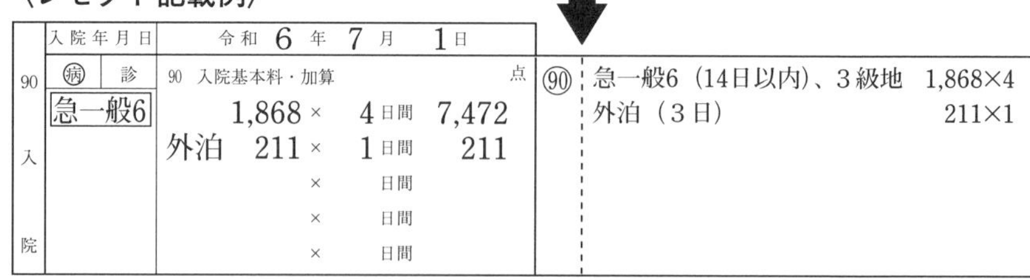

90 入院	入院年月日	令和 6 年 7 月 1 日				
	病 ｜ 診	90 入院基本料・加算				点
	急一般6	1,868	×	4	日間	7,472
		外泊 211	×	1	日間	211
			×		日間	
			×		日間	
			×		日間	

⑨⓪ 急一般6（14日以内）、３級地　1,868×4
外泊（３日）　211×1

(2) 病棟移動の際の入院料

病棟から病棟に移動した日の入院料は、移動先の病棟の入院料を算定する。

〈カルテ例〉 令和６年７月、重症者等療養環境特別加算室からの病棟移動のケース

（入院関係届出状況）
・急性期一般入院料6
・診療録管理体制加算１
・重症者等療養環境特別加算
・医療安全対策加算１
・データ提出加算１
・所在地：大阪府大阪市（２級地）

※一般病床200床以上の病院の場合

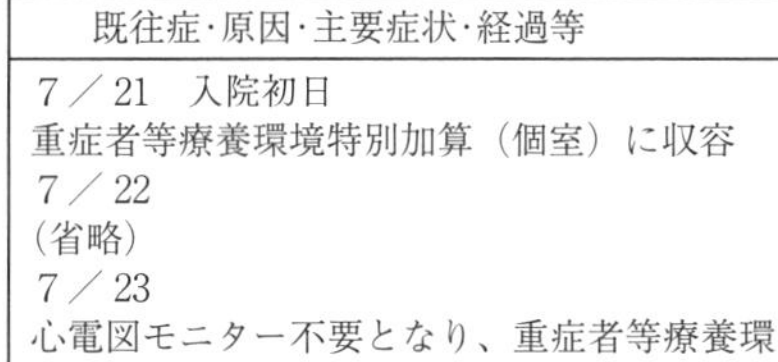

既往症･原因･主要症状･経過等
7／21　入院初日 重症者等療養環境特別加算（個室）に収容 7／22 （省略） 7／23 心電図モニター不要となり、重症者等療養環境特別加算室から一般病棟へ移動（14：00） 7／24 経過良好 ※以下省略

❶23日の入院料は一般病棟の入院料の算定となり、「重症者等療養環境特別加算」は算定不可

（過去認定試験入院より抜粋：一部修正）

〈レセプト記載例〉

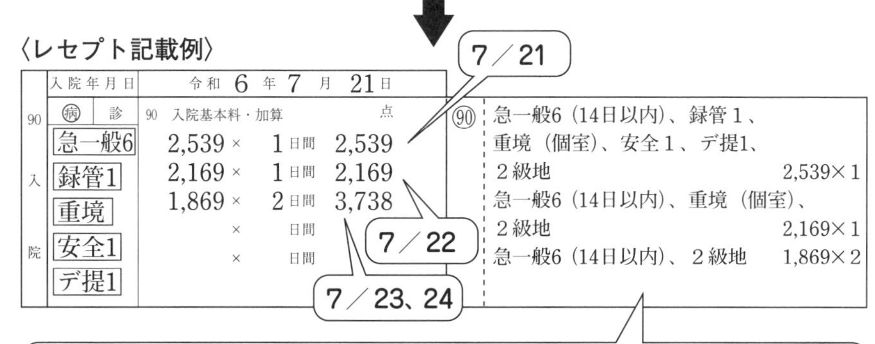

入院年月日　令和 6 年 7 月 21 日

90 入院	病　診	90 入院基本料・加算		点
	急一般6	2,539 ×	1 日間	2,539
	録管1	2,169 ×	1 日間	2,169
	重境	1,869 ×	2 日間	3,738
	安全1	×	日間	
	デ提1	×	日間	

⑳ 急一般6（14日以内）、録管１、重境（個室）、安全１、デ提1、２級地　2,539×1
急一般6（14日以内）、重境（個室）、２級地　2,169×1
急一般6（14日以内）、２級地　1,869×2

7／21　1,404点+450点+140点+300点+85点+15点+145点=2,539点
7／22　1,404点+450点+300点+15点=2,169点
7／23、24　1,404点+450点+15点=1,869点

(3) 再入院の際の入院料

同一の傷病により、同じ医療機関に再入院した場合、退院から3月までの期間（悪性腫瘍、難病患者に対する医療等に関する法律の「指定難病」または「特定疾患治療研究事業」に該当する疾患については1月）は、最初に入院した日を起算日とする。

➡起算日
入院初日の算定日。

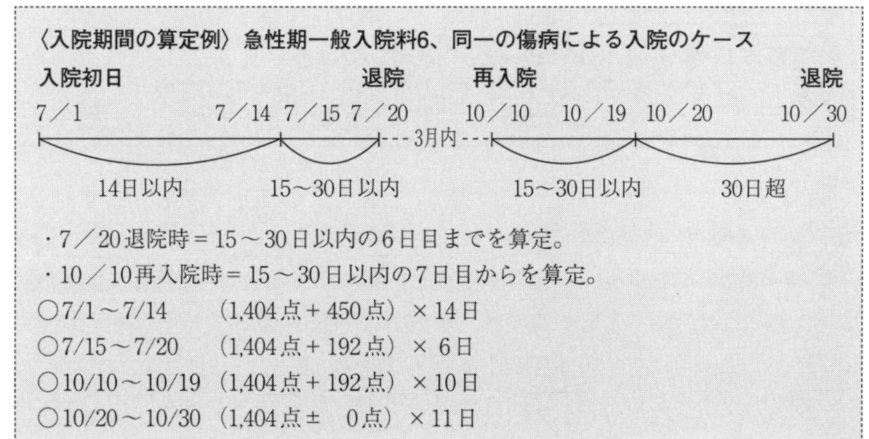

〈入院期間の算定例〉 急性期一般入院料6、同一の傷病による入院のケース

・7／20退院時＝15～30日以内の6日目までを算定。
・10／10再入院時＝15～30日以内の7日目からを算定。
○7/1～7/14　（1,404点＋450点）×14日
○7/15～7/20　（1,404点＋192点）× 6日
○10/10～10/19　（1,404点＋192点）×10日
○10/20～10/30　（1,404点± 0点）×11日

2. 入院基本料

●入院基本料＋初期加算＋入院基本料等加算により算定する。
●施設基準により、どのような医療機関であるか、加算は何が算定できるか、ポイントをおさえて繰り返し演習すること。

➡入院基本料

別冊「点数早見表」P.4〜5参照。

救急医療管理加算は、厚生労働大臣の定める施設基準（休日又は夜間でも救急医療を行っている）の届出を行っている保険医療機関において、緊急入院した重症患者に救急医療が行われた場合に算定する。

➡緊入

救急車・救急医療用ヘリコプターで搬送され緊急入院した場合「摘要欄」に記載する。

（1）カルテをみるときのポイント

順番にカルテを読む。↓

❶ 入院基本料
❷ 初期加算（入院してから何日目にあたるか）
❸ 入院基本料等加算

〈施設の概要等〉

❶急一般6（1,404点）

一般病院・救急病院（内科、小児科、外科、整形外科、脳神経外科、産婦人科、眼科、耳鼻咽喉科、皮膚科、泌尿器科、麻酔科、放射線科）一般病床のみ400床
〔届出等の状況〕❶急性期一般入院料6、❸診療録管理体制加算3、医療安全対策加算1、救急医療管理加算、入院時食事療養（Ⅰ）、薬剤管理指導料、検体検査管理加算（Ⅰ）及び（Ⅱ）、画像診断管理加算2、肝切除術施設、麻酔管理料（Ⅰ）
○医師数は、医療法標準を満たしているが、標準を超えてはいない。
○薬剤師数及び看護職員（看護師及び准看護師）数は、医療法標準を満たしており常勤の管理栄養士も配置している。
○病理学的検査専任の常勤医師はいない。
○診療時間：月〜土曜　9時〜17時
　日曜・祝日　休診
○所在地：❸東京都府中市（3級地）

❸
録管3　30点（入院初日のみ）
安全1　85点（入院初日のみ）
救医1　1,050点
3級地域　14点

〈カルテ例〉令和6年7月20日〜25日のケース

既往症･原因･主要症状･経過等
7／20 みぞおちの周りから徐々に痛みがひどくなり､直ちに救急車にて搬送。 PM1：00救急外来受診 (検査等省略) 入院および緊急に手術を行う。 ･虫垂切除術｢1｣　（外科　島田）

❸ 救医1 を算定

❷ 入院14日以内（＋450点）
※入院実日数は6日

入院基本料 ❶＋❷ 1,404点＋450点＝1,854点
加算 ❸ 30点＋85点＋1,050点＋14点＝1,179点
入院基本料＋加算＝1,854点＋1,179点＝3,033点

〈レセプト記載例〉

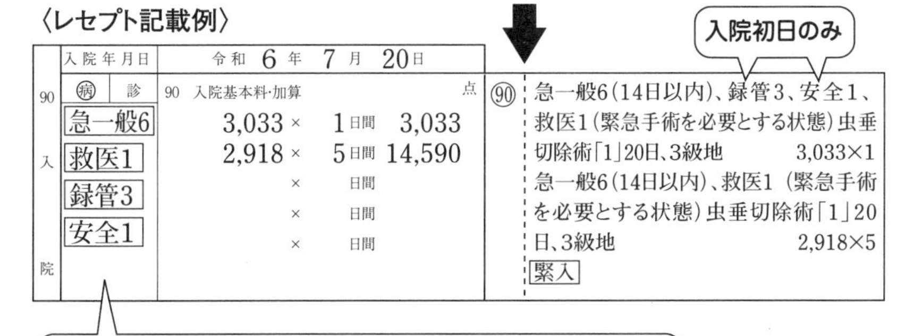

90 入院	入院年月日	令和 6 年 7 月 20日
	㊢ 診	90 入院基本料・加算 点
	急一般6	3,033 × 1日間 3,033
	救医1	2,918 × 5日間 14,590
	録管3	× 日間
	安全1	× 日間
		× 日間

⑽ 急一般6(14日以内)、録管3、安全1、救医1(緊急手術を必要とする状態)虫垂切除術「1」20日、3級地 3,033×1
急一般6(14日以内)、救医1(緊急手術を必要とする状態)虫垂切除術「1」20日、3級地 2,918×5
緊入

・DPC(診断群分類包括評価)

特定機能病院や、手上げ方式によりDPCを算定している医療機関の一般病棟に入院している患者に対する包括医療費支払制度方式。診療行為ごとに計算する出来高払いではなく、定額払いでの会計方式。入院期間中に治療した病気の中で最も「医療資源」を投入した疾患について厚生労働省で定めた1日当たりの定額の点数と、DPCに包括されない出来高評価部分(手術等)を組み合わせた日本独自の算定方法である。DPC対象病院に入院している患者で、DPCに該当するものはDPC点数を算定する。ほとんどの入院患者が対象となるが、以下の患者は対象外となる。

①入院後24時間以内に死亡した患者または生後1週間以内に死亡した新生児
②医薬品医療機器等法上の治験対象患者
③臓器移植・皮膚移植を受ける患者
④高度先進医療の対象患者
⑤急性期以外の特定入院料等算定患者
⑥その他厚生労働大臣が別に定める者

3. 入院時食事療養費

●入院患者に食事を提供した場合に、点数ではなく金額（円）で算定する。入院時食事療養（Ⅰ）に対してのみ加算がある。

➡入院時食事療養費
●入院時食事療養（Ⅰ）（1食につき）
（1）次の（2）以外の食事療養を行う場合　670円
（2）流動食のみを提供する場合　605円
・食堂加算（1日につき）　＋50円
・特別食加算（1食につき）　＋76円
●入院時食事療養（Ⅱ）（1食につき）
（1）次の（2）以外の食事療養を行う場合　536円
（2）流動食のみを提供する場合　490円
●標準負担額（1食につき）490円
別冊「点数早見表」P.6参照。

➡入院時生活療養費
療養病床に入院中の65歳以上の患者に算定する（P.36参照）。

（1）カルテをみるときのポイント

❶ 流動食、軟食等でも、1食ごとに（1日3食まで）算定できる。
❷ 食堂加算…食堂を備えた病棟等において食事療養を行ったとき、1日につき病棟単位で算定する。
特別食加算…1食ごとに（1日3食まで）患者単位で算定する。カルテ内でチェックする。

〈施設の概要等〉

入院時食事療養（Ⅰ）、食堂加算

〈カルテ例〉令和６年７月のケース

傷　病　名
肝細胞癌
C型慢性肝炎

既往症・原因・主要症状・経過等
7／20 本日、処方薬について薬剤師から薬剤管理指導を行う。また、入院中の食事は肝臓食を指示した。（朝食より） 身体所見・検査所見ともに麻酔を行うに当たっての問題は認められない。　（麻酔科　奥田） （21日～23日省略） 7／24 手術前準備のため、本日昼から絶食とし、点滴と術前処置剤を処方した。 7／25 肝臓の部分切除術施行

❷肝疾患の患者に対し肝臓食を提供→特別食加算を算定（670円＋76円）×3食分

❶24日は「昼から絶食」とあるので、24日の食事療養費は朝食の1食分を算定⇔その後食事を行う日まで算定不可

（過去認定試験入院より抜粋：一部修正）

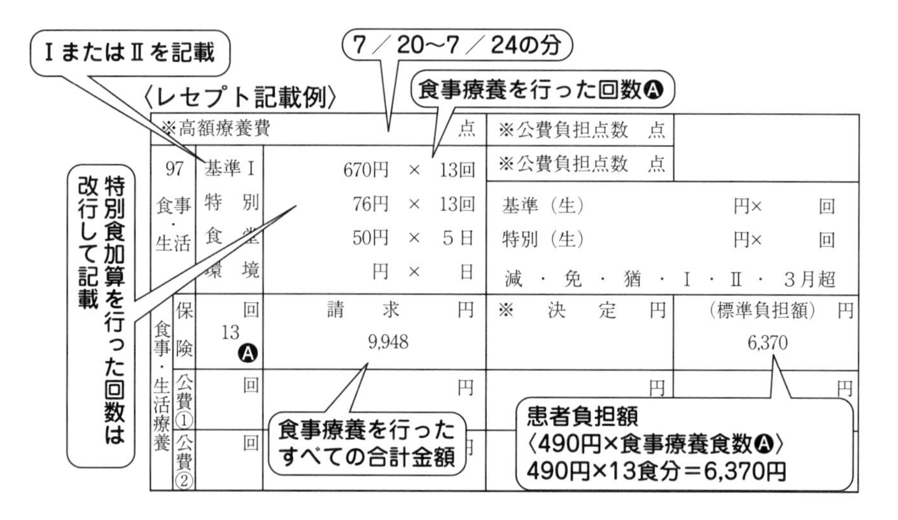

※高額療養費		点	※公費負担点数　点	
97 食事・生活	基準Ⅰ	670円 × 13回	※公費負担点数　点	
	特　別	76円 × 13回	基準（生）　円×　回	
	食　堂	50円 × 5日	特別（生）　円×　回	
	環　境	円 × 日	減・免・猶・Ⅰ・Ⅱ・3月超	
食事・生活療養 保険	回 13 Ⓐ	請　求　円 9,948	※　決　定　円	（標準負担額）　円 6,370
公費①	回	円	円	円
公費②	回	円		

4 特掲診療料①医学管理等

1. 医学管理等の算定

●特定の疾患などに対する療養上の管理・治療計画を行った場合に算定できる。
●多くの管理料のなかで、どのような条件でどの管理料が算定できるかに注意する。また、2以上の管理料が算定できる場合に、重複して算定できるか、包括項目（まるめ）を算定する際には何が含まれるかなど、算定条件に気をつけよう。

(1) 特定疾患療養管理料

別に厚生労働大臣が定める疾患（特定疾患）の患者に対し、療養管理を行った場合に算定する（P.68脇注「特定疾患療養管理料」参照）。

◎カルテをみるときのポイント

❶ 特定疾患を主病とする患者であって、その治療にあたる診療科において算定する。
❷ 許可病床数が200床未満の病院または診療所であること（200床以上の病院においては算定できない）。
❸ 外来患者のみ算定できる。
❹ 初診または当該医療機関の退院の日から1か月経過していること。
❺ 療養管理が行われた場合、月2回まで算定できる。

❷診療所

❹治療開始日より1か月以上経過している

〈カルテ例〉診療所のケース

傷　病　名	職務	開　始	終　了	転　帰	期間満了予定日
(1) 胃潰瘍（主）	上・外	令和6年5月10日	年 月 日	治ゆ・死亡・中止	年 月 日

❶特定疾患を主病とする疾患

既往症・原因・主要症状・経過等	処方・手術・処置等
7／9（火） ストレスをためず、薬を欠かさず服用し食事にも気を付ける。 内科：佐藤 ❺1回目の療養管理 7／23（火） 前回の検査結果を踏まえた上で、療養上の指導を行う。 内科：佐藤 ❺同月中2回目の療養管理	7／9 （検査等省略） Rp）院外処方 レバミピド錠100mg「ケミファ」3錠 （毎食後）28日分 7／23 （検査等省略）

〈レセプト記載例〉

13 医学管理	450	⑬	特	225×2

(2) 特定薬剤治療管理料

●特定薬剤治療管理料1

別に厚生労働大臣が定める疾患患者に対し、投与薬剤の血中濃度を測定し、

➡医学管理等の通則

外来感染対策向上加算、発熱患者等対応加算、連携強化加算、サーベイランス強化加算、抗菌薬適正使用体制加算が規定されている（P.53脇注参照）。

➡医学管理等の併算定

別冊「点数早見表」では主な管理料の併算定可否を表にまとめている（P.7～9参照）。

➡特定疾患療養管理料（情報通信機器を用いた場合）「注5」

施設基準の届出が行われている保険医療機関において、特定疾患療養管理料を算定すべき医学管理を情報通信機器を用いて行った場合、診療所または許可病床数に応じて、B000「1」～「3」の所定点数ではなく、「情報通信機器を用いた場合の点数」を算定する。

➡投薬が行われた場合

併せて㉕特定疾患処方管理加算も算定する（P.77参照）。

➡厚生労働大臣が定める疾患および薬剤
別冊「点数早見表」特定薬剤治療管理料一覧表にまとめている(P.8参照)。

➡特定疾患療養管理料
2024(令和6)年6月の診療報酬改定により、「脂質異常症、高血圧症、糖尿病」は特定疾患療養管理料の対象疾患から除外され、新設された生活習慣病管理料(Ⅱ)へと移行した。

➡特定薬剤治療管理料2
サリドマイドおよびその誘導体を投与している患者に対して指導等を行った場合。

➡悪性腫瘍特異物質治療管理料
別冊「点数早見表」P.7参照。

計画的な治療管理を行った場合に算定する。

◎カルテをみるときのポイント

❶　厚生労働大臣の定める対象疾患に対し、対象薬剤を投与している患者であること。
❷　薬物血中濃度測定を行い、それに基づく治療管理を行っていること。
❸　薬剤情報提供料は、月１回に限り算定できる。ただし、別の疾患に対し別の薬剤を投与した場合は、それぞれ算定できる。
❹　２種類以上の抗てんかん剤を投与し、個々に測定・管理を行った場合は、２回に限り算定できる。
❺　薬物血中濃度測定と同一日に行った採血料（B－V）は算定できない。

〈カルテ例〉てんかん患者に対し、抗てんかん剤（デパケンシロップ）を投与するケース

対象疾患❶　対象薬剤❶

既往症・原因・主要症状・経過等	処方・手術・処置等
（てんかんで治療継続中） 身長85cm、体重12.0 kg 10／5 てんかんの定期受診 内服を始めてからてんかん発作なし。 抗てんかん剤デパケンシロップ（バルプロ酸ナトリウム）の血中濃度チェック及び副作用チェックを行う。 ❷薬物血中濃度測定 ❷抗てんかん剤に対し血中濃度の結果から、治療・管理が行われている。 10／12 血液検査、尿検査からも明らかな副作用なし。 バルプロ酸血中濃度は治療濃度範囲内 母親に対して、治療計画に基づきてんかんの療養上必要な指導を行う。 （指導内容等の詳細省略）	❺血中濃度測定と同一日に行われたB－Vは算定不可 10／5 ・尿一般（比重、pH、蛋白、糖、潜血） ・末梢血液一般 ・生化学検査（AST、ALT、LD、総ビリルビン、BUN、クレアチニン、CK、アンモニア） ・バルプロ酸血中濃度測定 処方） デパケンシロップ５mL 分２（朝夕食後）７日分 ※薬剤情報提供（文書） 10／12 特定薬剤治療管理 てんかん指導　←同時にてんかん指導料も算定 処方） デパケンシロップ５mL 分２（朝夕食後）30日分

（過去認定試験外来より抜粋：一部修正）

〈レセプト記載例〉

❸月1回算定　薬剤名を記載

13 医学管理	724	⑬	薬1（てんかん患者であって抗てんかん剤を投与）　470×1 てんかん　250×1 薬情　4×1

（3）悪性腫瘍特異物質治療管理料

すでに悪性腫瘍であると確定診断がなされた患者に対し、腫瘍マーカー検査を行った場合に算定する。

◎カルテをみるときのポイント

❶　悪性腫瘍の確定患者であること。
❷　（D 009）腫瘍マーカー検査がなされ、検査に基づいた計画的な治療管理を行った場合、月１回のみ算定できる。
❸　腫瘍マーカーの検査料（特に定めるものを除く）、判断料、採血料（同一日に行われた他の血液検査に対するものも含む）は、別に算定できない。
　ただし、（生Ⅱ）判断料については、腫瘍マーカー以外の生化学的検査（Ⅱ）を行った場合は、別に算定できる。
❹「その他のもの」を算定した患者に対し、初回月に限り初回加算150点を算定できる。ただし、前月に腫瘍マーカー検査を行っている患者には算定できない。

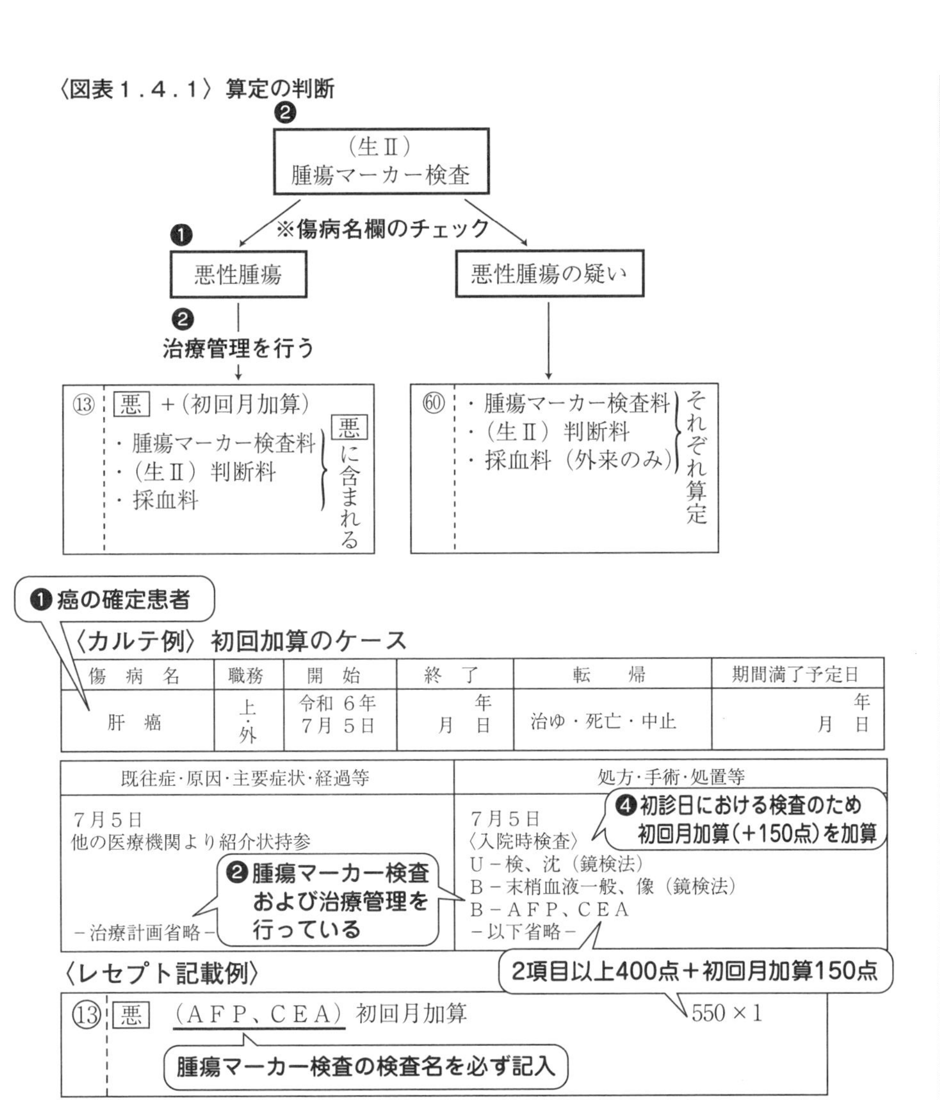

（4）手術前医学管理料・手術後医学管理料

通常、手術の前に行われる検査等に対し、包括して設定されたものを手術前医学管理料という。また、通常、手術の後に行われる検査に対し、包括して設定されたものを手術後医学管理料という。

〈図表１.４.２〉算定条件の比較

	手術前医学管理料	手術後医学管理料
略　号	手前	手後
届　出	不要	不要
該当する麻酔	・閉鎖循環式全身麻酔 ・硬膜外麻酔 ・脊椎麻酔	閉鎖循環式全身麻酔
算定日	手術当日１回	手術の翌日より３日間
包括項目	手術前に行われた検査・画像診断 ※別冊「点数早見表」P.22～25、28～29、31、37参照。	手術後に行われた検査 ※別冊「点数早見表」P.22～26、31～32、34参照。
包括検査判断料	血・生Ⅰ・免	尿・血・生Ⅰ
備　考	手術前に行われる検査の結果に基づき、計画的な医学管理を行う保険医療機関において、疾病名を問わず、該当する患者すべてに対して算定。	同一月に、患者ごとに算定するものと算定しないものが混在するような算定は不可。

➡ 手前 手後 の算定
別冊「点数早見表」では、包括される検査等に対し、手術前医学管理料は★、手術後医学管理料は☆印を付した。

➡包括検査の判断料
包括される検査以外の検査を行っていても、包括される判断料については、同一月は算定できない。

①算定対象期間

※手術前医学管理料

手術を行う前日より1週間、および手術直前までに行われた検査等が対象。

12/1
〜
12/7　　手前 算定日
12/8　手術当日
12/9
12/10
12/11

※手術後医学管理料

手術の翌日より3日間算定できる。

なお、包括されている検査が行われなくても算定できる。

（例）同一の手術につき、手術前医学管理料と手術後医学管理料が同時に算定されるケース（病院の場合）

手術前医学管理料	1,192点×1
手術後医学管理料	1,129点×3

3日を限度

同一の手術に対し、手術前医学管理料を算定後、手術後医学管理料（1,188点）は、所定点数の$\frac{95}{100}$として計算する。

したがって、手術後医学管理料は、1,188点×$\frac{95}{100}$＝1,128.6点→1,129点となる。

②カルテをみるときのポイント

❶ 届出等の状況またはカルテから、算定できるか判断する。
❷ 手術に際し、該当する麻酔を行っていることを確認する。
❸ 手術前医学管理料・手術後医学管理料に包括される検査等を確認する。

〈施設の概要等〉

［届出等の状況］
…（中略）…
検体検査管理加算（Ⅰ）及び（Ⅱ）
薬剤管理指導料
麻酔管理料（Ⅰ）
※手術前医学管理料を算定するにあたっての計画的な医学管理を行っている。
※4月診療分については、手術後医学管理料は算定していない。

手術後医学管理料は、今月は算定不可

❶手術前医学管理料を算定する

〈カルテ例〉令和6年7月のケース

処方・手術・処置等

7／28　絶食　　**★は包括項目**

入院時検査
・(手術前医学管理料対象項目)
★尿一般
★胸部X－P（デジタル）電子画像管理
★ECG(12)
★末梢血液一般（RBC、WBC、Hb、Ht、Plt）
生化学検査
★［AST、ALT、LD、γ－GT、CK、ALP、ChE、TP、Alb、T-Bil、D-Bil、BUN、Cre、Na、K、Cl、Ca、BS］
★CRP
★ASO定性、ASK定性
★出血時間
★凝固系検査－PT、APTT

❸電子画像管理加算のみ算定可

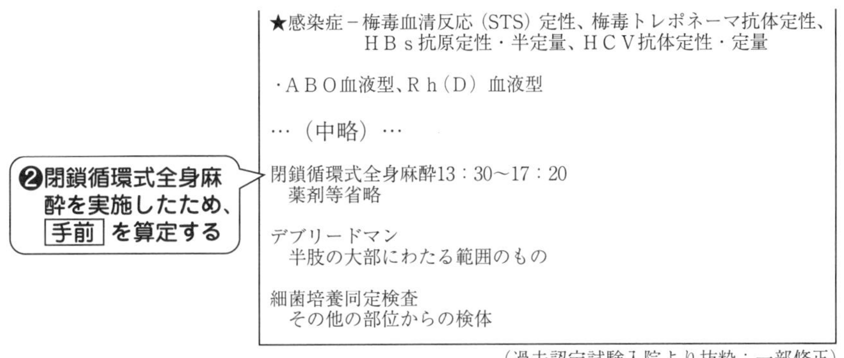
★感染症－梅毒血清反応（STS）定性、梅毒トレポネーマ抗体定性、
HＢｓ抗原定性・半定量、ＨＣＶ抗体定性・定量

・ＡＢＯ血液型、Ｒｈ（Ｄ）血液型

…（中略）…

閉鎖循環式全身麻酔13：30～17：20
薬剤等省略

デブリードマン
半肢の大部にわたる範囲のもの

細菌培養同定検査
その他の部位からの検体

（過去認定試験入院より抜粋：一部修正）

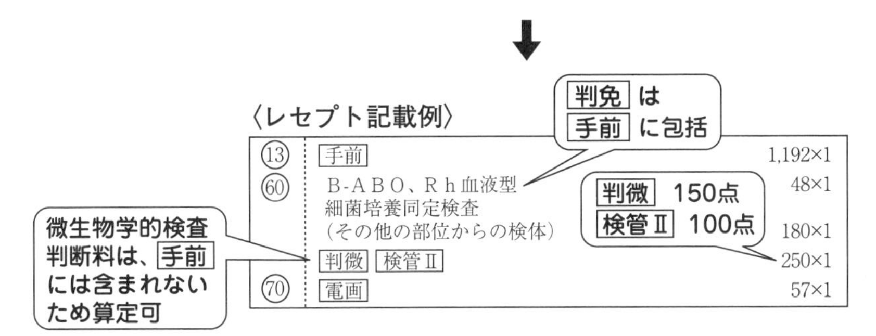
〈レセプト記載例〉

⑬	手前	1,192×1
⑥⓪	B-ＡＢＯ、Ｒｈ血液型	48×1
	細菌培養同定検査 （その他の部位からの検体）	180×1
	判微　検管Ⅱ	250×1
⑦⓪	電画	57×1

（5）薬剤管理指導料

施設基準届出医療機関において、投薬または注射について、薬剤師が入院患者に対し薬学的管理指導を行った場合に、それぞれの区分に従い算定する。なお、施設基準を満たせば、有床診療所でも算定できる。

①薬剤管理指導料の区分

a．特に安全管理が必要な医薬品が、投薬または注射されている患者に対して行う場合　→薬管1（380点）

b．ａの患者以外の患者に対して行う場合　→薬管2（325点）

②カルテをみるときのポイント

❶ 入院患者であることを確認する。

❷ 施設基準届出医療機関であることを確認する。

❸ 安全管理が必要な医薬品が投薬又は注射されている患者であるか否かにより、区分（１または２）を判断する。

❹ 医師の指示のもとに、薬剤師が直接薬学的管理指導を行った場合。

❺ 患者１人につき、週１回月４回を限度とする。

❻ 調剤技術基本料（42点）は算定できない。

〈施設の概要等〉

（届出等の状況）
急性期一般入院料２
…（中略）…
検体検査管理加算（Ⅰ）及び（Ⅱ）
薬剤管理指導料
画像診断管理１及び２

❷ 薬剤管理指導料の届出あり

※ａについては厚生労働大臣の定める下記の薬剤を投薬または注射されている患者に対して算定する。
・抗悪性腫瘍剤
・免疫抑制剤
・不整脈用剤
・抗てんかん剤
・血液凝固阻止剤
・ジギタリス製剤
・テオフィリン製剤
・カリウム製剤（注射薬に限る）
・精神神経用剤
・糖尿病用剤
・膵臓ホルモン剤
・抗HIV薬

➡生活習慣病管理料（Ⅰ）（Ⅱ）

2024（令和6）年6月の診療報酬改定により、「脂質異常症、高血圧症、糖尿病」はB000特定疾患療養管理料から除外され、新設された生活習慣病管理料（Ⅱ）へと移行した。また、従来から設定されていた生活習慣管理料は、生活習慣管理料（Ⅰ）となった。

➡生活習慣病管理料（Ⅰ）に含まれる項目

外来管理加算、医学管理（糖尿病合併症管理料、がん性疼痛緩和指導管理料、外来緩和ケア管理料、糖尿病透析予防指導管理料、慢性腎臓病透析予防指導管理料を除く）、検査、注射、病理診断

➡生活習慣病管理料（Ⅱ）に含まれる項目

外来管理加算、医学管理（外来栄養食事指導料、集団栄養食事指導料、糖尿病合併症管理料、がん性疼痛緩和指導管理料、外来緩和ケア管理料、糖尿病透析予防指導管理料、慢性腎臓病透析予防指導管理料、ニコチン依存症管理料、療養・就労両立支援指導料、プログラム医療機器等指導管理料、診療情報提供料（Ⅰ）、電子的診療情報評価料、診療情報提供料（Ⅱ）、診療情報連携共有料、連携強化診療情報提供料、薬剤情報提供料を除く）

〈カルテ例〉令和６年７月21日入院のケース

❸安全管理が必要な医薬品以外（薬管1には該当しない）

既往症・原因・主要症状・経過等	処方・手術・処置等
7／21 担当看護師等と共同で入院診療計画書を作成、取り敢えず妻に説明し渡す。注射薬について薬剤師から薬剤管理指導。併せて手術・輸血同意書を貰う。（脳神経外科　三上）	7／21 静注　1%ディプリバン注200mg20mL　2管 膀胱カテーテル留置 膀胱留置カテーテル　2管一般（1）1本 呼吸心拍監視（3時間超）

❹薬剤師から薬学的管理指導あり

（過去認定試験入院より抜粋：一部修正）

〈レセプト記載例〉

⑬	薬管２　21日	325×1

算定日を記載

（6）生活習慣病管理料（Ⅰ）・生活習慣病管理料（Ⅱ）

脂質異常症、高血圧症、糖尿病を主病とする患者に対し、生活習慣に関する総合的な治療管理を行った場合に、月１回算定する。なお、C101在宅自己注射指導管理料を算定した場合は、生活習慣病管理料（Ⅰ）（Ⅱ）は算定できない。

◎カルテを見るときのポイント

❶　脂質異常症、高血圧症または糖尿病を主病とする患者に算定する。
❷　厚生労働大臣が別に定める施設基準を満たす保険医療機関であること。
❸　許可病床数が200床未満の病院または診療所であること（200床以上の病院においては算定できない）。
❹　外来患者のみ算定できる。
❺　初診料を算定する月においては、本管理料は算定できない。
❻　治療計画をおおむね４月に１回以上策定・交付し、患者の同意および署名を受け、当該治療計画書に基づいた治療管理を行った場合、月１回に限り算定できる。
❼　生活習慣病管理料を算定した日は、外来管理加算は算定できない（同月内の別日に要件を満たす場合は算定できる）。
❽　生活習慣病管理料（Ⅰ）を算定した月を含め６か月以内は、生活習慣病管理料（Ⅱ）は算定できない。

❸診療所　❷施設基準を満たす

〈カルテ例〉診療所のケース、生活習慣管理料の施設基準を満たしている

	傷病名	開始	終了
1	脂質異常症（主）	令和６年５月10日	

❶対象疾患を主病とする患者　❺初診料を算定する月以外

既往歴・原因・主要症状・経過等	処方・手術・処置等
（脂質異常症で診療継続中） 7／9（火） 治療計画書を看護師、管理栄養士と策定。 患者に交付し署名を受ける。 治療計画に沿って、治療管理を行う。 ※生活習慣病管理料（Ⅱ）	7／9 （検査等省略） Rp）院外処方 ベザフィブラート200mg徐放錠2錠 （朝・夕食後）28日分

❻治療計画を策定・交付し、患者から署名を受け治療管理を行っている

〈レセプト記載例〉

13　医学管理	333	⑬	生2	333×1

5 特掲診療料②在宅医療

1. 在宅患者診療指導料

●通院が困難な患者など、医師や看護師等の医療機関の従事者の訪問により、入院することなく、自宅で必要な治療や指導を受けること（C000～015）。
●基本診療料が算定できない場合が多いため（図表1.5.2参照）、点数を算定する際は必ずチェックすること。

（1）往診料・在宅患者訪問診療料

往診とは、医師が患家の求めに応じて診療を行うことである。往診料は診療にかかった時間で算定する。交通費はすべて患家の負担となる。

なお、定期的・計画的に患家を訪問し診療を行った場合は、在宅患者訪問診療料により算定する。

①同一の患家で２人以上の診療を行った場合

１人目には往診料または在宅患者訪問診療料（Ⅰ）、（Ⅱ）を算定できるが、２人目以降には算定できない。この場合は、初・再診料、外来診療料、特掲診療料を算定する。

ただし、それぞれの患者の診療に要した時間が１時間を超えた場合は、往診料「注２」または在宅患者訪問診療料（Ⅰ）「注５」の加算を、２人目以降についても算定できる。なお、その旨を「摘要欄」に記載する。

②診療時間

実際に診療にあたっている時間をいい、それ以外の時間は診療時間に含まない。

③同一日の往診料と在宅患者訪問診療料

往診料と在宅患者訪問診療料は併せて算定できない。ただし、訪問診療後、急性増悪等により往診を行った場合はこの限りではない。

④往診料を算定した場合

翌日は在宅患者訪問診療料は算定できない。

⑤往診料の加算

初・再診料等に規定されている年齢加算については扱いがないので注意すること。

◎カルテをみるときのポイント（往診）

❶ 時間の算定に注意する。

「時間外」ではなく、「夜間」という考え方となる（図表１.５.１参照）。

➡在宅医療の通則

外来感染対策向上加算、発熱患者等対応加算、連携強化加算、サーベイランス強化加算、抗菌薬適正使用体制加算が規定されている（P.53脇注参照）。

➡外来・在宅ベースアップ評価料（Ⅰ）「3」「4」、（Ⅱ）1～8「イ」

施設基準の届出を行った保険医療機関にて、1日につき訪問診療時に加算する。医師および歯科医師を除く薬剤師、看護師等の医療従事者（対象職員）に対し、診療報酬で賃金改善を支援するもの。

〈図表 1.5.1〉夜間の時間帯の例

診察時間：9時～18時 休診：日曜

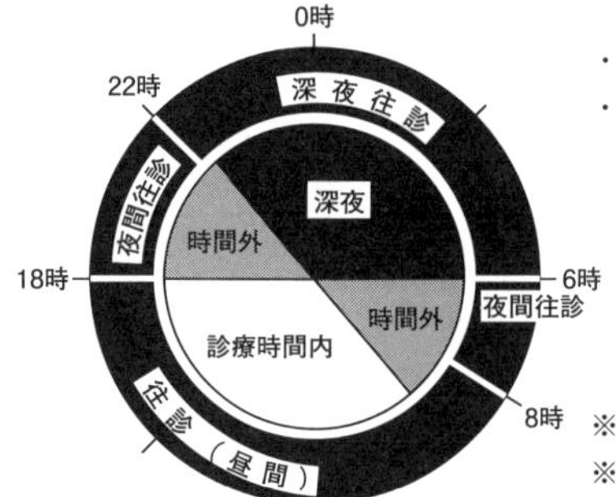

・夜間：18時～翌日8時（深夜を除く）
・深夜：22時～翌日6時

※1.診療を内側の円、往診を外側の円に示す。
※2.緊急往診加算を除く。

➡緊急往診加算

保険医療機関で診療中、患家からの緊急の呼び出しに応じて往診を行うことをいう。急性心筋梗塞、脳血管障害等（15歳未満の小児については、低体温、けいれん、意識障害等も含む）が予想される場合など。また、医学的に終末期であると考えられる患者に対して算定できる。

➡実日数

レセプト記載時の実日数の数え方は、医師が診察を行った日を1日として数える。

〈往診料の算定例〉

患家における診察時間が1時間を超えた場合は、30分またはその端数を増すごとに100点を所定点数に加算する。

〈1時間15分の往診の場合〉

720点　＋　100点　=820点　← これが1時間15分の往診料となる
（1時間）（15分）　　所定点数

往診料　　1時間超の端数として、100点を加算

〈図表 1.5.2〉レセプト算定の注意点

	初診料	再診料・外来診療料	レセプト記載時の「診療実日数」欄
往　診	算定可	算定可	記載する
訪問診療	算定不可	算定不可	記載する
訪問看護	算定不可	算定不可	記載しない

〈カルテ例〉深夜往診のケース

※在宅療養支援診療所または在宅療養支援病院以外の保険医療機関、継続的に外来で診療を受けている厚生労働大臣が定める患者以外の患者

既往症・原因・主要症状・経過等	処方・手術・処置等
7／19（再診） 22：00　家族よりＴｅｌ。 急な発熱と発疹。 往診へ。	7／19 22：25～23：40 往診 （治療内容等省略）

・22：25→深夜往診
・診療時間は1時間15分のため、＋100 点

〈レセプト記載例〉

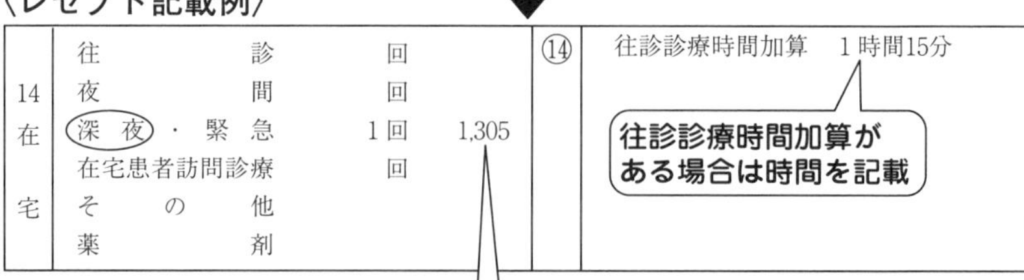

深夜往診加算は所定点数に485点を加算
1時間15分の所定点数→720点＋100点＝820点
820点＋485点=1,305点

2. 在宅療養指導管理料

●医師が在宅療養を行う患者に対し、①療養上の注意点、②緊急時の措置および使用方法等を指導し、必要かつ十分な量の衛生材料および保険医療材料を支給した場合に算定できる。

(1) 在宅療養指導管理料

特に規定する場合を除き月1回のみ算定できる。2以上の指導管理を行っている場合は、主たる指導管理のみ算定するが、算定できない指導管理の在宅療養指導管理材料加算、薬剤・特定保険医療材料の費用は、それぞれ算定できる。

(2) 在宅療養指導管理材料加算

在宅療養指導管理料を算定する場合に、月1回算定できる。在宅療養指導管理料に対して材料を支給または貸与した場合の加算である。

(3) 在宅自己注射指導管理料

◎カルテをみるときのポイント

❶ 自宅で厚生労働大臣が定める注射薬の自己注射を行っている。
❷ 自己注射を実施する当該月の総回数を確認する。
❸ 注入器等の材料加算（C150〜C153）があるかどうかを確認する。
❹ 月1回（血糖自己測定器加算については、3月に3回）を限度とする。
❺ 生活習慣病管理料（Ⅰ）（Ⅱ）は同一月に算定できない。

〈カルテ例〉糖尿病の患者のケース

傷病名	職務	開始	終了	転帰	期間満了予定日
糖尿病	上・外	令和3年4月15日	年 月 日	治ゆ・死亡・中止	年 月 日
糖尿病性末梢神経障害	上・外	令和4年3月17日	年 月 日	治ゆ・死亡・中止	年 月 日

既往症・原因・主要症状・経過等	処方・手術・処置等
（前月より継続）身長162cm、体重58kg 7／5 尿蛋白（－）、尿糖（＋）、潜血（＋） 赤血球5－10／各視野 空腹時の血糖95mg／dL 医学管理 ・現在の食事内容、運動を継続すること。 ・低血糖時などの処置を指示 ・尿潜血については経過観察 7／19 前回の検査ＨｂＡ1c7.6％ 尿蛋白（－）、尿糖（＋）、潜血（－） 医学管理（生活習慣病管理料（Ⅱ）） ・現在の食事内容、運動を継続すること。	7／5 尿定性（蛋白、糖、潜血） 尿沈渣顕微鏡検査 採血（静脈血） ヘモグロビンＡ1c 血糖 在宅自己注射指導 処方 1）キネダック錠3Ｔ14日分 2）ノボリン30R注フレックスペン300単位1キット(1キット＝1,451円) （朝食前20単位皮下注、注射針処方） 7／19 尿定性（蛋白、糖、潜血） 処方 1）キネダック錠3Ｔ14日分 2）ノボリン30R注フレックスペン300単位1キット （朝食前20単位皮下注、注射針処方）

在宅療養指導管理にあたって処方された注射薬は、⑭薬剤にて算定

❸注射針加算

（過去認定試験外来より抜粋：一部修正）

❺生活習慣病管理料の算定対象ではあるが、在宅自己注射指導管理料算定のため、生活習慣病管理料（Ⅱ）は算定不可

このケースでは、7/19にもう一度在宅自己注射指導が行われたとしても、同一月1回限りのため、算定不可

ノボリン30R注フレックスペン300単位1キット＝1,451円→145点

〈レセプト記載例〉

14 在宅			
	往診	回	点
	夜間	回	
	深夜・緊急	回	
	在宅患者訪問診療	回	
	その他		880
	薬剤		290

⑭		
	注 針	880×1
	ノボリン30R注フレックスペン	
	300単位1キット（15日分）	145×2

注750点＋針130点

薬剤名、支給量および支給日数等を記載
300単位に対し、1日20単位なので
300÷20＝15日分の支給となる

➡生活習慣病管理料
P.72、別冊「点数早見表」P.7参照。

➡在宅療養指導管理料に含まれる項目
（別に診療報酬上の加算等として評価されている場合を除く）
・衛生材料
・酸素代
・注射器・注射針
・アルコール等の消毒薬
・カテーテル　等

➡在宅自己注射を算定している患者
当該指導料にかかる薬剤について、外来時の皮内、皮下及び筋肉内注射、静脈内注射の費用は算定できない（他の薬剤に対するものは算定できる）。

➡在宅自己注射指導管理
厚生労働大臣が定める注射薬の自己注射を行っている患者に対し、自己注射に対する指導管理を行うこと。

※血糖試験紙、固定化酵素電極、穿刺器、穿刺針、測定機器の費用は、(C150) 血糖自己測定器加算に含まれ、別に算定できない。

6 特掲診療料③投薬・注射

1. 投薬料

●患者に薬を処方したときに算定する。
●外来と入院とでは、技術料の算定に違いがあることに注意する。

(1) 投薬料のしくみ

投薬料は、以下のように構成されている。

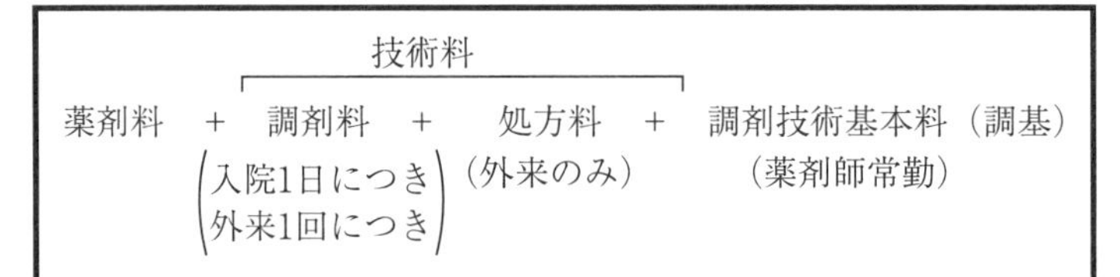

➡投薬に用いられる略称

略　称	意　味
Rp)	処方あり
TD、T	～日分
P	～回分
T	～錠
C	～カプセル

➡多剤投与の算定

・1処方につき7種類以上の内服薬の投薬を行った場合、100分の90に相当する点数により算定する。
・臨時の投薬であり、投薬期間が2週間以内のものおよび地域包括診療加算または地域包括診療料を算定するものは除く。

(2) 薬剤料の算定方法（五捨五超入）

薬剤の価格（薬価）は『薬価基準』に「円単位」で収載されている。レセプトには、「円単位」を「点単位」に直して記載するが、その際には、「五捨五超入」という薬価計算独特の計算方法が用いられる。

〈五捨五超入〉薬価÷10
・小数点以下が0.5以下　→　切捨て
・小数点以下が0.5を超えている　→　切上げ

〈算定例〉
①455円の薬剤
455円÷10＝45.5点　小数点以下が0.5以下のため切捨て　→　45点
②455.1円の薬剤
455.1円÷10＝45.51点　小数点以下が0.5を超えるため切上げ　→　46点
※15円以下の薬剤は1点とする。

(3) 薬価の算出方法

薬価は、内服薬、屯服薬、外用薬に区分し、それぞれの所定単位ごとに算定する（図表1.6.1参照）。

〈図表1.6.1〉使用薬剤の単位

使用薬剤	単位
内服薬	1剤1日分
屯服薬	1回分
外用薬	1調剤

➡内服薬の1剤

服用時点および服用回数が同じでも、次の場合は1剤としない（別剤となる）。
①配合不適等の調剤技術上の必要性から個別に調剤した場合
②固形剤と内用液剤の場合
③内服錠とチュアブル錠等のように、服用方法が異なる場合

①内服薬の「1剤」とは

a．1回の処方において、2種類以上の内服薬を調剤する場合は、服用時点および服用回数が同じであるものについては、1剤とする。

b．服用時点および服用回数が同じでも、処方日数が異なる場合は、２剤以上として扱う。

②屯服薬の「１回分」とは

別の目的で使用する屯服薬（たとえば、解熱鎮痛剤と下剤等）は、それぞれの単位で取り扱う。

③外用薬の「１調剤」とは

a．外用薬でいう１調剤とは、１回の調剤行為で調剤した外用薬の全体の量を１調剤という。たとえば、トローチを１日分４錠で４日分投与した場合、１日分の４錠が１調剤ではなく、４錠×４日分の16錠が１調剤となる。

b．トローチと軟膏を同時に処方した場合は、２調剤となる。

（4）処方料・調剤料・調剤技術基本料

①処方料

外来患者に院内処方した際に算定する。入院患者に対する処方は「入院基本料」に含まれ、算定できない。また、３歳未満の乳幼児に処方した場合は乳幼児加算がある。

なお、特定疾患処方管理加算については、次のとおりである。

a．診療所または許可病床数が200床未満の病院

b．厚生労働大臣が別に定める疾患を主病とする患者

〈図表1.6.2〉特定疾患処方管理加算

	特定疾患処方管理加算
略号・点数	特処　56点
算定対象患者	外来のみ
算定回数上限	月1回
算定できる場合	・特定疾患を主病とする患者に、特定疾患に対する薬剤が１回の処方で28日分以上投与された場合
その他	・特定疾患に対する薬剤が処方された場合のみ ・初診の日より算定可 ・処方料または処方箋料に対して加算する。

また、外来後発医薬品使用体制加算については、次のとおりである。

a. 診療所のみ

b. 施設基準適合届出により1、2または3を算定する。

②調剤料

薬剤を調合する際の技術料である。外来と入院では取扱いが異なる。

③調剤技術基本料

薬剤師が常勤する医療機関で算定できる。薬剤師の管理のもとに調剤をした場合、患者1人につき、月1回に限り算定する。

処方箋を交付した場合は算定できない。また、同一月に院外処方と院内処方があった場合にも算定できない。

④麻薬等加算

麻薬・向精神薬・覚醒剤原料・毒薬を投薬した場合には、外来１処方につき２点（処方料１点＋調剤料１点）、入院１日につき１点を加算する。

➡うがい薬のみを投薬した場合

入院中の患者以外の患者に対してうがい薬のみを投薬した場合（治療目的の投薬を除く）は、当該うがい薬にかかる調剤料、処方料、薬剤料、処方箋料、調剤技術基本料は算定できない。

➡処方料等

別冊「点数早見表」P.12参照。

➡特定疾患

医学管理等「B000特定疾患療養管理料」に規定する厚生労働大臣が定める疾患。2024（令和6）年6月の診療報酬改定により、「脂質異常症、高血圧症、糖尿病」は除外された。

➡外来後発医薬品使用体制加算

別冊「点数早見表」P.12参照。

➡１処方につき63枚を超えて貼付剤を投薬した場合

入院中の患者以外の患者に対して１処方で63枚を超えて貼付剤を投薬した場合（必要があると判断した場合を除く）は調剤料、処方料、薬剤料（超過分）、処方箋料、調剤技術基本料は算定できない。

◎外来の算定：複数の診療科、異なる医師による処方

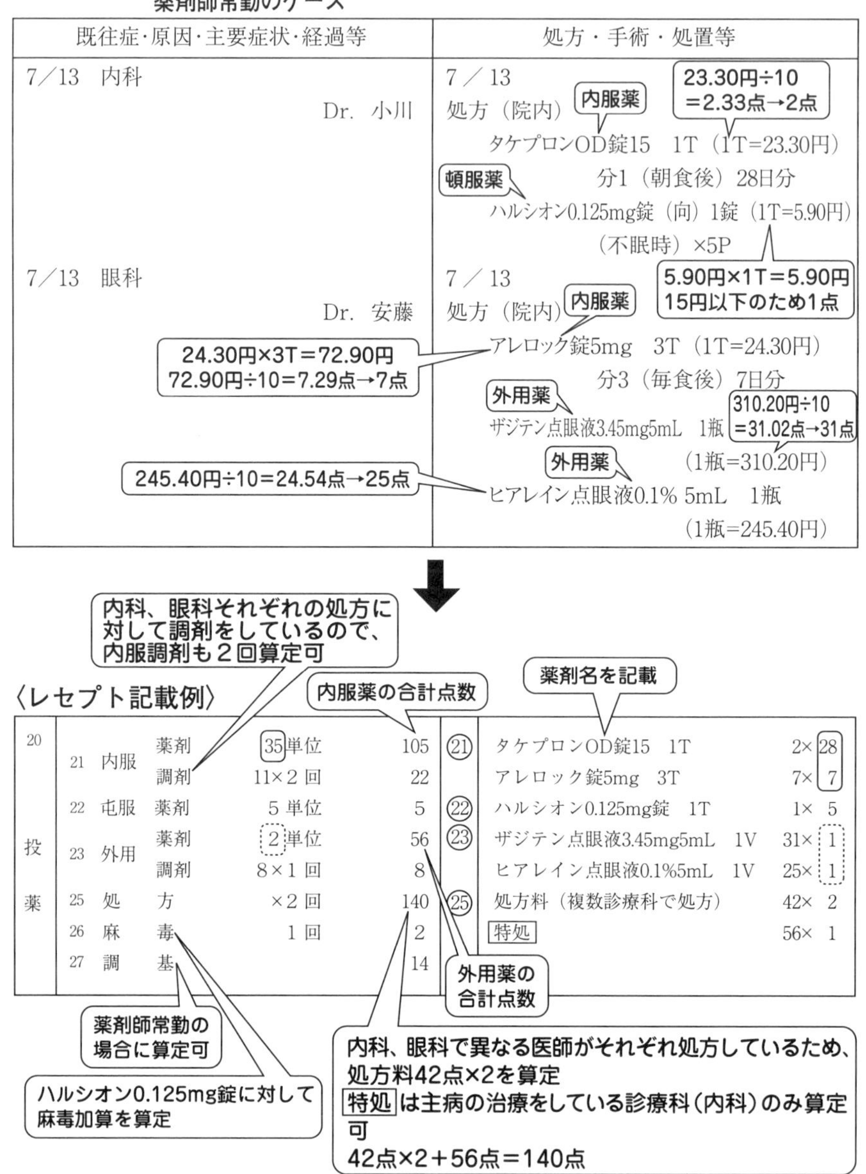

〈カルテ例〉 57歳の患者（内科：胃潰瘍〔主〕、眼科：アレルギー性結膜炎、ドライアイ）
薬剤師常勤のケース

既往症・原因・主要症状・経過等	処方・手術・処置等
7／13　内科 Dr.　小川	7／13 処方（院内） タケプロンOD錠15　1T（1T=23.30円） 分1（朝食後）28日分 ハルシオン0.125mg錠（向）1錠（1T=5.90円） （不眠時）×5P
7／13　眼科 Dr.　安藤	7／13 処方（院内） アレロック錠5mg　3T（1T=24.30円） 分3（毎食後）7日分 ザジテン点眼液3.45mg5mL　1瓶 （1瓶=310.20円） ヒアレイン点眼液0.1% 5mL　1瓶 （1瓶=245.40円）

〈レセプト記載例〉

20 投薬	21 内服	薬剤	35単位	105	㉑	タケプロンOD錠15　1T	2×28
		調剤	11×2 回	22		アレロック錠5mg　3T	7×7
	22 屯服	薬剤	5 単位	5	㉒	ハルシオン0.125mg錠　1T	1×5
	23 外用	薬剤	2単位	56	㉓	ザジテン点眼液3.45mg5mL　1V	31×1
		調剤	8×1 回	8		ヒアレイン点眼液0.1%5mL　1V	25×1
	25 処	方	×2 回	140	㉕	処方料（複数診療科で処方）	42×2
	26 麻	毒	1 回	2		特処	56×1
	27 調	基		14			

◎入院の算定

〈カルテ例〉 33歳の患者（入院期間10／３～10／７）、薬剤師常勤のケース

既往症・原因・主要症状・経過等	処方・手術・処置等
10／３ 入院	10／３
10／７ 退院	10／７ 処方）ツムラ柴苓湯エキス顆粒９ｇ （１ｇ＝45.00円）分３×３ＴＤ

45.00円×9g＝405円
405円÷10＝40.5点→40点

内服薬

（過去認定試験入院より抜粋：一部修正）

〈レセプト記載例〉

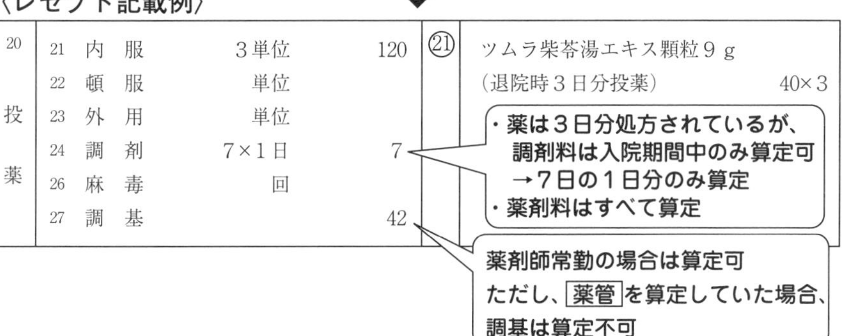

(5) 処方箋料

保険薬局で調剤を受けるために処方箋を発行（院外処方）した場合に算定する（⑳コードにて算定）。

a．同一の保険医療機関で一連の診療につき、同時に2枚以上の処方箋を交付した場合は、1回として算定する。

b．複数の診療科を標榜する保険医療機関において、2以上の診療科で異なる医師が処方箋を交付した場合は、それぞれに算定できる。

c．同一診療日に、一部の薬剤を院内処方し、他の薬剤を院外処方箋により投薬することは、原則として認められない。

d．厚生労働大臣が定める疾患を主病とする患者に薬剤が処方された場合は、P.77図表1.6.2の特処を加算する。

e．厚生労働大臣が別に定める施設基準を満たす保険医療機関において、後発医薬品のある医薬品について、一般名処方による処方箋を交付した場合は、処方箋の内容により一般名処方加算1または2を加算する。

〈図表１．６．３〉一般名処方加算

一般名処方加算1 一般1	後発医薬品があるすべての医薬品が一般名処方されている場合 （後発医薬品が2品目以上含まれる場合に限る）
一般名処方加算2 一般2	後発医薬品がある医薬品が1品目でも一般名処方されている場合

f．症状が安定している患者について、医師の判断により、一定期間内に処方箋を繰り返し利用できるリフィル処方がある。

・医師がリフィルによる処方が可能と判断した場合には、処方箋の「リフィル可」欄にレ点を記入する。

・リフィル処方箋の使用回数は3回まで。

・投薬量に限度が定められている医薬品及び貼付剤については、リフィル処方不可。

・リフィル処方箋による2回目以降の調剤については、原則として、前回の調剤日を起点とし、当該調剤に係る投薬期間を経過する日を次回調剤予定日とし、その前後7日以内とする。

・1回の処方でリフィル処方を行う医薬品と行わない医薬品を処方する場合には、処方箋を分ける必要がある。

➡後発医薬品への変更不可の場合

処方箋を発行する際、変更不可である医薬品を選別し、医師が署名または記名・押印をする。

➡後発医薬品

先発医薬品の特許が切れた後に、先発医薬品と成分や規格等が同一であるとして臨床試験などを省略して承認される医薬品。ジェネリック医薬品とも呼ばれる。

➡先発医薬品

新しい効能や効果を有し、臨床試験等により、その有効性や安全性が確認され承認された医薬品。

◎外来の算定：院内処方、院外処方を含む場合

〈カルテ例〉32歳の患者（左額部切創・左額部・左下腿打撲）薬剤師常勤のケース

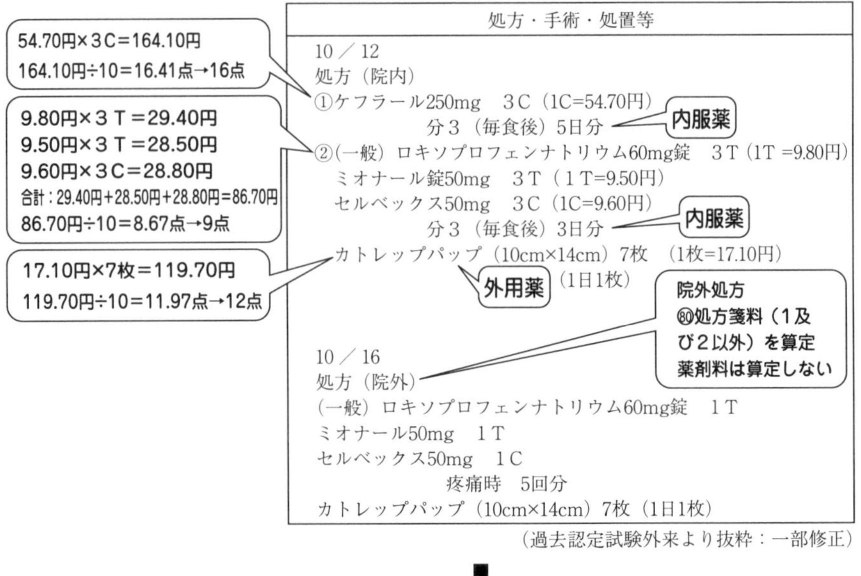

処方・手術・処置等

10／12
処方（院内）
①ケフラール250mg　3C（1C=54.70円）
分3（毎食後）5日分
②(一般) ロキソプロフェンナトリウム60mg錠　3T（1T =9.80円）
ミオナール錠50mg　3T（1T=9.50円）
セルベックス50mg　3C（1C=9.60円）
分3（毎食後）3日分
カトレップパップ（10cm×14cm）7枚　（1枚=17.10円）
（1日1枚）

10／16
処方（院外）
(一般) ロキソプロフェンナトリウム60mg錠　1T
ミオナール50mg　1T
セルベックス50mg　1C
疼痛時　5回分
カトレップパップ（10cm×14cm）7枚（1日1枚）

54.70円×3C=164.10円
164.10円÷10=16.41点→16点

9.80円×3T=29.40円
9.50円×3T=28.50円
9.60円×3C=28.80円
合計：29.40円+28.50円+28.80円=86.70円
86.70円÷10=8.67点→9点

17.10円×7枚=119.70円
119.70円÷10=11.97点→12点

内服薬
内服薬
外用薬

院外処方
⑳処方箋料（1及び2以外）を算定
薬剤料は算定しない

（過去認定試験外来より抜粋：一部修正）

〈レセプト記載例〉

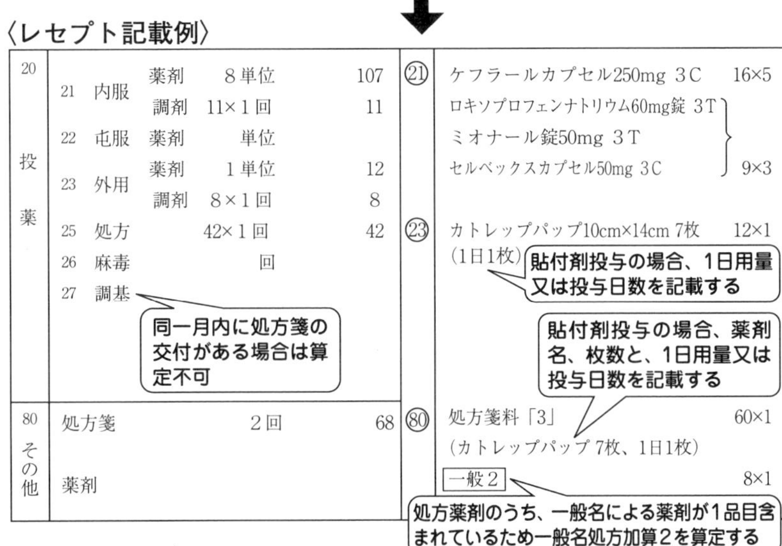

20 投薬				
21 内服	薬剤	8単位	107	
	調剤	11×1回	11	
22 屯服	薬剤	単位		
23 外用	薬剤	1単位	12	
	調剤	8×1回	8	
25 処方		42×1回	42	
26 麻毒		回		
27 調基				
80 その他	処方箋	2回	68	
	薬剤			

㉑	ケフラールカプセル250mg 3C	16×5
	ロキソプロフェンナトリウム60mg錠 3T ミオナール錠50mg 3T セルベックスカプセル50mg 3C	9×3
㉓	カトレップパップ10cm×14cm 7枚 (1日1枚)	12×1
⑳	処方箋料「3」 (カトレップパップ 7枚、1日1枚)	60×1
	一般2	8×1

同一月内に処方箋の交付がある場合は算定不可

貼付剤投与の場合、1日用量又は投与日数を記載する

貼付剤投与の場合、薬剤名、枚数と、1日用量又は投与日数を記載する

処方薬剤のうち、一般名による薬剤が1品目含まれているため一般名処方加算2を算定する

（6）ビタミン剤の算定

ビタミン剤については、疾患・症状の原因が、ビタミンの欠乏または代謝異常であることが明らかであり、かつ、必要なビタミンを食事により摂取することが困難である場合、その他これに準ずる場合であって、医師がビタミン剤の投与が有効であると判断した場合に算定できる。

例として、以下のような場合がある。

a．入院時食事療養として、流動食や一分がゆ、三分がゆ、五分がゆなどを提供している場合
b．禁食・無食の場合
c．病名がビタミン欠乏症等の場合

2. 注射料

学習のポイント

- 注射は、主に皮内、皮下及び筋肉内注射と、静脈内注射、点滴注射に分けられる。
- どの注射を行ったか、実施料は算定できるかなどをカルテから読み取ることが大事である。

(1) 皮内、皮下及び筋肉内注射

カルテでは「iM」「im」「筋注」などと表されている。実施料は、入院中の患者に対しては算定できない。なお、年齢による加算はない。

➡**実施料**
別冊「点数早見表」P.13参照。

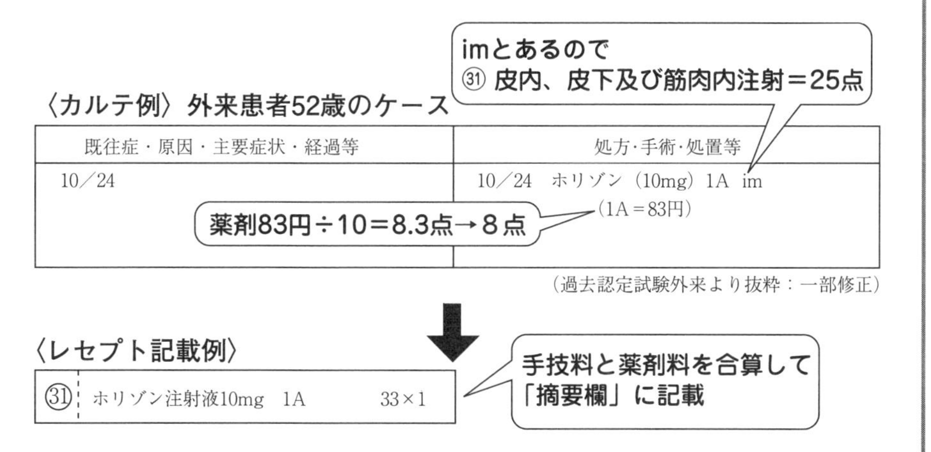

〈カルテ例〉外来患者52歳のケース

既往症・原因・主要症状・経過等	処方・手術・処置等
10／24	10／24　ホリゾン（10mg）1A　im （1A＝83円）

（過去認定試験外来より抜粋：一部修正）

〈レセプト記載例〉

㉛	ホリゾン注射液10mg　1A	33×1

(2) 静脈内注射

カルテでは「iv」「静注」などと表される。実施料は、入院患者に対しては算定できない。なお、６歳未満の患者には52点を加算する。

(3) 点滴注射

カルテでは「DIV」と表されることもある。点滴注射の実施料は、用いられる薬剤の量により決まる。１日ごとに算定され、１日に点滴注射を２回以上行った場合には、１日分の薬剤料を合算して算定する。

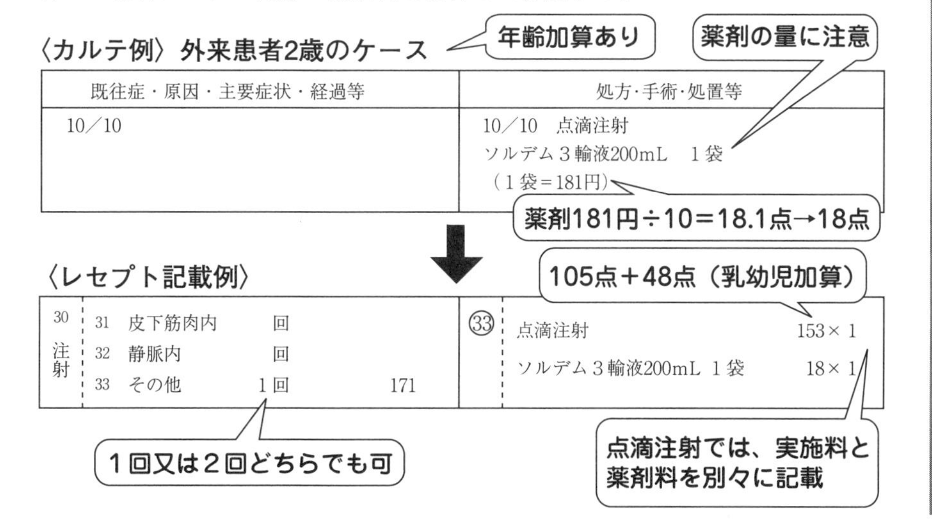

〈カルテ例〉外来患者2歳のケース

既往症・原因・主要症状・経過等	処方・手術・処置等
10／10	10／10　点滴注射 ソルデム３輸液200mL　1袋 （1袋＝181円）

〈レセプト記載例〉

30 注射	31	皮下筋肉内	回	
	32	静脈内	回	
	33	その他	1回	171

㉝	点滴注射	153×1
	ソルデム３輸液200mL　1袋	18×1

(4) 手術当日の注射

手術当日に、手術に関連して行う注射の実施料は、術前・術後を問わず算定できない。レセプトの項目（㉛～㉝）ごとに、1日分の薬剤を合算し、薬剤料のみ算定する。ただし、外来の場合の㉛・㉜の薬剤は、1回ごとに算定する。

〈カルテ例〉入院患者54歳のケース

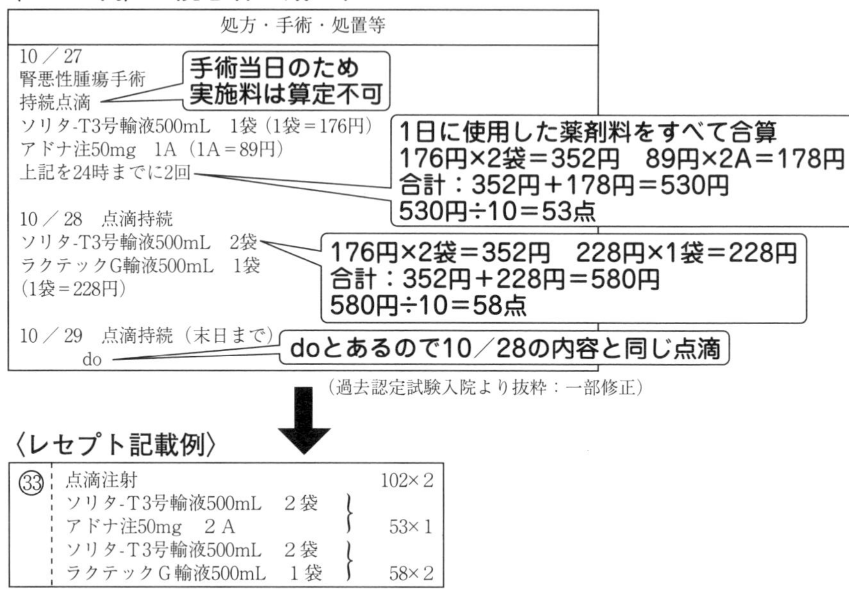

（過去認定試験入院より抜粋：一部修正）

〈レセプト記載例〉

㉝	点滴注射	102×2
	ソリタ-T3号輸液500mL　2袋	
	アドナ注50mg　2A	53×1
	ソリタ-T3号輸液500mL　2袋	
	ラクテックG輸液500mL　1袋	58×2

(5) 通則の加算

➡生物学的製剤注射加算が算定できる薬剤（一部抜粋）

- ㊫乾燥組織培養不活化狂犬病ワクチン
- 沈降破傷風トキソイド
- ㊫乾燥まむしウマ抗毒素　等

①生物学的製剤注射加算

当該加算を算定できる注射薬は、トキソイド、ワクチンおよび抗毒素であり、注射の方法にかかわらず、該当する薬剤を注射した場合に加算できる。

〈カルテ例〉外来、生物学的製剤注射のケース

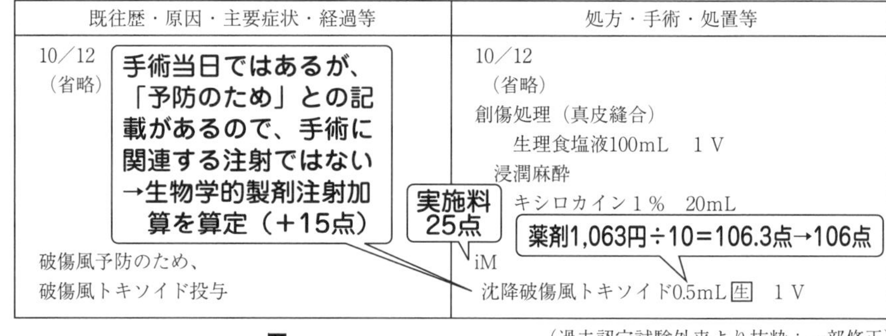

（過去認定試験外来より抜粋：一部修正）

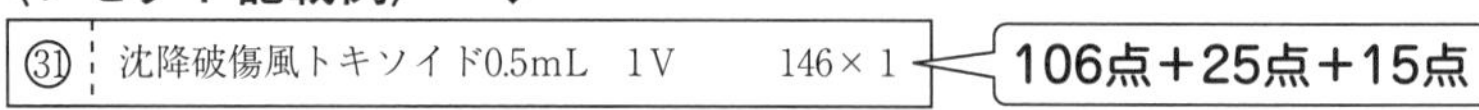

②精密持続点滴注射加算

自動輸液ポンプを用いて、1時間に30mL以下の速度で体内（皮下を含む）または注射回路に薬剤を注入した場合に加算できる。

〈カルテ例〉精密持続点滴注射、6歳以上の患者のケース

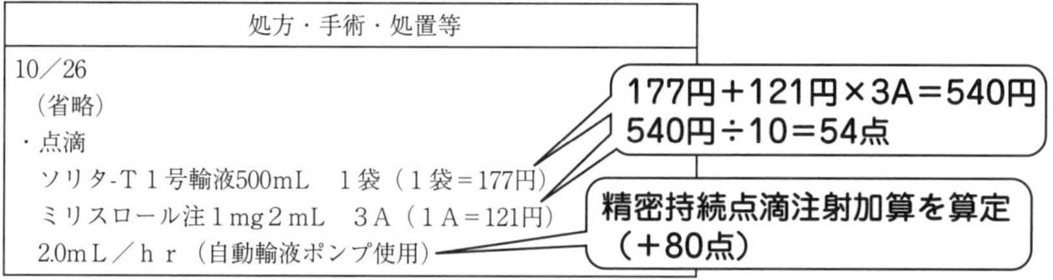

処方・手術・処置等

10／26
（省略）
・点滴
ソリタ-T 1号輸液500mL　1袋（1袋＝177円）
ミリスロール注1mg2mL　3A（1A＝121円）
2.0mL／hr（自動輸液ポンプ使用）

（過去認定試験入院より抜粋：一部修正）

〈レセプト記載例〉

㉝	点滴注射	102×1
	精密持続点滴注射加算	80×1
	ソリタ-T 1号輸液500mL　1袋 ミリスロール注1mg2mL　3A	54×1

③麻薬注射加算

注射にあたり、麻薬を使用した場合に加算できる。

④実施料が包括される項目

手術当日の手術に関連する注射や、入院中の静脈内注射など、実施料が算定できない場合は、生物学的製剤注射加算、精密持続点滴注射加算、麻薬注射加算も算定できないため、薬剤料のみ算定する（例1参照）。

ただし、同一日の注射の主たるものとして算定する場合は、算定できない実施料については、加算のみ算定できる（例2参照）。

（例1）iM破傷風トキソイド0.5mL1V（1V＝1,063円）

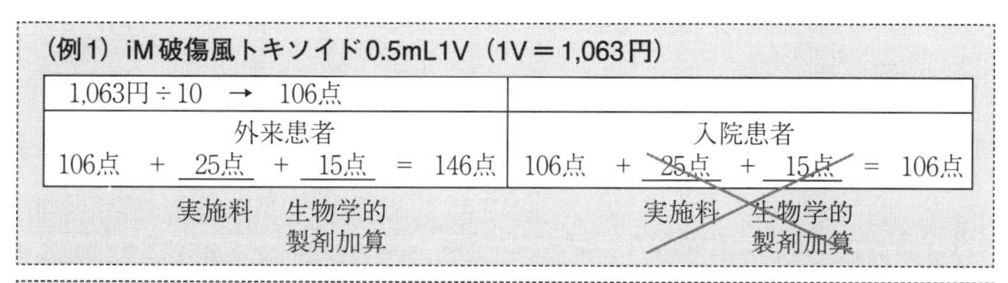

1,063円÷10　→　106点	
外来患者 106点　＋　25点（実施料）　＋　15点（生物学的製剤加算）　＝　146点	入院患者 106点　＋　~~25点~~（~~実施料~~）　＋　~~15点~~（~~生物学的製剤加算~~）　＝　106点

（例2）外来患者に対して同一日に静脈注射（麻薬を使用）と点滴注射を行った場合

①実施料は主たるもののみ算定になるので点滴実施料を算定する。
②静脈注射の実施料は算定できないが、同一日の注射の主たるものとして算定に該当するので、点滴注射実施料＋麻薬注射加算が算定できる。

⑤注射に伴う反応試験

注射に伴って行った反応試験の費用は、それぞれの注射実施料に含まれる。

〈カルテ例〉一般患者、外来、注射に伴う皮内反応のケース

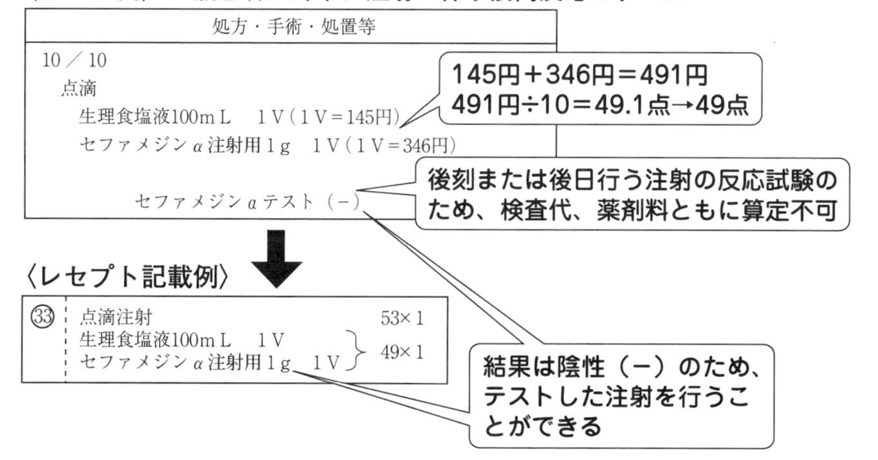

処方・手術・処置等

10／10
点滴
生理食塩液100mL　1V（1V＝145円）
セファメジンα注射用1g　1V（1V＝346円）

セファメジンαテスト（－）

〈レセプト記載例〉

㉝	点滴注射	53×1
	生理食塩液100mL　1V セファメジンα注射用1g　1V	49×1

➡麻薬注射加算

投薬と異なり、毒薬、覚醒剤原料および向精神薬加算はない。

➡同一日の注射

静脈内注射、点滴注射、中心静脈注射、植込型カテーテルによる中心静脈注射を同一日に併せて行った場合は、主たるもののみ算定する。

特掲診療料③投薬・注射

7 特掲診療料④処置

1. 処置の算定

●処置とは、メスを使わず医師が行う手当のことである。一般処置・救急処置・各科処置（脇注参照）・ギプスに分けられる。
●どのような処置を行い、どの範囲に該当するか、薬剤や特定保険医療材料は使用しているか、他の項目に含まれる処置かなどを把握することが大事である。

➡各科処置
皮膚科処置、眼科処置など。なお、標榜科に関係なく、どの科で行っても算定できる。

➡時間外等の加算
a.150点以上（届出不要）

時間外	所定点数＋所定点数×$\frac{40}{100}$
休　日	所定点数＋所定点数×$\frac{80}{100}$
深　夜	所定点数＋所定点数×$\frac{80}{100}$

b.1,000点以上（要届出）

時間外	所定点数＋所定点数×$\frac{80}{100}$
休　日	所定点数＋所定点数×$\frac{160}{100}$
深　夜	所定点数＋所定点数×$\frac{160}{100}$

➡基本診療料に含まれる処置（簡単な処置）
浣腸、注腸、吸入、100cm^{2}未満の第1度熱傷の熱傷処置、100cm^{2}未満の皮膚科軟膏処置、洗眼、点眼、点耳、簡単な耳垢栓除去、鼻洗浄、狭い範囲の湿布処置、その他「診療報酬点数表」第1節処置料に掲げられていない処置であって簡単なもの（簡単な物理療法を含む）。

(1) 時間外等の加算

時間外・休日・深夜に行われた150点以上の処置について、所定点数に対して時間外等の加算を算定することができる。

（例）休日10時　熱傷処置（2,000cm^2）のケース
J001 熱傷処置3（500cm^{2}以上3,000cm^{2}未満）337点
337点＋337点×$\frac{80}{100}$＝607点

なお、施設基準届出保険医療機関においては、1,000点以上の処置に対する加算が設けられている（脇注参照）。

(2) 算定できない処置

❶ 浣腸、注腸、吸入など簡単な処置の費用は基本診療料に含まれ、別に算定できない。ただし、使用した薬剤については、薬剤料を別に算定できる。

〈カルテ例〉簡単な処置のケース

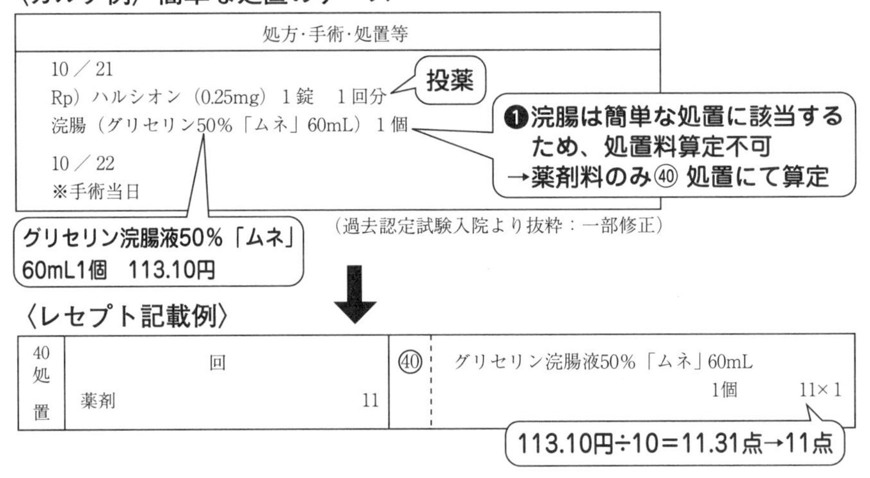

❷　手術当日に、手術に関連して行う処置の費用（ギプスを除く）は、算定できない。

❷手術当日なので処置料（J 063）留置カテーテル設置（40点）は算定不可→材料費のみ㊿ 手術・麻酔にて算定

手術当日

〈カルテ例〉手術当日の処置のケース

処方・手術・処置等
胃切除術 ・膀胱留置用ディスポーザブルカテーテル２管一般（Ⅱ）標準型１本（561円） ・フィルム・チューブドレーン／フィルム型１本（264円）

（過去認定試験入院より抜粋：一部修正）

❷手術当日なので処置料は算定不可→材料費のみ㊿手術・麻酔にて算定（２日目以降、１日につき、（J 002）ドレーン法「２.その他のもの」より算定）

〈レセプト記載例〉

㊿	膀胱留置用ディスポーザブルカテーテル２管一般（Ⅱ）標準型1本（561円／本） フィルム・チューブドレーン／フィルム型1本（264円／本）	83×1

561円＋264円＝825円
825円÷10＝82.5点→83点

(3)「１日につき」の算定方法

０時から24時までの時間に行われた処置に対し、１日につき１回算定する。

❶　手術当日、手術の際にドレーンを挿入し（上記（2）算定できない処置❷参照）、その後、ドレーンを持続して行っている。

❷　術後に対する創傷処置は１日につき算定する。

〈カルテ例〉ドレーンと術後の創傷処置のケース

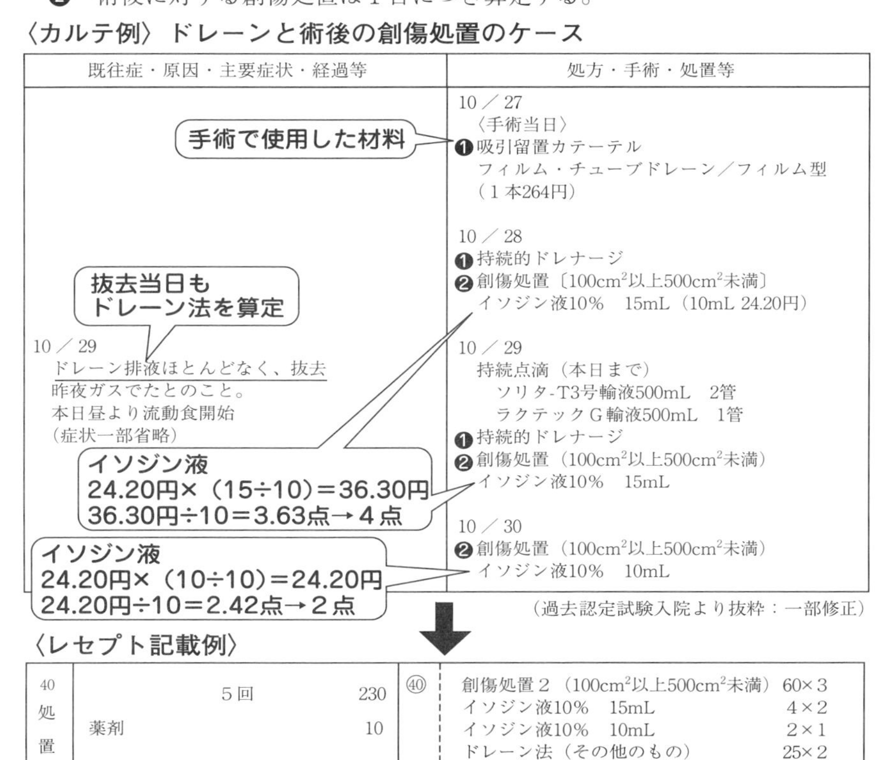

既往症・原因・主要症状・経過等	処方・手術・処置等
	10／27 〈手術当日〉 ❶吸引留置カテーテル フィルム・チューブドレーン／フィルム型 （１本264円）
	10／28 ❶持続的ドレナージ ❷創傷処置〔100cm²以上500cm²未満〕 イソジン液10%　15mL（10mL 24.20円）
10／29 ドレーン排液ほとんどなく、抜去 昨夜ガスでたとのこと。 本日昼より流動食開始 （症状一部省略）	10／29 持続点滴（本日まで） ソリタ-T3号輸液500mL　2管 ラクテックＧ輸液500mL　1管 ❶持続的ドレナージ ❷創傷処置（100cm²以上500cm²未満） イソジン液10%　15mL
	10／30 ❷創傷処置（100cm²以上500cm²未満） イソジン液10%　10mL

（過去認定試験入院より抜粋：一部修正）

〈レセプト記載例〉

40 処置	5回	230	㊵	創傷処置２（100cm²以上500cm²未満） イソジン液10%　15mL イソジン液10%　10mL ドレーン法（その他のもの）	60×3 4×2 2×1 25×2
	薬剤	10	㊿	フィルム・チューブドレーン／ フィルム型1本（264円/本）	26×1

➡膀胱留置用ディスポーザブルカテーテル

体内に24時間以上留置した場合に算定できる。

※このケースの特定保険医療材料は、手術目的により使用されているので、㊿手術で算定するのが妥当と考えられる。なお、特定保険医療材料料は、材料費を合算して得た値段を四捨五入し、点数単位にする（P.98図表1.8.4のC参照）。

➡吸引留置カテーテル

体内（消化管内を含む）に24時間以上留置し、ドレナージを行う場合に算定できる。

2. 創傷処置

●切創（切り傷、すり傷）などに対する処置や、術後の手当のことである。
●カルテをみて、どの範囲に該当するかを見極めることが大事である。

➡部位の名称

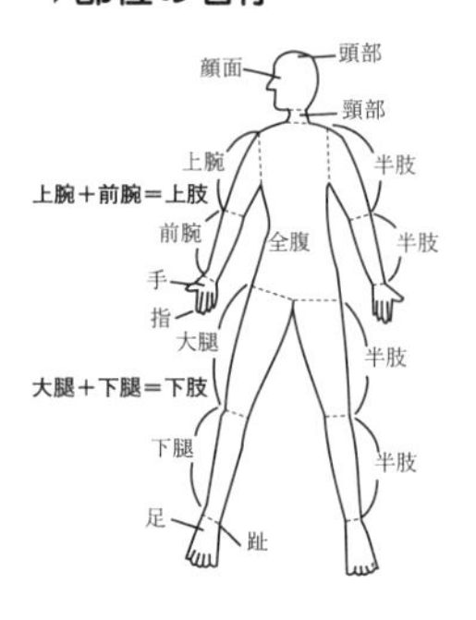

➡算定方法

同じ目的において使用した薬剤は、すべて合算→すべての㊵処置が該当する。

➡薬剤料

２点より算定できる（15円以下の薬価は算定できない）。投薬・注射以外の院内で使用した薬剤について、同様に扱う。

(1) 処置の範囲

範囲とは、包帯などで被覆すべき創傷面の広さをいう。また、異なる部位に創傷処置を行ったとしても、それぞれの部位の処置面積を合算した広さにより判断される。

(2) 術後の創傷処置

◎カルテをみるときのポイント

❶ １日につき算定する。
❷ 「ＧＷ」「包交」「包帯交換」「抜糸」「ガーゼ交換」等の記載があれば、術後の創傷処置として算定する。
❸ 手術の起算日より14日を限度として算定する（入院のみ）。
❹ 入院患者に対しても創傷処置１（100cm²未満）を算定できる。

〈カルテ例〉手術翌日の処置のケース

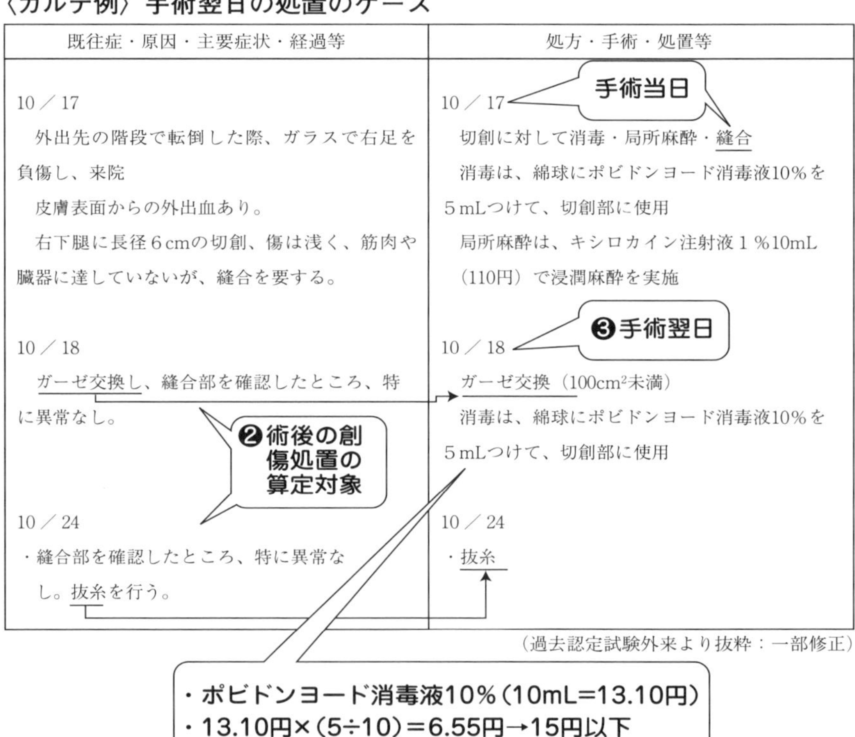

既往症・原因・主要症状・経過等	処方・手術・処置等
10／17 外出先の階段で転倒した際、ガラスで右足を負傷し、来院 皮膚表面からの外出血あり。 右下腿に長径６cmの切創、傷は浅く、筋肉や臓器に達していないが、縫合を要する。	10／17 切創に対して消毒・局所麻酔・縫合 消毒は、綿球にポビドンヨード消毒液10%を５mLつけて、切創部に使用 局所麻酔は、キシロカイン注射液１%10mL（110円）で浸潤麻酔を実施
10／18 ガーゼ交換し、縫合部を確認したところ、特に異常なし。	10／18 ガーゼ交換（100cm²未満） 消毒は、綿球にポビドンヨード消毒液10%を５mLつけて、切創部に使用
10／24 ・縫合部を確認したところ、特に異常なし。抜糸を行う。	10／24 ・抜糸

（過去認定試験外来より抜粋：一部修正）

・ポビドンヨード消毒液10%（10mL=13.10円）
・13.10円×（5÷10）=6.55円→15円以下のため、薬剤料算定不可

〈レセプト記載例〉

㊵	創傷処置（100cm²未満）	52×２
㊿	創傷処理「５」17日 キシロカイン注射液１%10mL	950×１ 11×１

日付を記載

筋肉、臓器に達しないもの（長径5cm以上10cm未満）

3. ギプス

学習のポイント

- **ギプスは、脱臼や骨折などの固定、手術の後の固定などに用いられる。**
- **傷病名だけでの判断は難しいため、カルテからどの区分にあたるかを見極めることが大事である。**

(1) ギプスの種類

ギプスは所定点数が高く、また、緊急に診療時間外などに来院するケースも多い。このため、時間外等の加算に注意する。

〈図表 1.7.1〉四肢ギプス包帯

①鼻ギプス=310点

②手指および手、足（片側）=490点

③半肢（片側）=780点

④内反足矯正ギプス包帯（片側）
=1,140点

⑤上肢、下肢（片側）
→1肢=1,200点

⑥体幹から四肢にわたる
ギプス包帯（片側）=1,840点

※④は図中には示していない。

※乳幼児加算　所定点数×$\frac{55}{100}$
（6歳未満）

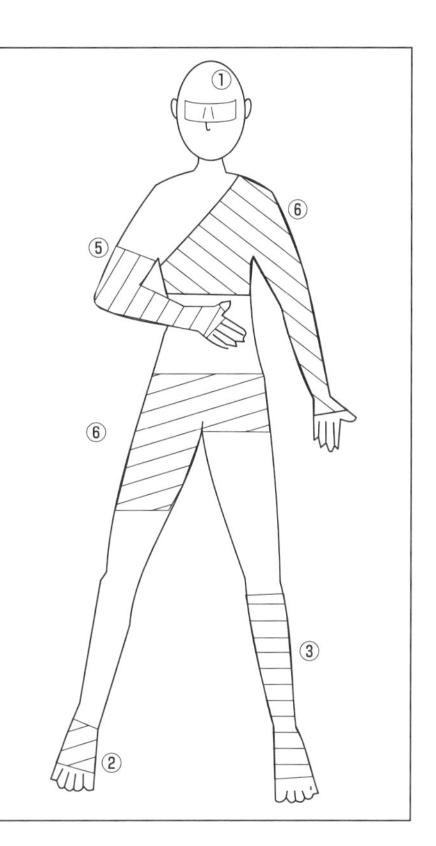

〈カルテ例〉右足首捻挫のケース

既往症・原因・主要症状・経過等	処方・手術・処置等
10／4　PM 10：00来院 階段から足をふみはずした 右足首腫脹（+） 痛み（+）	10／4　PM 10：10 右足X－Pアナログ 左足X－Pアナログ 右足首ギプス包帯 （半肢の範囲）

深夜の時間帯

半肢=780点
150点以上の処置
なので、深夜加算2を
算定
780点+（780点×$\frac{80}{100}$）
=1,404点

〈レセプト記載例〉

㊵	四肢ギプス包帯・半肢（片側）深	1,404×1

➡ギプスの判断

たとえば、傷病名が中足骨骨折であっても、固定するため半肢ギプスを巻くことなどがある。

➡ギプスシャーレ

治療等の目的によりギプスを切割し、治療後切割したギプスを再び使用する方法。

➡ギプスシーネ

ギプスで作った副子（ふくし）を上から包帯を巻いて固定する方法。

➡ギプス除去料

他の医療機関にて装着したギプスを除去した場合に算定できる。

➡ギプス修理料

ギプスベッド、ギプス包帯を修理した場合に算定できる。

〈カルテ例〉ギプス切割のケース

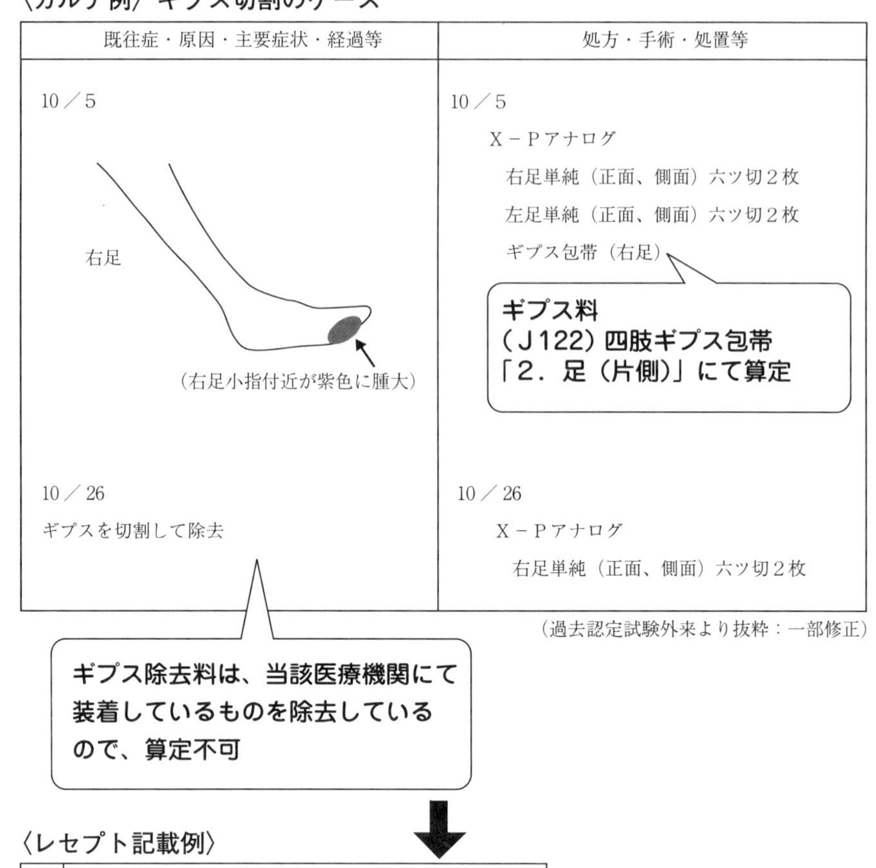

既往症・原因・主要症状・経過等	処方・手術・処置等
10／5 右足 （右足小指付近が紫色に腫大）	10／5 X－Pアナログ 右足単純（正面、側面）六ツ切２枚 左足単純（正面、側面）六ツ切２枚 ギプス包帯（右足）
10／26 ギプスを切割して除去	10／26 X－Pアナログ 右足単純（正面、側面）六ツ切２枚

（過去認定試験外来より抜粋：一部修正）

〈レセプト記載例〉

㊵	四肢ギプス包帯（右足）	490×１

〈カルテ例〉ギプスシャーレのケース

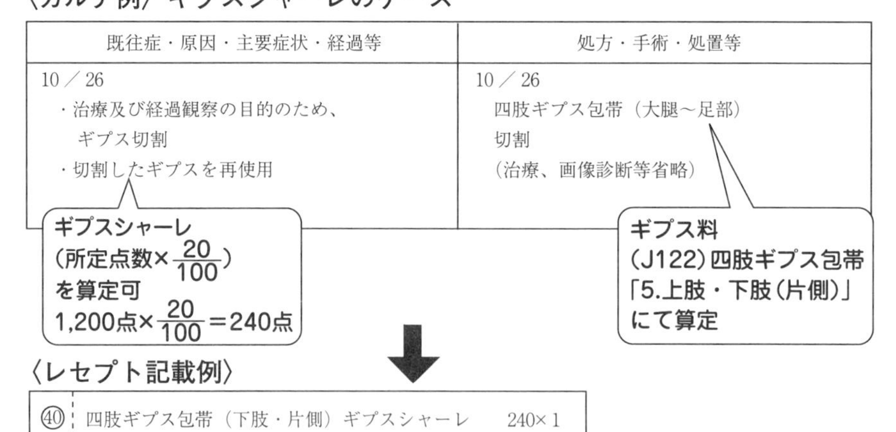

既往症・原因・主要症状・経過等	処方・手術・処置等
10／26 ・治療及び経過観察の目的のため、 ギプス切割 ・切割したギプスを再使用	10／26 四肢ギプス包帯（大腿～足部） 切割 （治療、画像診断等省略）

〈レセプト記載例〉

㊵	四肢ギプス包帯（下肢・片側）ギプスシャーレ	240×１

8 特掲診療料⑤手術・輸血・麻酔

1. 手術料

●手術料は、過去の診療報酬請求事務能力認定試験のカルテ症例のなかで、頻繁に出題されている。
●通則の加算等に留意し、診療報酬点数表から素早く手技料を探せるようにしよう。また、手術は、麻酔と密接に関係するため、併せて把握すること。

(1) 手術手技料

①用語が示す手術の内容

カルテに「～術」「手術」「～切除」「～切開」「～摘出」「摘除」「～縫合」などと記載されていれば、ほとんどの場合は手術に該当する（一部㊵コード＝処置料のこともある）。その用語から、どの手術に該当するかを判断し算定する。

〈カルテ例〉皮下膿瘍のケース

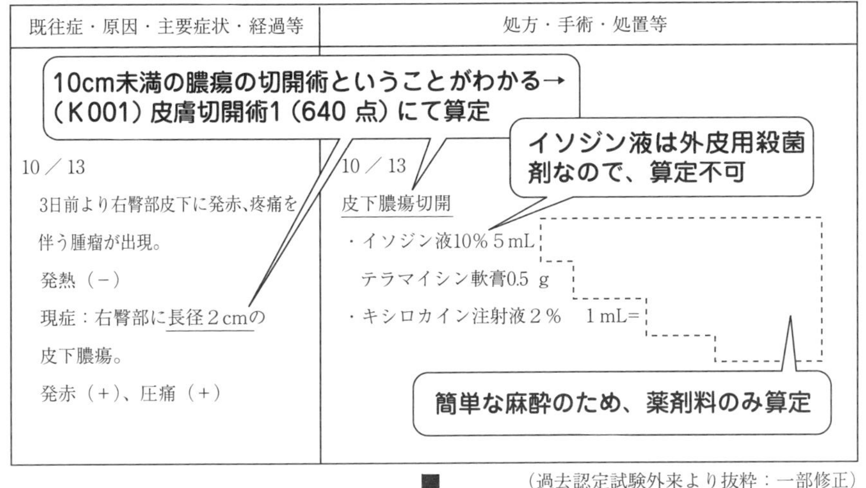

（過去認定試験外来より抜粋：一部修正）

〈レセプト記載例〉

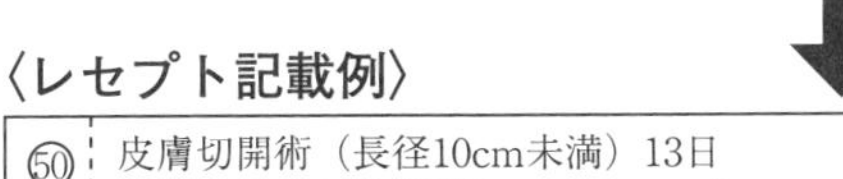

㊿	皮膚切開術（長径10cm未満）13日	640×1
	テラマイシン軟膏0.5g キシロカイン注射液2％　1mL	点数×1

➡外皮用殺菌剤

イソジン液、エタノール系、ヒビテン液、ポビドンヨード外用液、ポピラール消毒液などの消毒薬をさす。

別冊「点数早見表」P.18参照。

〈図表1.8.1〉手術の時間外等および年齢の加算

加算			点数	加算	点数
①時間外	1	要届出(※)	所定点数＋所定点数×$\frac{80}{100}$	④手術時体重1,500g未満	所定点数＋所定点数×$\frac{400}{100}$
	2	届出不要	所定点数＋所定点数×$\frac{40}{100}$	⑤新生児（生後28日未満）	所定点数＋所定点数×$\frac{300}{100}$
②休日	1	要届出(※)	所定点数＋所定点数×$\frac{160}{100}$	⑥生後28日以降3歳未満	所定点数＋所定点数×$\frac{100}{100}$
	2	届出不要	所定点数＋所定点数×$\frac{80}{100}$	⑦3歳以上6歳未満	所定点数＋所定点数×$\frac{50}{100}$
③深夜	1	要届出(※)	所定点数＋所定点数×$\frac{160}{100}$		
	2	届出不要	所定点数＋所定点数×$\frac{80}{100}$		

※④⑤の手術については一部の手術のみ。
※⑥⑦の手術についてはK618中心静脈注射用植込型カテーテル設置を除く。

（※）施設基準届出医療機関において行われる場合

②手技料に対する加算

手術手技料に対する加算は、「注」の加算を行った点数（＝所定点数）に「通則」の加算を行い算定する。算定の順序に注意する。

（例）右前腕切創（長径５cm）（筋肉、臓器に達していないもの）真皮縫合（祝日休診日、２歳児）のケース

（K000-2）小児創傷処理に該当する。

「筋肉、臓器に達しないもの、長径5cm以上10cm未満　1,060点」に該当する。

・右前腕部は「露出部」であるため、真皮縫合加算が算定できる。

・真皮縫合は、所定点数に460点を加算する。

基本点数：小児創傷処理（５cm以上）1,060点…①
「注」の加算：真皮縫合加算＝460 点…②
①+②＝1,520点＝手術にかかった所定点数

↓

「通則」の加算：1,520 点＋（1,520 ×100／100)点＋（1,520 ×80／100 ）＝**4,256点**

1,520 点：手術にかかった所定点数
(1,520 ×100／100)：３歳未満の加算 → 1,520点
(1,520 ×80／100)：休日加算２ → 1,216点

➡創傷処理の加算

・真皮縫合加算…「露出部」に対する縫合閉鎖を行うこと。
「露出部」とは、顔面、頭頸部、肘関節以下、膝関節以下をいう。

・デブリードマン加算…汚染された挫創に対して行われるブラッシングまたは汚染組織の切除等。（K002）デブリードマンとはまったく異なるので、注意すること。

(2) 2以上の手術を同時に行った場合

① 「同一手術野又は同一病巣」に対して、2以上の手術を同時に行った場合

次のａまたはｂのようになる。

ａ．主たる手術の所定点数により算定する場合

（例）

（K718）虫垂切除術（１.虫垂周囲膿瘍を伴わないもの）（6,740点）主たる手術

（K733）盲腸縫縮術　（4,400点）

（K718）虫垂切除術（１.虫垂周囲膿瘍を伴わないもの）のみ算定

➡主たる手術

所定点数および「注」による加算点数を合算したとき、点数の高いほうの手術のこと。

ｂ．厚生労働大臣が定める「複数手術に係る費用の特例」に規定するものの場合

主たる手術の所定点数に、従たる手術（1つに限る）の所定点数の100分の50に相当する点数を加えた点数により算定する。

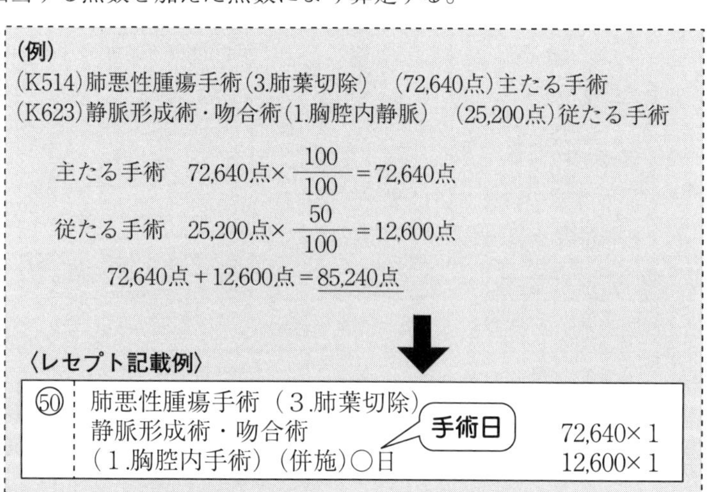

（例）

（K514)肺悪性腫瘍手術(3.肺葉切除）（72,640点)主たる手術

（K623)静脈形成術・吻合術(1.胸腔内静脈）（25,200点)従たる手術

主たる手術　72,640点× $\frac{100}{100}$ ＝72,640点

従たる手術　25,200点× $\frac{50}{100}$ ＝12,600点

72,640点＋12,600点＝85,240点

〈レセプト記載例〉

㊿	肺悪性腫瘍手術（３.肺葉切除） 静脈形成術・吻合術 （１.胸腔内手術）（併施）○日	 72,640×１ 12,600×１

※従たる手術の所定点数100分の50を算定する場合は、主たる手術に併せ、従たる手術名および100分の50の点数を記載する。

② 「同一手術野又は同一病巣」の規定から除外される手術

神経移植術・骨移植術・植皮術、動脈（皮）弁術、筋（皮）弁術、遊離皮弁術（顕微鏡下血管柄付きのもの)、複合組織移植術、自家遊離複合組織移植術

(顕微鏡下血管柄付きのもの)、粘膜移植術、筋膜移植術と他の手術を同時に行った場合、大腿骨頭回転骨切り術・大腿骨近位部（転子間を含む）骨切り術と骨盤骨切り術・臼蓋形成手術・寛骨臼移動術とを同時に行った場合、喉頭気管分離術と血管結紮術で開胸もしくは開腹を伴うものとを同時に行った場合又は先天性気管狭窄症手術とK538～K628の手術を同時に行った場合は、それぞれの所定点数を合算して算定する。

(3) 算定できない項目

手術を目的として行われる術前検査や、手術当日の麻酔、手術当日の処置の費用などは、それぞれ区分して算定しなくてはならない（P.98「Power up」図表1.8.4参照)。

特に、手術当日に関しては、算定できない項目なども併せて把握する必要がある。

a．手術当日に、手術（自己血貯血を除く）に関連して行う処置（ギプスを除く）の費用、診断穿刺・検体採取料および注射の手技料は、術前・術後にかかわらず算定できない。

b．内視鏡を用いた手術を行う場合、同時に行う内視鏡検査料は算定できない。

c．通常使用される保険医療材料（チューブ、縫合糸)、衛生材料（ガーゼ、包帯、脱脂綿、絆創膏など)、および外皮用殺菌剤（P.89脇注参照)、患者の衣類は算定できない。

d．15円以下の薬剤は算定できない。

〈カルテ例〉内視鏡を用いた手術

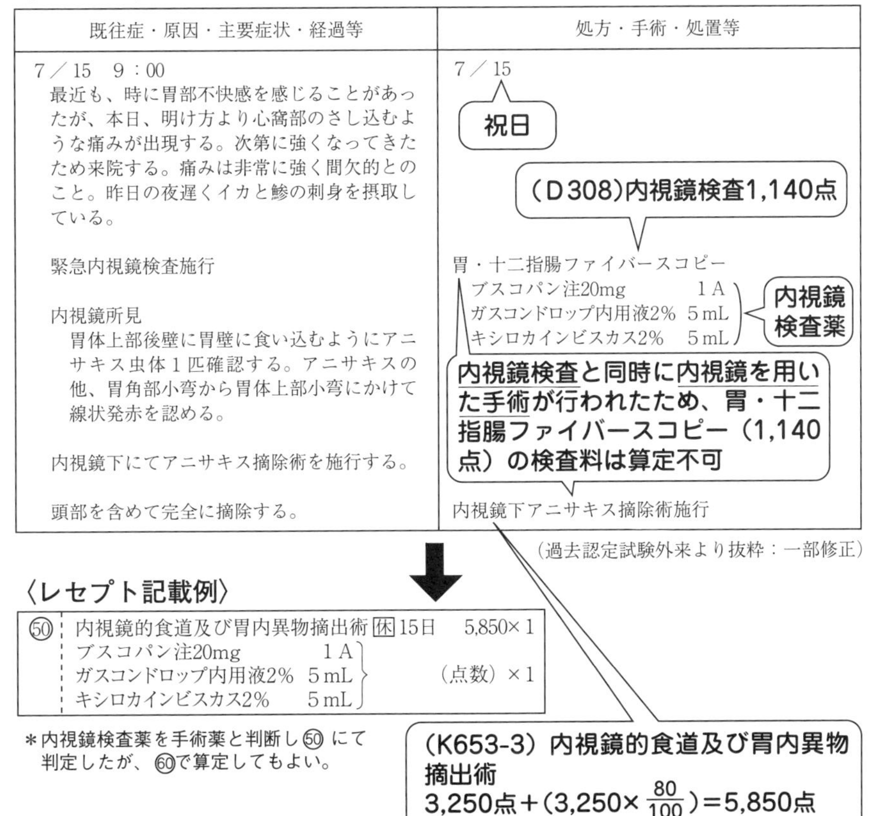

既往症・原因・主要症状・経過等	処方・手術・処置等
7／15　9：00 最近も、時に胃部不快感を感じることがあったが、本日、明け方より心窩部のさし込むような痛みが出現する。次第に強くなってきたため来院する。痛みは非常に強く間欠的とのこと。昨日の夜遅くイカと鯵の刺身を摂取している。 緊急内視鏡検査施行 内視鏡所見 胃体上部後壁に胃壁に食い込むようにアニサキス虫体1匹確認する。アニサキスの他、胃角部小弯から胃体上部小弯にかけて線状発赤を認める。 内視鏡下にてアニサキス摘除術を施行する。 頭部を含めて完全に摘除する。	7／15 【祝日】 【(D308)内視鏡検査1,140点】 胃・十二指腸ファイバースコピー ブスコパン注20mg　1A ガスコンドロップ内用液2%　5mL キシロカインビスカス2%　5mL 【内視鏡検査薬】 【内視鏡検査と同時に内視鏡を用いた手術が行われたため、胃・十二指腸ファイバースコピー（1,140点）の検査料は算定不可】 内視鏡下アニサキス摘除術施行

（過去認定試験外来より抜粋：一部修正）

〈レセプト記載例〉

(50)	内視鏡的食道及び胃内異物摘出術 休 15日		5,850×1
	ブスコパン注20mg	1A	
	ガスコンドロップ内用液2%	5mL	（点数）×1
	キシロカインビスカス2%	5mL	

＊内視鏡検査薬を手術薬と判断し(50)にて判定したが、(60)で算定してもよい。

(K653-3) 内視鏡的食道及び胃内異物摘出術
3,250点＋(3,250×$\frac{80}{100}$)＝5,850点
休日加算2

➡**手術名**
告示名または通知名を記載する。

特掲診療料⑤手術・輸血・麻酔

2. 輸血料

●輸血料は、医師が患者に対して、輸血の必要性、危険性等について文書による説明を行った場合に算定する。
●小児や意識障害者など、医師の説明に対し理解ができないと認められる場合は、その家族等に対して行ってもよい。

➡輸血料
別冊「点数早見表」P.19参照。

➡保存血液輸血
注入量は、実際に注入した総量、または原材料として用いた血液の総量のうち、いずれか少ない量により算定する。

(1) 輸血手技料

①自家採血輸血
家族等の供血者から患者への輸血。供血者の諸検査、輸血用回路、輸血用針は、所定点数に含まれる。

②保存血液輸血
人全血液、赤血球液-LR等の保存血液による輸血。血液代を別に算定する。

③自己血貯血
手術を行う前提で、患者からあらかじめ採血した血液を保存した場合に算定する。

④自己血輸血
患者からあらかじめ採血した血液（自己血貯血）による輸血。輸血量の算定単位は、実際に輸血した1日当たりの量で算定する（ただし、手術時または手術後３日以内に輸血を行った場合）。

⑤希釈式自己血輸血
手術時の麻酔後、執刀前に自己血貯血を行い、採血した血液を代用血漿などで補う。手術時および手術終了後３日以内に返血を行った場合に算定できる。輸血量の算定単位は実際に輸血した１日当たりの量で算定する。

⑥交換輸血
新生児期の高ビリルビン血症に対して行われる輸血。母親等から採血し、患者の全血液を正常な血液に入れ換える。

(2) 輸血管理料

施設基準に適合、届出が行われた保険医療機関において、以下の輸注を行った場合に月１回算定する。

・赤血球濃厚液（浮遊液を含む）
・血小板濃厚液
・自己血の輸血
・新鮮凍結血漿
・アルブミン製剤

〈図表 1.8.2〉略号と点数

略号	項目	点数	輸血適正使用加算(※)
輸管Ⅰ	輸血管理料Ⅰ	220点	120点
輸管Ⅱ	輸血管理料Ⅱ	110点	60点

(※) 輸血適正使用加算の施設基準について、別に厚生労働大臣が定める施設基準に適合しているものとして届出がある場合。

(3) 輸血に対する加算

輸血に対して不適合等が起こらないよう以下の❶～❺の検査を行い、それぞれ加算する。また、乳幼児に対する加算（❻）がある。

❶ 血液型検査（ABO式およびRh式）　54点
❷ 不規則抗体検査　197点
❸ 血液交叉試験　30点
❹ 間接クームス検査　47点
❺ コンピュータクロスマッチ　30点
❻ 乳幼児（6歳未満）　26点

供血者または血液バッグ（袋）1バッグごとに加算する。ただし、❺コンピュータクロスマッチ加算を算定した場合は、❸❹の加算は算定できない。

（例）保存血液輸血280mL「初回」（解凍赤血球液-LR「日赤」血液200mL由来 2袋）
輸血管理料Ⅰ(要届出)、不規則抗体検査、間接クームス、クロスマッチ、5歳児のケース

◎保存血液輸血280mL（※）

450点（最初の200mL）＋ 350点（2回目以降200mLまで）＝ 800点
○不規則抗体検査　197点
○間接クームス検査（2袋分）47点×2＝ 94点
○血液交叉試験（2袋分）　30点×2＝ 60点
○乳幼児加算　26点

} 合計1,177点

○輸血管理料Ⅰ　220点
◎解凍赤血球液-LR「日赤」血液200mL由来2袋（1袋＝15,965円）15,965円×2
＝31,930円 → 3,193点
輸血手技料：1,177点　輸血管理料：220点　血液代：3,193点

〈レセプト記載例〉

50	保存血液輸血 280mL 不規則抗体検査、間接クームス２回 血液交叉２回	1,177× 1
	解凍赤血球液-LR「日赤」血液200mL由来 2袋	3,193× 1
	輸管Ⅰ	220× 1

（4）補液を同時に行った場合

輸血と補液を同時に行った場合は、輸血の量と補液の量は別に算定する。

〈カルテ例〉入院患者、6歳以上のケース

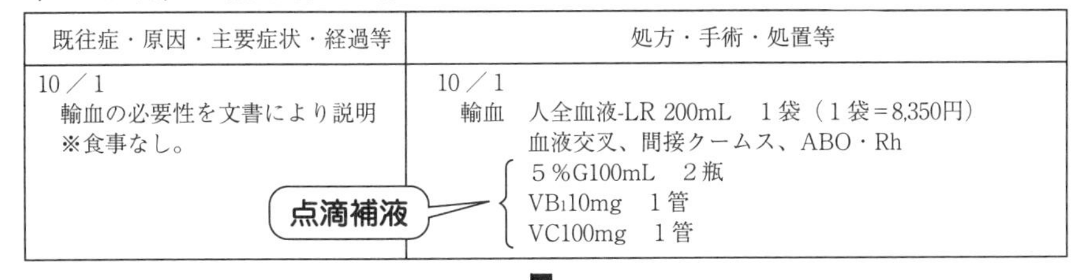

既往症・原因・主要症状・経過等	処方・手術・処置等
10／1 輸血の必要性を文書により説明 ※食事なし。	10／1 輸血　人全血液-LR 200mL　1袋（1袋＝8,350円） 血液交叉、間接クームス、ABO・Rh 5％G100mL　2瓶 VB1 10mg　1管 VC100mg　1管

〈レセプト記載例〉

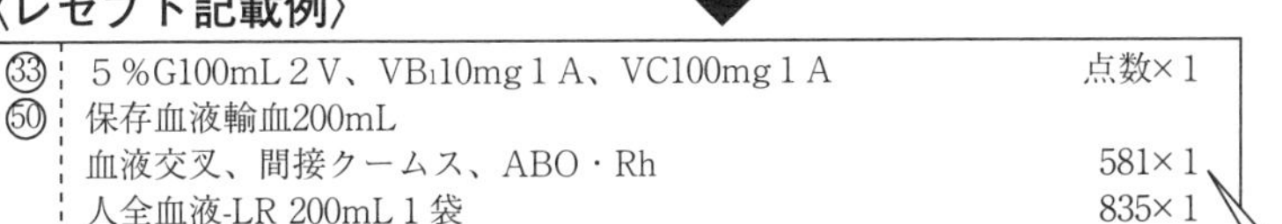

33	5％G100mL 2V、VB1 10mg 1A、VC100mg 1A	点数×1
50	保存血液輸血200mL 血液交叉、間接クームス、ABO・Rh	581×1
	人全血液-LR 200mL 1袋	835×1

➡ABO式･Rh式の算定

入院の際、一式検査等でABO式・Rh式検査が含まれているときは、輸血に際しても重複算定はしない。必ず検査（カルテ）の内容を確認すること。

（※）保存血液輸血の注入量は、1日において、以下①②のいずれか少ない量により算定する。
①保存血および血液成分製剤（自家製造したものを除く）の実際に注入した総量
②原材料として用いた血液の総量

3. 麻酔料

●麻酔は、手術や検査にともなって行われる。
●神経ブロックは、痛みや腫(は)れに対する治療として行われる。

➡麻酔料
別冊「点数早見表」P.20～21参照。

(1) 簡単な麻酔の費用

a. 表面麻酔、浸潤麻酔、簡単な伝達麻酔など、簡単な麻酔の費用は算定できない。薬剤料のみ算定する。
b. 15円以下の薬剤は算定できない。

(2) 麻酔薬の算定方法

同一目的で行った麻酔の費用は、主たる麻酔の所定点数のみ算定する。ただし、マスク又は気管内挿管による閉鎖循環式全身麻酔と同一日に硬膜外麻酔を行った場合は、硬膜外麻酔併施加算としてL008「注４」の点数を算定し、２時間を超えたときは実施時間に応じて「注5」の加算をそれぞれ算定する。薬剤料のみ、主たる麻酔に合算する。

また、麻酔前投与として行った鎮静剤等の麻酔薬剤も、麻酔薬として主たる麻酔の薬剤と合算する。

➡麻酔前投与・手術前処置
カルテに記載がされていたら、麻酔薬として算定する。

➡年齢加算
手術と麻酔の年齢加算の違いに注意！

➡未熟児加算
出生時体重が2,500g未満の新生児＝未熟児（生後90日以内）に対し、出生後90日以内に麻酔が行われた場合に算定できる。

〈図表 1.8.3〉麻酔「通則加算」

加　算	点　　数
時間外	所定点数＋所定点数× $\frac{40}{100}$
休日	所定点数＋所定点数× $\frac{80}{100}$
深夜	所定点数＋所定点数× $\frac{80}{100}$
新生児（生後28日未満）	所定点数＋所定点数× $\frac{200}{100}$
未熟児（生後90日以内）	所定点数＋所定点数× $\frac{200}{100}$
乳児（1歳未満）	所定点数＋所定点数× $\frac{50}{100}$
幼児（1歳以上3歳未満）	所定点数＋所定点数× $\frac{20}{100}$

〈カルテ例〉麻酔の前処置（麻酔前投与）が行われたケース

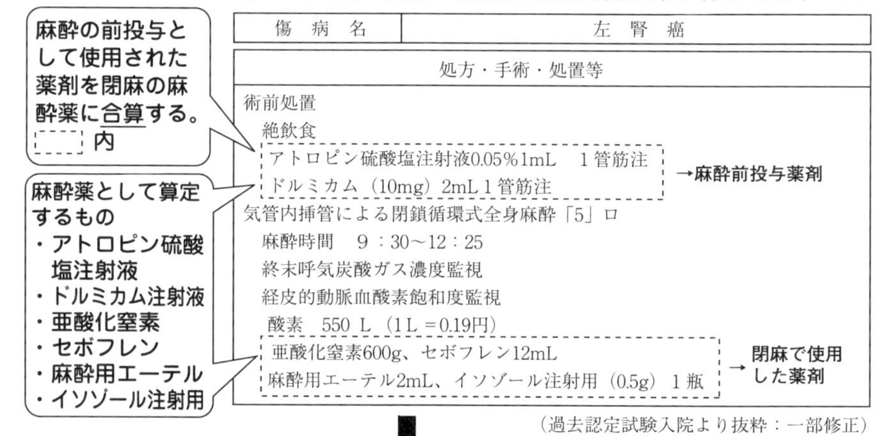

（過去認定試験入院より抜粋：一部修正）

〈レセプト記載例〉

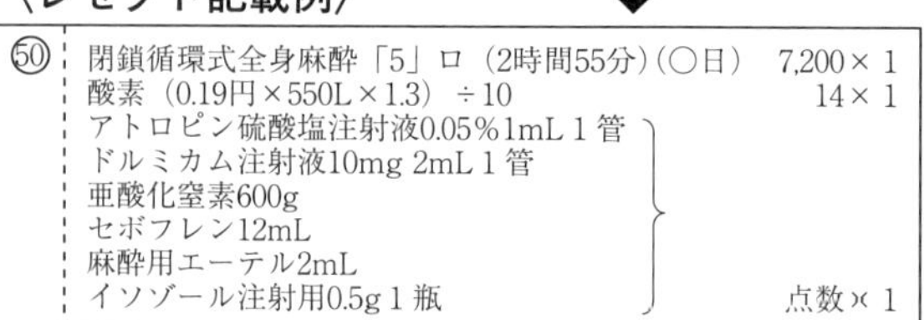
㊿	閉鎖循環式全身麻酔「5」ロ（2時間55分）（○日）	7,200× 1
	酸素（0.19円×550L×1.3）÷10	14× 1
	アトロピン硫酸塩注射液0.05%1mL 1管 ドルミカム注射液10mg 2mL 1管 亜酸化窒素600g セボフレン12mL 麻酔用エーテル2mL イソゾール注射用0.5g 1瓶	点数× 1

(3) 硬膜外麻酔

①実施時間

実施時間は、硬膜外腔に局所麻酔剤を注入した時点を開始時間とし、手術の終了した時点を終了時間とする。

②加算

2時間を超え、30分またはその端数を増すごとに所定点数にそれぞれの加算点数を合算する。

(例) 硬膜外麻酔 (仙骨部) (2時間20分) のケース

340点(2時間) + 170点(20分超) = 510点

(4) 脊椎麻酔 (腰椎麻酔)

①実施時間

実施時間は、くも膜下腔に局所麻酔剤を注入した時点を開始時間とし、手術の終了した時点を終了時間とする。

②加算

2時間を超え、30分またはその端数を増すごとに所定点数に128点を加算する。

(例) 脊椎麻酔 (緊急手術に伴う麻酔、19：00〜21：50←時間外対象) のケース

麻酔実施に、何時間何分かかったかに注意する。このケースでは2時間50分

850点(2時間) + 128点(30分) + 128点(20分) =1,106点

1,106点 + (1,106点×$\frac{40}{100}$) =1,548点

時間外加算 442.4点→442点

(5) マスク又は気管内挿管による閉鎖循環式全身麻酔

該当する術式により1〜5に分かれる。それぞれ麻酔が困難な患者に該当する場合はイ、その他の場合はロに区分される。

①実施時間

マスク又は気管内挿管による閉鎖循環式全身麻酔 (閉麻) の実施時間は、閉鎖循環式全身麻酔器を患者に接続した時点を開始時間とし、患者が麻酔器から離脱した時点を終了時間とする。

②閉鎖循環式全身麻酔に含まれるもの

- 呼吸心拍監視、新生児心拍・呼吸監視、カルジオスコープ (ハートスコープ)、カルジオタコスコープ
- 経皮的動脈血酸素飽和度測定
- 終末呼気炭酸ガス濃度測定
- 酸素吸入
- 人工呼吸

(酸素吸入・人工呼吸) 麻酔の術中に起こった偶発事故に対する処置についても算定不可 (麻酔・通則)

③麻酔管理時間加算

2時間を超えた場合は、30分またはその端数を増すごとに、術式により1〜5の点数に「注2」の加算をそれぞれ算定する。

➡厚生労働大臣が定める麻酔が困難な患者

厚生労働省告示第63号「特掲診療料の施設基準等」別表第11の2参照。

（例）閉鎖循環式全身麻酔（5.その他の場合・ロ「注２」ホの加算）（３時間10分）、硬膜外麻酔（腰部）（３時間10分）のケース

閉麻 6,000点（2時間）＋（600点/30分 ＋ 600点/30分 ＋600点/10分）＝ 7,800点

硬膜外麻酔併施加算 400点 ＋（200点/30分 ＋ 200点/30分 ＋200点/10分）＝ 1,000点

7,800点 ＋ 1,000点 ＝ 8,800点

※このケースでは、閉鎖循環式全身麻酔が、3時間10分行われていて、硬膜外麻酔（腰部）も同時に施行されている。硬膜外麻酔併施加算（腰部）も、閉麻と同様に2時間以降の加算（麻酔管理時間加算）を算定する。

〈カルテ例〉閉鎖循環式全身麻酔のケース

傷病名
急性汎発性腹膜炎・消化管穿孔

処方・手術・処置等
診断：消化管穿孔による急性腹膜炎 身体所見、検査所見共に、麻酔を行うにあたっての問題はみられない。 （麻酔科　渡辺） 前処置：アタラックスＰ５％１mL１管 アトロピン硫酸塩注射液0.05％１mL１管　im 閉鎖循環式全身麻酔 11：30～13：15 液化酸素ＣＥ　420Ｌ 亜酸化窒素　225g フェンタニル注射液0.005％２mL　１管 マーカイン注0.25％　20mL ラボナール注射液500mg　1管 キシロカインゼリー2％　５mL 1％ディプリバン注200mg20mL　１管 ロピオン静注50mg５mL　１管 急性汎発性腹膜炎手術 麻酔中経皮的動脈血酸素飽和度監視 呼吸心拍監視

（過去認定試験入院より抜粋：一部修正）

麻酔が困難な患者には該当しない

・ｉｍとあるが（P.81参照）、麻酔の前投与のため ㊿麻酔薬として算定
・閉麻の薬剤と合算する
・手技料は算定不可

・術式は、患者の状態より5・ロとなる
・2時間以内のため、6,000点にて算定
・酸素代（１Ｌ＝0.19円）
0.19円×420Ｌ×1.3＝103.74円→104円（四捨五入）
104円÷10＝10.4点→10点（四捨五入）

麻酔薬剤としてすべて合算

術式は１～４に該当しない

麻酔の実施中に行われた監視装置による検査→閉麻の所定点数に含まれ、算定不可

〈レセプト記載例〉

㊿	閉鎖循環式全身麻酔（○日）	6,000×１
	液化酸素CE（0.19円×420L×1.3）÷10	10×１
	アタラックスＰ５％１mL　１管 アトロピン硫酸塩注射液0.05％ 1mL　１管 亜酸化窒素　225g フェンタニル注射液0.005％２mL　１管 マーカイン注0.25％　20mL ラボナール注射液500mg　１管 キシロカインゼリー２％　５mL 1％ディプリバン注200mg20mL　１管 ロピオン静注50mg５mL　１管	点数×１

閉鎖循環式全身麻酔に対して酸素を使用した場合は、麻酔料を併せて記載してよい。

（6）麻酔管理料

①麻酔管理料（Ⅰ）

❶ 施設基準届出保険医療機関であること。

❷ 麻酔科を標榜していること。

❸ 硬膜外麻酔、脊椎麻酔、もしくは閉鎖循環式全身麻酔を行っている。

❹ 常勤の麻酔科標榜医により麻酔前後の日に診察が行われている（緊急の場合を除く）。

❺ 時間外等の加算、年齢加算は算定しない。

❻ 麻酔管理料（Ⅱ）と併せて算定できない。

➡緊急の場合の診察

緊急手術のため術前診察が行われない場合も、術後診察は算定のために必須の要件である。

〈施設の概要等〉

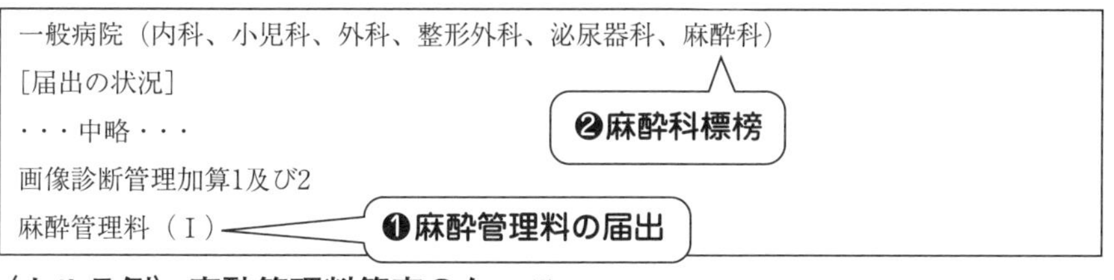

一般病院（内科、小児科、外科、整形外科、泌尿器科、麻酔科）
[届出の状況]
・・・中略・・・
画像診断管理加算1及び2
麻酔管理料（Ⅰ）

〈カルテ例〉麻酔管理料算定のケース

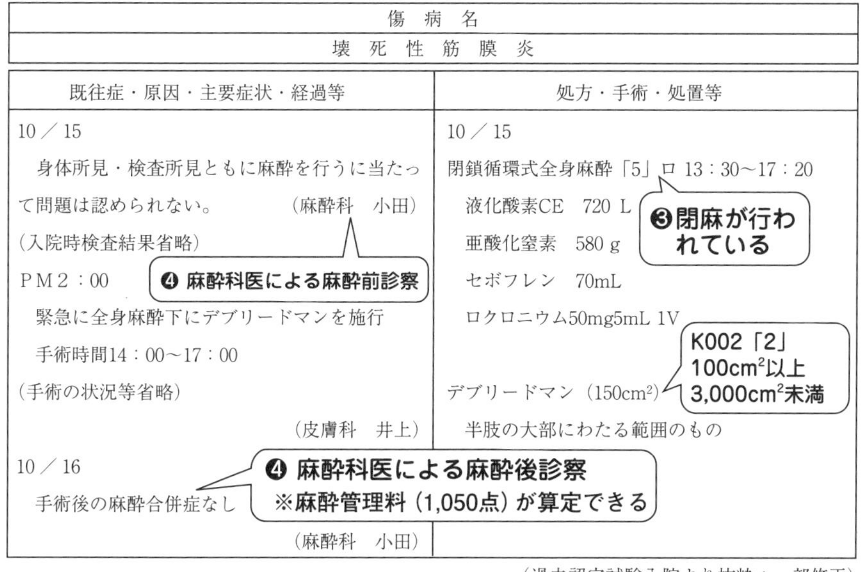

傷　病　名
壊　死　性　筋　膜　炎

既往症・原因・主要症状・経過等	処方・手術・処置等
10／15 身体所見・検査所見ともに麻酔を行うに当たって問題は認められない。（麻酔科　小田） （入院時検査結果省略） PM2：00 緊急に全身麻酔下にデブリードマンを施行 手術時間14：00～17：00 （手術の状況等省略） （皮膚科　井上） 10／16 手術後の麻酔合併症なし （麻酔科　小田）	10／15 閉鎖循環式全身麻酔「5」ロ 13：30～17：20 液化酸素CE　720 L 亜酸化窒素　580 g セボフレン　70mL ロクロニウム50mg5mL 1V デブリードマン（150cm²） 半肢の大部にわたる範囲のもの

（過去認定試験入院より抜粋：一部修正）

〈レセプト記載例〉

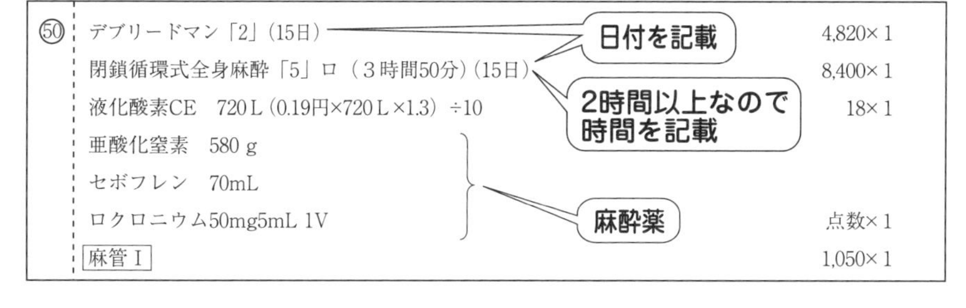

㊿	デブリードマン「2」（15日）	4,820×1
	閉鎖循環式全身麻酔「5」ロ（3時間50分）（15日）	8,400×1
	液化酸素CE　720 L（0.19円×720 L×1.3）÷10	18×1
	亜酸化窒素　580 g	
	セボフレン　70mL	
	ロクロニウム50mg5mL 1V	点数×1
	麻管Ⅰ	1,050×1

②麻酔管理料（Ⅱ）

施設基準届出保険医療機関において、常勤の麻酔科標榜医の指導の下で行われる場合、標榜医以外の者が行う麻酔について算定できる。なお、要件を満たしていれば、研修医によって行われた麻酔についても算定できる。

麻酔前後の診察を、麻酔を担当しない常勤の麻酔科標榜医が行った場合でも算定できる。また、麻酔担当医の一部の行為を、適切な研修を修了した常勤の看護師が行った場合も算定可能である。

Power up 手術・輸血・麻酔の流れ

手術・輸血・麻酔の一連の流れを分類して算定してみよう！

〈図表1.8.4〉手術に関する算定区分

区分	名 称	算定コード番号	留 意 点
a	**手術料**	㊿	・加算（年齢、時間、注、通則）に注意！ ・施設基準の届出
b	手術薬剤	㊿	・外皮用殺菌剤（エタノール、イソジン液など）は算定不可 ・生理食塩液など、すべて合算
c	特定保険医療材料	㊿	・値段(円単位)を四捨五入し、点数単位にする ・２以上の材料費は合算
d	**麻酔料**	㊿	・加算（年齢、時間、注、通則）に注意！ ・主たる麻酔料のみ算定 ・閉麻算定時に術式状態をチェック ・麻酔管理料（Ⅰ)(Ⅱ）の算定（施設基準や診察状況等をチェック）
e	麻酔薬剤	㊿	・主たる麻酔の薬剤＋従たる麻酔の薬剤
f	**輸血料**	㊿	・加算（年齢、注）に注意！ ・輸血管理料Ⅰ、Ⅱの算定（施設基準をチェック） ・輸血の量による算定
g	血液代	㊿	・薬剤の算定方法 ・保存血液輸血の際に算定
h	**注射実施料**（主に点滴）	㉛ ㉜ ㉝	・手術当日の手術に関連のある実施料は、算定不可
i※1	注射薬剤（主に点滴）	㉛ ㉜ ㉝	・実施料ごとに、各コードにて算定
j	特定保険医療材料	㉝	・値段(円単位)を点単位に直し四捨五入
k	**処置料**		・手術当日および手術に関連のある手技料は算定不可
l※2	処置薬剤	㊿ or ㊵	・浣腸など
m※2	特定保険医療材料	㊿ or ㊵	・値段(円単位)を点単位に直し四捨五入 ・膀胱留置用ディスポーザブルカテーテル、フィルム・チューブドレーンなどすべて合算

※1 iについて、術前・術中点滴は、b・eの手術時使用薬剤として㊿で算定してもよい。
※2 l・mについての算定コードは、㊿、㊵どちらで算定してもよい。

〈カルテ例〉施設基準：輸血管理料Ⅰ、麻酔管理料（Ⅰ）届出医療機関、肝細胞癌、C型慢性肝炎の患者のケース

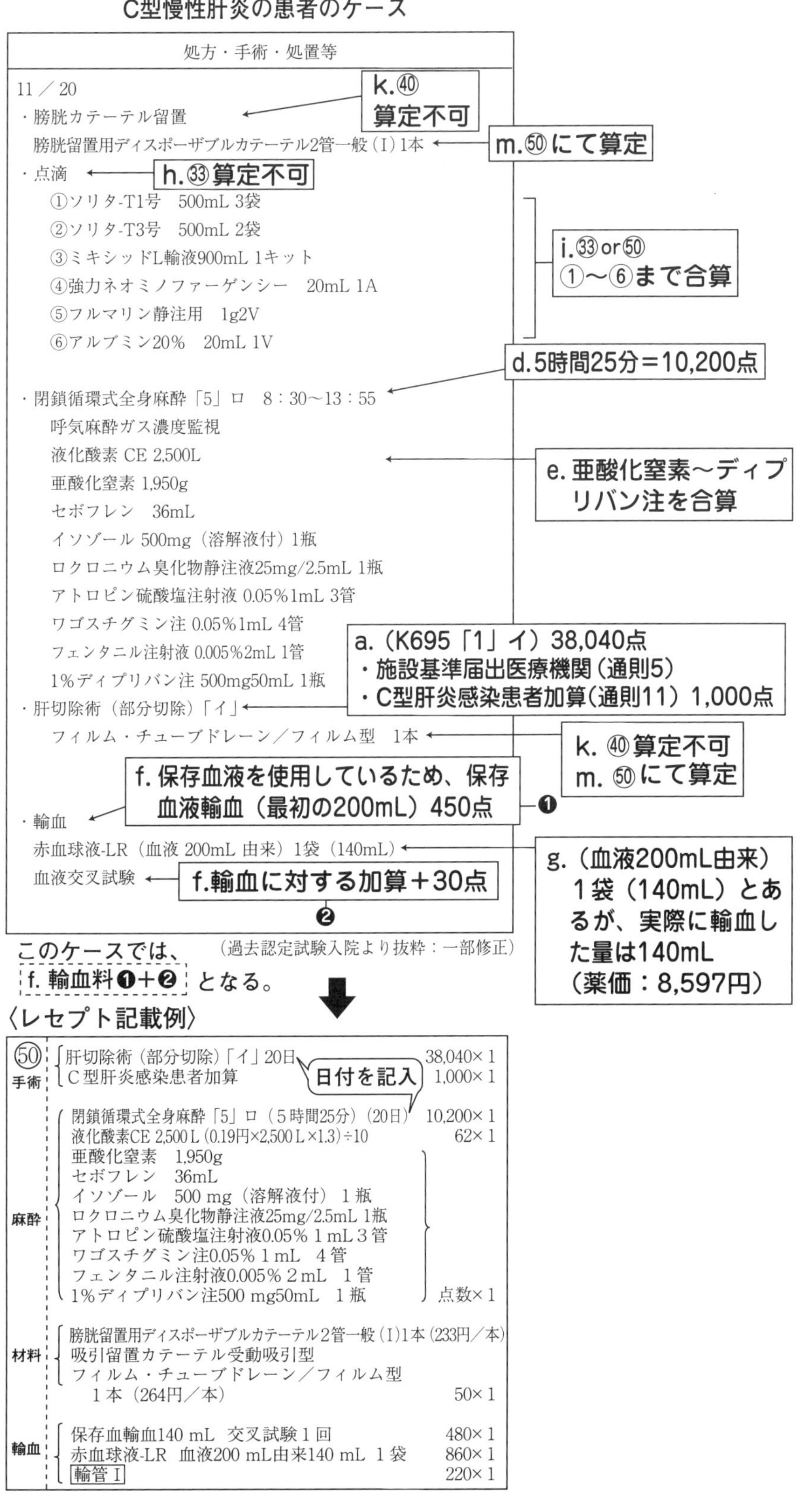

処方・手術・処置等

11／20
・膀胱カテーテル留置 ← k.㊵算定不可
膀胱留置用ディスポーザブルカテーテル2管一般（Ⅰ）1本 ← m.㊿にて算定
・点滴 ← h.㉝算定不可
①ソリタ-T1号　500mL 3袋
②ソリタ-T3号　500mL 2袋
③ミキシッドL輸液900mL 1キット
④強力ネオミノファーゲンシー　20mL 1A
⑤フルマリン静注用　1g2V
⑥アルブミン20%　20mL 1V
（i.㉝or㊿ ①～⑥まで合算）

・閉鎖循環式全身麻酔「5」ロ　8：30～13：55 ← d.5時間25分＝10,200点
呼気麻酔ガス濃度監視
液化酸素 CE 2,500L
亜酸化窒素 1,950g
セボフレン　36mL
イソゾール 500mg（溶解液付）1瓶
ロクロニウム臭化物静注液25mg/2.5mL 1瓶
アトロピン硫酸塩注射液 0.05%1mL 3管
ワゴスチグミン注 0.05%1mL 4管
フェンタニル注射液 0.005%2mL 1管
1%ディプリバン注 500mg50mL 1瓶
（e.亜酸化窒素～ディプリバン注を合算）
・肝切除術（部分切除）「イ」← a.（K695「1」イ）38,040点
・施設基準届出医療機関（通則5）
・C型肝炎感染患者加算（通則11）1,000点
フィルム・チューブドレーン／フィルム型　1本 ← k.㊵算定不可 m.㊿にて算定
・輸血 ← f.保存血液を使用しているため、保存血液輸血（最初の200mL）450点 ❶
赤血球液-LR（血液 200mL 由来）1袋（140mL）← g.（血液200mL由来）1袋（140mL）とあるが、実際に輸血した量は140mL（薬価：8,597円）
血液交叉試験 ← f.輸血に対する加算＋30点 ❷

（過去認定試験入院より抜粋：一部修正）

このケースでは、f. 輸血料❶＋❷ となる。

〈レセプト記載例〉

㊿手術	肝切除術（部分切除）「イ」20日	38,040×1
	C型肝炎感染患者加算	1,000×1
麻酔	閉鎖循環式全身麻酔「5」ロ（5時間25分）（20日）	10,200×1
	液化酸素CE 2,500L（0.19円×2,500L×1.3）÷10	62×1
	亜酸化窒素　1,950g セボフレン　36mL イソゾール　500mg（溶解液付）1瓶 ロクロニウム臭化物静注液25mg/2.5mL 1瓶 アトロピン硫酸塩注射液0.05% 1mL 3管 ワゴスチグミン注0.05% 1mL　4管 フェンタニル注射液0.005% 2mL　1管 1%ディプリバン注500mg50mL　1瓶	点数×1
材料	膀胱留置用ディスポーザブルカテーテル2管一般（Ⅰ）1本（233円／本） 吸引留置カテーテル受動吸引型 フィルム・チューブドレーン／フィルム型 1本（264円／本）	50×1
輸血	保存血輸血140 mL　交叉試験1回	480×1
	赤血球液-LR　血液200 mL由来140 mL　1袋	860×1
	輸管Ⅰ	220×1

日付を記入

9 特掲診療料⑥検査

1. 検査の算定

●検査は、患者の病気の確定や、進行具合などを調べるために非常に重要なものである。種類が多く、医学的な略号・略称が多い。
●診療報酬請求事務能力認定試験問題でも、過去すべてに出題されている。分類の方法やよく出題される検査について、算定のポイントをマスターしよう。

➡略号・略称
カルテや診療録など医師が記載するものや、検査伝票も略号・略称が使用されている。略称一覧参照（P.16～18）。

➡定性検査
検体のなかに検査の対象となる物質が含まれていないかを調べる検査。

➡定量検査
検体のなかの物質自体の正確な量を測る検査。

➡半定量検査
検体のなかの物質のおおよその量を測る検査。

(1) 検体検査

検体検査は、尿や血液といった人間の体から排泄、採取したもの（＝検体）から行う検査である。

①検体検査の種類と算定方法

検体検査の種類は、以下のとおりである。

a．尿・糞便等検査
b．血液学的検査
c．生化学的検査（Ⅰ）
d．生化学的検査（Ⅱ）
e．免疫学的検査
f．微生物学的検査

算定式は、以下のとおりである。

> 実施料　＋　判断料（それぞれ月１回）　＋　（採取料）
> **※採取料は、算定できるものとできないものがある。尿・便・喀痰など、患者が自分で採取できる検体に対しては、算定できない。**

②時間外緊急院内検査加算

時間外・休日・深夜に、緊急に検体検査を実施した場合に算定する（200点）。
外来患者に対して適用となるが、検体検査の結果、外来から引き続き入院となった患者に対しても算定できる。ただし、同一日の外来迅速検体検査加算は算定できない。

〈レセプト記載例〉

a. 外来（摘要欄）

⑹⓪	緊検　月／日　時：分

b. 入院（摘要欄）

⑹⓪	緊検　月／日　時：分　引き続き入院

③外来迅速検体検査加算

外来患者に対し、当日当該保険医療機関で実施した検体検査であって、厚生労働大臣が定めるものの結果について、検査実施日のうちに文書による情報提供を行った場合、５項目を限度として算定する（１項目10点）。
複数科を受診し、１日に２回それぞれの科で採血・検査を行った場合も、１

日につき併せて５項目までとなる。

〈カルテ例〉外来、文書による情報提供のケース

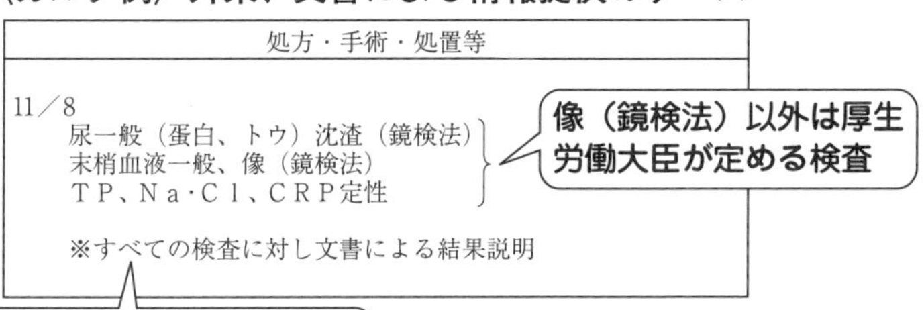

処方・手術・処置等

11／8
尿一般（蛋白、トウ）沈渣（鏡検法）
末梢血液一般、像（鏡検法）
ＴＰ、Ｎａ·Ｃｌ、ＣＲＰ定性

※すべての検査に対し文書による結果説明

〈レセプト記載例〉

60	Ｕ－検、沈（鏡検法）	53×１
	B-末梢血液一般、像（鏡検法）	46×１
	B-TP、Na・Cl	22×１
	B-CRP定性	16×１
	B-V	40×１
	外迅検（５項目）	50×１
	判尿 判血 判生Ⅰ 判免	447×１

④**検体検査判断料**

検体検査を行った場合に、該当する区分（ａ～ｇ）ごとに月１回に限り算定する。

ａ．尿・糞便等検査判断料　34点
ｂ．遺伝子関連・染色体検査判断料　100点
ｃ．血液学的検査判断料　125点
ｄ．生化学的検査（Ⅰ）判断料　144点
ｅ．生化学的検査（Ⅱ）判断料　144点
ｆ．免疫学的検査判断料　144点
ｇ．微生物学的検査判断料　150点

院内検査で（Ｄ000）尿中一般物質定性半定量検査（Ｕ－検）のみを算定した場合は、尿・糞便等検査の判断料は算定できない（別冊「点数早見表」P.23参照）。

⑤**検体検査管理加算**

検体検査判断料に対する加算である。

ａ．カルテをみるポイント
❶ 施設基準届出保険医療機関の場合。
❷ 検体検査が行われ、かつ検体検査判断料が算定できる。
❸ 検管Ⅰ 検管Ⅱ 検管Ⅲ 検管Ⅳ は重複算定できない。

〈図表1.9.1〉検体検査判断料に対する加算

項　目	略　号	点　数	対　象
検体検査管理加算（Ⅰ）	検管Ⅰ	40点	入院中の患者、入院中以外（外来）の患者
検体検査管理加算（Ⅱ）	検管Ⅱ	100点	入院中の患者のみ
検体検査管理加算（Ⅲ）	検管Ⅲ	300点	入院中の患者のみ
検体検査管理加算（Ⅳ）	検管Ⅳ	500点	入院中の患者のみ

**※検体検査管理加算（Ⅰ）（Ⅱ）（Ⅲ）（Ⅳ）は、それぞれに届出を行う必要がある。
ただし、（Ⅱ）（Ⅲ）（Ⅳ）いずれかの届出を行っている場合は、別に（Ⅰ）の届出を行う必要はない。**

➡厚生労働大臣が定める検査
別冊「点数早見表」P.22参照。

➡検体検査判断料
別冊「点数早見表」P.22参照。

➡Ｕ－蛋白、潜血・糖
一般的に健康診断で行われている検査でもある。

〈カルテ例〉検体検査管理加算（Ⅰ）および（Ⅲ）届出医療機関のケース

❶ 施設基準のチェック

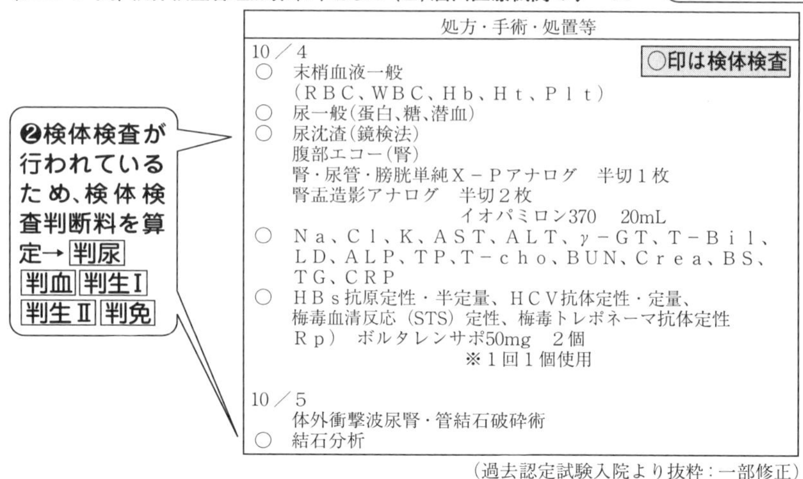
処方・手術・処置等

10／4 ○印は検体検査

○　末梢血液一般
　　（ＲＢＣ、ＷＢＣ、Ｈｂ、Ｈｔ、Ｐｌｔ）
○　尿一般（蛋白、糖、潜血）
○　尿沈渣（鏡検法）
　　腹部エコー（腎）
　　腎・尿管・膀胱単純Ｘ－Ｐアナログ　半切１枚
　　腎盂造影アナログ　半切２枚
　　　　　　　　　イオパミロン370　20mL
○　Ｎａ、Ｃｌ、Ｋ、ＡＳＴ、ＡＬＴ、γ－ＧＴ、Ｔ－Ｂｉｌ、
　　ＬＤ、ＡＬＰ、ＴＰ、Ｔ－ｃｈｏ、ＢＵＮ、Ｃｒｅａ、ＢＳ、
　　ＴＧ、ＣＲＰ
○　ＨＢｓ抗原定性・半定量、ＨＣＶ抗体定性・定量、
　　梅毒血清反応（STS）定性、梅毒トレポネーマ抗体定性
　　Ｒｐ）　ボルタレンサポ50mg　２個
　　　　　　　　　※１回１個使用

10／5
　　体外衝撃波尿腎・管結石破砕術
○　結石分析

（過去認定試験入院より抜粋：一部修正）

※この例題では、検体検査管理加算（Ⅰ）および（Ⅲ）が算定できるとあるが、入院患者に対するケースのため（Ⅲ）を算定する。

〈レセプト記載例〉

⑥⓪		
	B-末梢血液一般	21×1
	U-検、沈（鏡検法）	53×1
	超音波断層撮影　イ・腎・泌尿器領域	530×1
	B-Na･Cl･K、AST、ALT、γ-GT、T-Bil LD、ALP、TP、T-cho、BUN、Crea BS、TG（初回加算）	123×1
	B-CRP	16×1
	B-HBs抗原定性・半定量、HCV抗体定性・定量	131×1
	B-梅毒血清反応（STS）定性、梅毒トレポネーマ抗体定性	47×1
	結石分析	117×1
	判尿 判血 判生Ⅰ 判生Ⅱ 判免 検管Ⅲ	891×1

（2）生体検査

生体検査は、心電図検査、眼科学的検査といった、人体そのものの状態等を調べる検査である。

算定式は、以下のとおりである。

実施料＋（判断料） 　　　　（それぞれ月１回）

生体検査には、２つの算定条件がある。

ａ．新生児、乳幼児、幼児に対し、以下の加算を行う。

・新生児加算（生後28日目未満）　所定点数×$\frac{100}{100}$

・乳幼児加算（生後28日目から３歳未満）　所定点数×$\frac{70}{100}$

・幼児加算（３歳以上６歳未満）　所定点数×$\frac{40}{100}$

※特に規定するものを除く。

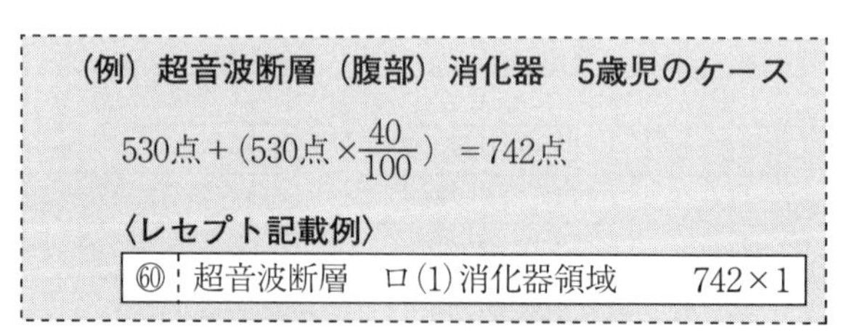
（例）超音波断層（腹部）消化器　5歳児のケース

530点＋（530点×$\frac{40}{100}$）＝742点

〈レセプト記載例〉

⑥⓪	超音波断層　ロ（1）消化器領域	742×1

ｂ．同一月に同一検査を２回以上行った場合、２回目以降は所定点数の100分の90により算定する（ 減 ）。該当するか、必ずチェックすること。

※特に規定するものを除く。

➡生体検査

別冊「点数早見表」（P.31～33参照）では、生体検査料に対して、①新生児・乳幼児の加算が算定できる項目、幼児の加算が算定できる項目、②2回目以降100分の90により算定する項目を示している。

➡生体検査の判断料

判断料のあるものとないものがある。診療報酬点数表や別冊「点数早見表」P.31～32で確認しておくこと。

（例）心電図検査を同月に2回行ったケース

10／3	ECG12
10／26	ECG12

➡ 10／3は所定点数の130点
10／26は同一月内2回目以降となるため所定点数$\times\frac{90}{100}$

したがって、130点$\times\frac{90}{100}$＝117点

〈レセプト記載例〉

⑹	ECG12	130×1
	ECG12 減 または2回目以降	117×1

Power up 検査算定のポイント

この順に確認↓
❶ 日ごとに
❷ 判断料ごとに
❸ 検体ごとに
❹ まるめか単独算定か

分類の方法をマスターしよう！

❶　5日と20日の検査ごとに分類する。
❷　尿と血と生Ⅰの判断料ごとに分類する。
❸　5日のU－検とF－集卵、塗抹は同日の同じ判断料であるが、検体が別のものなので、別々に算定する。
❹　5日の生Ⅰのまるめ項目と、アンモニアは、同日の同じ判断料であるが、まるめと単独算定に分けられるため別々に算定する。
❺　5日と20日のU－検は同じ検査項目なので、合わせて記載する。

〈カルテ例〉外来、院内検査のケース

処方・手術・処置等
11／5 U－検 F－集卵、塗抹 B－末梢血液一般、像（鏡検法） B－総ＢｉＬ、直ＢｉＬ、ＢＵＮ、 Ｎａ、Ｃｉ、ＨＤＬ－ｃｈｏ B－アンモニア 11／20 U－検 B－末梢血液一般

〈レセプト記載例〉

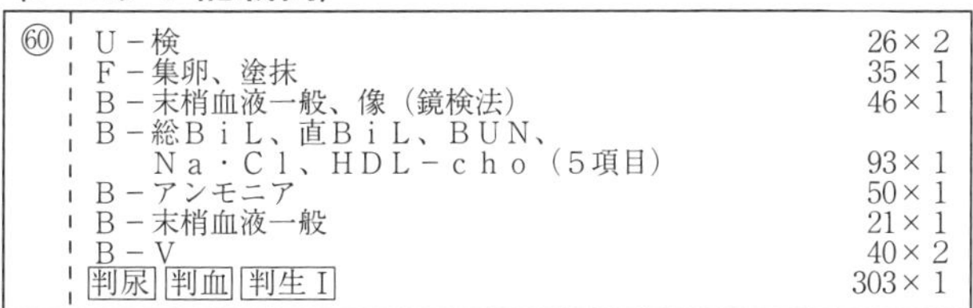

⑹	U－検	26×2
	F－集卵、塗抹	35×1
	B－末梢血液一般、像（鏡検法）	46×1
	B－総ＢｉＬ、直ＢｉＬ、ＢＵＮ、 Ｎａ・Ｃｌ、ＨＤＬ－ｃｈｏ（5項目）	93×1
	B－アンモニア	50×1
	B－末梢血液一般	21×1
	B－V	40×2
	判尿 判血 判生Ⅰ	303×1

〈図表1.9.2〉よく出る検査項目

［検査名称］　■：外来診療料対象項目
★：手術前医学管理料に含まれる項目　☆：手術後医学管理料に含まれる項目

名　称	点数（6歳以上）
U－ 検(■★☆)・沈(鏡検法)(■) 26点　27点	53×回数
B－ 末梢血液一般(■★☆)・像(自動機械法)(■★☆)・ESR(■☆) 21点　15点　9点	45×回数
B－ 出血(★)・PT(★)・APTT(★) 15点　18点　29点	62×回数
B－ CRP定性(★)・梅毒血清反応(STS)定性(★)・梅毒トレポネーマ抗体定性(★) 16点　15点　32点	63×回数
B－ HBs抗原定性・半定量(★)・HCV抗体定性・定量(★) 29点　102点	131×回数
B－ CRP(★)・梅毒血清反応(STS)定量・梅毒トレポネーマ抗体定量 16点　34点　53点	103×回数
肺気分画（判呼 140点）	90×回数
ECG12(★☆)	130×1
ECG12 減	117×回数
超音波断層(胸腹部)(※)	530×1
超音波断層(胸腹部)減（※）	477×回数

(※)摘要欄に具体的な臓器または領域を記載する。

10 特掲診療料⑦病理診断

1. 病理診断の算定

●採取料が算定できるか、診断料・判断料のどちらを算定するかなどに注意すること。

(1) 病理標本作製料

病理診断は、患者の病変部から腫瘍（しゅよう）などを採取し、病変そのものを調べる検査である。

リンパ節については、所属リンパ節ごとに1臓器として扱う。また、算定は3臓器を限度とする。なお、対称器官にかかる所定点数は、両側の器官の作製料の点数を算定する。

算定式は、以下のとおりである。

実施料＋診断料または判断料（月1回）＋採取料

①病理組織標本作製

a．1臓器又は1部位につき算定する。1臓器又は1部位から多数の切片等を検査した場合も、1臓器又は1部位の検査として扱う。

b．採取料は、採取方法に応じて算定する。なお、手術にあたって採取した場合の採取料は、算定できない。

②術中迅速病理組織標本作製

手術中に腫瘍を採取し、迅速凍結切片等により行う検査である。1手術につき1回算定する。なお、手術中に行う検査のため、**採取料は算定できない**。

➡1臓器として算定するもの
- 気管支及び肺臓
- 食道
- 胃及び十二指腸
- 小腸
- 盲腸
- 上行結腸、横行結腸及び下行結腸
- S状結腸
- 直腸
- 子宮体部及び子宮頸部

(2) 病理診断料・病理判断料

①病理診断料

a．病理診断をもっぱら担当する医師が勤務する保険医療機関において算定できる。

b．（N000～N003）により作製された組織標本または、他の保険医療機関で作製された組織標本に基づく診断を行った場合は、月1回に限り組織診断料を算定する。

c．（N003-2、N004「2」）により作製された標本または、他の保険医療機関で作製された標本に基づく診断を行った場合は、月1回に限り細胞診断料を算定する。

d．病理診断管理加算

病理診断料に対する加算である。

施設基準届出保険医療機関の場合であり、病理診断料を算定している場合に算定できる。

項目		略号	点数
病理診断管理加算1	組織診断を行った場合	病管1	120点
	細胞診断を行った場合		60点
病理診断管理加算2	組織診断を行った場合	病管2	320点
	細胞診断を行った場合		160点

(例) T－M（胃と十二指腸より各々採取）・(内視鏡下生検法)
病理診断管理加算1届出・常勤の病理専門医による診断結果報告書提出のケース
〈レセプト記載例〉

⑥⓪	T－M（組織切片）１臓器（ウ 胃及び十二指腸）	860×１
	内視鏡下生検法 １臓器（胃・十二指腸）	310×１
	判組診 病管1	640×１

「胃及び十二指腸」に該当
→１臓器から何か所採取しても１臓器として数える

②病理判断料

a．病理標本作製の種類や回数にかかわらず、月１回に限り算定する。

b．①の病理診断料との重複算定はできない。

➡内視鏡による検査の場合の採取料

（D 414）内視鏡下生検法にて算定する。

11 特掲診療料⑧画像診断

1. 画像診断料

●診療報酬請求事務能力認定試験でも、難題の一つとして出題される場合が多いので、ポイントをつかんで学習することが大事である。

➡画像診断料
別冊「点数早見表」P.36～38参照。

画像診断は、エックス線を利用したいわゆるレントゲン撮影、ラジオアイソトープを使用した核医学診断、コンピューターや電磁波を利用したＣＴ・ＭＲＩなどに分かれており、それぞれの算定条件がある。

(1) 時間外緊急院内画像診断加算

時間外・休日・深夜に緊急に画像診断を行った場合に算定する。

外来患者に対しての適用となるが、画像診断の結果、引き続き入院となった場合には、入院患者にも算定できる。

➡⑰緊画と⑯緊検
同時に算定することが多い。

〈レセプト記載例〉

a. 外来（摘要欄）

⑰	緊画　月／日　時：分

b. 入院（摘要欄）

⑰	緊画　月／日　時：分　引き続き入院

(2) 電子画像管理加算

撮影した画像を電子化して、管理および保存した場合、一連の撮影について１回に限り加算ができる。ただし、フィルムへのプリントアウトを行った場合でも、電子画像管理加算は算定できるが、フィルム代は別に算定できない。

（例）画像を電子化・保存するケース

・胸部Ｘ－Ｐデジタル（撮影２回）　電子画像管理

胸部Ｘ－Ｐデジタル（撮影２回）	230点	287点
電画	57点	

(3) 画像診断管理加算

画像診断をもっぱら担当する医師が、画像診断を行い、結果を文書により主治医に報告した場合に算定する。

➡画像診断をもっぱら担当する医師
常勤医師であり、もっぱら画像診断を担当した経験を10年以上持つ者、または、専門医。

◎カルテをみるときのポイント

❶ 施設基準届出保険医療機関であること。
❷ 常勤の画像診断担当医（主に放射線科医）が、画像診断の結果を文書にて、主治医（もっぱら画像診断を担当する医師が勤務する保険医療機関において当該患者の診療を担当する医師）に報告した場合。
❸ 画像診断管理加算１・２・３・４は重複算定できない。
❹ 遠隔画像診断を行った場合も、要件を満たしていれば画像診断管理加算を算定できる。

なお、施設の概要等に画像診断管理加算２・３・４のみ記載されている場合に、エックス線診断を行った場合は、写画１にて算定する。

〈図表 1.11.1〉算定の比較

届出＼区分	エックス線診断料（X－P）	核医学診断料（核医学）	コンピューター断層撮影診断料（CT・MRI）
管理加算1	写画1（70点）	核画1（70点）	コ画1（70点）
管理加算2		核画2（175点）	コ画2（175点）
管理加算3	基画1（70点）	核画3（235点）	コ画3（235点）
管理加算4		核画4（340点）	コ画4（340点）

❶ 届出が行われている

〈カルテ例〉画像診断管理加算１および２の届出あり、MRI1.5テスラ以上3テスラ未満の届出医療機関のケース

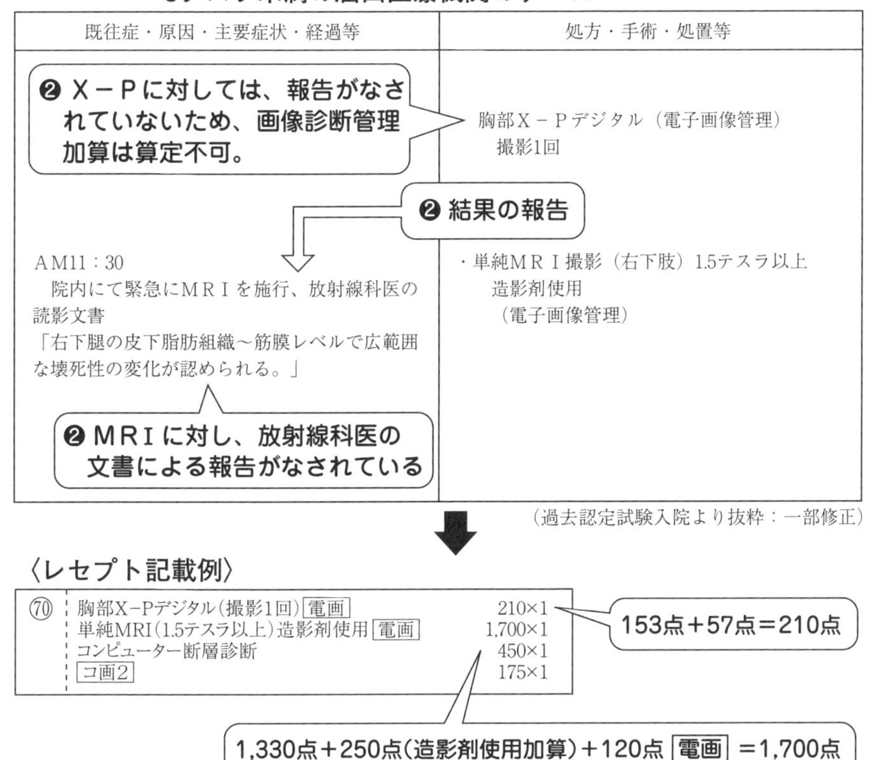
既往症・原因・主要症状・経過等	処方・手術・処置等
	胸部X－Pデジタル（電子画像管理） 撮影1回
AM11：30 院内にて緊急にMRIを施行、放射線科医の読影文書 「右下腿の皮下脂肪組織～筋膜レベルで広範囲な壊死性の変化が認められる。」	・単純MRI撮影（右下肢）1.5テスラ以上 造影剤使用 （電子画像管理）

（過去認定試験入院より抜粋：一部修正）

〈レセプト記載例〉

⑦⓪	胸部X－Pデジタル（撮影1回）電画	210×1
	単純MRI（1.5テスラ以上）造影剤使用 電画	1,700×1
	コンピューター断層診断	450×1
	コ画2	175×1

（4）他の医療機関で撮影したフィルム

他の医療機関で撮影したフィルム等を患者が持参し、これを診断（読影）した場合に算定できる。

・エックス線診断の場合…撮影部位および撮影方法ごとにE001写真診断にて算定

・コンピューター断層診断の場合…初診料を算定した日に限りE203コンピューター断層診断にて算定

➡放射線科を標榜している

・保険医療機関である場合
→管理加算1

・病院である場合
→管理加算2

・救命救急センターを有する病院である場合
→管理加算3

・特定機能病院である場合
→管理加算4

※このケースでは、「画像診断管理加算2」を算定する。

〈カルテ例〉他医撮影フィルム読影のケース

既往症・原因・主要症状・経過等
10／10 ○○病院より紹介状持参。 胸部X－Pデジタル（画像記録用大角2枚） 腹部X－Pデジタル（画像記録用大角2枚）併せて持参。 診断を行う。

他の医療機関で撮影したフィルムの読影

〈レセプト記載例〉

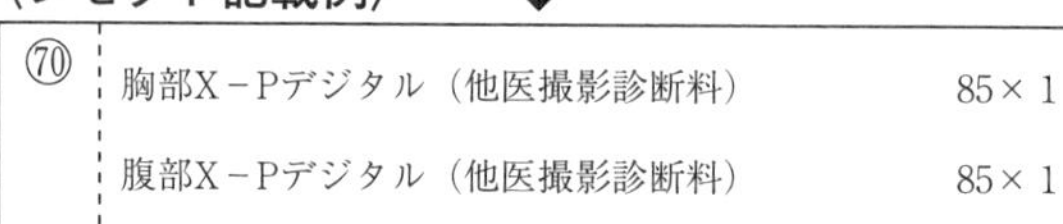

⑦⓪	胸部X－Pデジタル（他医撮影診断料）	85×1
	腹部X－Pデジタル（他医撮影診断料）	85×1

※それぞれ診断料のみ算定できる。

2. エックス線診断料

学習のポイント

●エックス線診断料は、①撮影方法、②撮影部位などにより算定方法が異なる。

➡撮影方法
①単純撮影
②特殊撮影
③造影剤使用撮影
④乳房撮影

➡同一部位
部位的一致に加え、腎と尿管のように、通常同一フィルム面に撮影できる範囲をさす。

➡電子画像管理加算
同一の部位につき、同時に2以上の撮影方法を使用した場合、主たる撮影の点数のみ算定する。

➡電子画像管理加算の算定区分
イ. 単純撮影　57点
ロ. 特殊撮影　58点
ハ. 造影剤使用撮影　66点
ニ. 乳房撮影　54点

①同一部位の取扱い

同一の部位について、それぞれの撮影方法のうち、同時に２以上のエックス線撮影を行った場合の写真診断の費用は、第１の診断については各所定点数により、第２の診断以降については100分の50に相当する点数により算定する。

〈カルテ例〉2以上撮影のケース（画像診断管理加算１届出）

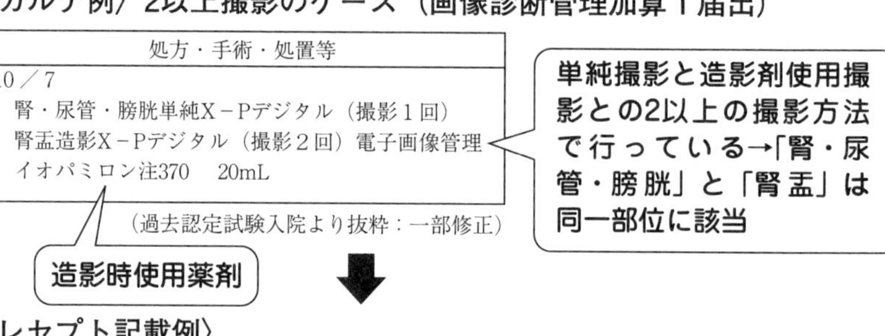

処方・手術・処置等
10／7 腎・尿管・膀胱単純X－Pデジタル（撮影１回） 腎盂造影X－Pデジタル（撮影２回）電子画像管理 イオパミロン注370　20mL

（過去認定試験入院より抜粋：一部修正）

〈レセプト記載例〉

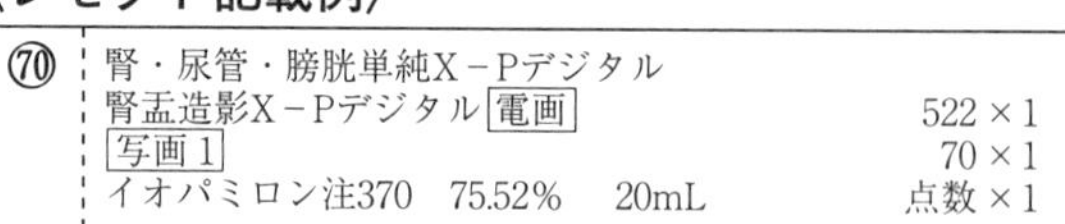

⑦⓪	腎・尿管・膀胱単純X－Pデジタル 腎盂造影X－Pデジタル 電画	522×1
	写画１	70×1
	イオパミロン注370　75.52%　20mL	点数×1

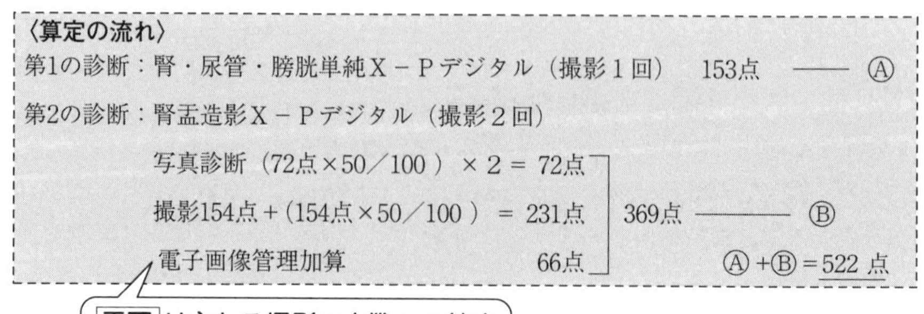

〈算定の流れ〉
第1の診断：腎・尿管・膀胱単純X－Pデジタル（撮影１回）　153点 ―― Ⓐ
第2の診断：腎盂造影X－Pデジタル（撮影２回）
写真診断（72点×50／100）×２＝72点
撮影154点＋(154点×50／100)＝231点
電子画像管理加算　66点
369点 ―― Ⓑ
Ⓐ＋Ⓑ＝522点

②対称部位の撮影

耳・肘・膝等の対称部位の撮影において、健側を患側の対照として撮影する場合は、同一部位の同時撮影を行った場合と同じ取扱いにする。

〈カルテ例〉対称部位撮影のケース（6歳児）

傷　病　名	職務	開　始	終　了	転　　帰	期間満了予定日
右足小指骨折 （基節骨）	上・外	令和6年 11月6日	年 月　日	治ゆ・死亡・中止	年 月　日

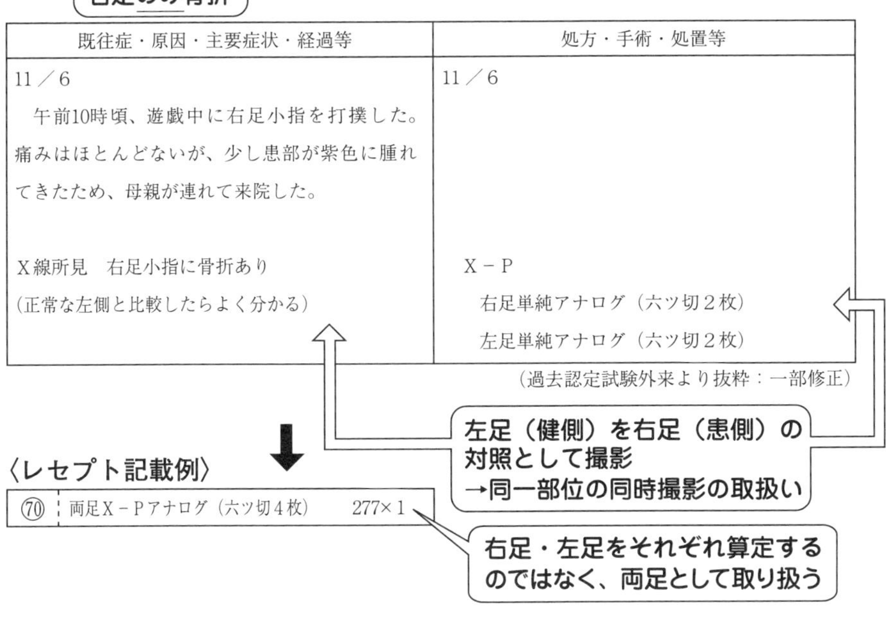

既往症・原因・主要症状・経過等	処方・手術・処置等
11／6 午前10時頃、遊戯中に右足小指を打撲した。痛みはほとんどないが、少し患部が紫色に腫れてきたため、母親が連れて来院した。 X線所見　右足小指に骨折あり （正常な左側と比較したらよく分かる）	11／6 X－P 右足単純アナログ（六ツ切２枚） 左足単純アナログ（六ツ切２枚）

（過去認定試験外来より抜粋：一部修正）

〈レセプト記載例〉

⑰	両足X－Pアナログ（六ツ切4枚）　　277×1

③方向と分画

・方向…別の角度から撮影すること。

側面　正面　２枚のフィルムを使い２回撮影

・分画…１枚のフィルムを分けて撮影すること。

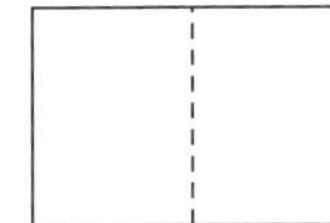

１枚のフィルムを使い２回撮影

（例）右前腕部X－Pアナログ（四ツ切１枚）２分画

撮影料、診断料それぞれ２回分算定となる。

・撮影料＋診断料＝155点…Ⓐ

・フィルム代（四ツ切１枚）＝6点…Ⓑ

Ⓐ＋Ⓑ＝161点

3. 核医学診断料

●ラジオアイソトープ（放射線同位元素）を使用して放射線の量を撮影する方法である。
●核医学診断を忘れずに算定すること。

➡核医学診断料
別冊「点数早見表」P.38参照。

※電子画像管理加算（＋120点）については、P.106（2）電子画像管理加算を参照。

(1) カルテをみるときのポイント

〈カルテ例〉画像診断管理加算１届出のケース

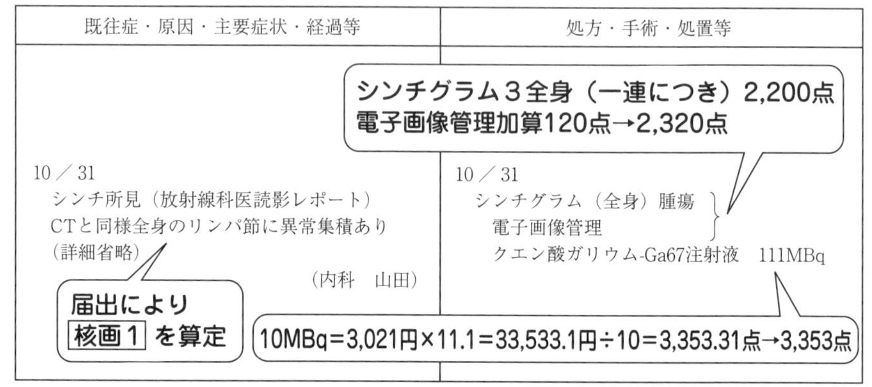

既往症・原因・主要症状・経過等	処方・手術・処置等
10／31 シンチ所見（放射線科医読影レポート） CTと同様全身のリンパ節に異常集積あり （詳細省略） （内科　山田）	10／31 シンチグラム（全身）腫瘍 電子画像管理 クエン酸ガリウム-Ga67注射液　111MBq

（過去認定試験入院より抜粋：一部修正）

〈レセプト記載例〉

⑰	シンチグラム3（全身） 電画	2,320×1
	クエン酸ガリウム－Ga67注射液　111MBq	3,353×1
	核医学診断	370×1
	核画1	70×1

●核医学診断

核医学診断料として算定するものは、区分ごとに次のとおりである。月１回のみ算定する。

(370点)

a．シンチグラム（画像を伴うもの）
b．シングルホトンエミッションコンピューター断層撮影（SPECT）

(450点)

c．ポジトロン断層撮影（PET）
d．ポジトロン断層・コンピューター断層複合撮影
e．ポジトロン断層・磁気共鳴コンピューター断層複合撮影
f．乳房用ポジトロン断層撮影

4. コンピューター断層撮影診断料

- ●使用機器により点数が異なるため、施設基準等で確認すること。
- ●コンピューター断層診断（月１回・450点）を忘れずに算定すること。

（1）カルテをみるときのポイント

❶ 使用機器を確認する。

❷ 診断料は初回実施日に、月１回に限り算定する。

❸ ＣＴ撮影およびＭＲＩ撮影を同一月に２回以上行った場合は、それぞれ初回実施日を記載する。

〈カルテ例〉 16列以上64列未満のマルチスライス型CT、1.5テスラ以上3テスラ未満のMRI届出の保険医療機関、「頭部外傷」にてCT・MRI同一月のケース

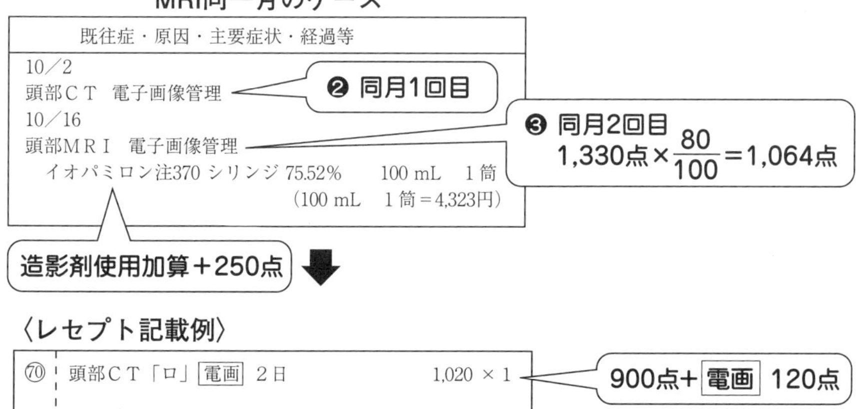

〈レセプト記載例〉

⑦⓪	頭部ＣＴ「ロ」電画　2日	1,020 × 1
	コンピューター断層診断料	450 × 1
	頭部ＭＲＩ造影「２」16日	1,314 × 1
	イオパミロン注370シリンジ75.52%　100 mL	432× 1

900点＋電画　120点

1,064点+造影剤使用加算250点

●**コンピューター断層診断（450点）**

月１回のみ算定する。

➡コンピューター断層撮影診断料

別冊「点数早見表」P.38参照。

➡ＣＴ撮影・ＭＲＩ撮影の２回目以降の点数

同一月内にCT撮影またはMRI撮影を２回以上行った場合は、所定点数に関わらず、一連につき所定点数の100分の80による点数を算定する。

➡電子画像管理加算

一連の撮影について、1回に限り算定できる。P.106（2）電子画像管理加算を参照。

12 特掲診療料⑨リハビリテーション

1. 疾患別リハビリテーション

●心大血管疾患リハビリテーション料、脳血管疾患等リハビリテーション料、廃用症候群リハビリテーション料、運動器リハビリテーション料、呼吸器リハビリテーション料に分けられる。
●リハビリテーションの種類ごとに対象疾患や算定上限日数に違いがあることに注意する。

➡**疾患別リハビリテーション料**
別冊「点数早見表」P.39参照。

➡**廃用症候群リハビリテーション料**
急性疾患等に伴う安静による廃用症候群の患者が対象。

※別に厚生労働大臣が定める患者
①回復期リハビリテーション病棟入院料または特定機能病院リハビリテーション病棟入院料（運動器リハビリテーション料は除く）
②脳血管疾患等の患者のうち、発症後60日以内の患者等

(1) 算定の基準

a．施設基準届出保険医療機関で疾患別リハビリテーションの対象となる患者に対して20分以上（1単位）個別療法として訓練を行った場合に算定する。
b．訓練時間が1単位に満たない場合、基本診療料に含まれ別に算定できない。

(例) 運動器リハビリテーション（Ⅰ）50分実施
⇒2単位として算定
(例) 運動器リハビリテーション（Ⅰ）15分実施
⇒20分に満たないため算定不可

c．鋼線等による直達牽引、介達牽引、矯正固定、変形機械矯正術、消炎鎮痛等処置、腰部又は胸部固定帯固定、低出力レーザー照射、肛門処置の費用は、疾患別リハビリテーションの所定点数に含まれる。
d．慢性疼痛疾患管理料を算定した場合は、別に算定できない。
e．診療報酬明細書の「摘要欄」に、疾患名、当該疾病の発症月日、手術月日などを明記する。

(2) 1日の単位数

患者の疾患、病状等により、最も適当な区分にて患者1人につき1日6単位（別に厚生労働大臣が定める患者は1日9単位※）まで算定できる。ただし、病態の異なる複数の疾患の場合は、それぞれ算定できる。

〈図表1.12.1〉

	心大血管疾患リハビリテーション料	脳血管疾患等リハビリテーション料	運動器リハビリテーション料	呼吸器リハビリテーション料
対象疾患	・急性心筋梗塞 ・狭心症 ・開心術後 ・大血管疾患　等	・脳梗塞 ・脳外傷 ・脊髄損傷 ・高次脳機能障害　等	・上・下肢の複合損傷 ・上・下肢の外傷・骨折 ・関節の変性疾患 ・運動器不安定症　等	・肺炎、無気肺 ・胸部外傷 ・気管支喘息 ・食道癌、胃癌の手術前後 等
算定日数の上限	治療開始日から150日(注)	発症、手術若しくは急性増悪（ぞうあく）または最初に診断された日から180日(注)	発症、手術若しくは急性増悪（ぞうあく）または最初に診断された日から150日(注)	治療開始日から90日(注)
留意事項	・専任の医師の指導管理下で実施する。 ・付随する心電図検査、負荷心電図検査、呼吸心拍監視の所定点数は算定できない。	所定点数には、徒手筋力検査およびその他のリハビリテーションに付随する諸検査が含まれる。	・物理療法のみを行った場合には、処置料の項により算定する。 ・所定点数には、徒手筋力検査およびその他のリハビリテーションに付随する諸検査が含まれる。	所定点数には、呼吸機能検査等、経皮的動脈血酸素飽和度測定およびその他のリハビリテーションに付随する諸検査が含まれる。また、同時に行った酸素吸入の費用も所定点数に含まれる。

(注) 一部の患者に対しては算定日数上限を超えて算定することができる。また、その他の疾患別リハビリテーション対象患者についても、月13単位まで算定することができる。なお、脳血管疾患等リハビリテーションおよび運動器リハビリテーションについては、入院中の要介護被保険者の算定点数が別に定められている。ただし、月1回以上行う患者には、機能的自立度評価法（FIM）を測定する必要がある。

(3) カルテをみるときのポイント

❶ 施設基準届出保険医療機関であること。
❷ 傷病名が対象疾患であることを確認する(図表1.12.1)。
❸ 算定日数の上限(算定開始日)を確認する(図表1.12.1)。
❹ 訓練の実施時間を確認し、1日の算定単位を算出する。

〈施設の概要等〉

一般病院・救急指定病院、一般病床320床、標榜診療科:内科、小児科、神経内科、外科、整形外科、リハビリテーション科、脳神経外科、眼科、耳鼻咽喉科、産婦人科、皮膚科、泌尿器科、麻酔科、放射線科、病理診断科
[届出等の状況]
…(中略)…
脳血管疾患等リハビリテーション(Ⅱ)〔初期加算〕〔急性期リハビリテーション加算〕

❶脳血管疾患等リハビリテーション料の届出

〈カルテ例〉脳血管疾患等リハビリテーション料(Ⅱ)算定のケース

傷病名	職務	開始	終了	転帰	期間満了予定日
高血圧症(主)	上・下	令和6年8月9日	年 月 日	治ゆ・死亡・中止	年 月 日
脳腫瘍(主)	上・下	令和6年10月10日	年 月 日	治ゆ・死亡・中止	年 月 日

❷疾患名確認

既往症・原因・主要症状・経過等	処方・手術・処置等
10/23(水) ・現病歴:当院内科で本年8月高血圧症にて内服治療中、9月に入り神経脱落症状を呈する。 ・本月10日当科外来を受診、頭部MRI、CT検査で右前頭葉白質に3cm径の腫瘍を認める。 ・手術による根治治療を選択、本日手術目的で入院。	10/23
10/24(木) ・手術室入室(10:00) ・手術は問題なく終了し、家族へ説明。	10/24 **❸手術日** ・頭蓋内腫瘍摘出術(その他) (ナビゲーション下で手術施行)
10/25(金) 術後1日目 ・術後の経過良好、意識清明。 ・軽度の左半身不全麻痺あり、理学療法の必要を認める。 ・医師、理学療法士等と共同してリハビリテーション総合実施計画書を作成、家族に内容を説明の上交付。 ・基本的動作能力回復のため、脳血管疾患等リハビリテーション開始(病室でPT実施)	10/25 ※急性期リハビリテーション加算は対象外。 **まだ評価が行われていないため、リハ総評は算定不可** **❹リハビリテーション実施** ・脳血管疾患等リハビリテーション1単位
10/26(土) 術後2日目 ・特に新たな症状なし。 ・脳血管疾患等リハビリテーション(病室でPT実施)	10/26 **❹リハビリテーション実施** ・脳血管疾患等リハビリテーション2単位

(過去認定試験入院より抜粋:一部修正)

〈レセプト記載例〉

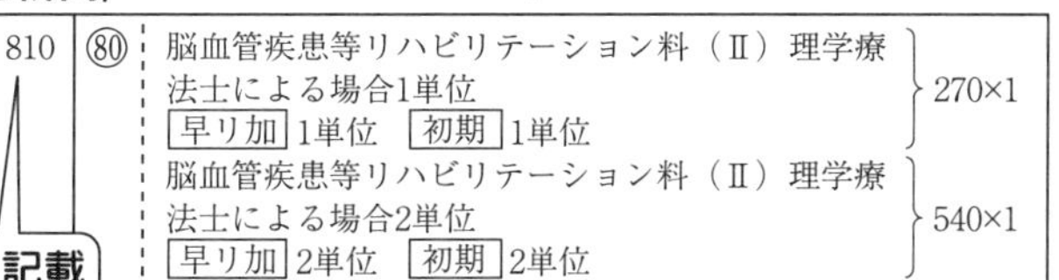

80 その他	薬剤	810	⑳	脳血管疾患等リハビリテーション料(Ⅱ)理学療法士による場合1単位 早リ加 1単位 初期 1単位	270×1
				脳血管疾患等リハビリテーション料(Ⅱ)理学療法士による場合2単位 早リ加 2単位 初期 2単位	540×1
				実施日数:2日 疾患名:脳腫瘍 手術日:令和6年10月24日	

合計点数を記載

実施日数、疾患名、手術年月日を記載する

➡リハビリテーション総合計画評価料

該当するリハビリテーション料の届出保険医療機関において、医師、理学療法士等が共同してリハビリテーション総合実施計画を策定し、リハビリを実施し、評価を行った場合に算定する。別冊「点数早見表」P.39参照。

➡早期リハビリテーション加算

要件を満たす患者に30日を限度として加算する。

➡初期加算

届出保険医療機関において要件を満たす患者に14日を限度として加算する。

➡急性期リハビリテーション加算

届出保険医療機関において要件を満たす疾患および状態の患者に14日を限度として加算する。

➡リハビリテーションデータ提出加算

届出保険医療機関において要件とされるデータを継続的に提出している場合、要件を満たす患者に月1回に限り加算する。

memo

第2章

レセプト作成（実技試験問題）演習

●実技試験受験のポイント

●実技試験受験のポイント

実技試験におけるレセプト作成には、やはりある程度の経験が必要である。したがって、例題を数多くこなし、実践力を身につけることが大事である。

1 頭書きの作成方法

頭書きとは患者の保険種別、年齢、性別、傷病などの概要を書き込む欄である。記入もれのないよう注意しよう。

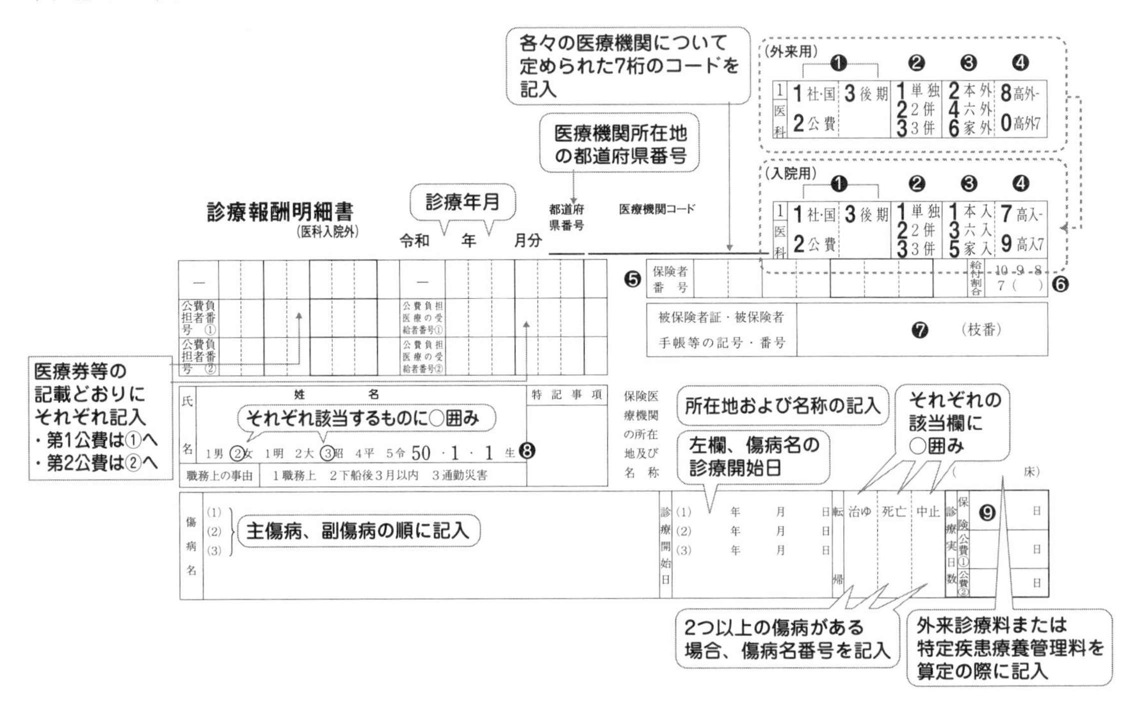

❶ 1 被用者保険(社保)または国民健康保険(国保)
 2 公費負担
 3 後期高齢者医療
 該当番号に○囲み。

❷ 1 公費負担との併用がない単独での保険
 2 1種類の公費負担との併用
 3 2種類以上の公費負担との併用
 該当番号に○囲み。

❸ 1または2 本人または被保険者
 3または4 義務教育就学前の患者(6歳に達する日以降最初の3月31日以前)
 5または6 家族または被扶養者(義務教育就学後の患者)
 該当番号に○囲み。

❹ 7または8 高齢受給者、後期高齢者医療一般・低所得者9割給付
 9または0 高齢受給者、後期高齢者医療一般・低所得者7割給付
 該当番号に○囲み。

❺ 設問に設定された保険者番号を記載。
 ・6桁 国民健康保険(国保)
 ・8桁 被用者保険、後期高齢者医療

❻ 国保(6桁)の場合、該当する数字に○囲み。または( )のなかに給付割合を記入。社保は不要。

❼ 被保険者証等の「記号及び番号欄」の記号・番号および枝番を記載。

❽ 生まれた年月日を記入する。

❾ 実際に診療を行った日数を記入。
 ・同日再診は1日
 ・電話等による再診のみの日は1日

本章は、P.120以降に2024（令和６）年７月までに出題された過去5回分の認定試験問題を収録している。なお、出題後、点数算定等の改正・改定が行われている場合、2024（令和６）年10月1日現在の法令等に照らして必要最小限の変更を行っている（下線部分）。また、レセプト作成の実践のために、外来カルテ・入院カルテそれぞれに、５題ずつ過去問題を踏まえたオリジナル問題を載せた。

外来レセプト・入院レセプトそれぞれについて演習に必要な薬価基準等を載せ、章末にレセプトの書式を収録している。なお、薬価は2024（令和６）年10月1日現在のもので算出している。これらを用いて、レセプト作成演習にチャレンジしよう！

2 点数欄

コード番号ごとにそれぞれ行った回数・点数などを記入する。レセプトの記載方法については、第１章の各項目でも触れているので、あわせて参照しよう。

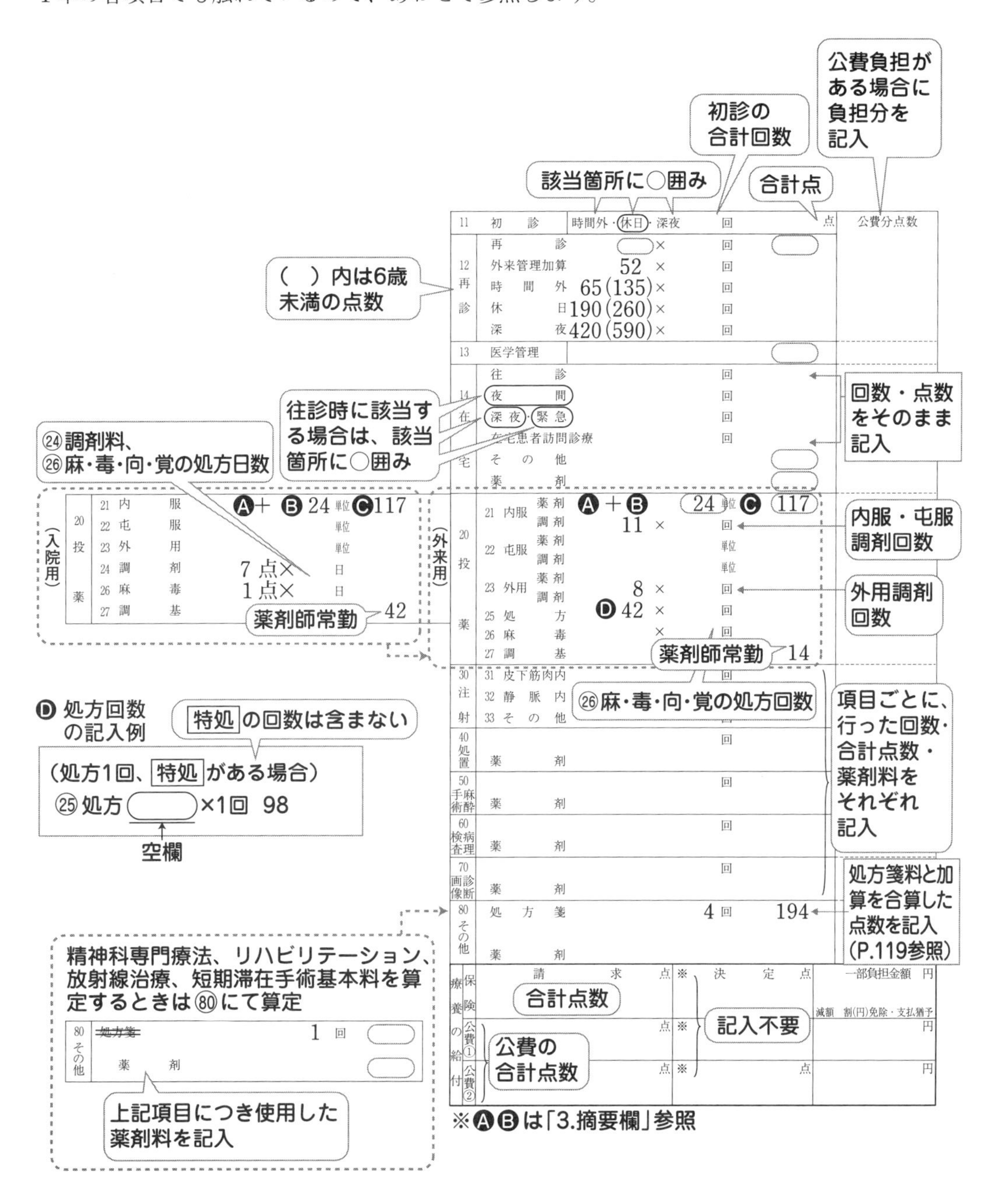

3 摘要欄

コード番号ごとに、行った内容、点数、回数を記入する。略号のあるものについては、必ず略号で記入する。ここでは、主な記入方法をあげておく。

なお、第1章でそれぞれの項目についてのレセプト記載例を載せているので、参考にしよう。

＊略称・略号については、P.16～18および別冊「点数早見表」参照。

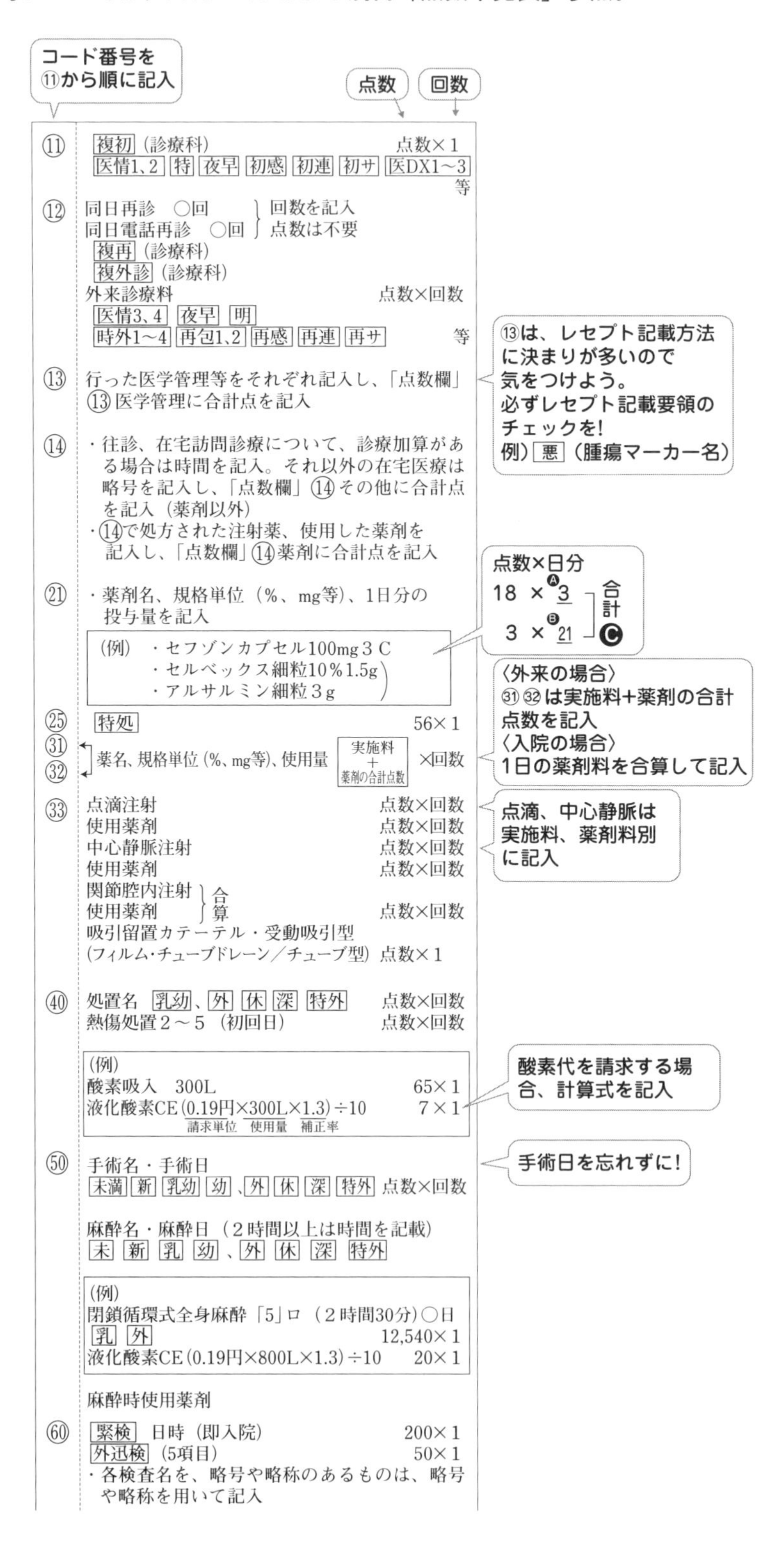

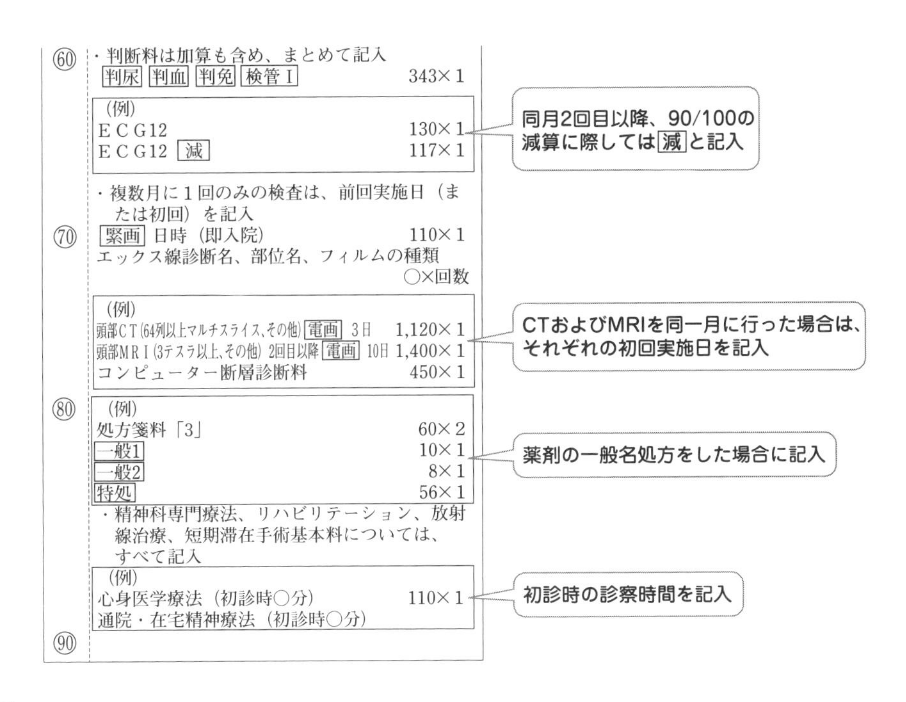

4 入院用

〈記入例1〉

急性期一般入院料6、診療録管理体制加算1、療養環境加算、医療安全対策加算1、3級地域に、6日間入院したケース(6歳以上)。

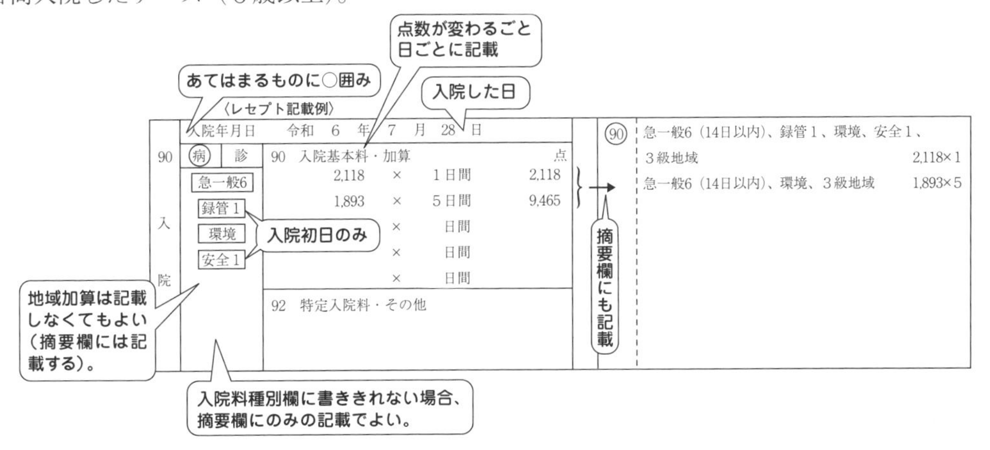

〈記入例2〉

入院時食事療養(Ⅰ)、食堂加算届出の病院で、さらに、特別食を5日間13食提供したケース。

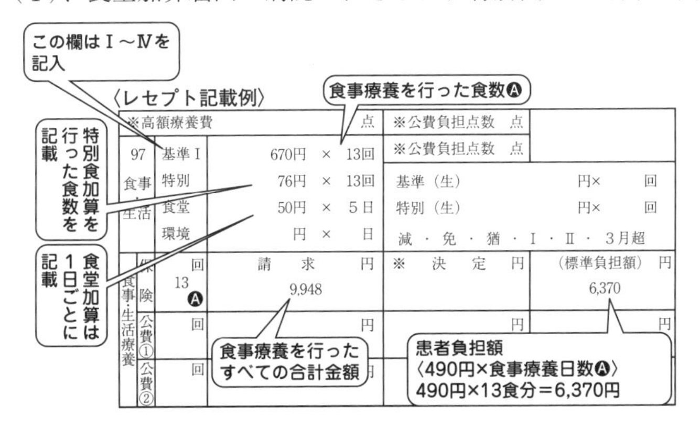

1 外来レセプト作成のポイント

1. 第56回認定試験

問題　次の条件で診療録から診療報酬明細書を作成しなさい。（令和4年4月診療分）

1　施設の概要等

○医科の無床診療所
○標榜診療科：内科、外科、整形外科、皮膚科
○届出等の状況
（届出ている施設基準等）
・外来感染対策向上加算
・検体検査管理加算（Ⅰ）
（届出は要さないが施設基準等を満たしている状況）
・夜間・早朝等加算
・明細書発行体制等加算
・医療情報取得加算
・生活習慣病管理料（Ⅱ）
・一般名処方加算

2　診療時間

・月曜日～金曜日　10時00分～19時00分
・土曜日　10時00分～13時00分
・日曜日、祝日　休診

3　その他

○オンライン資格確認を導入している。
○オンライン請求を行っている。
○管理栄養士及び理学療法士は、非常勤の者を配置している。

診　　療　　録

公費負担者番号		保険者番号	0 6 1 3 9 8 9 3
公費負担医療の受給者番号		被保険者証・被保険者手帳　記号・番号	387・5724（枝番）
		有効期限	年　月　日
受診者　氏名	大谷三郎	被保険者氏名	大谷三郎
生年月日	明・大・(昭)・平・令　45年　3月　24日生　(男)・女	資格取得	昭和・(平成)・令和　4年　4月　1日
住所	（省略） 電話 ××××局 ××××番	事業所（船舶所有者）所在地	（省略） 電話 ××××局 ××××番
		事業所（船舶所有者）名称	（省略）
職業	会社員　被保険者との続柄　本人	保険者　所在地	（省略） 電話 ××××局 ××××番
		保険者　名称	○○健康保険組合

傷病名	職務	開始	終了	転帰	期間満了予定日
高血圧症（主）	上・外	令和 2年 9月 11日	年 月 日	治ゆ・死亡・中止	年 月 日
右下腿部打撲・裂創	上・外	令和 4年 4月 16日	令和 4年 4月 25日	(治ゆ)・死亡・中止	年 月 日
腰椎捻挫	上・外	令和 4年 4月 16日	令和 4年 4月 25日	(治ゆ)・死亡・中止	年 月 日

（注）この診療録は、試験問題用に作成したものである。

<table>
<tr><th>既往症・原因・主要症状・経過等</th><th>処方・手術・処置等</th></tr>
<tr><td>（高血圧症で通院治療中であり、マイナンバーカードを保険証として利用し、診療情報の取得に同意した患者。医療情報取得加算は前月算定済み。）</td><td>（診療内容を一部省略している。）</td></tr>
<tr><td>4／16（土）内科（AM10：30）
・月１回の当科予約受診
・身長175cm、体重70kg、BP125/75mmHg、P64/分
・血圧コントロール良好
・生化学的検査施行（前回：令和３年４月実施）
・高血圧症に対し治療計画に基づき、運動等療養上の指導を行い、療養計画書（患者署名済み）を交付し、前回投薬を継続（医師の指示事項、食事計画案等添付省略）。
（内科　内藤）</td><td>4／16
・B-V
・生化学：Na, Cl, K, AST, ALT, ALP, LD, HDL-cho, T-cho, T-Bil, TP, Alb（BCP改良法）, BUN, クレアチニン, TG, Glu
・Rp）院内（手帳持参、処方薬剤名称等情報提供）
ミカルディス錠 40mg 1T
（分１毎朝食後）×28日分</td></tr>
<tr><td>外科（PM1：30）
・ジョギング中に滑って転倒、右下腿部及び腰部を強打し、右下腿部からの出血と強い腰部痛を訴え、当科に緊急受診（初診）。
・右下腿部の裂創長径５cm、筋膜に達する。
・右下腿部及び腰椎X-P検査の結果、骨に損傷なし（撮影開始PM1：40）。
・右下腿汚染創部をブラッシング洗浄のうえ筋膜縫合し、創傷処理を行う。
・腰椎捻挫に対し鎮痛薬及び外用湿布薬を投与、自宅安静を指示。
（外科　小林）</td><td>・右下腿単純X-P ２方向（デジタル、電子画像管理、時間外緊急院内画像診断）
・腰椎単純X-P ２方向（デジタル、電子画像管理、時間外緊急院内画像診断）
・創傷処理（筋肉、臓器に達するもの）（長径５cm以上10cm未満）、デブリードマン（局麻下）
骨膜縫合１針及び真皮縫合５針
リドカイン塩酸塩注 1%「日新」10mL 1A
大塚生食注TN 50mL １キット
ポビドンヨード消毒液 10% 10mL
・Rp）院内（手帳なし、処方薬剤名称等情報提供）
レボフロキサシン錠 500mg 1T
（分１毎朝食後）×５日分
ロキソプロフェンナトリウム 60mg錠 1T
（疼痛時服用）×５回分
ケトプロフェン（60mg）20cm×14cm貼付剤14枚（１回１枚、１日２回腰部に貼付）</td></tr>
<tr><td>4／18（月）外科
・腰部痛は軽減。
・右下腿縫合部の出血・感染なし。
（外科　小林）</td><td>4／18
・術後創傷処置（100cm²未満）
ポビドンヨード消毒液 10% 10mL</td></tr>
<tr><td>4／25（月）外科
・右下腿縫合部の癒着良好にて、本日抜糸。
・右下腿部打撲・裂創及び腰椎捻挫治癒
（外科　小林）</td><td>4／25
・術後創傷処置（100cm²未満）
ポビドンヨード消毒液 10% 10mL</td></tr>
</table>

[レセプト解答・解説]

●同一日複数科受診の診察料
●処方料、調剤料の算定
●手術料、手術時使用薬剤の算定
●診療時間外の緊急画像診断

⑪（16日）
（A000）「注5」同一日複数科初診　146点×1
・同一日に内科の後、外科を初診として受診しているため算定する。
※同一日複数科初診には、時間外加算等は算定できない。

⑫（16日、18日、25日）
（A001）再診　75点×3
「注11」明細書発行体制等加算　1点×3
・施設基準により明細書発行体制等加算を再診の都度算定する。
（16日）
「注15」外来感染対策向上加算　6点
・施設基準の届出により月1回に限り算定する。
・16日は内科で生活習慣病管理料（Ⅱ）を算定し、同一日の外科初診時に手術、18日及び25日は処置が行われているため3日間とも外来管理加算は算定できない。

⑬（16日）
（B001-3-3）生活習慣病管理料（Ⅱ）　333×1
・高血圧症に対して生活習慣に関する総合的な治療管理が行われ、療養計画書が交付されているため算定する。
※第1章P.72参照
（B011-3）薬剤情報提供料　4点
「注2」手帳記載加算　3点
｝合算
→7点×1
・院内処方の薬剤に対して、薬剤情報（文書）の提供及び患者の手帳に薬剤情報歴等の記載をしているため算定する。
※同一日に2以上の診療科で処方された場合であっても、1回のみの算定とする。

㉑（16日）
（内科）
ミカルディス錠40mg 1T（38.20円）→4点×28
（F000）「1」イ・調剤料　11点×1
（F100）「3」処方料　42点×1
（外科）
レボフロキサシン錠500mg 1T（69.90円）→7点×5
（F000）「1」イ・調剤料　11点×1
（F100）「3」処方料　42点×1
※2以上の診療科で異なる医師が処方した場合は、それぞれの処方につき、調剤料及び処方料を算定できる。

診療報酬明細書
（医科入院外）

令和　4年　4月分　都道府県番号

公費負担者番号①		公費負担医療の受給者番号①	
公費負担者番号②		公費負担医療の受給者番号②	

氏名	大谷　三郎	特記事項
	①男　2女　1明　2大　③昭　4平　5令　45・3・24生	
職務上の事由	1職務上　2下船後3月以内　3通勤災害	

傷病名
(1) 高血圧症（主）
(2) 右下腿部打撲・裂創
(3) 腰椎捻挫
(4)

区分	項目		回数等	点数	公費分点数
11 初診	時間外・休日・深夜		1回	146点	
12 再診	再診	×	3回	234	
	外来管理加算	×	回		
	時間外	×	回		
	休日	×	回		
	深夜	×	回		
13 医学管理				340	
14 在宅	往診		回		
	夜間		回		
	深夜・緊急		回		
	在宅患者訪問診療		回		
	その他				
	薬剤				
20 投薬	21 内服 薬剤		33単位	147	
	21 内服 調剤	11×	2回	22	
	22 屯服 薬剤		5単位	5	
	23 外用 薬剤		1単位	24	
	23 外用 調剤	8×	1回	8	
	25 処方	42×	2回	84	
	26 麻毒		回		
	27 調基				
30 注射	31 皮下筋肉内		回		
	32 静脈内		回		
	33 その他		回		
40 処置			2回	104	
	薬剤				
50 手術麻酔			1回	3,416	
	薬剤			29	
60 検査病理			3回	327	
	薬剤				
70 画像診断			3回	621	
	薬剤				
80 その他	処方箋		回		
	薬剤				

療養の給付	請求	※決定
保険	5,507点	点
公費①	点	※　点
公費②	点	※　点

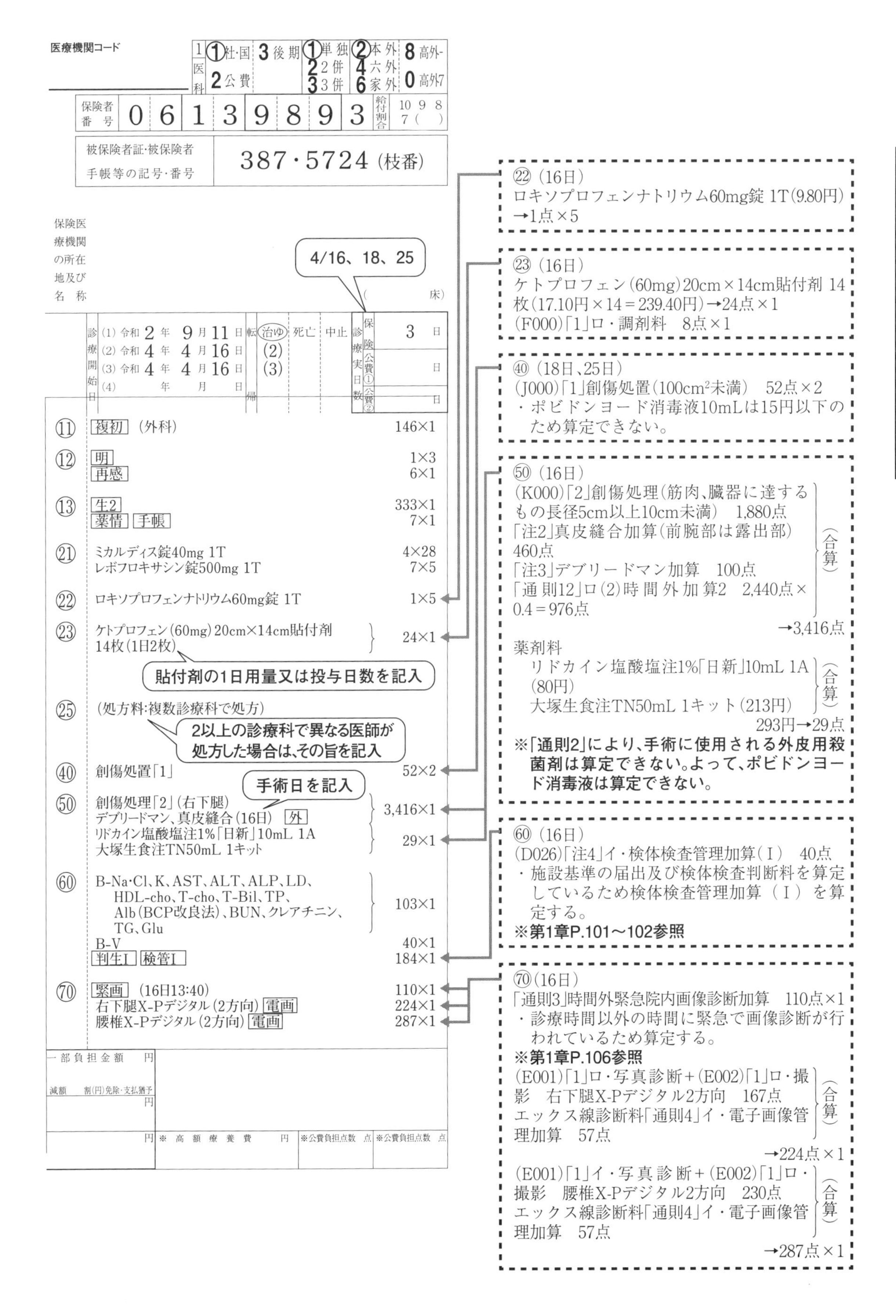

医療機関コード

1 医科	①社·国 2公費	3後期	①単独 2 2併 3 3併	②本外 4六外 6家外	8高外一 0高外7

保険者番号	0	6	1	3	9	8	9	3	給付割合	10 9 8 7( )

被保険者証·被保険者手帳等の記号·番号	387·5724 (枝番)

保険医療機関の所在地及び名称

(床)

診療開始日		転帰	診療実日数	
(1) 令和2年9月11日		治ゆ 死亡 中止	保険	3日
(2) 令和4年4月16日		(2)	公費①	日
(3) 令和4年4月16日		(3)	公費②	日
(4) 年 月 日				

4/16、18、25

⑪	複初 (外科)	146×1
⑫	明	1×3
	再感	6×1
⑬	生2	333×1
	薬情 手帳	7×1
㉑	ミカルディス錠40mg 1T	4×28
	レボフロキサシン錠500mg 1T	7×5
㉒	ロキソプロフェンナトリウム60mg錠 1T	1×5
㉓	ケトプロフェン(60mg) 20cm×14cm貼付剤 14枚(1日2枚)	24×1
㉕	(処方料:複数診療科で処方)	
㊵	創傷処置「1」	52×2
㊿	創傷処理「2」(右下腿) デブリードマン、真皮縫合(16日) 外	3,416×1
	リドカイン塩酸塩注1%「日新」10mL 1A 大塚生食注TN50mL 1キット	29×1
⑥⓪	B-Na·Cl、K、AST、ALT、ALP、LD、HDL-cho、T-cho、T-Bil、TP、Alb(BCP改良法)、BUN、クレアチニン、TG、Glu	103×1
	B-V	40×1
	判生I 検管I	184×1
⑦⓪	緊画 (16日13:40)	110×1
	右下腿X-Pデジタル(2方向) 電画	224×1
	腰椎X-Pデジタル(2方向) 電画	287×1

貼付剤の1日用量又は投与日数を記入

2以上の診療科で異なる医師が処方した場合は、その旨を記入

手術日を記入

一部負担金額 円	
減額 割(円)免除·支払猶予 円	
円	※高額療養費 円	※公費負担点数 点	※公費負担点数 点

㉒(16日)
ロキソプロフェンナトリウム60mg錠 1T(9.80円)
→1点×5

㉓(16日)
ケトプロフェン(60mg)20cm×14cm貼付剤 14枚(17.10円×14＝239.40円)→24点×1
(F000)「1」ロ・調剤料 8点×1

㊵(18日、25日)
(J000)「1」創傷処置(100cm²未満) 52点×2
・ポビドンヨード消毒液10mLは15円以下のため算定できない。

㊿(16日)
(K000)「2」創傷処理(筋肉、臓器に達するもの長径5cm以上10cm未満) 1,880点
「注2」真皮縫合加算(前腕部は露出部) 460点
「注3」デブリードマン加算 100点
「通則12」ロ(2)時間外加算2 2,440点×0.4＝976点
(合算)
→3,416点

薬剤料
リドカイン塩酸塩注1%「日新」10mL 1A (80円)
大塚生食注TN50mL 1キット(213円)
(合算)
293円→29点

※「通則2」により、手術に使用される外皮用殺菌剤は算定できない。よって、ポビドンヨード消毒液は算定できない。

⑥⓪(16日)
(D026)「注4」イ・検体検査管理加算(Ⅰ) 40点
・施設基準の届出及び検体検査判断料を算定しているため検体検査管理加算(Ⅰ)を算定する。
※第1章P.101～102参照

⑦⓪(16日)
「通則3」時間外緊急院内画像診断加算 110点×1
・診療時間以外の時間に緊急で画像診断が行われているため算定する。
※第1章P.106参照

(E001)「1」ロ・写真診断＋(E002)「1」ロ・撮影 右下腿X-Pデジタル2方向 167点
エックス線診断料「通則4」イ・電子画像管理加算 57点
(合算)
→224点×1

(E001)「1」イ・写真診断＋(E002)「1」ロ・撮影 腰椎X-Pデジタル2方向 230点
エックス線診断料「通則4」イ・電子画像管理加算 57点
(合算)
→287点×1

2. 第57回認定試験

問題　次の条件で診療録から診療報酬明細書を作成しなさい。（令和４年10月診療分）

1　施設の概要等

○DPC対象外の一般病院、一般病床のみ120床

○標榜診療科：内科、外科、整形外科、脳神経外科、眼科、耳鼻咽喉科、皮膚科、泌尿器科、麻酔科、放射線科、病理診断科

○届出等の状況

（届出ている施設基準等）

- ・急性期一般入院料６
- ・診療録管理体制加算２
- ・ニコチン依存症管理料
- ・薬剤管理指導料
- ・検体検査管理加算（Ⅱ）
- ・画像診断管理加算１
- ・CT撮影（16列以上64列未満のマルチスライス型の機器）
- ・MRI撮影（1.5テスラ以上３テスラ未満の機器）
- ・麻酔管理料（Ⅰ）
- ・病理診断管理加算２

（届出は要さないが施設基準等を満たしている状況）

- ・医療情報取得加算
- ・生活習慣病管理料（Ⅱ）

○所在地

東京都新宿区（１級地）

2　診療時間

- ・月曜日～金曜日　９時00分～17時00分
- ・土曜日　９時00分～12時00分
- ・日曜日、祝日　休診

3　その他

○オンライン資格確認を導入している。

○オンライン請求を行っている。

○医師、薬剤師等職員の状況

医師数、薬剤師数及び看護職員（看護師及び准看護師）数は、医療法標準を満たしており、常勤の薬剤師及び管理栄養士も配置している。

診　療　録

公費負担者番号		保険者番号	0 1 1 3 0 0 1 2
公費負担医療の受給者番号		被保険者証・被保険者手帳　記号・番号	3711246・5（枝番）00
		被保険者証・被保険者手帳　有効期限	令和　年　月　日

受診者		被保険者	
氏名	西田重雄	被保険者氏名	西田重雄
生年月日	明・大・㊧昭・平・令　55年　9月　13日生　㊚・女	資格取得	昭和・㊧平成・令和　15年　4月　1日
住所	（省略）　電話　××××局　××××番	事業所（船舶所有者）所在地	（省略）　電話　××××局　××××番
		事業所（船舶所有者）名称	（省略）
		保険者 所在地	（省略）　電話　××××局　××××番
職業	会社員　被保険者との続柄　本人	保険者 名称	全国健康保険協会 東京支部

傷病名	職務	開始	終了	転帰	期間満了予定日
血栓性外痔核（主）	上・外	令和3年8月4日	年　月　日	治ゆ・死亡・中止	年　月　日
便秘症（主）	上・外	令和3年8月4日	年　月　日	治ゆ・死亡・中止	年　月　日
糖尿病	上・外	令和4年10月19日	令和4年10月27日	治ゆ・死亡・㊥中止	年　月　日

（注）この診療録は、試験問題用に作成したものである。

既往症・原因・主要症状・経過等	処方・手術・処置等
令和３年８月から当科外来で内服薬と軟膏塗布による保存療法を継続中。寛解と再発を繰り返していたが、昨日、飲酒後に冷たいフローリングの上で眠ってしまい、今朝の排便時に肛門部に今までにない程の激痛があるため、本日来院。マイナンバーカードを保険証として利用し、診療情報の取得に同意した患者。医療情報取得加算は前月算定済み。	
	（診療内容を一部省略している。）
10／19（水） ・視診により肛門３時の位置に直径３cmの血栓性外痔核を認める。出血はなし。 ・慢性的に症状が反復するため、明日の手術施行を前提として、血栓摘出術について説明し、手術の同意書を受領。 ・軟膏と鎮痛薬を処方。 ・特定健診で空腹時血糖130mg/dLの指摘があり、HbA1c検査を実施。 （外科　本田）	10／19 ・B-V ・末梢血液一般検査、末梢血液像（自動機械法）、HbA1c、CRP ・生化学：Na, Cl, K, AST, ALT, ALP, LD, T-cho, T-Bil, TP, Alb（BCP改良法）, BUN, クレアチニン, UA, Glu ・Rp）院内（処方薬剤名称等情報提供、手帳記載。） ボラザG軟膏（2.4g）２本 （１回１本、１日２回朝夕塗布） ロキソプロフェンナトリウム 60mg錠 1T （疼痛時服用）×３回分
10／20（木） ・浣腸実施 ・肛門部所見は変化なし。 ・術前検査結果は、特に問題なし。 ・腰椎麻酔下に血栓摘出術を施行し、手術を予定どおり問題なく終了。 ・鎮痛薬を処方。明日受診を指示。 （外科　本田）	10／20 ・術前処置 グリセリン浣腸液 50% 120mL １個 ・痔核手術（結紮術、焼灼術、血栓摘出術） ・脊椎麻酔　AM10：00～AM10：20 ・マーカイン注脊麻用 0.5%高比重 4mL 1A ・Rp）院内（処方薬剤名称等情報提供、手帳記載。） ロキソプロフェンナトリウム 60mg錠 1T （疼痛時服用）×３回分
10／21（金） ・術後の経過良好。 ・創部の出血なし。 （外科　本田）	10／21 ・術後創傷処置（100cm^{2}未満） ポビドンヨード消毒液 10% 10mL
10／27（木） ・痛みは軽快。 ・糖尿病の治療は、かかりつけ医療機関での受診を希望のため、診療に関する情報を提供（患者同意）（交付文書写しの添付省略）。 ・創部の状況確認のため、次回11/1（火）に来院予定。 （外科　本田）	10／27 ・術後創傷処置（100cm^{2}未満） ポビドンヨード消毒液 10% 10mL ・診療情報提供料（Ⅰ）

[レセプト解答・解説]

●医学管理等の算定
●手術料・麻酔料の算定

⑫（19日、20日、21日、27日）
（A001）再診　75点×4
（19日）
「注8」外来管理加算　52点×1
・20日は手術、21日、27日は処置が行われているため外来管理加算は算定できない。

⑬（19日、20日、27日）
（19日、20日）
（B011-3）薬剤情報提供料　4点
「注2」手帳記載加算　3点
（合算）→7点×2
・院内処方の薬剤に対して、薬剤情報（文書）の提供及び患者の手帳に薬剤情報歴等の記載をしているため算定する。
（27日）
（B009）診療情報提供料（Ⅰ）　250点×1
・患者の求めによりかかりつけ医療機関へ診療に関する情報を提供しているため算定する。

㉒（19日、20日）
ロキソプロフェンナトリウム60mg錠 1T（9.80円）→1点×6
（F000）「1」イ・調剤料　11点×2
（F000）「3」処方料　42点×2
（F500）調剤技術基本料「2」　14点×1
・薬剤師常勤の保険医療機関において調剤が行われているため算定する。
㉓（19日）
ボラザG軟膏4.8g（28.20円×4.8=135.36円）→14点×1
（F000）「1」ロ・調剤料　8点×1

診療報酬明細書（医科入院外）　令和 4年 10月分　都道府県番号

公費負担者番号①	公費負担医療の受給者番号①
公費負担者番号②	公費負担医療の受給者番号②

氏名	西田　重雄	特記事項
	①男 2女 1明 2大 ③昭 4平 5令 55・9・13生	
職務上の事由	1職務上 2下船後3月以内 3通勤災害	

傷病名
(1) 血栓性外痔核（主）
(2) 便秘症（主）
(3) 糖尿病
(4)

区分	項目	点数×回数	回	点	公費分点数
11 初診	時間外・休日・深夜		回	点	
12 再診	再診	75 ×	4 回	300	
	外来管理加算	52 ×	1 回	52	
	時間外	×	回		
	休日	×	回		
	深夜	×	回		
13 医学管理				264	
14 在宅	往診		回		
	夜間		回		
	深夜・緊急		回		
	在宅患者訪問診療		回		
	その他				
	薬剤				
20 投薬	21 内服 薬剤		単位		
	21 内服 調剤	11 ×	2 回	22	
	22 屯服 薬剤		6 単位	6	
	23 外用 薬剤		1 単位	14	
	23 外用 調剤	8 ×	1 回	8	
	25 処方	42 ×	2 回	84	
	26 麻毒		回		
	27 調基			14	
30 注射	31 皮下筋肉内		回		
	32 静脈内		回		
	33 その他		回		
40 処置			2 回	104	
	薬剤				
50 手術麻酔			2 回	2,240	
	薬剤			48	
60 検査病理			5 回	697	
	薬剤				
70 画像診断			回		
	薬剤				
80 その他	処方箋		回		
	薬剤				

療養の給付	請求 点	※決定 点
保険	3,853	
公費①	点	※ 点
公費②	点	※ 点

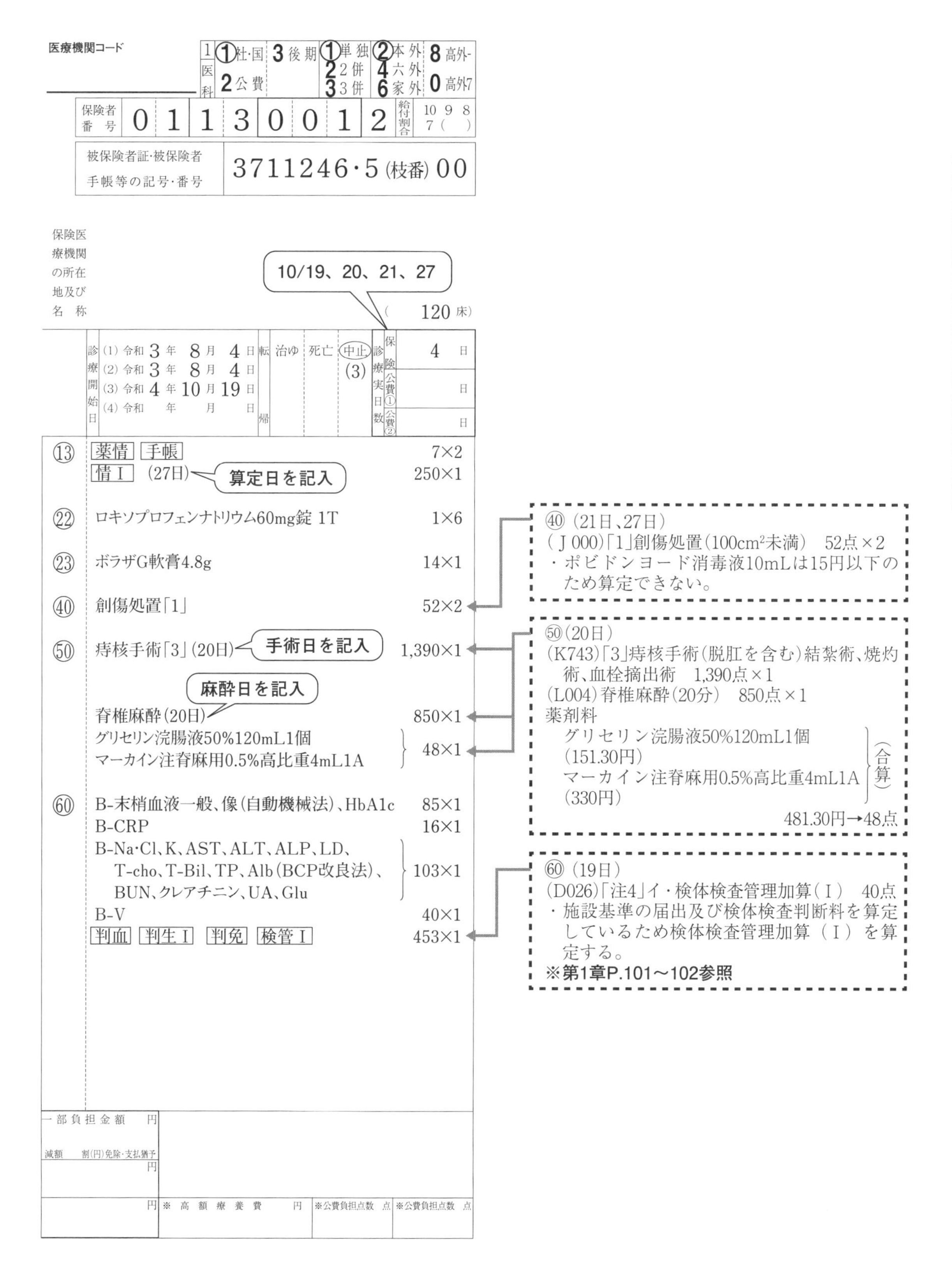

医療機関コード	1 医科	①社・国 2公費	3後期	①単独 2 2併 3 3併	②本外 4 六外 6 家外	8 高外一 0 高外7

保険者番号	0 1 1 3 0 0 1 2	給付割合	10 9 8 7( )

被保険者証・被保険者手帳等の記号・番号	3711246・5 (枝番) 00

保険医療機関の所在地及び名称

10/19、20、21、27

(120 床)

診療開始日		転帰	治ゆ	死亡	中止	診療実日数		
	(1) 令和 3 年 8 月 4 日				(3)		保険	4 日
	(2) 令和 3 年 8 月 4 日						公費①	日
	(3) 令和 4 年 10 月 19 日						公費②	日
	(4) 令和 年 月 日							

⑬	薬情 手帳	7×2
	情Ⅰ (27日) ← 算定日を記入	250×1
㉒	ロキソプロフェンナトリウム60mg錠 1T	1×6
㉓	ボラザG軟膏4.8g	14×1
㊵	創傷処置「1」	52×2
(50)	痔核手術「3」(20日) ← 手術日を記入	1,390×1
	麻酔日を記入 → 脊椎麻酔(20日)	850×1
	グリセリン浣腸液50%120mL1個 マーカイン注脊麻用0.5%高比重4mL1A	48×1
(60)	B-末梢血液一般、像(自動機械法)、HbA1c	85×1
	B-CRP	16×1
	B-Na・Cl、K、AST、ALT、ALP、LD、 T-cho、T-Bil、TP、Alb(BCP改良法)、 BUN、クレアチニン、UA、Glu	103×1
	B-V	40×1
	判血 判生Ⅰ 判免 検管Ⅰ	453×1

一部負担金額 円 減額 割(円)免除・支払猶予 円			
円	※ 高額療養費 円	※公費負担点数 点	※公費負担点数 点

㊵(21日、27日)
(J000)「1」創傷処置(100cm²未満) 52点×2
・ポビドンヨード消毒液10mLは15円以下のため算定できない。

(50)(20日)
(K743)「3」痔核手術(脱肛を含む)結紮術、焼灼術、血栓摘出術 1,390点×1
(L004)脊椎麻酔(20分) 850点×1
薬剤料
グリセリン浣腸液50%120mL1個(151.30円)
マーカイン注脊麻用0.5%高比重4mL1A(330円)
(合算)
481.30円→48点

(60)(19日)
(D026)「注4」イ・検体検査管理加算(Ⅰ) 40点
・施設基準の届出及び検体検査判断料を算定しているため検体検査管理加算(Ⅰ)を算定する。
※第1章P.101～102参照

3. 第58回認定試験

問題　次の条件で診療録から診療報酬明細書を作成しなさい（令和5年4月診療分）。

1　施設の概要等

○医科の無床診療所
○標榜診療科：内科、外科、整形外科
○届出等の状況
（届出ている施設基準等）
・時間外対応加算4
・外来感染対策向上加算
・連携強化加算
（届出は要さないが施設基準等を満たしている状況）
・明細書発行体制等加算
・医療情報取得加算
・生活習慣病管理料（Ⅱ）
・一般名処方加算

2　診療時間

・月曜日～金曜日　9時00分～17時00分
・土曜日　9時00分～12時00分
・日曜日、祝日　休診

3　その他

○オンライン資格確認を導入している。
○オンライン請求を行っている。
○管理栄養士及び理学療法士は、非常勤の者を配置している。

診　療　録

公費負担者番号		保険者番号	06139893
公費負担医療の受給者番号		被保険者証・被保険者手帳　記号・番号	294・3471（枝番）02
		有効期限	令和 8年 3月 31日

受診者		被保険者	
氏名	山中健三	被保険者氏名	山中博夫
生年月日	明・大・㊚昭・平・令 35年 4月 21日生　㊚男・女	資格取得	昭和・㊀平成・令和 22年 4月 1日
住所	（省略） 電話 ××××局 ××××番	事業所（船舶所有者） 所在地	（省略） 電話 ××××局 ××××番
		事業所（船舶所有者） 名称	（省略）
職業	無職	保険者 所在地	（省略） 電話 ××××局 ××××番
被保険者との続柄	父	保険者 名称	○○健康保険組合

傷病名	職務	開始	終了	転帰	期間満了予定日
2型糖尿病（主）	上・外	令和3年7月10日	年 月 日	治ゆ・死亡・中止	年 月 日
高血圧症（主）	上・外	令和3年7月10日	年 月 日	治ゆ・死亡・中止	年 月 日
後頭部挫創（主）	上・外	令和5年4月1日	令和5年4月7日	㊀治ゆ・死亡・中止	年 月 日
頸椎捻挫	上・外	令和5年4月1日	令和5年4月7日	㊀治ゆ・死亡・中止	年 月 日

（注）この診療録は、試験問題用に作成したものである。

既往症・原因・主要症状・経過等	処方・手術・処置等
（２型糖尿病、高血圧症で通院治療中であり、マイナンバーカードを保険証として利用し、診療情報の取得に同意した患者。医療情報取得加算は前月算定済み。）	（診療内容を一部省略している。）
4／1（土）［外科］（PM2：30） ・本日、買い物のため外出中に滑って転倒、後頭部及び頸部を強打し、後頭部痛及び頸部痛を訴え、当科受診（再診）。 ・後頭部の挫創長径５cm。 ・意識清明、瞳孔反射正常。 ・後頭部及び頸部X-P検査の結果、骨に損傷なし（撮影開始PM2：40）。 ・後頭部の汚染挫創を清拭し、ブラッシング洗浄の上、表皮縫合。 ・頸椎捻挫に対し鎮痛薬及び外用湿布薬を投与、自宅安静を指示。 （外科　真田）	4／1 ・頭部単純X-P　２方向（デジタル、電子画像管理、時間外緊急院内画像診断） ・頸椎単純X-P　２方向（デジタル、電子画像管理、時間外緊急院内画像診断） ・頭部創傷処理（筋肉、臓器に達しないもの）（長径５cm以上10cm未満） デブリードマン（局麻下）表皮６針縫合 リドカイン塩酸塩注 1%「日新」10mL 1A 大塚生食注TN 50mL　１キット ポビドンヨード消毒液 10% 10mL ・Rp）院内（処方薬剤名称等情報提供、手帳記載。） レボフロキサシン錠 500mg 1T （分１毎朝食後）×５日分 ロキソプロフェンナトリウム 60mg錠 1T （疼痛時服用）×５回分 インドメタシンパップ 70mg 14枚 （１回１枚、１日２回頸部に貼付）
4／3（月）［外科］ ・後頭部痛及び頸部痛は軽減。 ・後頭部挫創の縫合部は感染なく良好。 （外科　真田）	4／3 ・術後創傷処置（100cm^{2}未満） ポビドンヨード消毒液 10% 10mL
4／7（金）［外科］ ・後頭部挫創の縫合部は癒着良好にて、本日抜糸。 ・後頭部挫創及び頸椎捻挫は治癒。 （外科　真田）	4／7 ・術後創傷処置（100cm^{2}未満） ポビドンヨード消毒液 10% 10mL
［内科］ ・月１回の当科予約受診。 ・身長165cm、体重60kg、BP128/72mmHg、P66/分 ・本日朝食をとっておらず、HbA1c、Glu（自動分析法）検査を実施し、検査結果は、HbA1c（NGSP値）5.8%、空腹時血糖105mg/dL。 ・血圧及び血糖コントロールは良好であり、本人に検査結果を説明し、文書を交付。 ・治療計画に基づき服薬、運動、栄養等の療養上の管理を行い、療養計画書（患者署名済み）を交付し、前回投薬を継続（管理内容の要点は、記載省略。）。 ・生化学的検査施行（前回：令和４年７月実施）。 ・次回は5／15（月）来院予定。 （内科　安藤）	・B-V ・HbA1c、Glu（自動分析法） ・生化学：Na, Cl, K, AST, ALT, ALP, LD, HDL-cho, T-cho, T-Bil, TP, Alb（BCP改良法）, BUN, クレアチニン, TG ・Rp）院外 デベルザ錠 20mg 1T アムロジピン錠 5mg 1T （分１毎朝食後）×28日分

[レセプト解答・解説]

- ●同一日複数科受診の診察料
- ●手術料、手術使用薬剤の算定
- ●外来迅速検体検査加算の算定
- ●診療時間外の緊急画像診断

⑫ (1日、3日、7日)
(A001)再診　75点×3
「注10」ニ・時間外対応加算4　1点×3
「注11」明細書発行体制等加算　1点×3
(1日)
「注15」外来感染対策向上加算　6点
「注16」連携強化加算　3点
・「注15」「注16」は、施設基準の届出により月1回に限り算定する。
「注5」時間外加算　65点×1
・診療時間以外の時間に緊急で受診しているため算定する。
(7日)
「注3」同一日複数科再診　38点×1
・同一日に外科の後、内科を再診として受診しているため算定する。
・1日は手術、3日、7日は外科で処置が行われ、内科で生活習慣病管理料(Ⅱ)を算定しているため外来管理加算は算定できない。

⑬ (1日、7日)
(1日)
(B011-3)薬剤情報提供料　4点
「注2」手帳記載加算　3点
(合算)→7点×1
・院内処方の薬剤に対して、薬剤情報(文書)の提供及び患者の手帳に処方薬剤名称等の記載をしているため算定する。
(7日)
(B001-3-3)生活習慣病管理料(Ⅱ)　333点×1
・2型糖尿病、高血圧症に対して生活習慣に関する総合的な治療管理が行われ、療養計画書が交付されているため算定する。
※第1章P.72参照

㉑ (1日)
レボフロキサシン錠500mg1錠(69.90円)→7点×5
(F000)「1」イ・調剤料　11点×1
(F100)「3」処方料　42点×1
・薬剤師の勤務についての記載がなく、7日に処方箋を交付しているため調剤技術基本料は算定できない。
㉒ (1日)
ロキソプロフェンナトリウム60mg錠 1T(9.80円)→1点×5
㉓ (1日)
インドメタシンパップ70mg14枚(17.10円×14＝239.40円)→24点×1
(F000)「1」ロ・調剤料　8点×1

診療報酬明細書
(医科入院外)

令和　5年　4月分　　都道府県番号

公費負担者番号①		公費負担医療の受給者番号①	
公費負担者番号②		公費負担医療の受給者番号②	

氏名：山中　健三
①男　2女　1明　2大　③昭　4平　5令　35・4・21生
職務上の事由　1職務上　2下船後3月以内　3通勤災害
特記事項

傷病名
(1) 2型糖尿病(主)
(2) 高血圧症(主)
(3) 後頭部挫創(主)
(4) 頸椎捻挫

区分	項目	単価		回数	点数
11 初診	時間外・休日・深夜			回	点
12 再診	再診		×	4回	278
	外来管理加算		×	回	
	時間外	65	×	1回	65
	休日		×	回	
	深夜		×	回	
13 医学管理					340
14 在宅	往診			回	
	夜間			回	
	深夜・緊急			回	
	在宅患者訪問診療			回	
	その他				
	薬剤				
20 投薬	21 内服 薬剤			5単位	35
	21 内服 調剤	11	×	1回	11
	22 屯服 薬剤			5単位	5
	23 外用 薬剤			1単位	24
	23 外用 調剤	8	×	1回	8
	25 処方	42	×	1回	42
	26 麻毒			回	
	27 調基				
30 注射	31 皮下筋肉内			回	
	32 静脈内			回	
	33 その他			回	
40 処置				2回	104
	薬剤				
50 手術麻酔				1回	1,470
	薬剤				29
60 検査病理				5回	511
	薬剤				
70 画像診断				3回	684
	薬剤				
80 その他	処方箋			1回	68
	薬剤				

公費分点数

療養の給付	請求 点	※決定 点
保険	3,674	
公費①	点	※ 点
公費②	点	※ 点

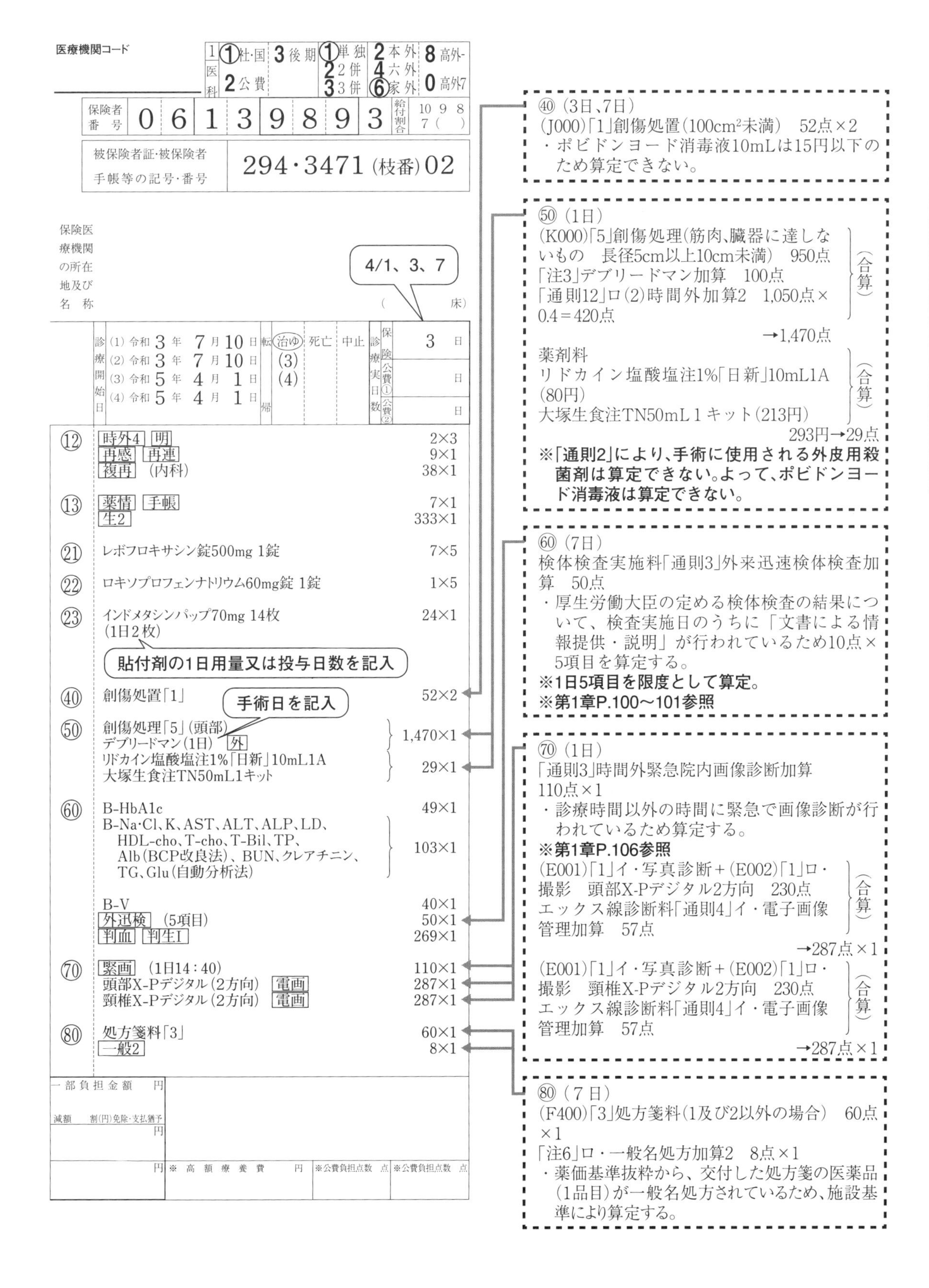

医療機関コード	1 医科	①社・国 2公費	3後期	①単独 2 2併 3 3併	2本外 4六外 ⑥家外	8高外一 0高外7

保険者番号	0 6 1 3 9 8 9 3	給付割合	10 9 8 7 ( )
被保険者証・被保険者手帳等の記号・番号	294・3471 (枝番)02		

保険医療機関の所在地及び名称 (床)

4/1、3、7

診療開始日		転帰		診療実日数	
(1) 令和3年7月10日		治ゆ	死亡 中止	保険	3日
(2) 令和3年7月10日		(3)		公費①	日
(3) 令和5年4月1日		(4)		公費②	日
(4) 令和5年4月1日					

⑫	時外4 明	2×3
	再感 再連	9×1
	複再 (内科)	38×1
⑬	薬情 手帳	7×1
	生2	333×1
㉑	レボフロキサシン錠500mg 1錠	7×5
㉒	ロキソプロフェンナトリウム60mg錠 1錠	1×5
㉓	インドメタシンパップ70mg 14枚 (1日2枚)	24×1
㊵	創傷処置「1」	52×2
(50)	創傷処理「5」(頭部) デブリードマン(1日) 外	1,470×1
	リドカイン塩酸塩注1%「日新」10mL1A 大塚生食注TN50mL1キット	29×1
(60)	B-HbA1c	49×1
	B-Na・Cl、K、AST、ALT、ALP、LD、HDL-cho、T-cho、T-Bil、TP、Alb(BCP改良法)、BUN、クレアチニン、TG、Glu(自動分析法)	103×1
	B-V	40×1
	外迅検 (5項目)	50×1
	判血 判生I	269×1
(70)	緊画 (1日14:40)	110×1
	頭部X-Pデジタル(2方向) 電画	287×1
	頸椎X-Pデジタル(2方向) 電画	287×1
(80)	処方箋料「3」	60×1
	一般2	8×1

貼付剤の1日用量又は投与日数を記入

手術日を記入

一部負担金額 円			
減額 割(円)免除・支払猶予 円			
円	※高額療養費 円	※公費負担点数 点	※公費負担点数 点

㊵ (3日、7日)
(J000)「1」創傷処置(100cm²未満) 52点×2
・ポビドンヨード消毒液10mLは15円以下のため算定できない。

(50) (1日)
(K000)「5」創傷処理(筋肉、臓器に達しないもの 長径5cm以上10cm未満) 950点
「注3」デブリードマン加算 100点
「通則12」ロ(2)時間外加算2 1,050点×0.4＝420点
(合算) →1,470点

薬剤料
リドカイン塩酸塩注1%「日新」10mL1A(80円)
大塚生食注TN50mL 1キット(213円)
(合算) 293円→29点

※「通則2」により、手術に使用される外皮用殺菌剤は算定できない。よって、ポビドンヨード消毒液は算定できない。

(60) (7日)
検体検査実施料「通則3」外来迅速検体検査加算 50点
・厚生労働大臣の定める検体検査の結果について、検査実施日のうちに「文書による情報提供・説明」が行われているため10点×5項目を算定する。
※1日5項目を限度として算定。
※第1章P.100～101参照

(70) (1日)
「通則3」時間外緊急院内画像診断加算 110点×1
・診療時間以外の時間に緊急で画像診断が行われているため算定する。
※第1章P.106参照

(E001)「1」イ・写真診断＋(E002)「1」ロ・撮影 頭部X-Pデジタル2方向 230点
エックス線診断料「通則4」イ・電子画像管理加算 57点
(合算) →287点×1

(E001)「1」イ・写真診断＋(E002)「1」ロ・撮影 頸椎X-Pデジタル2方向 230点
エックス線診断料「通則4」イ・電子画像管理加算 57点
(合算) →287点×1

(80) (7日)
(F400)「3」処方箋料(1及び2以外の場合) 60点×1
「注6」ロ・一般名処方加算2 8点×1
・薬価基準抜粋から、交付した処方箋の医薬品(1品目)が一般名処方されているため、施設基準により算定する。

4. 第59回認定試験

問題　次の条件で診療録から診療報酬明細書を作成しなさい（令和５年10月診療分）。

1　施設の概要等

○DPC対象外の一般病院、一般病床のみ110床

○標榜診療科：内科、外科、整形外科、脳神経外科、眼科、耳鼻咽喉科、麻酔科、放射線科、リハビリテーション科

○届出等の状況

（届出ている施設基準等）

・急性期一般入院料６
・診療録管理体制加算２
・薬剤管理指導料
・検体検査管理加算（Ⅱ）
・画像診断管理加算２
・CT撮影（16列以上64列未満のマルチスライス型の機器）
・MRI撮影（1.5テスラ以上３テスラ未満の機器）
・麻酔管理料（Ⅰ）
・病理診断管理加算２

（届出は要さないが施設基準等を満たしている状況）

・医療情報取得加算
・生活習慣病管理料（Ⅱ）

○所在地

東京都文京区（１級地）

2　診療時間

・月曜日～金曜日　９時00分～17時00分
・土曜日　９時00分～12時00分
・日曜日、祝日　休診

3　その他

○オンライン資格確認を導入している。

○オンライン請求を行っている。

○医師、薬剤師等職員の状況

医師数、薬剤師数及び看護職員（看護師及び准看護師）数は、医療法標準を満たしており、常勤の薬剤師、管理栄養士及び理学療法士も配置している。

診　療　録

公費負担者番号	
公費負担医療の受給者番号	

保険者番号	3 2 1 3 1 9 2 2
被保険者手帳 記号・番号	3177・663（枝番）02
被保険者手帳 有効期限	令和　年　月　日
被保険者氏名	秋葉良彦
資格取得	昭和・(平成)・令和　22年　4月　1日
事業所（船舶所有者） 所在地	（省略） 電話 ××××局 ××××番
事業所（船舶所有者） 名称	（省略）
保険者 所在地	（省略） 電話 ××××局 ××××番
保険者 名称	○○○共済組合

受診者			
氏名	秋葉多恵子		
生年月日	明・大・(昭)・平・令　35年　5月　11日生	男・(女)	
住所	（省略） 電話 ××××局 ××××番		
職業	無職	被保険者との続柄	母

傷病名	職務	開始	終了	転帰	期間満了予定日
2型糖尿病(主)	上・外	令和3年8月9日	年　月　日	治ゆ・死亡・中止	年　月　日
頭部挫創(主)	上・外	令和5年10月24日	令和5年10月30日	(治ゆ)・死亡・中止	年　月　日
左前腕部挫傷(主)	上・外	令和5年10月24日	令和5年10月30日	(治ゆ)・死亡・中止	年　月　日

（注）この診療録は、試験問題用に作成したものである。

既往症・原因・主要症状・経過等	処方・手術・処置等
（２型糖尿病で通院治療継続中であり、マイナンバーカードを保険証として利用し、診療情報の取得に同意した患者。医療情報取得加算は前月算定済み。）	（診療内容を一部省略している。）
10／24（火）内科（AM10：00） ・月１回の当科予約受診 ・BP135/88mmHg、P62/分 ・空腹時血糖95mg/dL、HbA1c（NGSP値）5.8% ・血糖コントロールは良好。 ・本人に検査結果を説明し、文書を交付。 ・治療計画に基づき、服薬、運動療法等療養上の指導を行い、療養計画書（患者署名済み）を交付（管理内容の要点は、記載省略。）。 ・次回は11／21（火）来院予定。 （内科　元木）	10／24 ・B-V ・末梢血液一般検査、HbA1c ・生化学：Na, Cl, K, AST, ALT, LD, T-Bil, LDL-cho, HDL-cho, TP, Alb（BCP改良法）, BUN, クレアチニン, Glu, Amy ・Rp）院外 デベルザ錠 20mg 1T （分１毎朝食後）×28日分
整形外科（PM6：10） ・自転車で外出中、子供が道路に飛び出し、避けようとして転倒し、左側頭部を強打、左前腕部で体を庇い路面に打ち付け、頭部及び前腕部の疼痛を訴え、本日、当院緊急受診。 ・左側頭部の挫創長径３cm ・意識清明、瞳孔反射正常、神経学的所見異常なし。 ・頭部及び前腕部X-P、並びに頭部CTを施行（撮影開始PM6：20）。 ・頭部及び前腕部X-Pの結果、頭蓋内病変及び骨の損傷は見られないが、放射線科専門医の診断結果を伝えるため、明日の受診を指示。 ・左側頭部挫創に対して清拭し、汚染創をブラッシングのうえ表皮縫合。 ・左前腕部挫傷に対して清拭し、創傷処置。 （整形外科　田中）	・頭部単純X-P ２方向（デジタル、電子画像管理、時間外緊急院内画像診断実施） ・左前腕部単純X-P ２方向（デジタル、電子画像管理、時間外緊急院内画像診断実施） ・頭部CT（16列以上64列未満のマルチスライス型、電子画像管理、時間外緊急院内画像診断実施） ・頭部創傷処理（筋肉、臓器に達しないもの） （長径３cm）表皮４針縫合 デブリードマン（局麻下） リドカイン塩酸塩注 1%「日新」10mL 1A 大塚生食注 50mL 1V ポビドンヨード外用液 10% 20mL ・左前腕部創傷処置（100cm²未満） ・Rp）院内（処方薬剤名称等情報提供、手帳記載。） ケフラールカプセル 250mg 3C ビオフェルミンR錠 3T （分３毎食後×５日）
10／25（水）整形外科 ・左側頭部は止血。 ・所見（放射線科医レポート）：頭部X-P及びCT上、特に異常なし（報告文書の写し添付省略。）。 （整形外科　田中）	10／25 ・左前腕部創傷処置（100cm²未満） ポビドンヨード外用液 10% 10mL
10／30（月）整形外科 ・左側頭部及び左前腕部の疼痛は消失。 ・頭部挫創縫合部は良好にて、本日抜糸。 ・頭部挫創及び左前腕部挫傷は治癒。 （整形外科　田中）	10／30

[レセプト解答・解説]

- ●同一日複数科受診の診察料
- ●手術料、手術使用薬剤の算定
- ●外来迅速検体検査加算の算定
- ●診療時間外の緊急画像診断

⑪ (24日)
(A000)「注5」同一日複数科初診　146点×1
・同一日に内科の後、整形外科を初診として受診しているため算定する。
※同一日複数科初診には、時間外加算等は算定できない。

⑫ (24日、25日、30日)
(A001) 再診　75点×3
(30日)
「注8」外来管理加算　52点×1
・24日は内科で生活習慣病管理料（Ⅱ）を算定し、整形外科で手術、25日は処置が行われているため外来管理加算は算定できない。

⑬ (24日)
(B001-3-3) 生活習慣病管理料（Ⅱ）　333点×1
・2型糖尿病に対して生活習慣に関する総合的な治療管理が行われ、療養計画書が交付されているため算定する。
※第1章P.72参照
(B011-3) 薬剤情報提供料　4点
「注2」手帳記載加算　3点
（合算）→7点×1
・院内処方の薬剤に対して、薬剤情報（文書）の提供及び患者の手帳に処方薬剤名称等の記載をしているため算定する。

㉑ (24日)
ケフラールカプセル250mg3C
(54.70円×3＝164.10円)
ビオフェルミンR錠3錠
(5.90円×3＝17.70円)
（合算）181.80円→18点×5
(F000)「1」イ・調剤料　11点×1
(F100)「3」処方料　42点×1
・24日（内科）に処方箋を交付しているため調剤技術基本料は算定できない。

診療報酬明細書
(医科入院外)

令和　5年 10 月分　都道府県番号

公費負担者番号①		公費負担医療の受給者番号①	
公費負担者番号②		公費負担医療の受給者番号②	

氏名	秋葉　多恵子	特記事項
	1男 ②女 1明 2大 ③昭 4平 5令 35・5・11生	
職務上の事由	1職務上 2下船後3月以内 3通勤災害	

傷病名
(1) 2型糖尿病(主)
(2) 頭部挫創(主)
(3) 左前腕部挫傷(主)

区分	項目	単価	回数	点数	公費分点数
11 初診	時間外・休日・深夜		1回	146点	
12 再診	再診	75 ×	3回	225	
	外来管理加算	52 ×	1回	52	
	時間外	×	回		
	休日	×	回		
	深夜	×	回		
13 医学管理				340	
14 在宅	往診		回		
	夜間		回		
	深夜・緊急		回		
	在宅患者訪問診療		回		
	その他				
	薬剤				
20 投薬	21 内服 薬剤		5単位	90	
	21 内服 調剤	11 ×	1回	11	
	22 屯服 薬剤		単位		
	23 外用 薬剤		単位		
	23 外用 調剤	×	回		
	25 処方	42 ×	1回	42	
	26 麻毒		回		
	27 調基				
30 注射	31 皮下筋肉内		回		
	32 静脈内		回		
	33 その他		回		
40 処置			2回	104	
	薬剤				
50 手術麻酔			1回	882	
	薬剤			22	
60 検査病理			6回	572	
	薬剤				
70 画像診断			7回	2,336	
	薬剤				
80 その他	処方箋		1回	60	
	薬剤				

療養の給付	請求 点	※決定 点
保険	4,882	
公費①	点	※ 点
公費②	点	※ 点

医療機関コード	1 医科	①社・国 2 公費	3 後期	①単独 2 2併 3 3併	2 本外 4 六外 ⑥ 家外	8 高外一 0 高外7

保険者番号	3	2	1	3	1	9	2	2	給付割合 10 9 8 7( )

被保険者証・被保険者手帳等の記号・番号	3177・663 (枝番) 02

保険医療機関の所在地及び名称

10/24、25、30

(110 床)

	診療開始日	転帰			診療実日数	
(1)	令和 3 年 8 月 9 日	治ゆ	死亡	中止	保険	3 日
(2)	令和 5 年 10 月 24 日	(2)			公費①	日
(3)	令和 5 年 10 月 24 日	(3)			公費②	日

⑪	複初 (整形外科)	146×1
⑬	生2	333×1
	薬情 手帳	7×1
㉑	ケフラールカプセル250mg 3C ビオフェルミンR錠 3T	18×5
㊵	創傷処置「1」(左前腕部)	52×2
(50)	創傷処理「4」(頭部) デブリードマン(24日) 外	882×1
	リドカイン塩酸塩注1%「日新」10mL1A 大塚生食注50mL1V	22×1
(60)	B-末梢血液一般	21×1
	B-HbA1c	49×1
	B-Na・Cl、K、AST、ALT、LD、T-Bil、LDL-cho、HDL-cho、TP、Alb(BCP改良法)、BUN、クレアチニン、Glu、Amy	103×1
	B-V	40×1
	外迅検 (5項目)	50×1
	判血 判生I 検管I	309×1
(70)	緊画 (24日18:20)	110×1
	頭部X-Pデジタル(2方向) 電画	287×1
	左前腕部X-Pデジタル(2方向) 電画	224×1
	頭部CT(16列以上64列未満マルチスライス型) 電画	1,020×1
	コンピューター断層診断	450×1
	写画1	70×1
	コ画2	175×1
(80)	処方箋料「3」	60×1

手術日を記入

一部負担金額 円			
減額 割(円)免除・支払猶予 円			
円	※高額療養費 円	※公費負担点数 点	※公費負担点数 点

㊵ (24日、25日)
(J000)「1」創傷処置(100cm²未満) 52点×2
・ポビドンヨード外用液10mLは15円以下のため算定できない。
※24日は手術と関連のない処置のため算定する。30日の頭部挫創縫合部の抜糸については、簡単な処置のため算定できない。

(50) (24日)
(K000)「4」創傷処理(筋肉、臓器に達しないもの 長径5cm未満) 530点
「注3」デブリードマン加算 100点
「通則12」ロ(2)時間外加算2 630点×0.4=252点
(合算) →882点×1

薬剤料
リドカイン塩酸塩注1%「日新」10mL1A(80円)
大塚生食注50mL1V(141円)
(合算) 221円→22点
※「通則2」により、手術に使用される外皮用殺菌剤は算定できない。よって、ポビドンヨード外用液は算定できない。

(60) (24日)
検体検査実施料「通則3」外来迅速検体検査加算 50点
・厚生労働大臣の定める検体検査の結果について、検査実施日のうちに「文書による情報提供・説明」が行われているため10点×5項目を算定する。
※1日5項目を限度として算定。
※第1章P.100～101参照
(D026)「注4」イ・検体検査管理加算(I) 40点
・施設基準の届出及び検体検査判断料を算定しているため検体検査管理加算(I)を算定する。
※第1章P.101～102参照

(70) (24日、25日)
(24日)
「通則3」時間外緊急院内画像診断加算 110点×1
・診療時間以外の時間に緊急で画像診断が行われているため算定する。
※第1章P.106参照
(E001)「1」イ・写真診断+(E002)「1」ロ・撮影 頭部X-Pデジタル2方向 230点
エックス線診断料「通則4」イ・電子画像管理加算 57点
(合算) →287点×1
(E001)「1」ロ・写真診断+(E002)「1」ロ・撮影 左前腕部X-Pデジタル2方向 167点
エックス線診断料「通則4」イ・電子画像管理加算 57点
(合算) →224点×1
(E200)「1」ロ・頭部CT(16列以上64列未満マルチスライス型) 900点
コンピューター断層撮影診断料「通則3」電子画像管理加算 120点
(合算) →1,020点×1
(E203)コンピューター断層診断 450点×1
(25日)
画像診断「通則4」画像診断管理加算1(写真診断) 70点×1
・施設基準の届出及び頭部X-Pに対し、放射線科医のレポートがあるため算定する。
画像診断「通則5」画像診断管理加算2(コンピューター断層診断) 175点×1
・施設基準の届出及び頭部CTに対し、放射線科医のレポートがあるため算定する。

(80)(24日)
(F400)「3」処方箋料(1及び2以外の場合) 60点×1

5. 第60回認定試験

問題　次の条件で診療録から診療報酬明細書を作成しなさい（令和６年４月診療分）。

1　施設の概要等

○医科の無床診療所
○標榜診療科：内科、外科、整形外科
○届出等の状況
（届出ている施設基準等）
・時間外対応加算４
・外来感染対策向上加算
・連携強化加算
・検体検査管理加算（Ⅰ）
（届出は要さないが施設基準等を満たしている状況）
・明細書発行体制等加算
・医療情報取得加算
・生活習慣病管理料（Ⅱ）
・一般名処方加算

2　診療時間

・月曜日～金曜日　9時00分～17時00分
・土曜日　9時00分～12時00分
・日曜日、祝日　休診

3　その他

○オンライン資格確認を導入している。
○オンライン請求を行っている。
○管理栄養士及び理学療法士は、非常勤の者を配置している。

診　療　録

公費負担者番号	
公費負担医療の受給者番号	

保険者番号	06139893
被保険者証・被保険者手帳　記号・番号	627・2983（枝番）02
有効期限	令和　年　月　日
被保険者氏名	春山良男
資格取得	昭和・（平成）・令和　22年　4月　1日
事業所（船舶所有者）　所在地	（省略）　電話××××局　××××番
事業所（船舶所有者）　名称	（省略）
保険者　所在地	（省略）　電話××××局　××××番
保険者　名称	○○○健康保険組合

受診者	
氏名	春山由美子
生年月日	明・大・（昭）・平・令　33年　1月　12日生　男・（女）
住所	（省略）　電話××××局　××××番
職業	無職
被保険者との続柄	母

傷病名	職務	開始	終了	転帰	期間満了予定日
2型糖尿病（主）	上・外	令和4年7月10日	年　月　日	治ゆ・死亡・中止	年　月　日
高血圧症（主）	上・外	令和4年7月10日	年　月　日	治ゆ・死亡・中止	年　月　日
右下腿部打撲・挫創（主）	上・外	令和6年4月8日	令和6年4月15日	（治ゆ）・死亡・中止	年　月　日
腰椎捻挫	上・外	令和6年4月8日	令和6年4月15日	（治ゆ）・死亡・中止	年　月　日

（注）この診療録は、試験問題用に作成したものである。

既往症・原因・主要症状・経過等	処方・手術・処置等
（2型糖尿病、高血圧症で通院治療継続中であり、マイナンバーカードを保険証として利用し、診療情報の取得に同意した患者。医療情報取得加算は前月算定済み。）	（診療内容を一部省略している。）
4／8（月）外科 ・本日、自転車で自宅近くを走行中、路肩の窪みにハンドルを取られて転倒し、右下腿部と腰部を強打し、右下腿部からの出血・打撲痛と腰痛を訴え、当科受診。 ・右下腿部の挫創長径6 cm、筋膜に達する。 ・意識清明、瞳孔反射正常、神経学的所見異常なし。 ・右下腿部及び腰椎X-P検査の結果、骨に損傷なし。 ・右下腿部の汚染創部を清拭し、ブラッシング洗浄の上、筋膜縫合し、創傷処理を行う。 ・未舗装路での負傷、破傷風ワクチン未接種であることを考慮し、破傷風トキソイドを1回接種。 （外科　船田）	4／8 ・右下腿部単純X-P 2方向（デジタル、電子画像管理） ・腰椎単純X-P 2方向（デジタル、電子画像管理） ・右下腿部創傷処理（筋肉、臓器に達するもの）（長径5 cm以上10cm未満）、デブリードマン（局麻下） 筋膜縫合2針、真皮縫合5針及び表皮縫合10針 キシロカイン注ポリアンプ1% 10mL 1A 大塚生食注TN 50mL 1キット ポビドンヨード外用液10%「イワキ」10mL ・皮下注射 沈降破傷風トキソイド0.5mL 1瓶 ・Rp）院内（処方薬剤名称等情報提供、手帳記載。） ケフラールカプセル250mg 3C （分3毎食後）×7日分
4／10（水）外科 ・右下腿部の打撲痛及び腰痛は軽減。 ・右下腿縫合部は感染なく良好。 （外科　船田）	4／10 ・術後創傷処置（100cm^{2}未満） 大塚生食注20mL 1A
4／15（月）外科 ・右下腿縫合部の癒着良好にて、本日抜糸。 ・右下腿部挫創及び腰椎捻挫は治癒。 （外科　船田）	4／15 ・術後創傷処置（100cm^{2}未満） 大塚生食注20mL 1A
内科 ・月1回の当科予約受診。 ・BP128/77mmHg、P63/分 ・空腹時血糖102mg/dL、HbA1c（NGSP値）5.5% ・血糖及び血圧コントロールは良好。 ・本人に検査結果を説明し、文書を交付。 ・治療計画に基づき、服薬、運動療法等療養上の指導を行い、前回投薬を継続、療養計画書（患者署名済み）を交付（管理内容の要点は、記載省略）。 ・管理栄養士から20分の個別指導（2回目以降、対面方式）を行う（医師の指示事項、糖尿食の食事計画案等の記載省略。）。 ・次回は5／13（月）来院予定。 （内科　岡本）	・B-V ・末梢血液一般検査、HbA1c ・生化学：Na, Cl, K, AST, ALT, LD, T-Bil, LDL-cho, HDL-cho, TP, Alb（BCP改良法）, BUN, クレアチニン, Glu, Amy ・Rp）院外 ジャヌビア錠50mg 1T アムロジンOD錠5mg 1T （分1毎朝食後）×28日分

[レセプト解答・解説]

- ●同一日複数科受診の診察料
- ●手術当日の手術に関連しない注射実施料の算定
- ●手術料、手術使用薬剤の算定
- ●外来迅速検体検査加算の算定

⑫ (8日、10日、15日)
(A001)再診　75点×3
「注10」ニ・時間外対応加算4　1点×3
「注11」明細書発行体制等加算　1点×3
(8日)
「注15」外来感染対策向上加算　6点
「注16」連携強化加算　3点
・「注15」「注16」は、施設基準の届出により月1回に限り算定する。
(15日)
「注3」同一日複数科再診　38点×1
・同一日に外科の後、内科を再診として受診しているため算定する。
・8日は手術、10日、15日は外科で処置が行われ、内科で生活習慣病管理料(Ⅱ)を算定しているため外来管理加算は算定できない。

⑬ (8日)
(B011-3)薬剤情報提供料　4点
「注2」手帳記載加算　3点
(合算)→7点×1
・院内処方の薬剤に対して、薬剤情報(文書)の提供及び患者の手帳に処方薬剤名称等の記載をしているため算定する。
(15日)
(B001-3-3)生活習慣病管理料(Ⅱ)　333点×1
・2型糖尿病に対して生活習慣に関する総合的な治療管理が行われ、療養計画書が交付されているため算定する。
※第1章P.72参照
(B001)「9」ロ(2)①外来栄養食事指導料2　190点×1
・医師の指示により非常勤の管理栄養士が20分の個別指導(2回目以降、対面方式)を行っているため算定する。

㉑ (8日)
ケフラールカプセル250mg3C(54.70円×3=164.10円)→16点×7
(F000)「1」イ・調剤料　11点×1
(F100)「3」処方料　42点×1
・薬剤師の勤務についての記載がなく、15日に処方箋を交付しているため調剤技術基本料は算定できない。

診療報酬明細書
(医科入院外)

令和　6年　4月分　都道府県番号

公費負担者番号①	公費負担医療の受給者番号①
公費負担者番号②	公費負担医療の受給者番号②

氏名	特記事項
春山　由美子	
1男 ②女　1明 2大 ③昭 4平 5令 33・1・12生	
職務上の事由　1職務上　2下船後3月以内　3通勤災害	

傷病名
(1) 2型糖尿病(主)
(2) 高血圧症(主)
(3) 右下腿部打撲・挫創(主)
(4) 腰椎捻挫

区分	項目	単価	回数	点数	公費分点数
11 初診	時間外・休日・深夜		回	点	
12 再診	再診	×	4回	278	
	外来管理加算	×	回		
	時間外	×	回		
	休日	×	回		
	深夜	×	回		
13 医学管理				530	
14 在宅	往診		回		
	夜間		回		
	深夜・緊急		回		
	在宅患者訪問診療		回		
	その他				
	薬剤				
20 投薬	21 内服 薬剤		7単位	112	
	21 内服 調剤	11 ×	1回	11	
	22 屯服 薬剤		単位		
	23 外用 薬剤		単位		
	23 外用 調剤	×	回		
	25 処方	42 ×	1回	42	
	26 麻毒		回		
	27 調基				
30 注射	31 皮下筋肉内		1回	146	
	32 静脈内		回		
	33 その他		回		
40 処置			2回	104	
	薬剤			12	
50 手術麻酔			1回	2,440	
	薬剤			29	
60 検査病理			6回	572	
	薬剤				
70 画像診断			2回	511	
	薬剤				
80 その他	処方せん		1回	60	
	薬剤				

療養の給付	請求 点	※決定 点
保険	4,847	
公費①	点	※ 点
公費②	点	※ 点

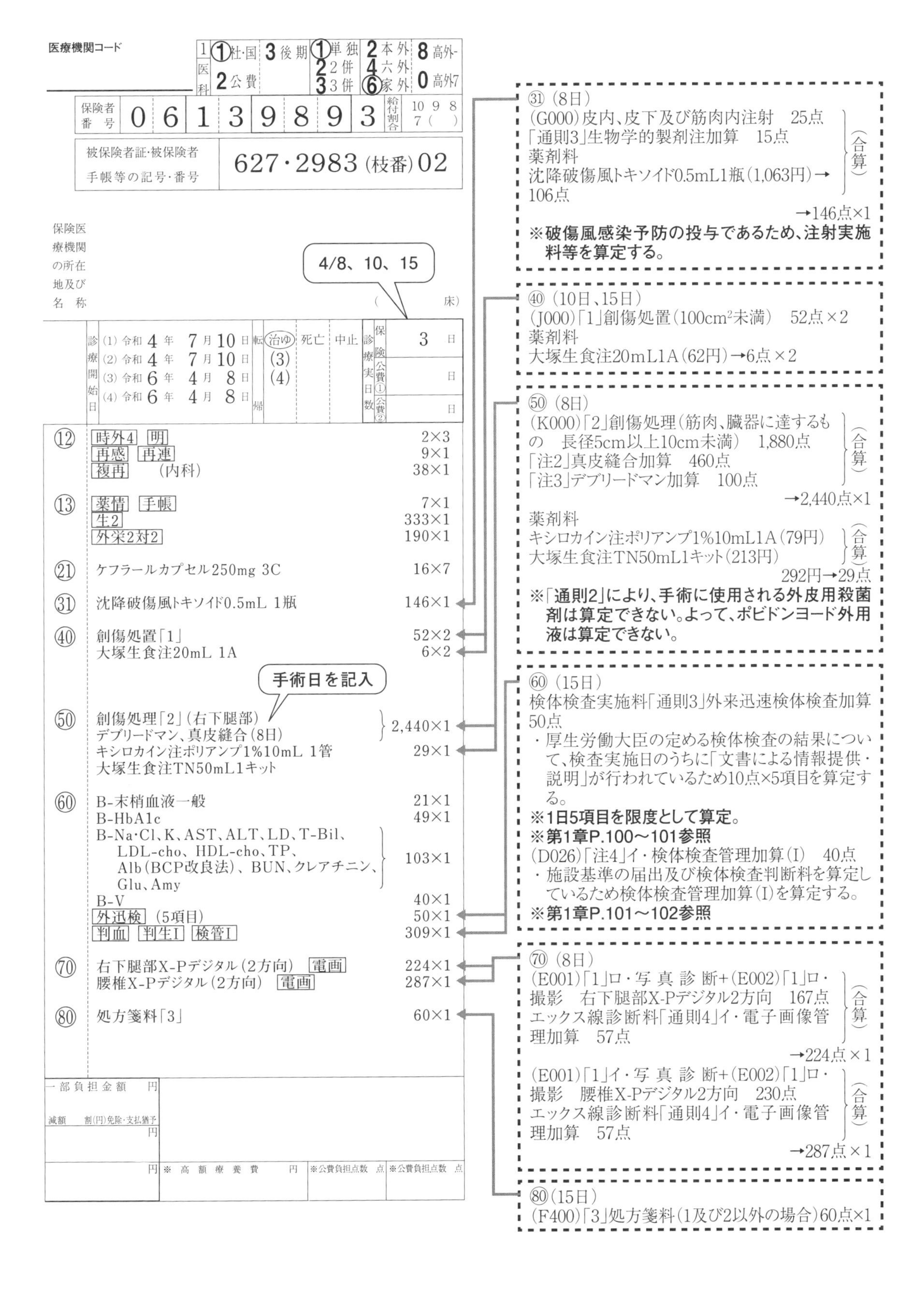

医療機関コード

1 医科 | ①社・国 3 後期 | ①単独 2 2併 3 3併 | 2 本外 4 六外 ⑥家外 | 8 高外一 0 高外7
2 公費

保険者番号 06139893　給付割合 10 9 8 7（ ）

被保険者証・被保険者手帳等の記号・番号　627・2983（枝番）02

保険医療機関の所在地及び名称　（　床）

4/8、10、15

診療開始日		転帰	診療実日数	
(1) 令和 4 年 7 月 10 日	治ゆ	死亡	中止	保険 3 日
(2) 令和 4 年 7 月 10 日	(3)			公費① 日
(3) 令和 6 年 4 月 8 日	(4)			公費② 日
(4) 令和 6 年 4 月 8 日				

区分	摘要	点数×回数
⑫	時外4　明	2×3
	再感　再連	9×1
	複再　（内科）	38×1
⑬	薬情　手帳	7×1
	生2	333×1
	外来2対2	190×1
㉑	ケフラールカプセル250mg 3C	16×7
㉛	沈降破傷風トキソイド0.5mL 1瓶	146×1
㊵	創傷処置「1」	52×2
	大塚生食注20mL 1A	6×2
㊿	創傷処理「2」（右下腿部） デブリードマン、真皮縫合（8日）	2,440×1
	キシロカイン注ポリアンプ1%10mL 1管 大塚生食注TN50mL1キット	29×1
60	B-末梢血液一般	21×1
	B-HbA1c	49×1
	B-Na・Cl、K、AST、ALT、LD、T-Bil、LDL-cho、HDL-cho、TP、Alb（BCP改良法）、BUN、クレアチニン、Glu、Amy	103×1
	B-V	40×1
	外迅検　（5項目）	50×1
	判血　判生I　検管I	309×1
70	右下腿部X-Pデジタル（2方向）　電画	224×1
	腰椎X-Pデジタル（2方向）　電画	287×1
80	処方箋料「3」	60×1

手術日を記入

一部負担金額　円
減額　割（円）免除・支払猶予　円
円　※高額療養費　円　※公費負担点数　点　※公費負担点数　点

㉛（8日）
（G000）皮内、皮下及び筋肉内注射　25点
「通則3」生物学的製剤注加算　15点
薬剤料
沈降破傷風トキソイド0.5mL1瓶（1,063円）→106点
（合算）
→146点×1
※破傷風感染予防の投与であるため、注射実施料等を算定する。

㊵（10日、15日）
（J000）「1」創傷処置（100cm²未満）　52点×2
薬剤料
大塚生食注20mL1A（62円）→6点×2

㊿（8日）
（K000）「2」創傷処理（筋肉、臓器に達するもの　長径5cm以上10cm未満）　1,880点
「注2」真皮縫合加算　460点
「注3」デブリードマン加算　100点
（合算）
→2,440点×1
薬剤料
キシロカイン注ポリアンプ1%10mL1A（79円）
大塚生食注TN50mL1キット（213円）
（合算）
292円→29点
※「通則2」により、手術に使用される外皮用殺菌剤は算定できない。よって、ポビドンヨード外用液は算定できない。

60（15日）
検体検査実施料「通則3」外来迅速検体検査加算　50点
・厚生労働大臣の定める検体検査の結果について、検査実施日のうちに「文書による情報提供・説明」が行われているため10点×5項目を算定する。
※1日5項目を限度として算定。
※第1章P.100～101参照
（D026）「注4」イ・検体検査管理加算（I）　40点
・施設基準の届出及び検体検査判断料を算定しているため検体検査管理加算（I）を算定する。
※第1章P.101～102参照

70（8日）
（E001）「1」ロ・写真診断＋（E002）「1」ロ・撮影　右下腿部X-Pデジタル2方向　167点
エックス線診断料「通則4」イ・電子画像管理加算　57点
（合算）
→224点×1
（E001）「1」イ・写真診断＋（E002）「1」ロ・撮影　腰椎X-Pデジタル2方向　230点
エックス線診断料「通則4」イ・電子画像管理加算　57点
（合算）
→287点×1

80（15日）
（F400）「3」処方箋料（1及び2以外の場合）60点×1

2 外来レセプト作成演習

1. 外来①

問題　次の条件で診療録から診療報酬明細書を作成しなさい（令和６年10月診療分）。

○施設の概要等

一般病院、一般病棟のみ100床

標榜診療科：脳神経外科、脳神経内科、小児科、外科、内科、放射線科、麻酔科

○診療時間

月曜～金曜　　9時～17時

土曜　　9時～12時

日曜・祝日　　休診

○届出等の状況

（届出ている施設基準等）

・ニコチン依存症管理料

・脳波検査判断料１

・頭部MRI撮影加算

・検体検査管理加算（Ⅱ）

・画像診断管理加算２

・マルチスライスＣＴ（64列以上、その他の場合）、MRI（３テスラ以上、その他の場合）

（届出は要さないが施設基準等を満たしている状況）

・医療情報取得加算

・一般名処方加算

○医師、薬剤師等職員の状況

医師数は医療法標準を満たしている。

薬剤師及び看護職員（看護師及び准看護師）数は医療法標準を満たしている。

○その他

・オンライン資格確認を導入している。

・オンライン請求を行っている。

・小児科外来診療料は算定していない。

※検査はすべて院内で実施したものとする。

診　療　録

公費負担者番号	
公費負担医療の受給者番号	

受診者			
氏名	鍋島　幹		
生年月日	明・大・昭・(平)・令　29年　12月　1日生	(男)・女	
住所	（省略） 電話 ××××局 ××××番		
職業	無職	被保険者との続柄	次男

保険者番号	0 1 1 3 0 0 1 2	
被保険者証・被保険者手帳	記号・番号	1200・263（枝番）03
	有効期限	年　月　日
被保険者氏名		鍋島裕二
資格取得		昭和・(平成)・令和　21年　4月　1日
事業所（船舶所有者）	所在地	（省略） 電話 ××××局 ××××番
	名称	（省略）
保険者	所在地	（省略） 電話 ××××局 ××××番
	名称	全国健康保険協会○○支部

傷病名	職務	開始	終了	転帰	期間満了予定日
(主) てんかん	上・外	平成31年3月20日	年　月　日	治ゆ・死亡・中止	年　月　日
花粉症	上・外	令和6年10月18日	年　月　日	治ゆ・死亡・中止	年　月　日

（注）この診療録は、試験問題用に作成したものである。

既往症・原因・主要症状・経過等	処方・手術・処置等
（てんかんにて診療継続中であり、マイナンバーカードを保険証として利用し、診療情報の取得に同意した患者。医療情報取得加算は前月算定済み。）	
10/4（金）〈脳神経外科〉 身長：115.2cm 体重：22.2kg （前月とほぼ変わらず） S）このところ、頭痛や嘔気の症状も出ておらず症状は安定している。 O）全ての検体検査結果は異常なし。 抗てんかん剤エトスクシミド（ザロンチンシロップ）の血中濃度測定を行う。 A）本日行った検体検査の結果を母親に説明し「検査結果」を手交。 血中濃度測定についても結果報告 P）てんかんについて、学校や日常生活における抗てんかん剤の服用時の注意点や副作用について指導を行う。 薬の量を少し減らして様子を見てみる。 次回19日、脳波検査及びMRI予約 （担当医：大崎）	10/4（金） ・尿一般検査 ・末梢血液一般 ・AST、ALT、γ-GT、Na・Cl Rp）（院外処方） ザロンチンシロップ5%6mL （分2　朝夕食後）×14日分 ・ザロンチンシロップの血中濃度測定 （初回　H31.3月）
10/18（金）〈脳神経外科〉 10：00　予約 S）２週間前と変わりなく順調。薬も効いている。 A）脳波検査の結果は大きな変化は見られない。 睡眠時及び通常時脳波記録の結果はカルテに添付し主治医に報告。（EEG所見） （脳波外来：川崎） 頭部MRIについて、病変の大きさも変化は認められない。 画像を添付し主治医に報告（MRI所見） （放射線科医：品川） P）てんかんの症状も出ておらず、安定している。 日常の生活、薬の服用等改めて指導を行う。 数日前からくしゃみ、鼻水が出る。 小児科での診察を指示 （担当医：大崎）	10/18（金） ・脳波検査・睡眠賦活検査（８誘導） ・頭部MRI（３テスラ以上、その他の場合） 電子画像管理 Rp）（院外処方） ザロンチンシロップ5%6mL （分2　朝夕食後）×14日分
10/18（金）〈小児科〉 脳神経外科からの患者 S）数日前からくしゃみ、鼻水が出る。 先月も数回同じ症状が１～２度出現。 アレルギー検査（IgE検査）を行う。 O）スギ３、ヒノキ２、ハウスダスト３、他０ A）本日行った検査の結果を母親に説明、「検査結果」を手交 検査の結果「花粉症」と診断 P）花粉症について生活上の注意点及び服薬について指導を行う。	10/18（金） ・ネブライザ デカドロン注射液3.3mg1mL 0.1管 生理食塩液20mL0.1管 ・非特異的IgE定量、特異的IgE半定量・定量 （ハウスダスト、オオアワガエリ、ブタクサ、カモガヤ、ヤケヒョウダニ、イヌ皮屑、ネコ皮屑、ヨモギ、卵、小麦） Rp）（院外処方） フェキソフェナジン塩酸塩錠30mg ２錠 （分2　朝夕食後）×７日分 リボスチン点鼻液0.025mg112噴霧用１瓶 １日４回まで（朝、昼、夜、就寝前）

2. 外来②

問題　次の条件で診療録から診療報酬明細書を作成しなさい（令和6年10月診療分）。

○施設の概要等

一般病院、一般病棟のみ180床

標榜診療科：内科、小児科、外科、整形外科、脳神経外科、泌尿器科、耳鼻咽喉科、放射線科

○届出等の状況

（届出ている施設基準等）

- 急性期一般入院料6
- 診療録管理体制加算3
- 医療安全対策加算2
- 感染対策向上加算2
- ニコチン依存症管理料
- 検体検査管理加算（Ⅱ）
- 画像診断管理加算1
- マルチスライスCT（16列以上64列未満）

（届出は要さないが施設基準等を満たしている状況）

- 医療情報取得加算
- 臨床研修病院入院診療加算（協力型）
- 生活習慣病管理料（Ⅱ）
- 一般名処方加算

○診療時間

月曜～金曜　　9時～17時

土曜・日曜・祝日　　休診

○医師、薬剤師等職員の状況

医師数は医療法標準を満たしている。

薬剤師及び看護職員（看護師及び准看護師）数は医療法標準を満たしている。

○その他

- オンライン資格確認を導入している。
- オンライン請求を行っている。

診　　療　　録

公費負担者番号		保険者番号	138206
公費負担医療の受給者番号		被保険者手帳 記号・番号	20-68・3475（枝番）00
		被保険者手帳 有効期限	年　月　日

受診者		項目	
氏名	村上真一	被保険者氏名	村上真一
生年月日	明・大・㊊昭・平・令 34年 3月 20日生　㊚男・女	資格取得	昭和・平成・㊀令和 4年 10月 1日
住所	（省略）電話 ××××局 ××××番	事業所（船舶所有者）所在地	（省略）電話 ××××局 ××××番
		事業所（船舶所有者）名称	（省略）
職業		保険者 所在地	（省略）電話 ××××局 ××××番
被保険者との続柄	本人	保険者 名称	東京都○○市

傷病名	職務	開始	終了	転帰	期間満了予定日
（主）慢性閉塞性肺疾患	上・外	令和4年10月23日	年　月　日	治ゆ・死亡・中止	年　月　日
高血圧症	上・外	令和4年10月23日	年　月　日	治ゆ・死亡・中止	年　月　日
大腸癌術後	上・外	令和4年10月23日	年　月　日	治ゆ・死亡・中止	年　月　日
急性気管支炎、脱水症	上・外	令和6年10月27日	年　月　日	治ゆ・死亡・中止	年　月　日

（注）この診療録は、問題用に作成したものである。

既往症・原因・主要症状・経過等	処方・手術・処置等
※平成18年高血圧症、平成24年大腸癌摘出術、令和２年COPD（慢性閉塞性肺疾患）で他院にて治療開始。令和４年10月、転居のため診療情報提供書を持参の上、当院受診。 COPD：吸入薬及び在宅酸素療法にて治療継続中 高血圧症：投薬治療継続中 大腸癌術後：経過観察中 ※マイナンバーカードを保険証として利用し、診療情報の取得に同意した患者。医療情報取得加算は前月算定済み。	
10/9（水） S）労作時呼吸困難あり O）BP 136/88mmHg　P82 CEA：4.8ng/mL　CA19-9：34.8U/mL （その他検査詳細省略） A）本人に説明の上、「検査結果報告書」手交 P）診療計画に基づき、投薬、食事、呼吸訓練、肺気道の感染防止等の指導を行う。	10/9 ・尿一般、沈渣（鏡検法） ・末梢血液一般、像（自動機械法） ・TP、Alb（BCP改良法）、AST、ALT、LD、T-Bil、ALP、CK、BUN、Crea、Na、Cl、K、Tcho、TG、HDL-cho ・CRP ・胸部X-Pデジタル撮影１回（電子画像管理） ・ECG 12 ・悪性腫瘍特異物質治療管理（CEA、CA19-9） ・在宅酸素療法指導管理 酸素濃縮装置 携帯型液化酸素装置　(0.5L/分) 呼吸同調式デマンドバルブ 在宅酸素療法材料 ・経皮的動脈血酸素飽和度測定（SpO2　95%） ・Rp）〈院外〉 ①アムロジピン錠5mg　1T　朝食後　×30TD ②ウルティブロ吸入用カプセル　30カプセル（１日１回）
10/27（日）PM4：40　緊急来院 S）朝から倦怠感と発熱出現 食欲なし 呼吸苦あり BT 37.8℃　咳（＋） O）BP 134/94mmHg　P90 緊急X-P（16：50） 肺炎所見なし A/P）自宅での療養を希望 診療計画に基づき、服薬、呼吸訓練等の指導を行う。 O2　2L/分で安静を指示	10/27 ・胸部X-Pデジタル撮影１回（電子画像管理） ・経皮的動脈血酸素飽和度測定（SpO2　95%） ・点滴 ラクテック注500mL １袋 スルペラゾン静注用0.5g １瓶 ブドウ糖5%500mL １袋 ・Rp）〈院内〉処方薬剤名称等情報提供、手帳記載 ③ムコソルバン錠15mg 3T メイアクトMS錠100mg 3T　分３（毎食後）×5TD
以　下	省　略

3. 外来③

問題　次の条件で診療録から診療報酬明細書を作成しなさい（令和６年10月診療分）。

○施設の概要等

医科の無床診療所

標榜診療科：内科、小児科、整形外科、リハビリテーション科

○届出等の状況

（届出ている施設基準等）

- 外来感染対策向上加算
  - 連携強化加算
  - サーベイランス強化加算
- 時間外対応加算２
- ニコチン依存症管理料
- 検体検査管理加算（Ⅰ）
- リハビリテーション総合計画評価料１
- 運動器リハビリテーション料（Ⅱ）

（届出は要さないが施設基準等を満たしている状況）

- 夜間・早朝等加算
- 明細書発行体制等加算
- 医療情報取得加算
- 一般名処方加算

○診療時間

月曜～土曜	９時～17時
日曜・祝日	休診

○医師、薬剤師等職員の状況

理学療法士を配置している。

○その他

- オンライン資格確認を導入している。
- オンライン請求を行っている。

診　　療　　録

公費負担者番号	
公費負担医療の受給者番号	

保険者番号	3 1 1 3 0 4 8 7
被保険者手帳 記号・番号	1・1009946（枝番）02
被保険者手帳 有効期限	年　月　日
被保険者氏名	小 堤 圭 司
資格取得	昭和・平成・（令和）1年 6月 16日
事業所（船舶所有者） 所在地	（省略） 電話 ××××局 ××××番
事業所（船舶所有者） 名称	（省略）
保険者 所在地	（省略） 電話 ××××局 ××××番
保険者 名称	○○共済組合

受診者				
氏名	小 堤 衣 里			
生年月日	明・大・昭・（平）・令 17年 1月 7日生		男・（女）	
住所	（省略） 電話 ××××局 ××××番			
職業		被保険者との続柄	長女	

傷病名	職務	開始	終了	転帰	期間満了予定日
(主)右橈骨遠位端骨折	上・外	令和 6年 10月 15日	年 月 日	治ゆ・死亡・中止	年 月 日
腰部打撲傷	上・外	令和 6年 10月 15日	年 月 日	治ゆ・死亡・中止	年 月 日
右手掌挫創	上・外	令和 6年 10月 15日	年 月 日	治ゆ・死亡・中止	年 月 日

（注）この診療録は、試験問題用に作成したものである。

既往症・原因・主要症状・経過等	処方・手術・処置等
(マイナンバーカードを保険証として利用し、診療情報の取得に同意した患者)	
10/15(火)18：30 【整形外科】 S)自転車で走行中に右折しようとしたところバランスを崩し 右側に倒れるような形で転倒 転倒した際に右手と腰を負傷した O)X－P結果：右橈骨骨折 腰部は骨異常なし 右手掌挫創：長径6cm・筋肉に達していない A/P)橈骨はシーネ固定し2～3日はなるべく患肢を心臓より上に挙げておくよう指示 右手掌は汚染部位を洗浄し創傷処理 痛み止めを処方し明日の来院を指示 薬剤情報提供(手帳記載) (整形外科：高野)	10/15 (緊急画像診断18：45) 右橈骨X－P(デジタル)1方向(電子画像管理) 左橈骨X－P(デジタル)1方向(電子画像管理) 腰部X－P(デジタル)2方向(電子画像管理) 右橈骨徒手整復術 右橈骨ギプスシーネ 創傷処理(筋肉、臓器に達しないもの)(長径5cm以上10cm未満) デブリードマン(局麻下) キシロカイン注射液1%　10mLV 生理食塩液50mL　1V 5%ヒビテン液　20mL 〈院内処方〉 Rp)ロキソプロフェンナトリウム60mg錠　1T アルジオキサ錠100mg　1T　}5P
10/16(水) 【整形外科】 S)今朝になって腰の痛みが強くなってきた A/P)腰部固定のため腰椎ベルト装着及び湿布薬処方 自宅で安静にしているように指示 橈骨はX－Pにて確認のため次回は19日(土) 右手掌挫創の縫合部については創感染なし (整形外科：高野)	10/16 腰部固定帯固定 腰部固定帯給付 湿布処置　モーラスパップ30mg　2枚 術後創傷処置(100cm²未満) 5%ヒビテン液　5mL 〈院外処方〉 Rp)モーラスパップ30mg　14枚　(1日2枚7日分)
10/19(土)14：00 【整形外科】 S)橈骨の痛みは徐々に引いている 腰部は日常生活に問題ないくらいに回復 O/A)橈骨X－P結果：順調 右手掌挫創も異常なし P)本日より橈骨のリハビリ開始のためリハビリテーション科受診を指示 腰部は引き続き腰椎ベルト装着 (整形外科：高野)	10/19 右橈骨X-P(デジタル)1方向(電子画像管理) 術後創傷処置　do 〈院外処方〉 Rp)4/16　do　2P
【リハビリテーション科】 手首の可動域訓練、筋力強化訓練のため理学療法士によるリハビリテーションを開始。 医師、理学療法士等と共同で作成したリハビリテーション総合実施計画書の内容を本人に説明のうえ交付(写しの添付省略。)。 (リハビリテーション科：鈴木)(PT：野田)	運動器リハビリテーション(Ⅱ)1単位 (実施時間AM10：00～AM10：30) (機能訓練の内容の要点等の記載省略。)
10/22(火) 【リハビリテーション科】 S)19日のリハビリ後の新たな痛みの出現なし O/A)浮腫(－)　屈曲40°　伸展30° P)手指拘縮予防の運動を追加し、引き続きリハビリテーション実施 順調であれば次回は2単位 (リハビリテーション科：鈴木)(PT：野田)	10/22 運動器リハビリテーション(Ⅱ)1単位 (実施時間PM3：00～PM3：25) (機能訓練の内容の要点等の記載省略。)
10/25(金) 【リハビリテーション科】 S)少し動く範囲が広がった気がする O/A)浮腫(－)　屈曲40°　伸展40° P)本日のリハビリテーションは2単位。他動運動開始。自動・他動運動ともに自宅でもできる内容を指示 (リハビリテーション科：鈴木)(PT：野田)	10/25 運動器リハビリテーション(Ⅱ)2単位 (実施時間PM3：30～PM4：15) (機能訓練の内容の要点等の記載省略。)

4. 外来④

問題　次の条件で診療録から診療報酬明細書を作成しなさい（令和６年10月診療分）。

○施設の概要等

DPC 対象外の一般病院、一般病棟のみ 250 床

標榜診療科：内科、小児科、外科、整形外科、眼科、耳鼻咽喉科、皮膚科、泌尿器科、脳神経外科、麻酔科、放射線科

○届出等の状況

（届出ている施設基準等）

・ニコチン依存症管理料
・地域連携夜間・休日診療料
・院内トリアージ実施料
・検体検査管理加算（Ⅰ）
・画像診断管理加算２
・マルチスライス CT（16 列以上 64 列未満）

（届出は要さないが施設基準等を満たしている状況）

・医療情報取得加算
・一般名処方加算

○診療時間

月曜～金曜　　９時～ 17 時
土曜・日曜・祝日　　休診

○医師、薬剤師等職員の状況

医師数は医療法標準を満たしている。
薬剤師及び看護職員（看護師及び准看護師）数は医療法標準を満たしている。

○その他

・オンライン資格確認を導入している。
・オンライン請求を行っている。

診　　療　　録

公費負担者番号		保険者番号	0 1 1 3 0 0 1 2
公費負担医療の受給者番号		被保険者証・被保険者手帳　記号・番号	11010203・126（枝番）01
		被保険者証・被保険者手帳　有効期限	年　月　日
受診者　氏名	坂本真弓	被保険者氏名	坂本真一
受診者　生年月日	明・大・(昭)・平・令 58年 2月 18日生　男・(女)	資格取得	昭和・(平成)・令和 26年 9月 16日
受診者　住所	（省略） 電話 ××××局 ××××番	事業所（船舶所有者）　所在地	（省略） 電話 ××××局 ××××番
		事業所（船舶所有者）　名称	（省略）
受診者　職業	主婦　被保険者との続柄：妻	保険者　所在地	（省略） 電話 ××××局 ××××番
		保険者　名称	全国健康保険協会 東京支部

傷病名	職務	開始	終了	転帰	期間満了予定日
尿管結石症(主)	上・外	令和 6年 10月 20日	年 月 日	治ゆ・死亡・中止	年 月 日
急性腎盂腎炎	上・外	令和 6年 10月 20日	年 月 日	治ゆ・死亡・中止	年 月 日
鉄欠乏性貧血	上・外	令和 6年 10月 28日	年 月 日	治ゆ・死亡・中止	年 月 日

（注）この診療録は、試験問題用に作成したものである。

既往症・原因・主要症状・経過等	処方・手術・処置等
（マイナンバーカードを保険証として利用し、診療情報の取得に同意した患者）	
10/20（日）PM8：00 今朝から血尿が出ていたが、特に痛みはなかった。明日受診しようと思っていたところ、夜になり、突然、背部から右下腹部にかけて激しい痛みを発症。しばらく様子をみるが、我慢できず救急車にて来院。 嘔気（＋）、発熱（＋） 超音波により結石像が認められた。 明日、当院泌尿科の受診を指示。DIP予定 （地域連携医：○○総合病院内科　高津　登）	10/20 （時間外緊急院内検査実施PM8：10） 尿一般、沈渣（鏡検法） 末梢血液一般、像（自動機械法）、ＣＲＰ T-Bil、AST、ALT、γ-GT、LD、ALP、TP、 T-cho、BUN、Crea、BS、TG、Na、Cl、K 腹部Ｘ－Ｐデジタル（撮影１回）（電子画像管理、時間外緊急院内画像診断実施PM8：25） 超音波断層（腎・泌尿器） ソセゴン15ｍg1A　(iM) Rp)〈院内処方〉 ①セフカペンピボキシル塩酸塩錠100mg　３Ｔ 　レバミピド錠100mg　３Ｔ　｝分３×２TD ボルタレンサポ50mg　２個 ※薬剤情報提供（文書）
10/21（月） DIPにより、右尿管に米粒大の結石を認める。 投薬治療にて自然排石を促す。 水分を多めに摂取すること、適度な運動をするよう伝える。 腎盂造影の放射線科医の読影文書別添（省略。）	10/21 尿細菌トマツ 培養同定 腎盂造影Ｘ－Ｐデジタル（撮影６回）（電子画像管理） ウログラフイン注60％100mL　１Ｖ（点滴注入） Rp)〈院外処方〉 ①　do　７TD ②ウロカルン錠225mg　６Ｔ　分３×７TD ボルタレンサポ50mg　７個
10/28（月） めまい、時々あり BP　103～78mm/Hg 過激な運動は避け、十分な栄養をとるように伝える。 結石は膀胱近接まで落下している。 細菌薬剤感受性1菌種検出	10/28 尿一般、沈渣（鏡検法） 末梢血液一般、網赤血球数、Fe 細菌薬剤感受性（１菌種） 超音波断層（腎・泌尿器） Rp)〈院外処方〉 ①　②　do　７TD ③フェロミア錠50mg　２Ｔ　分２×７TD

5. 外来⑤

問題　次の条件で、診療録から診療報酬明細書を作成しなさい（令和６年10月診療分）。

○施設の概要等

無床診療所

標榜診療科；内科、外科、整形外科

○届出等の状況

（届出ている施設基準等）

・外来感染対策向上加算
　連携強化加算
　サーベイランス強化加算
・ニコチン依存症管理料
・検体検査管理加算（Ⅰ）

（届出は要さないが施設基準等を満たしている状況）

・明細書発行体制等加算
・医療情報取得加算
・生活習慣病管理料（Ⅱ）
・一般名処方加算

○診療時間

月曜～土曜　　9時～17時

日曜・祝日　　休診

○その他

・オンライン資格確認を導入している。
・オンライン請求を行っている。

診　　療　　録

公費負担者番号		保険者番号	0 1 1 3 0 0 1 2
公費負担医療の受給者番号		被保険者手帳 記号・番号	6040819・1469（枝番）00
		被保険者手帳 有効期限	年　月　日

受診者		被保険者・事業所・保険者	
氏名	海野二郎	被保険者氏名	海野二郎
生年月日	明・大・㊧昭・平・令 38年 2月 1日生　㊚男・女	資格取得	㊧昭和・平成・令和 63年 4月 1日
住所	（省略） 電話 ××××局××××番	事業所（船舶所有者） 所在地	（省略） 電話 ××××局××××番
		事業所（船舶所有者） 名称	（省略）
職業	会社員	保険者 所在地	（省略） 電話 ××××局××××番
被保険者との続柄	本人	保険者 名称	全国健康保険協会 東京支部

傷病名	職務	開始	終了	転帰	期間満了予定日
（主）2型糖尿病	上・外	平成 31年 3月 25日	年　月　日	治ゆ・死亡・中止	年　月　日
高血圧症・脂質異常症	上・外	平成 31年 3月 25日	年　月　日	治ゆ・死亡・中止	年　月　日
右足第2度熱傷	上・外	令和 6年 10月 10日	年　月　日	治ゆ・死亡・中止	年　月　日

（注）この診療録は、試験問題用に作成したものである。

既往症・原因・主要症状・経過等	処方・手術・処置等
(2型糖尿病、高血圧症、脂質異常症で治療継続中であり、マイナンバーカードを保険証として利用し、診療情報の取得に同意した患者。医療情報取得加算は前月算定済み。)	
10/10(木) 外科 S)今朝、やかんを落とし右足にやけど。 O)右足背のほぼ全体に水泡を伴う熱傷、8cm × 10cm(図略) A)第2度熱傷 P)処置　ステロイド外用剤使用 (外科　鈴木)	10/10 ・熱傷処置:5%ヒビテン液20mL、リンデロン-VG軟膏 0.12% 2g ・Rp)院外処方 ロキソプロフェンナトリウム60mg錠 3錠 (分3毎食後)×4日分
10/12(土) 外科 S)痛みはそれほどない。 O)水疱自然破裂 A/P)第2度熱傷、処置継続　(外科　鈴木) 内科 S)血糖値は不変 O)BP 132/78mmHg、P 70、Glu 166mg/dL、HbAlc 6.9%、TG 144、LDL-cho 103(その他詳細省略。) (本人に説明の上「検査結果報告書」手交) A)その他も概ね順調 糖尿病はインスリン(ランタス)自己注射1日2回とDPP4阻害剤ジャヌビア内服の併用で概ね順調 P)現在の治療継続　(内科　田中)	10/12 外科 熱傷処置:5%ヒビテン液20mL、リンデロン-VG軟膏 0.12% 2g 内科 B-V、末梢血液一般、HbAlc ・生化学:TP、Alb(BCP改良法・BCG法)、AST、ALT、γ-GT、LD、T-Bil、ALP、CK、BUN、Cre、UA、Glu、Na、Cl、K、T-cho、TG、HDL-cho、LDL-cho ・在宅自己注射指導管理 血糖自己測定　1日2回(朝食前、就寝前) メディセーフフィットセンサー2箱(60回分) メディセーフ針2箱(60回分)、消毒綿2箱 ・Rp)院外処方 ランタス注ソロスター 300単位　2キット ナノパスニードルⅡ　34G 60本 ジャヌビア錠 50mg　1錠(2型糖尿病用薬) アムロジピン錠 5mg　1錠(高血圧症用薬) クレストール錠 5mg　1錠(脂質異常症用薬) (分1朝食後)×30日分
10/15(火) 外科 S)だいぶ良くなった。 O)感染の兆候なし。 A/P)熱傷改善、自宅で処置　(外科　鈴木)	10/15 ・熱傷処置:5%ヒビテン液20mL、リンデロン-VG軟膏 0.12% 2g ・Rp)院外処方 リンデロン-VG軟膏 0.12% 20g (右足背に1日1回塗布)
10/23(水) 外科 S)若干違和感がある程度 O)ほぼ改善 A/P)第2度熱傷改善。　(外科　鈴木)	10/23 ・熱傷処置:5%ヒビテン液10mL

薬価基準等（外来用）

※品名欄の 般 の薬剤は一般名処方医薬品
※日本薬局方収載品目についての記載は省略

	品　　名	規格・単位	薬　価
内用薬	般　アムロジピン錠5mg	5mg1錠	10.10円
	アムロジンOD錠5mg	5mg1錠	15.20円
	般　アルジオキサ錠100mg	100mg1錠	5.70円
	ウロカルン錠225mg	225mg1錠	5.90円
	クレストール錠5mg	5mg1錠	36.30円
	ケフラールカプセル250mg	250mg1カプセル	54.70円
	ザロンチンシロップ5%	5%1mL	6.70円
	ジャヌビア錠50mg	50mg1錠	111.50円
	セフカペンピボキシル塩酸塩錠100mg	100mg1錠	27.40円
	デベルザ錠20mg	20mg1錠	164.10円
	ビオフェルミンR錠	1錠	5.90円
	般　フェキソフェナジン塩酸塩錠30mg	30mg1錠	10.10円
	フェロミア錠50mg	鉄50mg1錠	6.40円
	ミカルディス錠40mg	40mg1錠	38.20円
	ムコソルバン錠15mg	15mg1錠	8.60円
	メイアクトMS錠100mg	100mg1錠	56.60円
	レバミピド錠100mg	100mg1錠	10.10円
	般　レボフロキサシン錠500mg	500mg1錠(レボフロキサシンとして)	69.90円
	般　ロキソプロフェンナトリウム60mg錠	60mg1錠	9.80円
外用薬	インドメタシンパップ70mg	10cm×14cm1枚	17.10円
	ウルティブロ吸入用カプセル	1カプセル	178.20円
	般　グリセリン浣腸液50%120mL	50%120mL1個	151.30円
	ケトプロフェン(60mg)20cm×14cm貼付剤	20cm×14cm1枚	17.10円
	5%ヒビテン液	5%10mL	19.40円
	般　ポビドンヨード外用液10%	10%10mL	10.90円
	ポビドンヨード外用液10%「イワキ」	10%10mL	10.90円
	ポビドンヨード消毒液10%	10%10mL	13.10円
	ボラザG軟膏	1g	28.20円
	ボルタレンサポ50mg	50mg1個	29.00円
	モーラスパップ30mg	10cm×14cm1枚	17.10円
	リボスチン点鼻液0.025mg112噴霧用	0.025%15mL1瓶	538.50円
	リンデロン-VG軟膏0.12%	1g	27.70円

	品　名	規格・単位	薬　価
注射薬	ウログラフイン注60％	60％100mL1瓶	1,883円
	大塚生食注	20mL1管	62円
	大塚生食注	50mL1瓶	141円
	大塚生食注TN	50mL1キット	213円
	キシロカイン注射液１％	1％10mLバイアル	110円
	キシロカイン注ポリアンプ1%	1%10mL1管	79円
	スルペラゾン静注用0.5g	(500mg) 1瓶	378円
	生理食塩液	20mL1管	62円
	生理食塩液	50mL1瓶	141円
	ソセゴン注射液15mg	15mg1管	89円
	般　沈降破傷風トキソイド	0.5mL1瓶	1,063円
	デカドロン注射液3.3mg	3.3mg1mL1管	173円
	ブドウ糖注射液	5%500mL1袋	243円
	マーカイン注脊麻用0.5％高比重	0.5％4mL1管	330円
	ラクテック注	500mL1袋	231円
	ランタス注ソロスター	300単位1キット	1,189円
	リドカイン塩酸塩注1%「日新」	1%10mL1管	80円

2024（令和６）年10月１日現在

特定保険医療材料価格

品　名	規格・単位	価　格
ナノパスニードルⅡ 34 G	1本	18円

2024（令和６）年10月１日現在

第2章　解答用紙①（外来用）

診療報酬明細書
（医科入院外）

令和　年　月分

都道府県番号　医療機関コード

1 医科　1 社·国　3 後期　1 単独　2 2併　3 3併　2 本外　4 六外　6 家外　8 高外一　0 高外7

保険者番号

給付割合　10 9 8 7（ ）

公費負担者番号①　公費負担医療の受給者番号①

公費負担者番号②　公費負担医療の受給者番号②

被保険者証・被保険者手帳等の記号・番号　（枝番）

氏名　1男　2女　1明　2大　3昭　4平　5令　・　・　生

職務上の事由　1職務上　2下船後3月以内　3通勤災害

特記事項

保険医療機関の所在地及び名称　（　床）

傷病名 (1) (2) (3)

診療開始日 (1) 年 月 日 (2) 年 月 日 (3) 年 月 日

転帰　治ゆ　死亡　中止

診療実日数　保険 日　公費① 日　公費② 日

区分	項目		回数	公費分点数
11 初診	時間外・休日・深夜		回　点	
12 再診	再診	×	回	
	外来管理加算	×	回	
	時間外	×	回	
	休日	×	回	
	深夜	×	回	
13 医学管理				
14 在宅	往診		回	
	夜間		回	
	深夜・緊急		回	
	在宅患者訪問診療		回	
	その他			
	薬剤			
20 投薬	21 内服 薬剤		単位	
	21 内服 調剤	×	回	
	22 屯服 薬剤		単位	
	23 外用 薬剤		単位	
	23 外用 調剤	×	回	
	25 処方	×	回	
	26 麻毒		回	
	27 調基			
30 注射	31 皮下筋肉内		回	
	32 静脈内		回	
	33 その他		回	
40 処置			回	
	薬剤			
50 手術麻酔			回	
	薬剤			
60 検査病理			回	
	薬剤			
70 画像診断			回	
	薬剤			
80 その他	処方箋		回	
	薬剤			

療養の給付	請求	※決定	一部負担金額			
保険	点	点	円 減額 割(円)免除・支払猶予			
公費①	点	※ 点	円			
公費②	点	※ 点	円	※ 高額療養費 円	※公費負担点数 点	※公費負担点数 点

3 入院レセプト作成のポイント

1. 第56回認定試験

問題　次の条件で診療録から診療報酬明細書を作成しなさい。（令和４年４月診療分）

1　施設の概要等

○DPC対象外の一般病院・救急指定病院、一般病床のみ320床

○標榜診療科：内科、小児科、外科、整形外科、産婦人科、眼科、耳鼻咽喉科、皮膚科、泌尿器科、脳神経外科、麻酔科、放射線科、病理診断科

○届出等の状況

（届出ている施設基準等）

・急性期一般入院料４
・診療録管理体制加算２
・医師事務作業補助体制加算１（30対１）
・急性期看護補助体制加算（25対１）（看護補助者５割以上）
・看護職員夜間12対１配置加算２
・療養環境加算
・医療安全対策加算１
・感染対策向上加算１
・入院時食事療養（Ⅰ）
　食堂加算
・薬剤管理指導料
・腹腔鏡下直腸切除・切断術（切除術、低位前方切除術及び切断術に限る）（内視鏡手術用支援機器を用いる場合）
・画像診断管理加算２
・CT撮影（64列以上のマルチスライス型の機器、その他の場合）
・MRI撮影（３テスラ以上の機器、その他の場合）
・検体検査管理加算（Ⅱ）
・麻酔管理料（Ⅰ）
・病理診断管理加算１
・悪性腫瘍病理組織標本加算

（届出は要さないが施設基準等を満たしている状況）

・臨床研修病院入院診療加算（協力型）

○所在地

埼玉県さいたま市（３級地）

2　診療時間

・月曜日～金曜日　9時00分～17時00分
・土曜日　9時00分～12時00分
・日曜日、祝日　休診

3　その他

○オンライン資格確認を導入している。

○オンライン請求を行っている。

○医師、薬剤師等職員の状況

医師数、薬剤師数及び看護職員（看護師及び准看護師）数は、医療法標準を満たしており、常勤の薬剤師、管理栄養士及び理学療法士も配置している。

診　療　録

公費負担者番号		保険者番号	0 1 1 3 0 0 1 2
公費負担医療の受給者番号		被保険者手帳 記号・番号	4311265・224（枝番）
		被保険者手帳 有効期限	令和　年　月　日

受診者			
氏名	夏樹春子	被保険者氏名	夏樹達夫
生年月日	明・大・(昭)・平・令 34年 6月 22日生　男・(女)	資格取得	(昭和)・平成・令和 19年 4月 1日
住所	（省略） 電話 ××××局 ××××番	事業所（船舶所有者） 所在地	（省略） 電話 ××××局 ××××番
		事業所（船舶所有者） 名称	（省略）
職業	無職	保険者 所在地	（省略） 電話 ××××局 ××××番
被保険者との続柄	母	保険者 名称	全国健康保険協会 東京支部

傷病名	職務	開始	終了	転帰	期間満了予定日
直腸癌（主）	上・外	令和 4年 4月 11日	年 月 日	治ゆ・死亡・中止	年 月 日
2型糖尿病	上・外	令和 4年 4月 11日	年 月 日	治ゆ・死亡・中止	年 月 日

（注）この診療録は、試験問題用に作成したものである。

既往症・原因・主要症状・経過等	処方・手術・処置等

２型糖尿病でＭ診療所に通院中、血便を訴え、直腸ファイバースコピー検査の結果、腫瘍を疑う所見があり、本年4/11当科外来を紹介受診し、大腸ファイバースコピー（病変部位の生検）、CT及びMRI検査の結果、転移のない直腸癌と診断。胸部単純X-P、心電図検査、肝炎ウイルス関連検査等の術前検査を実施。入院前日の朝から禁食を指示。

（診療内容を一部省略している。）

既往症・原因・主要症状・経過等

4／27（水）
・腹腔鏡下直腸低位前方切除術目的に、本日入院（AM11：00）。
・バイタルサイン：BP131/70mmg/dL、P61/分、空腹時血糖110mg/dL、HbA1c（NGSP値）6.7％
・入院診療計画書等を本人及び家族に説明し文書を交付、手術の同意書を受領。
・薬剤師から薬学的管理指導を行う。
・研修医に指導を行う（内容等は記載省略。）。
・昼食に低残渣食。
・下剤投与（PM2：00）し、高圧浣腸（PM4：00）。
・夕食から禁食。

（外科　木村 / 薬剤師　山口）

・麻酔科術前回診：特に問題なし。

（麻酔科　鈴木）

処方・手術・処置等

4／27
・末梢血液一般検査、末梢血液像（自動機械法）、HbA1c、CRP
・生化学：T-Bil, TP, Alb, BUN, クレアチニン, Na, Cl, K, Glu, LD, Amy, T-cho, AST, ALT
・Rp）
　ピコスルファートNa内用液 0.75％ 20mL
＊外来で検査（血液、生Ⅰ、免疫）施行のため、検体検査判断料及び検体検査管理加算を算定済み。
＊外来で画像診断（単純X-P、CT、MRI）施行のため、画像診断管理加算を算定済み。

既往症・原因・主要症状・経過等	処方・手術・処置等
4／28（木） ・手術室へ入室（AM9：05）。 ・麻酔科標榜医による麻酔管理のもと、手術を予定どおり問題なく終了。 ・術後、病理組織標本を提出。 ・創部ドレーンを留置。 ・手術室から一般病棟へ帰室（PM1：00）。 ・帰室時、意識清明、バイタルサイン安定。 ・ドレーン排液少量、血性。 ・胸部・腹部X-P検査、特に問題なし。 ・呼吸心拍監視、経皮的動脈血酸素飽和度測定、本日PM8：00まで続行。 ・手術所見及び経過について家族に説明。 （外科　木村）	4／28 ・術前処置 弾性ストッキング使用 ・腹腔鏡下直腸切除・切断術（低位前方切除術） 超音波凝固切開装置使用 自動縫合器３個、自動吻合器１個使用 ・閉鎖循環式全身麻酔（仰臥位）AM9：20～AM11：50 ・呼吸心拍監視 ・経皮的動脈血酸素飽和度測定 ・液化酸素CE 470L ・亜酸化窒素 630g セボフルラン吸入麻酔液 40mL プロポフォール静注 1% 20mL 1A セフメタゾールナトリウム点滴静注用バッグ1g「NP」（生理食塩液 100mL付）１キット アルチバ静注用 2mg 3V 大塚生食注 20mL 3A ラクトリンゲル液“フソー”500mL ７袋 ポビドンヨード消毒液 10% 400mL ・吸引留置カテーテル・受動吸引型・フィルム・チューブドレーン・チューブ型 １本 ・膀胱留置用ディスポーザブルカテーテル・２管一般（Ⅱ）・標準型 １本 ・病理組織標本作製（１臓器） ＊病理診断料は、次月施行のため算定しない。 〔帰室後〕 ・呼吸心拍監視（11h） ・経皮的動脈血酸素飽和度測定（11h） ・持続点滴 ソルデム3A輸液 500mL ２袋 セフメタゾールナトリウム点滴静注用バッグ 1g「NP」（生理食塩液 100mL付）１キット ・胸部単純X-P １方向（２回目）（デジタル、電子画像管理） ・腹部単純X-P １方向（２回目）（デジタル、電子画像管理）
4／29（金）　術後1日目 ・麻酔後回診：意識清明、バイタルサイン安定。麻酔合併症等、特になし。 （麻酔科　鈴木） ・ドレーン排液、淡血性、ごく少量。 ・腸雑音微弱 ・午後から飲水可。 ・創部問題なし。血液検査結果問題なし。 ・呼吸心拍監視、経皮的動脈血酸素飽和度測定は、本日正午で終了。 （外科　木村）	4／29 ・末梢血液一般検査、末梢血液像（自動機械法）、CRP ・生化学（4/27に同じ。） ・呼吸心拍監視（12h） ・経皮的動脈血酸素飽和度測定（12h） ・術後創傷処置（100cm²未満） ポビドンヨード消毒液 10% 10mL ・ドレーン法（持続的吸引を行うもの） ・持続点滴 ソルデム3A輸液 500mL ２袋 セフメタゾールナトリウム点滴静注用バッグ 1g「NP」（生理食塩液 100mL付）２キット
4／30（土）　術後２日目 ・バイタルサイン安定。腸雑音良好。 ・術後の経過良好。 ・持続ドレーン抜去（AM11：00）。 （外科　木村）	4／30 ・術後創傷処置（4/29に同じ。） ・ドレーン法（持続的吸引を行うもの） ・持続点滴（4/29に同じ。）

[レセプト解答・解説]

●手術当日の注射実施料の算定可否
●麻酔料の算定と麻酔当日の生体検査料の算定可否
●特定保険医療材料料の算定要件

⑬（27日、28日）
（27日）
（B008）「2」薬剤管理指導料　325点
・施設基準の届出及び薬剤師による薬剤管理指導が行われている。特に安全管理が必要な投薬又は注射を使用している旨の記載がないため325点を算定する。
※第1章P. 71～72参照
（28日）
（B001-6）肺血栓塞栓症予防管理料　305点
・肺血栓塞栓症予防のために弾性ストッキングを用いて管理が行われているため算定する。

⑳（27日、28日、29日、30日）
●入院基本料
（A100）「1」ニ・急性期一般入院料4　1,462点×4
「注3」イ・初期加算　450点×4
●入院基本料等加算
（A207-3）「1」25対1急性期看護補助体制加算（看護補助者5割以上）　240点×4
（A207-4）「1」ロ・看護職員夜間12対1配置加算2　90点×4
（A219）療養環境加算　25点×4
（A218）「3」地域加算3級地　14点×4
（27日）
（A204-2）「2」臨床研修病院入院診療加算（協力型）　20点×1
（A207）「2」診療録管理体制加算2　100点×1
（A207-2）「1」ニ・医師事務作業補助体制加算1（30対1）　630点×1
（A234）「1」医療安全対策加算1　85点×1
（A234-2）「1」感染対策向上加算1　710点×1

診療報酬明細書
（医科入院）

令和　4年　4月分　　都道府県番号

公費負担者番号①		公費負担医療の受給者番号①	
公費負担者番号②		公費負担医療の受給者番号②	

区分　精神　結核　療養　　　特記事項

氏名　**夏樹　春子**
1男　②女　1明　2大　③昭　4平　5令　34・6・22生

職務上の事由　1職務上　2下船後3月以内　3通勤災害

傷病名
(1) 直腸癌（主）
(2) 2型糖尿病
(3)

区分	項目	回数	点数	公費分点数
11 初診	時間外・休日・深夜	回	点	
13 医学管理			630	
14 在宅				
20 投薬	21 内服	単位		
	22 屯服	単位		
	23 外用	単位		
	24 調剤	日		
	26 麻毒	日		
	27 調基			
30 注射	31 皮下筋肉内	回		
	32 静脈内	回		
	33 その他	5回	714	
40 処置		5回	269	
	薬剤		15	
50 手術麻酔		8回	108,408	
	薬剤		1,115	
60 検査病理		8回	1,389	
	薬剤			
70 画像診断		2回	420	
	薬剤			
80 その他	薬剤			

90 入院
入院年月日　令和　4年　4月　27日
病　診

90 入院基本料・加算			点
急一般4	3,826 ×	1日間	3,826
臨修	2,281 ×	3日間	6,843
録管2	×	日間	
医1の30	×	日間	
急25上	×	日間	
看職12夜2	92 特定入院料・その他		
環境			
安全1			
感向1			

療養の給付	請求 点	※決定 点	負担金額 円
保険	123,629		減額　割(円)免除・支払猶予
公費①	点	※ 点	円
公費②	点	※ 点	円

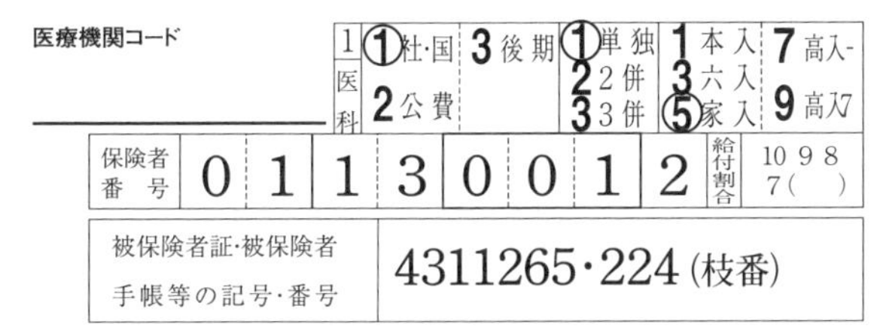

医療機関コード

1 医科	①社・国 2公費	3後期	①単独 2 2併 3 3併	1本入 3六入 ⑤家入	7高入一 9高入7

保険者番号	0	1	1	3	0	0	1	2	給付割合 10 9 8 7( )

被保険者証・被保険者手帳等の記号・番号	4311265・224(枝番)

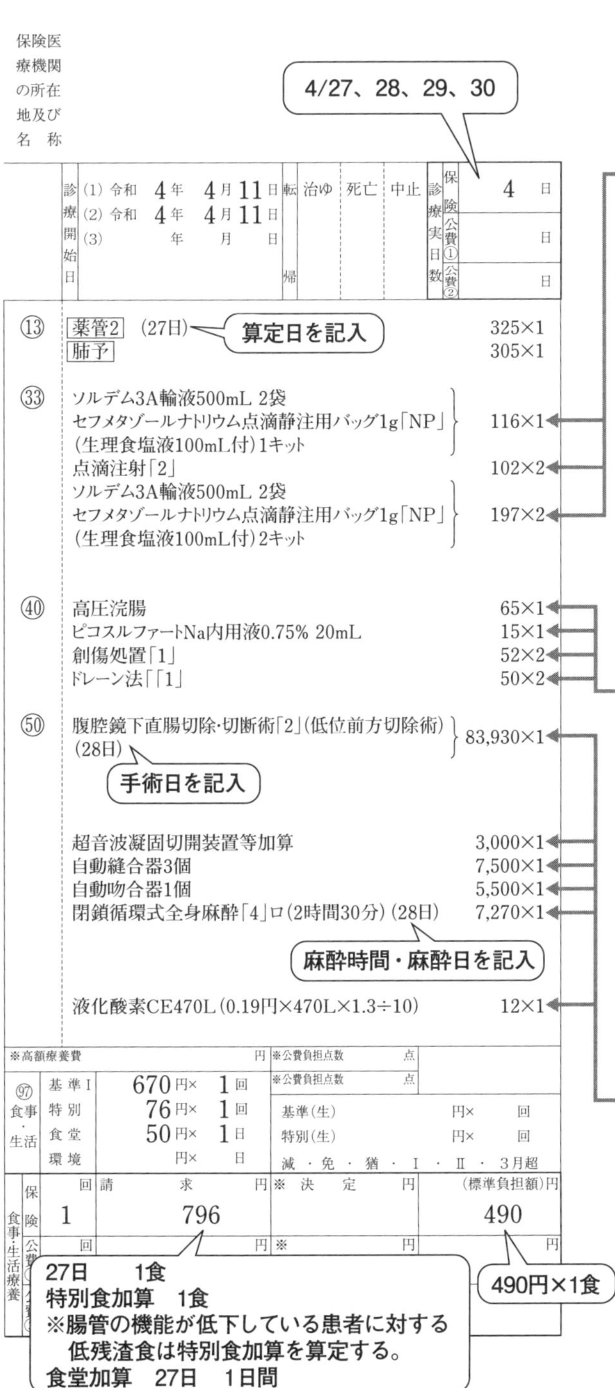

保険医療機関の所在地及び名称

4/27、28、29、30

診療開始日		転帰	診療実日数	
(1) 令和 4年 4月 11日		治ゆ 死亡 中止	保険	4 日
(2) 令和 4年 4月 11日			公費①	日
(3) 年 月 日			公費②	日

⑬ 薬管2 (27日) ― 算定日を記入　325×1
肺予　305×1

㉝ ソルデム3A輸液500mL 2袋
セフメタゾールナトリウム点滴静注用バッグ1g「NP」(生理食塩液100mL付) 1キット　116×1
点滴注射「2」　102×2
ソルデム3A輸液500mL 2袋
セフメタゾールナトリウム点滴静注用バッグ1g「NP」(生理食塩液100mL付) 2キット　197×2

㊵ 高圧浣腸　65×1
ピコスルファートNa内用液0.75% 20mL　15×1
創傷処置「1」　52×2
ドレーン法「1」　50×2

(50) 腹腔鏡下直腸切除・切断術「2」(低位前方切除術)(28日)　83,930×1
手術日を記入

超音波凝固切開装置等加算　3,000×1
自動縫合器3個　7,500×1
自動吻合器1個　5,500×1
閉鎖循環式全身麻酔「4」ロ(2時間30分)(28日)　7,270×1
麻酔時間・麻酔日を記入

液化酸素CE470L(0.19円×470L×1.3÷10)　12×1

※高額療養費 円	※公費負担点数 点	
	※公費負担点数 点	

(97) 食事・生活				
基準I	670 円×	1 回	基準(生)	円× 回
特別	76 円×	1 回	特別(生)	円× 回
食堂	50 円×	1 日		
環境	円×	日	減・免・猶・I・II・3月超	

食事・生活療養	回	請求 円	※決定 円	(標準負担額)円
保険	1	796		490
公費①	回	円	※ 円	円

27日　1食
特別食加算　1食
※腸管の機能が低下している患者に対する低残渣食は特別食加算を算定する。
食堂加算　27日　1日間

490円×1食

㉝(28日、29日、30日)
(28日)
ソルデム3A輸液500mL 2袋(176円×2 = 352円)
セフメタゾールナトリウム点滴静注用バッグ1g「NP」(生理食塩液100mL付)1キット(811円)
(合算) 1,163円→116点×1
(29日、30日)
(G004)「2」点滴注射　102点×2
※手術「通則1」により、28日は手術当日で手術に関連する注射のため算定できない。
ソルデム3A輸液500mL 2袋(176円×2 = 352円)
セフメタゾールナトリウム点滴静注用バッグ1g「NP」(生理食塩液100mL付)2キット(811円×2 = 1,622円)
(合算) 1,974円→197点×2

㊵(27日、29日、30日)
(27日)
(J022)高圧浣腸　65点×1
薬剤料
ピコスルファートNa内用液0.75% 20mL
(7.60円×20 = 152円)→15点×1
※Rp)とあるが本症例では、高圧浣腸の薬剤と判断し処置薬剤として算定した。
(29日、30日)
(J000)「1」創傷処置(100cm²未満)　52点×2
・ポビドンヨード消毒液10mLは15円以下のため算定できない。
(J002)「1」ドレーン法(持続的吸引を行うもの) 50点×2

(50)(28日)
(K740-2)「2」腹腔鏡下直腸切除・切断術(低位前方切除術)　83,930点
(K931)超音波凝固切開装置等加算　3,000点
(K936)自動縫合器3個　2,500点×3 = 7,500点
(K936-2)自動吻合器1個　5,500点
(L008)「4」ロ・閉鎖循環式全身麻酔(2時間) 6,610点
「注2」ニ・麻酔管理時間加算(30分)　660点
(合算) →7,270点×1
※腹腔鏡を用いた手術が行われているため、閉鎖循環式全身麻酔「4」ロを算定する。
(L008)「注3」酸素加算
液化酸素CE470L(0.19円×470L×1.3) = 116.09円
→116円÷10 = 11.6点→12点

[レセプト摘要欄の続き]

㊿	亜酸化窒素630g セボフルラン吸入麻酔液40mL プロポフォール静注1%20mL1A セフメタゾールナトリウム点滴静注用バッグ1g「NP」(生理食塩液100mL付)1キット アルチバ静注用2mg 3V 大塚生食注20mL 3A ラクトリンゲル液"フソー"500mL 7袋	1,115×1
	吸引留置カテーテル・受動吸引型・フィルム・チューブドレーン・チューブ型(897円)1本 膀胱留置用ディスポーザブルカテーテル・2管一般(Ⅱ)・標準型(561円)1本	146×1
	麻管Ⅰ	1,050×1
⑥⓪	B-末梢血液一般、像(自動機械法)、HbA1c	85×1
	B-CRP	16×2
	B-T-Bil、TP、Alb(BCP改良法・BCG法)、BUN、クレアチニン、Na・Cl、K、Glu、LD、Amy、T-cho、AST、ALT (入院時初回加算)	123×1
	T-M(組織切片)(ク:直腸)	860×1
	B-末梢血液一般、像(自動機械法)	36×1
	B-T-Bil、TP、Alb(BCP改良法・BCG法)、BUN、クレアチニン、Na・Cl、K、Glu、LD、Amy、T-cho、AST、ALT、	103×1
	呼吸心拍監視「2」イ(算定開始日:令和4年4月29日)	150×1
	(外来にて 判血 判生Ⅰ 判免 検体検査管理加算は請求済み) (病理診断は次月施行予定)	
⑦⓪	胸部X-Pデジタル(1方向) 電画	210×1
	腹部X-Pデジタル(1方向) 電画	210×1
	(外来にて画像診断管理加算は請求済み)	
⑨⓪	急一般4(14日以内)、臨修(協力型)、録管2、医1の30、急25上、看職12夜2、環境、安全1、感向1、3級地	3,826×1
	急一般4(14日以内)、急25上、看職12夜2、環境、3級地	2,281×3

「病理組織標本作製(組織切片)」は、通知(1)ア～ケのいずれかを選択し、記入する

算定開始年月日を記入

㊿(28日)

薬剤料

亜酸化窒素630g(2.50円×630=1,575円)
セボフルラン吸入麻酔液40mL(27.20円×40=1,088円)
プロポフォール静注1%20mL 1A(594円)
セフメタゾールナトリウム点滴静注用バッグ1g「NP」(生理食塩液100mL付)1キット(811円)
アルチバ静注用2mg 3V(1,759円×3=5,277円)
大塚生食注20mL 3A(62円×3=186円)
ラクトリンゲル液"フソー"500mL 7袋(231円×7=1,617円)
(合算)

11,148円→1,115点

※手術「通則2」により、手術に使用される外皮用殺菌剤は算定できない。よってポビドンヨード消毒液は算定できない。

特定保険医療材料料

吸引留置カテーテル・受動吸引型・フィルム・チューブドレーン・チューブ型1本(897円)
膀胱留置用ディスポーザブルカテーテル・2管一般(Ⅱ)・標準型1本(561円)
(合算)

1,458円→146点

・吸引留置等のカテーテルを24時間以上体内留置した場合に算定する。

(L009)「2」麻酔管理料(Ⅰ) 1,050点

・施設基準及び麻酔科医による麻酔前後の診察が行われているため算定する。

---

⑥⓪(27日、28日、29日)

(27日)

※外来で術前検査(血、生Ⅰ、免)を実施し、検体検査判断料、検体検査管理加算は算定済み。外来で算定している旨を摘要欄に記載する。

(28日)

(N000)「1」病理組織標本作製(組織切片によるもの) 860点×1

※病理診断料は次月施行のため今月は算定しない。
(記載要項にはその旨の記載事項はないが、T-Mを行っているため今回は摘要欄に記載した)

※28日の呼吸心拍監視、経皮的動脈血酸素飽和度測定は、閉鎖循環式全身麻酔と同一日に行われているため算定できない。

(29日)

(D220)呼吸心拍監視「2」イ 150点

※29日の経皮的動脈血酸素飽和度測定は、酸素吸入等の算定要件を満たしていないため算定できない。

---

⑦⓪(28日)

(E001)「1」イ・写真診断+(E002)「1」ロ・撮影
胸部X-Pデジタル1方向 153点
エックス線診断料「通則4」イ・電子画像管理加算 57点
(合算)

→210点×1

(E001)「1」イ・写真診断+(E002)「1」ロ・撮影
腹部X-Pデジタル1方向 153点
エックス線診断料「通則4」イ・電子画像管理加算 57点
(合算)

→210点×1

2. 第57回認定試験

問題　次の条件で診療録から診療報酬明細書を作成しなさい（令和４年10月診療分）。

1　施設の概要等

○DPC対象外の一般病院・救急指定病院、一般病床のみ380床

○標榜診療科：内科、小児科、外科、整形外科、産婦人科、眼科、耳鼻咽喉科、皮膚科、泌尿器科、脳神経外科、麻酔科、放射線科、病理診断科

○届出等の状況

（届出ている施設基準等）

- 急性期一般入院料３
- 診療録管理体制加算２
- 医師事務作業補助体制加算１（30対１）
- 急性期看護補助体制加算（25対１）（看護補助者５割以上）
- 看護職員夜間12対１配置加算２
- 療養環境加算
- 医療安全対策加算１
- 感染対策向上加算１
- データ提出加算２
- 入院時食事療養（Ⅰ）
  食堂加算
- 薬剤管理指導料
- 画像診断管理加算２
- CT撮影（64列以上のマルチスライス型の機器、その他の場合）
- MRI撮影（３テスラ以上の機器、その他の場合）
- 検体検査管理加算（Ⅱ）
- 麻酔管理料（Ⅰ）

（届出は要さないが施設基準等を満たしている状況）

- 臨床研修病院入院診療加算（協力型）

○所在地

神奈川県横浜市（２級地）

2　診療時間

- 月曜日～金曜日　9時00分～17時00分
- 土曜日　9時00分～12時00分
- 日曜日、祝日　休診

3　その他

○オンライン資格確認を導入している。

○オンライン請求を行っている。

○医師、薬剤師等職員の状況

医師数、薬剤師数及び看護職員（看護師及び准看護師）数は、医療法標準を満たしており、常勤の薬剤師、管理栄養士及び理学療法士も配置している。

診　療　録

2割負担　所得区分：29区エ

公費負担者番号		保険者番号	3 2 1 3 1 9 2 2
公費負担医療の受給者番号		被保険者証・被保険者手帳　記号・番号	6341・552（枝番）02
		有効期限	令和　年　月　日

受診者				被保険者氏名	小田雄三
氏名	小田健司			資格取得	(平成) 16年　4月　1日
生年月日	明・大・(昭)・平・令 25年　7月　29日生	(男)・女		事業所（船舶所有者）所在地	（省略）電話××××局××××番
住所	（省略）電話××××局××××番			事業所（船舶所有者）名称	（省略）
職業	無職	被保険者との続柄	父	保険者所在地	（省略）電話××××局××××番
				保険者名称	○○○共済組合

傷病名	職務	開始	終了	転帰	期間満了予定日
前立腺肥大症（主）	上・外	平成30年4月9日	年月日	治ゆ・死亡・中止	年月日
尿閉（主）	上・外	令和4年10月27日	年月日	治ゆ・死亡・中止	年月日

（注）この診療録は、試験問題用に作成したものである。

既往症・原因・主要症状・経過等	処方・手術・処置等

平成30年４月から当科外来で前立腺肥大症の治療継続中。本年10/20に超音波検査及び術前検査（胸部X-P、心電図、検尿、感染症、肝炎ウイルス検査等）を施行し、手術には特に問題ないと判断。11/7当科に入院のうえ、翌日、経尿道的前立腺切除術施行の予定であったが、本日、強度の排尿困難を訴え、外来受診。

（診療内容を一部省略している。）

既往症・原因・主要症状・経過等	処方・手術・処置等
10／27（木）（PM6：40）	10／27
・下腹部が緊満。エコーの結果、膀胱内に大量の液体貯留があり、尿閉状態。	・超音波検査（断層撮影法、胸腹部）（２回目）
・尿道カテーテル留置を試みるが、尿道閉塞で挿入困難のため、泌尿器科病棟へ緊急入院（PM7：00）の上、膀胱瘻造設。	・末梢血液一般検査、末梢血液像（自動機械法）、CRP
・局所麻酔下に恥骨上から膀胱瘻に穿刺留置し、2,300mLの尿を排出。	・生化学：Na, Cl, K, AST, ALT, LD, T-Bil, T-cho, TP, Alb, BUN, クレアチニン, Glu, Amy
・本日の採血結果は、特に問題なし（検査開始PM7：30）。	・膀胱瘻造設術 膀胱瘻用穿孔針　１本 ダイレーター　１本 膀胱瘻用カテーテル　１本 キシロカイン注ポリアンプ1% 10mL
・薬剤師から薬学的管理指導を行う。	＊外来で検査（血液、生Ｉ、免疫）施行のため、検体検査判断料、検体検査管理加算を算定済み。
・研修医に指導を行う（内容等は記載省略。）。	＊外来で画像診断（単純X-P）施行のため、画像診断管理加算を算定済み。
・夕食から普通食。	
（泌尿器科　古谷）	

既往症・原因・主要症状・経過等	処方・手術・処置等
10／28（金） ・膀胱瘻から尿流出良好。血尿なし。 ・明日、手術施行することとし、入院診療計画書等を本人及び家族に説明し文書を交付、手術の同意書を受領。 （泌尿器科　古谷） ・麻酔科術前回診：特に問題なし。 （麻酔科　小野田）	10／28
10／29（土） ・朝食から禁食。 ・浣腸実施 ・手術室へ入室（AM9：30）。 ・L3/4より硬膜外チューブを挿入し、持続硬膜外麻酔を行い、閉鎖循環式全身麻酔下にて生理食塩水で持続灌流しつつ、経尿道的前立腺手術を施行。 ・麻酔科標榜医による麻酔管理のもと、手術を予定どおり問題なく終了。 ・膀胱留置用カテーテルを留置し、膀胱瘻は留置のまま閉鎖。 ・手術室から一般病棟へ帰室（PM0：30）。 ・帰室時、意識清明、バイタルサイン安定。 ・膀胱留置用カテーテルより淡血性尿流出良好。 ・酸素吸入 2L/分 ・呼吸心拍監視、経皮的動脈血酸素飽和度測定は、本日PM4：00で終了。 ・手術所見及び経過について家族に説明。 （泌尿器科　古谷）	10／29 ・術前処置 グリセリン浣腸液 50% 60mL 1個 アトロピン硫酸塩注射液 0.05% 1mL 1A（筋注） ドルミカム注射液 10mg2mL 1A（1mL使用、残量廃棄）（筋注） ・経尿道的前立腺手術（電解質溶液利用のもの） ・閉鎖循環式全身麻酔、硬膜外麻酔（腰部）併施（砕石位） AM9：50～AM11：30 ・間歇的空気圧迫装置使用 ・終末呼気炭酸ガス濃度測定 ・経皮的動脈血酸素飽和度測定 ・呼吸心拍監視 ・液化酸素CE 450L ・亜酸化窒素 650g セボフルラン吸入麻酔液 60mL プロポフォール静注 1% 20mL 1A マーカイン注 0.5% 10mL 2V セフメタゾールナトリウム点滴静注用バッグ 1g「NP」（生理食塩液 100mL付）2キット ハルトマンD液 500mL 7袋 大塚生食注 1L 12袋 ポビドンヨード消毒液 10% 200mL ・膀胱留置用ディスポーザブルカテーテル・2管一般（Ⅱ）・標準型 1本 〔帰室後〕 ・持続点滴 ソリタ-T3号輸液 500mL 2袋 セフメタゾールナトリウム点滴静注用バッグ 1g「NP」（生理食塩液 100mL付）2キット ・経皮的動脈血酸素飽和度測定 ・呼吸心拍監視 ・酸素吸入　液化酸素CE 420L
10／30（日）術後1日目 ・麻酔後回診：意識清明、バイタルサイン安定。麻酔合併症等、特になし。 （麻酔科　小野田） ・朝から飲水可。 ・膀胱留置用カテーテルより尿流出良好。血尿なし。 ・膀胱瘻穿孔部消毒する。 ・持続点滴は、本日PM3：00中止。 ・夕食から普通食。 （泌尿器科　古谷）	10／30 ・末梢血液一般検査、末梢血液像（自動機械法）、CRP ・生化学（10/27に同じ。） ・胸部単純X-P 1方向（デジタル、電子画像管理） ・術後創傷処置（100cm^{2}未満） ポビドンヨード消毒液 10% 10mL ・持続点滴（10/29に同じ。） ・Rp） レボフロキサシン錠 500mg 1錠（毎夕食後）×5日分
10／31（月）術後2日目 ・バイタルサイン安定。 ・血尿ないため、膀胱留置用カテーテル抜去。 （泌尿器科　古谷）	10／31 ・術後創傷処置（薬剤を含め、10/30に同じ。） ・尿流測定 ・尿沈査（鏡検法）

[レセプト解答・解説]

- ●再診料の時間外等加算の算定
- ●手術当日の注射実施料の算定可否
- ●手術料に含まれる薬剤
- ●麻酔当日の生体検査料の算定可否
- ●特定保険医療材料料の算定要件

⑬（27日、29日）
（27日）
（B008）「2」薬剤管理指導料　325点
・施設基準の届出及び薬剤師による薬剤管理指導が行われている。特に安全管理が必要な投薬又は注射を使用している旨の記載がないため325点を算定する。
※第1章P. 71～72参照
（29日）
（B001-6）肺血栓塞栓症予防管理料　305点
・肺血栓塞栓症予防のために間歇的空気圧迫装置を用いて管理が行われているため算定する。

㉔（30日、31日）
（F000）「2」調剤料　7点×2
・1日につき7点を算定する。
※薬剤管理指導料を算定しているため調剤技術基本料は算定できない。

⑨⓪（27日、28日、29日、30日、31日）
●入院基本料
（A100）「1」ハ・急性期一般入院料3　1,569点×5
「注3」イ・初期加算　450点×5
●入院基本料等加算
（A207-3）「1」25対1急性期看護補助体制加算（看護補助者5割以上）　240点×5
（A207-4）「1」ロ・看護職員夜間12対1配置加算2　90点×5
（A219）療養環境加算　25点×5
（A218）「2」地域加算2級地　15点×5
（27日）
（A204-2）「2」臨床研修病院入院診療加算（協力型）20点×1
（A207）「2」診療録管理体制加算2　100点×1
（A207-2）「1」ニ・医師事務作業補助体制加算1（30対1）　630点×1
（A234）「1」医療安全対策加算1　85点×1
（A234-2）「1」感染対策向上加算1　710点×1
（A245）「2」イ・データ提出加算2　155点×1

⑨⓪（27日）
（A002）外来診療料「注8」時間外特例医療機関加算　180点×1
・再診から直ちに入院した患者に対して再診料（外来診療料を含む）は算定できないが、時間外等加算は算定できる。救急指定病院に診療時間以外の時間（午後6時40分）に緊急に受診しているため時間外特例医療機関加算を算定する（初・再診料「通則3」）。
※入院の明細書において、再診料又は外来診療料の時間外等加算を算定する場合、入院基本料を算定する場合は「入院基本料・加算」の項に、特定入院料を算定する場合は「特定入院料・その他」の項に点数及び回数を記載し、摘要欄に当該加算の名称を記載する。

診療報酬明細書
（医科入院）　令和　4年　10月分　都道府県番号

公費負担者番号①／公費負担医療の受給者番号①
公費負担者番号②／公費負担医療の受給者番号②

区分　精神　結核　療養
特記事項　29区エ

氏名　小田　健司
①男　2女　1明　2大　③昭　4平　5令　25・7・29生
職務上の事由　1職務上　2下船後3月以内　3通勤災害

傷病名
(1) 前立腺肥大症（主）
(2) 尿閉（主）
(3)

区分	項目	回数	点数
11 初診	時間外・休日・深夜	回	
13 医学管理			630
14 在宅			
20 投薬	21 内服	5 単位	35
	22 屯服	単位	
	23 外用	単位	
	24 調剤	2 日	14
	26 麻毒	日	
	27 調基		
30 注射	31 皮下筋肉内	回	
	32 静脈内	回	
	33 その他	3 回	496
40 処置		3 回	114
	薬剤		
50 手術麻酔		7 回	34,032
	薬剤		1,202
60 検査病理		10 回	1,073
	薬剤		
70 画像診断		1 回	210
	薬剤		
80 その他	薬剤		

公費分点数

90 入院
入院年月日　令和　4年　10月　27日
㊖　診

急一般3
臨修
録管2
医1の30
急25上
看職12夜2
環境
安全1
感向1
デ提2

90 入院基本料・加算			点
4,089 ×	1 日間		4,089
2,389 ×	4 日間		9,556
180 ×	1 日間		180
×	日間		
×	日間		

92 特定入院料・その他

療養の給付	請求 点	※決定 点	負担金額 円
保険	51,631		減額　割(円)免除・支払猶予
公費①	点	※ 点	円
公費②	点	※ 点	円

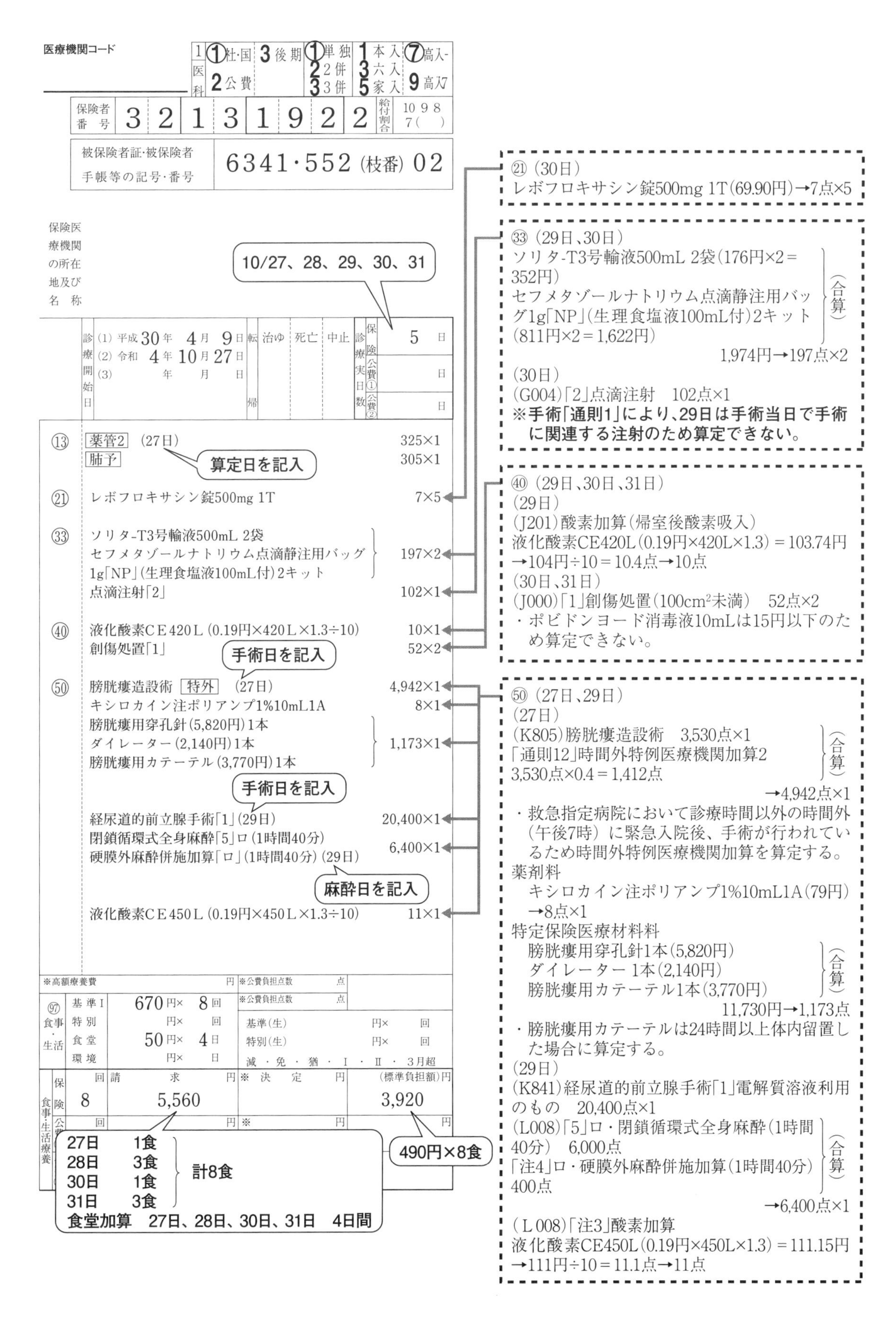

医療機関コード	1 医科	①社・国 2公費	3後期	①単独 2 2併 3 3併	1本入 3六入 5家入	⑦高入- 9高入7

保険者番号	3	2	1	3	1	9	2	2	給付割合 10 9 8 7( )

被保険者証・被保険者手帳等の記号・番号　6341・552（枝番）02

保険医療機関の所在地及び名称

10/27、28、29、30、31

診療開始日	(1) 平成30年4月9日 (2) 令和4年10月27日 (3) 年 月 日	転 帰	治ゆ	死亡	中止	診療実日数	保険 5日 / 公費① 日 / 公費② 日

⑬	薬管2（27日）	325×1
	肺予	305×1
	算定日を記入	
㉑	レボフロキサシン錠500mg 1T	7×5
㉝	ソリタ-T3号輸液500mL 2袋 セフメタゾールナトリウム点滴静注用バッグ1g「NP」(生理食塩液100mL付) 2キット	197×2
	点滴注射「2」	102×1
㊵	液化酸素CE420L（0.19円×420L×1.3÷10）	10×1
	創傷処置「1」	52×2
	手術日を記入	
(50)	膀胱瘻造設術 特外（27日）	4,942×1
	キシロカイン注ポリアンプ1%10mL1A	8×1
	膀胱瘻用穿孔針(5,820円) 1本 ダイレーター(2,140円) 1本 膀胱瘻用カテーテル(3,770円) 1本	1,173×1
	手術日を記入	
	経尿道的前立腺手術「1」（29日）	20,400×1
	閉鎖循環式全身麻酔「5」ロ(1時間40分) 硬膜外麻酔併施加算「ロ」(1時間40分)（29日）	6,400×1
	麻酔日を記入	
	液化酸素CE450L（0.19円×450L×1.3÷10）	11×1

※高額療養費 円	※公費負担点数 点
	※公費負担点数 点

⑨⑦ 食事・生活		
基準Ⅰ	670円×	8回
特別	円×	回
食堂	50円×	4日
環境	円×	日

基準(生) 円× 回 / 特別(生) 円× 回 / 減・免・猶・Ⅰ・Ⅱ・3月超

食事・生活療養	回	請求 円	※決定 円	(標準負担額) 円
保険	8	5,560		3,920
公費	回	円	※ 円	円

27日　1食
28日　3食
30日　1食
31日　3食
計8食
食堂加算　27日、28日、30日、31日　4日間

490円×8食

㉑（30日）
レボフロキサシン錠500mg 1T（69.90円）→7点×5

㉝（29日、30日）
ソリタ-T3号輸液500mL 2袋（176円×2＝352円）
セフメタゾールナトリウム点滴静注用バッグ1g「NP」(生理食塩液100mL付) 2キット（811円×2＝1,622円）（合算）
1,974円→197点×2
（30日）
（G004）「2」点滴注射　102点×1
※手術「通則1」により、29日は手術当日で手術に関連する注射のため算定できない。

㊵（29日、30日、31日）
（29日）
（J201）酸素加算（帰室後酸素吸入）
液化酸素CE420L（0.19円×420L×1.3）＝103.74円
→104円÷10＝10.4点→10点
（30日、31日）
（J000）「1」創傷処置（100cm²未満）　52点×2
・ポビドンヨード消毒液10mLは15円以下のため算定できない。

(50)（27日、29日）
（27日）
（K805）膀胱瘻造設術　3,530点×1
「通則12」時間外特例医療機関加算2
3,530点×0.4＝1,412点（合算）
→4,942点×1
・救急指定病院において診療時間以外の時間外（午後7時）に緊急入院後、手術が行われているため時間外特例医療機関加算を算定する。
薬剤料
キシロカイン注ポリアンプ1%10mL1A（79円）
→8点×1
特定保険医療材料料
膀胱瘻用穿孔針1本（5,820円）
ダイレーター 1本（2,140円）
膀胱瘻用カテーテル1本（3,770円）（合算）
11,730円→1,173点
・膀胱瘻用カテーテルは24時間以上体内留置した場合に算定する。
（29日）
（K841）経尿道的前立腺手術「1」電解質溶液利用のもの　20,400点×1
（L008）「5」ロ・閉鎖循環式全身麻酔（1時間40分）　6,000点
「注4」ロ・硬膜外麻酔併施加算（1時間40分）400点（合算）
→6,400点×1
（L008）「注3」酸素加算
液化酸素CE450L（0.19円×450L×1.3）＝111.15円
→111円÷10＝11.1点→11点

［レセプト摘要欄の続き］

⑤⓪	グリセリン浣腸液50%60mL1個 アトロピン硫酸塩注射液0.05%1mL1A ドルミカム注射液10mg2mL1A 亜酸化窒素650g セボフルラン吸入麻酔液60mL プロポフォール静注1%20mL1A マーカイン注0.5%10mL2V セフメタゾールナトリウム点滴静注用バッグ1g「NP」（生理食塩液100mL付）2キット ハルトマンD液500mL7袋 大塚生食注1L12袋	1,194×1
	膀胱留置用ディスポーザブルカテーテル・2一般（Ⅱ）・標準型（561円）1本	56×1
	麻管Ⅰ	1,050×1
⑥⓪	超音波検査（断層撮影、胸腹部） 減 （イ：腎・泌尿器領域）	477×1
	B-末梢血液一般、像（自動機械法）	36×2
	B-CRP	16×2
	B-Na・Cl、K、AST、ALT、LD、T-Bil、T-cho、TP、Alb（BCP改良法・BCG法）、BUN、クレアチニン、Glu、Amy（入院時初回加算）	123×1
	B-Na・Cl、K、AST、ALT、LD、T-Bil、T-cho、TP、Alb（BCP改良法・BCG法）、BUN、クレアチニン、Glu、Amy	103×1
	尿流測定	205×1
	尿沈渣（鏡検法）	27×1
	判尿	34×1
	（外来にて 判血 判生Ⅰ 判免 検体検査管理加算は請求済み）	
⑦⓪	胸部X-Pデジタル（1方向） 電画 （外来にて画像診断管理加算は請求済み）	210×1
⑨⓪	急一般3（14日以内）、臨修（協力型）、録管2、医1の30、急25上、看職12夜2、環境、安全1、感向1、デ提2、2級地	4,089×1
	急一般3（14日以内）、急25上、看職12夜2、環境、2級地	2,389×4
	時間外特例医療機関加算（外来診療料）	180×1

超音波検査（胸腹部）を算定する場合は、検査領域を記入

⑤⓪（29日）
薬剤料
- グリセリン浣腸液50%60mL1個（113.10円）
- アトロピン硫酸塩注射液0.05%1mL1A（95円）
- ドルミカム注射液10mg2mL1A（115円）
- 亜酸化窒素650g（2.50円×650=1,625円）
- セボフルラン吸入麻酔液60mL（27.20円×60=1,632円）
- プロポフォール静注1%20mL1A（594円）
- マーカイン注0.5%10mL2V（188円×2=376円）
- セフメタゾールナトリウム点滴静注用バッグ1g「NP」（生理食塩液100mL付）2キット（811円×2=1,622円）
- ハルトマンD液500mL7袋（214円×7=1,498円）
- 大塚生食注1L12袋（356円×12=4,272円）

（合算）11,942.10円→1,194点

※手術「通則2」により、手術に使用される外皮用殺菌剤は算定できない。よってポビドンヨード消毒液は算定できない。

特定保険医療材料料
膀胱留置用ディスポーザブルカテーテル・2管一般（Ⅱ）・標準型1本（561円）→56点×1
・膀胱留置カテーテルは24時間以上体内留置した場合に算定する。
（L009）「2」麻酔管理料（Ⅰ） 1,050点
・施設基準及び麻酔科医による麻酔前後の診察が行われているため算定する。

⑥⓪（27日、29日、30日、31日）
（27日）
（D215）「2」ロ・（1）超音波検査（断層撮影法）その他の場合（胸腹部） 530点×0.9=477点
・10月20日に外来において超音波検査が行われているため同一月2回目以降（所定点数の90/100）の点数を算定する。（超音波検査等「通則」）。
※診療時間以外の時間に検体検査が行われているが、「時間外緊急院内検査加算」の通知にある「検体検査の結果、入院の必要性を認めて引き続き入院となった場合」の要件を満たしていないため当該加算は算定できない。
※外来で検査（血、生Ⅰ、免）を実施し、検体検査判断料、検体検査管理加算は算定済み。外来で算定している旨を摘要欄に記載する。
※29日の終末呼気炭酸ガス濃度測定、経皮的動脈血酸素飽和度測定、呼吸心拍監視は、閉鎖循環式全身麻酔と同一日に行われているため算定できない。

⑦⓪（30日）
（E001）「1」イ・写真診断＋（E002）「1」ロ・撮影
胸部X-Pデジタル1方向 153点
エックス線診断料「通則4」イ・電子画像管理加算 57点
（合算）→210点×1
※画像診断管理加算は外来で算定済み。外来で算定している旨を摘要欄に記載する。

3. 第58回認定試験

問題　次の条件で診療録から診療報酬明細書を作成しなさい（令和５年４月診療分）。

1　施設の概要等

○DPC対象外の一般病院・救急指定病院、一般病床のみ240床

○標榜診療科：内科、小児科、外科、整形外科、眼科、耳鼻咽喉科、泌尿器科、脳神経外科、麻酔科、放射線科、リハビリテーション科、病理診断科

○届出等の状況

（届出ている施設基準等）

- 急性期一般入院料４
- 診療録管理体制加算２
- 医師事務作業補助体制加算１（30対１）
- 急性期看護補助体制加算（25対１）（看護補助者５割以上）
- 療養環境加算
- 医療安全対策加算１
- 感染対策向上加算１
- データ提出加算２
- 入院時食事療養（Ⅰ）
食堂加算
- 薬剤管理指導料
- 検体検査管理加算（Ⅱ）
- 画像診断管理加算２
- CT撮影（64列以上のマルチスライス型の機器、その他の場合）
- MRI撮影（３テスラ以上の機器、その他の場合）
- 頭部MRI撮影加算
- 輸血管理料Ⅱ
- 麻酔管理料（Ⅰ）

（届出は要さないが施設基準等を満たしている状況）

- 臨床研修病院入院診療加算（協力型）

○所在地

東京都文京区（１級地）

2　診療時間

- 月曜日～金曜日　９時00分～17時00分
- 土曜日　９時00分～12時00分
- 日曜日、祝日　休診

3　その他

○オンライン資格確認を導入している。

○オンライン請求を行っている。

○医師、薬剤師等職員の状況

医師数、薬剤師数及び看護職員（看護師及び准看護師）数は、医療法標準を満たしており、常勤の薬剤師、管理栄養士及び理学療法士も配置している。

診　　療　　録

公費負担者番号								
公費負担医療の受給者番号								

保険者番号	0	1	1	3	0	0	1	2

被保険者証・被保険者手帳	記号・番号	5211281・243（枝番）00
	有効期限	令和　年　月　日
被保険者氏名		川　島　悟
資格取得		昭和・平成（○）・令和　22年　4月　1日
事業所（船舶所有者）	所在地	（省略） 電話 ××××局　××××番
	名称	（省略）
保険者	所在地	（省略） 電話 ××××局　××××番
	名称	全国健康保険協会 東京支部

受診者				
氏名	川　島　悟			
生年月日	明・大・昭・平（○）・令　1年　6月　18日生	男（○）・女		
住所	（省略） 電話 ××××局　××××番			
職業	会社員	被保険者との続柄	本人	

傷病名	職務	開始	終了	転帰	期間満了予定日
脳動静脈奇形（主）	上・外	令和　5年　4月　12日	年　月　日	治ゆ・死亡・中止	年　月　日

（注）この診療録は、試験問題用に作成したものである。

既往症・原因・主要症状・経過等	処方・手術・処置等
本年1月末から頭痛があり、F内科クリニックにて外来投薬治療中、3月下旬に右腕の痺れが出現し、4/12に当科外来を紹介受診。頭部MRI検査の結果、左頭頂葉の感覚野に直径4cm大の脳動静脈奇形を認め、頭痛と右上肢感覚麻痺（触覚）の原因と確定し、手術適応と判断。4/18外来で、血液学的検査、生化学的検査、感染症免疫学的検査、肝炎ウイルス関連検査等の術前検査を施行。また、同日自己血貯血200mLも施行。	
	（診療内容を一部省略している。）
4／27（木） ・脳動静脈奇形摘出術目的に、本日入院（AM10：30）。 ・バイタルサイン：BP120/65mmHg、P62/分 ・理学所見：特になし。 ・入院診療計画及び輸血の必要性等を本人及び家族に説明し文書を交付の上、手術同意書を受領。 ・薬剤師から薬学的管理指導を行う。 ・研修医に指導を行う（内容等は記載省略。）。 ・昼食から普通食。 （脳神経外科　大谷 / 薬剤師　長友） ・麻酔科術前回診：特に問題なし。 （麻酔科　酒井）	4／27 ・末梢血液一般検査、末梢血液像（自動機械法）、CRP ・頭部単純X-P 2方向（1回目）（デジタル、電子画像管理） ＊外来で検査（血液、生Ⅰ、免疫）施行のため、検体検査判断料、検体検査管理加算を算定済み。 ＊外来で画像診断（MRI）施行のため、コンピューター断層診断及び画像診断管理加算を算定済み。

既往症・原因・主要症状・経過等	処方・手術・処置等
4／28（金） ・朝食から禁食。 ・手術室へ入室（AM9：40）。 ・血流を確認するため術中撮影を施行。 ・画像所見及び手術の概要の記載省略。 ・麻酔科標榜医による麻酔管理のもと、手術を予定どおり問題なく終了。 ・術後、頭部CTで全摘出を確認（主治医が診断。）。 ・手術室から一般病棟へ帰室（PM2：30）。 ・帰室時、意識清明、バイタルサイン安定。 ・手術所見及び経過について家族に説明。 （脳神経外科　大谷）	4／28 ・術前処置 弾性ストッキング使用 ヴィーンF輸液 500mL 1袋 ・脳動静脈奇形摘出術（複雑なもの） 画像等手術支援加算（ナビゲーションによるもの） 術中血管等描出撮影加算 ・閉鎖循環式全身麻酔（仰臥位）AM10：00～PM2：00 ・呼吸心拍監視 ・経皮的動脈血酸素飽和度測定 ・液化酸素CE 720L ・ヴィーンF輸液 500mL 2袋 セファメジンα点滴用キット 1g 2キット （生理食塩液 100mL付） セボフルラン吸入麻酔液 160mL プロポフォール静注 1% 20mL 1A キシロカインゼリー 2% 10mL フェンタニル注射液 0.1mg「テルモ」2A アルチバ静注用 2mg 2V エスラックス静注 50mg/5.0mL 2V ブリディオン静注 200mg 1V 大塚生食注TN 100mL 3キット ・自己血輸血（液状保存）200mL 1袋 ・輸血管理料Ⅱ ・頭部CT（1回目）（64列以上のマルチスライス型、電子画像管理） 〔帰室後〕 ・持続点滴 ヴィーンF輸液 500mL 2袋 セファメジンα点滴用キット 1g 1キット （生理食塩液 100mL付） ・呼吸心拍監視（9.5h） ・経皮的動脈血酸素飽和度測定（9.5h）
4／29（土） 術後1日目 ・麻酔後回診：意識清明、バイタルサイン安定。 麻酔合併症等、特になし。 （麻酔科　酒井） ・朝から飲水可。 ・持続点滴は、本日PM3：00中止。 ・呼吸心拍監視、経皮的動脈血酸素飽和度測定は、本日PM4：00で終了。 ・夕食から普通食。 （脳神経外科　大谷）	4／29 ・末梢血液一般検査、末梢血液像（自動機械法）、CRP ・生化学：Na, Cl, K, AST, ALT, LD, T-Bil, T-cho, TP, Alb（BCP改良法）, BUN, クレアチニン, Glu, Amy ・呼吸心拍監視（16h） ・経皮的動脈血酸素飽和度測定（16h） ・持続点滴（4/28の〔帰室後〕に同じ。） ・Rp） ロキソプロフェンナトリウム 60mg錠 3T （分3毎食後）×3日分 タケプロンOD錠15 1T （分1毎朝食後）×3日分
4／30（日） 術後2日目 ・バイタルサイン安定。 ・術後の経過良好。 （脳神経外科　大谷）	4／30 ・末梢血液一般検査、末梢血液像（自動機械法）、CRP ・持続点滴（4/29に同じ。）

[レセプト解答・解説]

- ●手術当日の注射実施料の算定可否
- ●麻酔当日の生体検査料の算定可否
- ●コンピューター断層撮影の２回目以降の算定

⑬（27日、28日）
（27日）
（B008）「2」薬剤管理指導料　325点
・施設基準の届出及び薬剤師による薬剤管理指導が行われている。特に安全管理が必要な投薬又は注射を使用している旨の記載がないため325点を算定する。
※第1章P. 71～72参照
（28日）
（B001-6）肺血栓塞栓症予防管理料　305点
・肺血栓塞栓症予防のために弾性ストッキングを用いて管理が行われているため算定する。

㉔（29日、30日）
（F000）「2」調剤料　7点×2
・1日につき7点を算定する。
※薬剤管理指導料を算定しているため調基は算定できない。

⑨⓪（27日、28日、29日、30日）
●入院基本料
（A100）「1」ニ・急性期一般入院料4　1,462点×4
「注3」イ・初期加算　450点×4
●入院基本料等加算
（A207-3）「1」25対1急性期看護補助体制加算（看護補助者5割以上）　240点×4
（A219）療養環境加算　25点×4
（A218）「1」地域加算1級地　18点×4
（27日）
（A204-2）「2」臨床研修病院入院診療加算（協力型）20点×1
（A207）「2」診療録管理体制加算2　100点×1
（A207-2）「1」ニ・医師事務作業補助体制加算1（30対1）　630点×1
（A234）「1」医療安全対策加算1　85点×1
（A234-2）「1」感染対策向上加算1　710点×1
（A245）「2」イ・データ提出加算2　155点×1

診療報酬明細書（医科入院）

令和　5年　4月分　都道府県番号

公費負担者番号①		公費負担医療の受給者番号①	
公費負担者番号②		公費負担医療の受給者番号②	

区分	精神　結核　療養	特記事項
氏名	川島　悟 ①男　2女　1明　2大　3昭　④平　5令　1・6・18生	
職務上の事由	1職務上　2下船後3月以内　3通勤災害	

傷病名
(1) 脳動静脈奇形（主）
(2)
(3)

区分	項目	回数	点数	公費分点数
11 初診	時間外・休日・深夜	回	点	
13 医学管理			630	
14 在宅				
20 投薬	21 内服	6 単位	15	
	22 屯服	単位		
	23 外用	単位		
	24 調剤	2 日	14	
	26 麻毒	日		
	27 調基			
30 注射	31 皮下筋肉内	回		
	32 静脈内	回		
	33 その他	5 回	549	
40 処置		回		
	薬剤			
50 手術麻酔		8 回	192,658	
	薬剤		2,179	
60 検査病理		8 回	429	
	薬剤			
70 画像診断		2 回	1,207	
	薬剤			
80 その他				
	薬剤			

90 入院	入院年月日	令和　5年　4月　27日		
㊫　診	90 入院基本料・加算			点
急一般4	3,895 ×	1 日間	3,895	
臨修	2,195 ×	3 日間	6,585	
録管2	×	日間		
医1の30	×	日間		
急25上	×	日間		
環境	92 特定入院料・その他			
安全1				
感向1				
デ提2				

療養の給付	請求 点	※決定 点	負担金額 円
保険	208,161		減額　割（円）免除・支払猶予
公費①	点	※ 点	円
公費②	点	※ 点	円

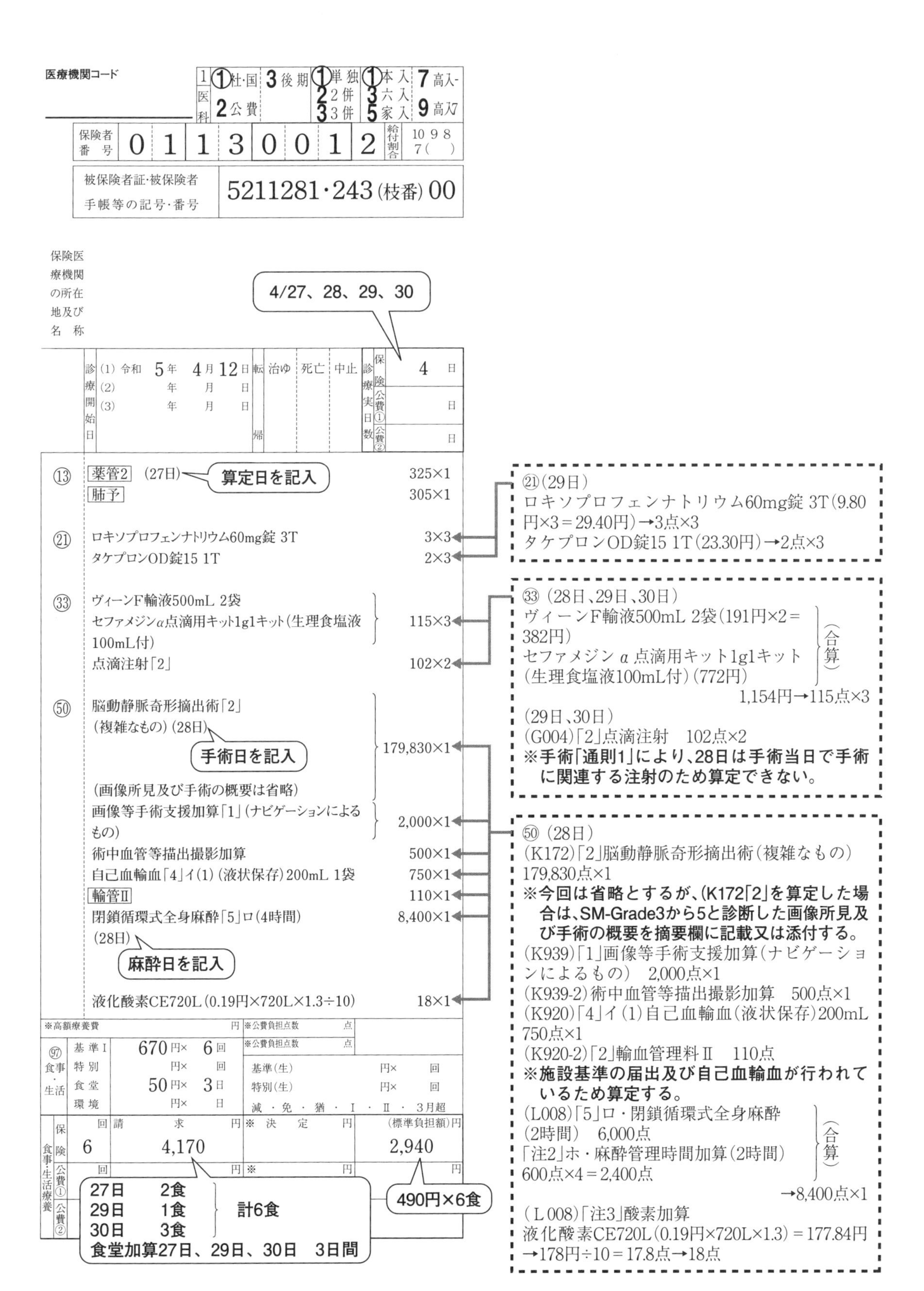

入院レセプト作成のポイント

[レセプト摘要欄の続き]

⑳	ヴィーンF輸液500mL 3袋 セファメジンα点滴用キット1g2キット(生理食塩液100mL付) セボフルラン吸入麻酔液160mL プロポフォール静注1%20mL 1A キシロカインゼリー 2%10mL フェンタニル注射液0.1mg「テルモ」2A アルチバ静注用2mg 2V エスラックス静注50mg/5.0mL 2V ブリディオン静注200mg 1V 大塚生食注TN 100mL 3キット	2,179×1
	麻管I	1,050×1
⑳	B-末梢血液一般、像(自動機械法)	36×3
	B-CRP	16×3
	B-Na・Cl、K、AST、ALT、LD、T-Bil、T-cho、TP、Alb(BCP改良法)、BUN、クレアチニン、Glu、Amy (入院時初回加算)	123×1
	呼吸心拍監視「2」イ(算定開始日:令和5年4月29日)	150×1
	(外来にて 判血 判生I 判免 検体検査管理加算は請求済み)	
⑳	頭部X-Pデジタル(2方向) 電画	287×1
	頭部CT(64列以上マルチスライス型・その他)(2回目以降) 電画 (初回算定日:MRI 12日、CT 28日)	920×1
	(外来にてコンピューター断層診断、画像診断管理加算は請求済み)	
⑳	急一般4(14日以内)、臨修(協力型)、録管2、医1の30、急25上、環境、安全1、感向1、デ提2、1級地	3,895×1
	急一般4(14日以内)、急25上、環境、1級地	2,195×3

算定開始年月日を記入

同一月にCT撮影及びMRI撮影を行った場合は、それぞれの初回算定日を記入

⑳(28日)
薬剤料
ヴィーンF輸液500mL 3袋(191円×3=573円)
セファメジンα点滴用キット1g2キット(生理食塩液100mL付)(772円×2=1,544円)
セボフルラン吸入麻酔液160mL(27.20円×160=4,352円)
プロポフォール静注1%20mL 1A(594円)
キシロカインゼリー2%10mL(6.30円×10=63円)
フェンタニル注射液0.1mg「テルモ」 2A(242円×2=484円)
アルチバ静注用2mg 2V(1,759円×2=3,518円)
エスラックス静注50mg/5.0mL 2V(513円×2=1,026円)
ブリディオン静注200mg 1V(9,000円)
大塚生食注TN 100mL 3キット(212円×3=636円)
(合算)
21,790円→2,179点
(L009)「2」麻酔管理料(I) 1,050点
・施設基準及び麻酔科医による麻酔前後の診察が行われているため算定する。

⑳(27日、28日、29日、30日)
(27日)
※外来で検査(血、生I、免)を実施し、検体検査判断料、検体検査管理加算は算定済み。外来で算定している旨を摘要欄に記載する。
(28日)
※28日の呼吸心拍監視、経皮的動脈血酸素飽和度測定は、閉鎖循環式全身麻酔と同一日に行われているため算定できない。
(29日)
(D220)呼吸心拍監視「2」イ 150点
※29日の経皮的動脈血酸素飽和度測定は、酸素吸入等の算定要件を満たしていないため算定できない。

⑳(27日、28日)
(27日)
(E001)「1」イ・写真診断+(E002)「1」ロ・撮影
頭部X-Pデジタル2方向 230点
エックス線診断料「通則4」イ・電子画像管理加算 57点
(合算)
→287点×1
※画像診断管理加算は外来で算定済み。外来で算定している旨を摘要欄に記載する。
(28日)
(E200)「1」イ(2)頭部CT(64列以上マルチスライス型・その他)(2回目以降)1,000点×0.8=800点
コンピューター断層撮影診断料「通則3」電子画像管理加算 120点
(合算)
→920点×1
・今月外来において、MRIが行われているため頭部CTは2回目以降(所定点数の80/100)の点数を算定(コンピューター断層撮影診断料)「通則2」。
※コンピューター断層診断及び画像診断管理加算は外来で算定済み。外来で算定している旨を摘要欄に記載する。

4. 第59回認定試験

問題　次の条件で診療録から診療報酬明細書を作成しなさい（令和５年10月診療分）。

1　施設の概要等

○DPC対象外の一般病院・救急指定病院、一般病床のみ350床

○標榜診療科：内科、小児科、外科、整形外科、産婦人科、眼科、耳鼻咽喉科、泌尿器科、消化器外科、麻酔科、放射線科、病理診断科

○届出等の状況

（届出ている施設基準等）

- 急性期一般入院料４
- 診療録管理体制加算２
- 医師事務作業補助体制加算１（30対１）
- 急性期看護補助体制加算（25対１）（看護補助者５割以上）
- 療養環境加算
- 医療安全対策加算１
- 感染対策向上加算１
- データ提出加算２
- 入院時食事療養（Ⅰ）
  食堂加算
- 薬剤管理指導料
- 検体検査管理加算（Ⅱ）
- 画像診断管理加算２
- CT撮影（64列以上のマルチスライス型の機器、その他の場合）
- MRI撮影（３テスラ以上の機器、その他の場合）
- 麻酔管理料（Ⅰ）
- 病理診断管理加算1

（届出は要さないが施設基準等を満たしている状況）

- 臨床研修病院入院診療加算（協力型）
- 手術の「通則５」及び「通則６」に該当する手術

○所在地

東京都文京区（１級地）

2　診療時間

- 月曜日～金曜日　9時00分～17時00分
- 土曜日　9時00分～12時00分
- 日曜日、祝日　休診

3　その他

○オンライン資格確認を導入している。

○オンライン請求を行っている。

○医師、薬剤師等職員の状況

医師数、薬剤師数及び看護職員（看護師及び准看護師）数は、医療法標準を満たしており、常勤の薬剤師、管理栄養士及び理学療法士も配置している。

診　療　録

公費負担者番号		保険者番号	0 6 1 3 9 8 9 3
公費負担医療の受給者番号		被保険者手帳 記号・番号	593・4631（枝番）00
		有効期限	年　月　日

受診者				被保険者	
氏名	菊池雄介			被保険者氏名	菊池雄介
生年月日	明・大・㊊昭・平・令 42年 8月 23日生	㊚男・女		資格取得	㊊昭和・平成・令和 60年 4月 1日
住所	（省略）電話 ××××局 ××××番			事業所（船舶所有者） 所在地	（省略）電話 ××××局 ××××番
				事業所（船舶所有者） 名称	（省略）
職業	会社員	被保険者との続柄	本人	保険者 所在地	（省略）電話 ××××局 ××××番
				保険者 名称	○○健康保険組合

傷病名	職務	開始	終了	転帰	期間満了予定日
肝細胞癌（主）	上・外	令和 5年 10月 3日	年 月 日	治ゆ・死亡・中止	年 月 日
肝硬変（主）	上・外	令和 5年 10月 3日	年 月 日	治ゆ・死亡・中止	年 月 日

（注）この診療録は、試験問題用に作成したものである。

既往症・原因・主要症状・経過等	処方・手術・処置等

M病院にて非ウイルス性肝硬変の経過観察中、超音波検査で肝に腫瘍が認められ、10/3に当科外来を紹介受診。腹部CT検査及び生検の結果、直径2cm及び2.5cmの肝癌を認め、他臓器への転移なし。10/16外来で、胸部単純X-P、心電図検査、血液学的検査、生化学的検査（Ⅰ）及び（Ⅱ）、感染症免疫学的検査、肝炎ウイルス関連検査等の術前検査を施行。

既往症・原因・主要症状・経過等	処方・手術・処置等
	（診療内容を一部省略している。）
10／26（木） ・肝悪性腫瘍ラジオ波焼灼療法（腹腔鏡によるもの）目的に、本日入院（AM10：30）。 ・バイタルサイン：BP125/64mmHg、P63/分 ・入院診療計画書等を本人及び家族に説明し文書を交付の上、手術同意書を受領。 ・薬剤師から薬学的管理指導を行う。 ・研修医に指導を行う（内容等は記載省略。）。 ・昼食から肝臓食。 （消化器外科　高橋 / 薬剤師　大友） ・麻酔科術前回診：特に問題なし。 （麻酔科　石田）	10／26 ・末梢血液一般検査、末梢血液像（自動機械法）、CRP ・生化学：Na, Cl, K, AST, ALT, LD, T-Bil, T-cho, TP, Alb（BCP改良法）, BUN, クレアチニン, Glu, Amy, アンモニア ＊外来で検査（血液、生（Ⅰ）、生（Ⅱ）、免疫）施行のため、検体検査判断料、検体検査管理加算を算定済み。 ＊外来で画像診断（単純X-P）施行のため、画像診断管理加算を算定済み。
10／27（金） ・朝食から禁食。 ・浣腸実施。 ・手術室へ入室（AM9：45）。 ・麻酔科標榜医による麻酔管理のもと、手術を予定どおり問題なく終了。 ・術後、病理組織標本を提出。	10／27 ・術前処置 グリセリン浣腸液 50%60mL 1個 弾性ストッキング使用 ・肝悪性腫瘍ラジオ波焼灼療法（2cmを超えるもの、腹腔鏡によるもの） 超音波凝固切開装置使用

既往症・原因・主要症状・経過等	処方・手術・処置等
・創部ドレーンを留置し、淡血性廃液あり。 ・胸部・腹部X-P検査、特に問題なし。 ・手術室から一般病棟へ帰室（PM0：00）。 ・帰室時、意識清明、バイタルサイン安定。 ・手術所見及び経過について家族に説明。 （消化器外科　高橋）	・閉鎖循環式全身麻酔（仰臥位）AM10：00～AM11：15 ・呼吸心拍監視 ・経皮的動脈血酸素飽和度測定 ・液化酸素CE 230L ・セファメジンα点滴用キット 1g 1キット （生理食塩液 100mL付） セボフルラン吸入麻酔液 30mL プロポフォール静注 1%20mL 1A フェンタニル注射液 0.1mg「テルモ」2A アルチバ静注用 2mg 1V 大塚生食注 20mL 1A エスラックス静注 50mg/5.0mL 1V ブリディオン静注 200mg 1V ラクトリンゲル液“フソー”500mL 1袋 ・吸引留置カテーテル・受動吸引型・フィルム・チューブドレーン・チューブ型 1本 ・膀胱留置用ディスポーザブルカテーテル・2管一般（Ⅱ）・標準型 1本 ・病理組織標本作製（1臓器） ＊病理診断料は、次月施行のため算定しない。 〔帰室後〕 ・持続点滴 YDソリタ-T3号輸液 500mL 2袋 セファメジンα点滴用キット 1g 1キット （生理食塩液 100mL付） ・呼吸心拍監視（12h） ・経皮的動脈血酸素飽和度測定（12h） ・酸素吸入　液化酸素CE 1,300L ・胸部単純X-P 1方向（2回目）（デジタル、電子画像管理） ・腹部単純X-P 1方向（1回目）（デジタル、電子画像管理）
10／28（土） 術後1日目 ・麻酔後回診：意識清明、バイタルサイン安定。 麻酔合併症等、特になし。 （麻酔科　石田） ・朝から飲水可。 ・酸素吸入、呼吸心拍監視、経皮的動脈血酸素飽和度測定は、本日PM1：00で終了。 ・尿道カテーテルは、本日PM1：30抜去。 ・持続点滴は、本日PM3：00中止。 ・夕食から肝臓食。 （消化器外科　高橋）	10／28 ・末梢血液一般検査、末梢血液像（自動機械法）、CRP ・生化学：Na, Cl, K, AST, ALT, LD, T-Bil, T-cho, TP, Alb（BCP改良法）, BUN, クレアチニン, Glu, Amy ・呼吸心拍監視（13h） ・経皮的動脈血酸素飽和度測定（13h） ・酸素吸入　液化酸素CE 1,400L ・ドレーン法（持続的吸引を行うもの） ・持続点滴 YDソリタ-T3号輸液 500mL 2袋
10／29（日） 術後2日目 ・バイタルサイン安定。 ・創部ドレーン淡血性廃液少量。 （消化器外科　高橋）	10／29 ・ドレーン法（持続的吸引を行うもの）
10／30（月） 術後3日目 ・バイタルサイン安定。 ・創部ドレーン淡血性廃液少量。 （消化器外科　高橋）	10／30 ・ドレーン法（持続的吸引を行うもの）
10／31（火） 術後4日目 ・バイタルサイン安定。 ・創部ドレーン抜去（PM0：00）。 （消化器外科　高橋）	10／31 ・ドレーン法（持続的吸引を行うもの）

[レセプト解答・解説]

- ●手術当日の注射実施料の算定可否
- ●麻酔料の算定と麻酔当日の生体検査料の算定可否
- ●生体検査料の算定要件
- ●特定保険医療材料料の算定要件

⑬（26日、27日）
（26日）
（B008）「2」薬剤管理指導料　325点
・施設基準の届出及び薬剤師による薬剤管理指導が行われている。特に安全管理が必要な投薬又は注射を使用している旨の記載がないため325点を算定する。
※第1章P. 71～72参照
（27日）
（B001-6）肺血栓塞栓症予防管理料　305点
・肺血栓塞栓症予防のために弾性ストッキングを用いて管理が行われているため算定する。

⑩（26日、27日、28日、29日、30日、31日）
●入院基本料
（A100）「1」ニ・急性期一般入院料4　1,462点×6
「注3」イ・初期加算　450点×6
●入院基本料等加算
（A207-3）「1」25対1急性期看護補助体制加算（看護補助者5割以上）　240点×6
（A219）療養環境加算　25点×6
（A218）「1」地域加算1級地　18点×6
（26日）
（A204-2）「2」臨床研修病院入院診療加算（協力型）20点×1
（A207）「2」診療録管理体制加算2　100点×1
（A207-2）「1」ニ・医師事務作業補助体制加算1（30対1）　630点×1
（A234）「1」医療安全対策加算1　85点×1
（A234-2）「1」感染対策向上加算1　710点×1
（A245）「2」イ・データ提出加算2　155点×1

診療報酬明細書（医科入院）

令和　5年　10月分　都道府県番号

公費負担者番号①		公費負担医療の受給者番号①	
公費負担者番号②		公費負担医療の受給者番号②	

区分	精神　結核　療養	特記事項
氏名	菊池　雄介 ①男　2女　1明　2大　③昭　4平　5令　42・8・23生	
職務上の事由	1職務上　2下船後3月以内　3通勤災害	

傷病名	
(1)	肝細胞癌（主）
(2)	肝硬変（主）
(3)	

区分	項目	回数等	点	公費分点数
11	初診　時間外・休日・深夜	回		
13	医学管理		630	
14	在宅			
20 投薬	21 内服	単位		
	22 屯服	単位		
	23 外用	単位		
	24 調剤	日		
	26 麻毒	日		
	27 調基			
30 注射	31 皮下筋肉内	回		
	32 静脈内	回		
	33 その他	3回	249	
40 処置		7回	332	
	薬剤			
50 手術麻酔		6回	34,072	
	薬剤		1,434	
60 検査病理		10回	1,425	
	薬剤			
70 画像診断		2回	420	
	薬剤			
80 その他	薬剤			

90 入院		
入院年月日	令和　5年　10月　26日	
㊖　診	90 入院基本料・加算	点
急一般4	3,895 × 1日間	3,895
臨修	2,195 × 5日間	10,975
録管2	× 日間	
医1の30	× 日間	
急25上	× 日間	
環境	92 特定入院料・その他	
安全1		
感向1		
デ提2		

療養の給付	請求　点	※決定　点	負担金額　円
保険	53,432		減額　割(円)免除・支払猶予
公費①	点	※　点	円
公費②	点	※　点	円

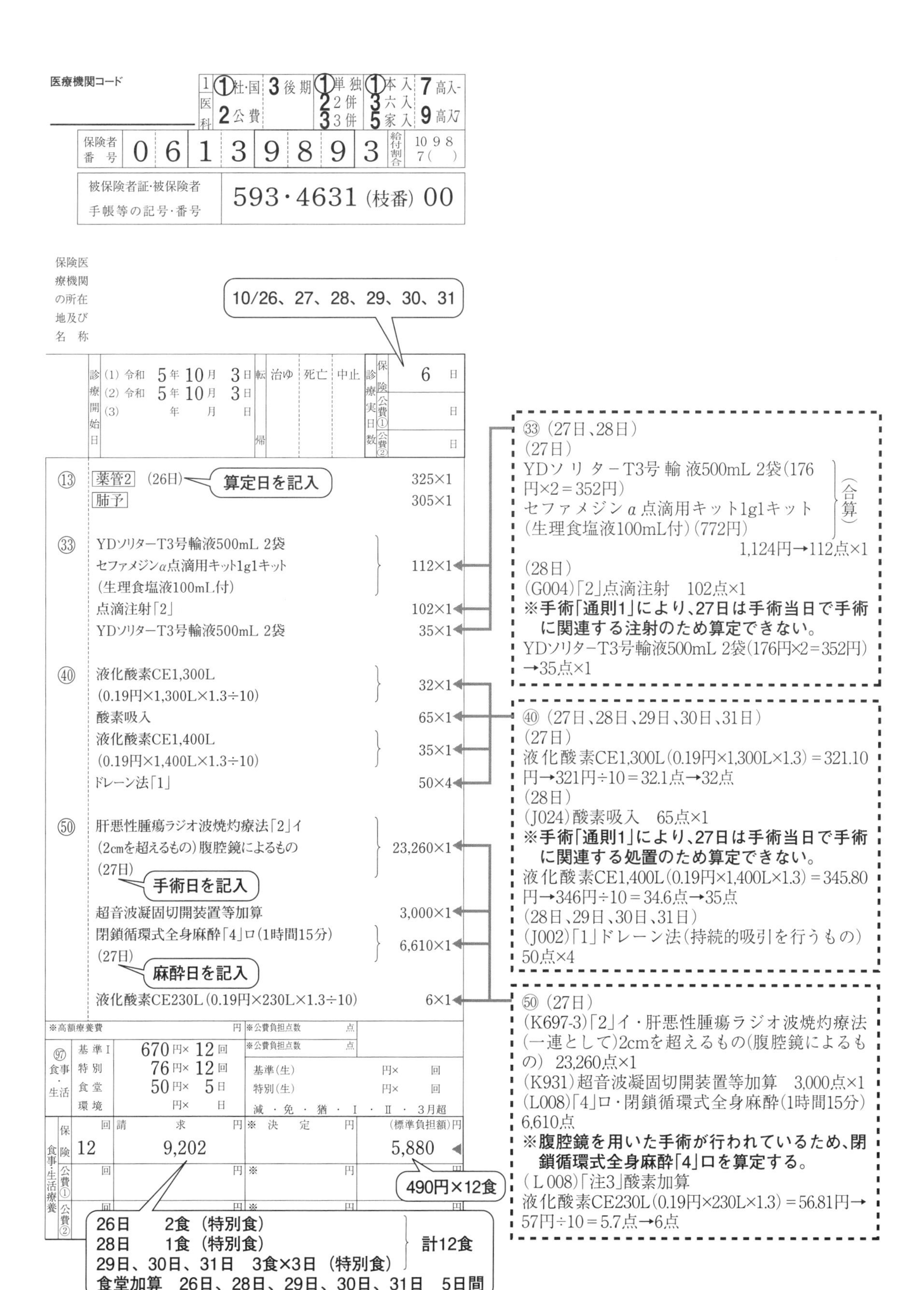

医療機関コード

1 医科	① 社·国 3 後期 2 公費	① 単独 2 2併 3 3併	① 本入 3 六入 5 家入	7 高入一 9 高入7

保険者番号	0	6	1	3	9	8	9	3	給付割合	10 9 8 7( )

被保険者証·被保険者手帳等の記号·番号	593·4631 (枝番) 00

保険医療機関の所在地及び名称

10/26、27、28、29、30、31

診療開始日	(1) 令和 5年 10月 3日	転帰	治ゆ	死亡	中止	診療実日数	保険 6 日
	(2) 令和 5年 10月 3日						公費① 日
	(3) 年 月 日						公費② 日

⑬	薬管2 (26日) ← 算定日を記入	325×1
	肺予	305×1
㉝	YDソリターT3号輸液500mL 2袋 セファメジンα点滴用キット1g1キット (生理食塩液100mL付)	112×1
	点滴注射「2」	102×1
	YDソリターT3号輸液500mL 2袋	35×1
㊵	液化酸素CE1,300L (0.19円×1,300L×1.3÷10)	32×1
	酸素吸入	65×1
	液化酸素CE1,400L (0.19円×1,400L×1.3÷10)	35×1
	ドレーン法「1」	50×4
㊿	肝悪性腫瘍ラジオ波焼灼療法「2」イ (2cmを超えるもの)腹腔鏡によるもの (27日) ← 手術日を記入	23,260×1
	超音波凝固切開装置等加算	3,000×1
	閉鎖循環式全身麻酔「4」ロ(1時間15分) (27日) ← 麻酔日を記入	6,610×1
	液化酸素CE230L(0.19円×230L×1.3÷10)	6×1

※高額療養費 円	※公費負担点数 点
	※公費負担点数 点

(97) 食事·生活			
基準Ⅰ	670 円× 12 回	基準(生)	円× 回
特別	76 円× 12 回	特別(生)	円× 回
食堂	50 円× 5 日		
環境	円× 日	減·免·猶·Ⅰ·Ⅱ·3月超	

食事·生活療養	回	請求 円	※決定 円	(標準負担額)円
保険	12	9,202		5,880
公費①	回	円	※ 円	円
公費②	回	円	※ 円	円

490円×12食

26日　2食（特別食）
28日　1食（特別食）
29日、30日、31日　3食×3日（特別食）
計12食
食堂加算　26日、28日、29日、30日、31日　5日間

㉝（27日、28日）
（27日）
YDソリタ－T3号輸液500mL 2袋（176円×2＝352円）
セファメジンα点滴用キット1g1キット（生理食塩液100mL付）（772円）
（合算）
1,124円→112点×1
（28日）
（G004）「2」点滴注射　102点×1
※手術「通則1」により、27日は手術当日で手術に関連する注射のため算定できない。
YDソリターT3号輸液500mL 2袋（176円×2＝352円）→35点×1

㊵（27日、28日、29日、30日、31日）
（27日）
液化酸素CE1,300L（0.19円×1,300L×1.3）＝321.10円→321円÷10＝32.1点→32点
（28日）
（J024）酸素吸入　65点×1
※手術「通則1」により、27日は手術当日で手術に関連する処置のため算定できない。
液化酸素CE1,400L（0.19円×1,400L×1.3）＝345.80円→346円÷10＝34.6点→35点
（28日、29日、30日、31日）
（J002）「1」ドレーン法（持続的吸引を行うもの）50点×4

㊿（27日）
（K697-3）「2」イ・肝悪性腫瘍ラジオ波焼灼療法（一連として）2cmを超えるもの（腹腔鏡によるもの）23,260点×1
（K931）超音波凝固切開装置等加算　3,000点×1
（L008）「4」ロ・閉鎖循環式全身麻酔（1時間15分）6,610点
※腹腔鏡を用いた手術が行われているため、閉鎖循環式全身麻酔「4」ロを算定する。
（L008）「注3」酸素加算
液化酸素CE230L（0.19円×230L×1.3）＝56.81円→57円÷10＝5.7点→6点

[レセプト摘要欄の続き]

⑸⓪	グリセリン浣腸液50%60mL 1個 セファメジンα点滴用キット1g1キット(生理食塩液100mL付) セボフルラン吸入麻酔液30mL プロポフォール静注1%20mL 1A フェンタニル注射液0.1mg「テルモ」2A アルチバ静注用2mg 1V 大塚生食注 20mL 1A エスラックス静注50mg/5.0mL 1V ブリディオン静注200mg 1V ラクトリンゲル液"フソー"500mL 1袋	1,434×1
	吸引留置カテーテル・受動吸引型・フィルム・チューブドレーン・チューブ型(897円)1本 膀胱留置用ディスポーザブルカテーテル・2管一般(Ⅱ)・標準型(561円)1本	146×1
	麻管Ⅰ	1,050×1
⑥⓪	B-末梢血液一般、像(自動機械法)	36×2
	B-CRP	16×2
	B-Na・Cl、K、AST、ALT、LD、T-Bil、T-cho、TP、Alb(BCP改良法)、BUN、クレアチニン、Glu、Amy(入院時初回加算)	123×1
	B-アンモニア	50×1
	T-M(組織切片)1臓器(コ その他:肝臓)	860×1
	B-Na・Cl、K、AST、ALT、LD、T-Bil、T-cho、TP、Alb(BCP改良法)、BUN、クレアチニン、Glu、Amy	103×1
	呼吸心拍監視「2」イ(算定開始日:令和5年10月28日)	150×1
	経皮的動脈血酸素飽和度測定	35×1
	(外来にて 判血 判生Ⅰ 判免 検体検査管理加算は請求済み) (病理診断は次月施行予定)	
⑦⓪	胸部X-Pデジタル(1方向) 電画	210×1
	腹部X-Pデジタル(1方向) 電画	210×1
	(外来にて画像診断管理加算は請求済み)	
⑨⓪	急一般4(14日以内)、臨修(協力型)、録管2、医1の30、急25上、環境、安全1、感向1、デ提2、1級地	3,895×1
	急一般4(14日以内)、急25上、環境、1級地	2,195×5

「病理組織標本作製(組織切片)は、通知(1)ア〜ケのいずれかを選択し、選択する臓器又は部位がない場合は、(コ)その他として具体的な部位等を記入

算定開始年月日を記入

⑸⓪(27日)
薬剤料
グリセリン浣腸液50%60mL 1個(113.10円)
セファメジンα点滴用キット1g1キット(生理食塩液100mL付)(772円)
セボフルラン吸入麻酔液30mL(27.20円×30=816円)
プロポフォール静注1%20mL 1A(594円)
フェンタニル注射液0.1mg「テルモ」2A(242円×2=484円)
アルチバ静注用2mg 1V(1,759円)
大塚生食注 20mL 1A(62円)
エスラックス静注50mg/5.0mL 1V(513円)
ブリディオン静注200mg 1V(9,000円)
ラクトリンゲル液"フソー"500mL 1袋(231円)
(合算)
14,344.10円→1,434点

特定保険医療材料料
吸引留置カテーテル・受動吸引型・フィルム・チューブドレーン・チューブ型(897円)1本
膀胱留置用ディスポーザブルカテーテル・2管一般(Ⅱ)・標準型(561円)1本
(合算)
1,458円→146点
・吸引留置カテーテル、膀胱留置用ディスポーザブルカテーテルは24時間以上体内留置した場合に算定する。
(L009)「2」麻酔管理料(Ⅰ) 1,050点
・施設基準及び麻酔科医による麻酔前後の診察が行われているため算定する。

⑥⓪(26日、27日、28日)
(26日)
※外来で検査(血、生Ⅰ、生Ⅱ、免)を実施し、検体検査判断料、検体検査管理加算は算定済み。外来で算定している旨を摘要欄に記載する。
(27日)
(N000)「1」病理組織標本作製(組織切片によるもの) 860点×1
※病理診断料は次月施行のため今月は算定しない。
(記載要項にはその旨の記載事項はないが、T-Mを行っているため今回は摘要欄に記載した)
※27日の呼吸心拍監視、経皮的動脈血酸素飽和度測定は、閉鎖循環式全身麻酔と同一日に行われているため算定できない。
(28日)
(D220)呼吸心拍監視「2」イ 150点
(D223)経皮的動脈血酸素飽和度測定 35点
※28日の経皮的動脈血酸素飽和度測定は、酸素吸入が行われているため算定する。

⑦⓪(27日)
(E001)「1」イ・写真診断+(E002)「1」ロ・撮影
胸部X-Pデジタル1方向 153点
エックス線診断料「通則4」イ・電子画像管理加算 57点
(合算)
→210点×1
(E001)「1」イ・写真診断+(E002)「1」ロ・撮影
腹部X-Pデジタル1方向 153点
エックス線診断料「通則4」イ・電子画像管理加算 57点
(合算)
→210点×1
※画像診断管理加算は外来で算定済み。外来で算定している旨を摘要欄に記載する。

5. 第60回認定試験

問題　次の条件で診療録から診療報酬明細書を作成しなさい（令和６年４月診療分）。

1　施設の概要等

○DPC対象外の一般病院・救急指定病院、一般病床のみ300床

○標榜診療科：内科、小児科、外科、整形外科、産婦人科、眼科、耳鼻咽喉科、泌尿器科、麻酔科、放射線科、病理診断科

○届出等の状況

（届出ている施設基準等）

- 急性期一般入院料１
- 診療録管理体制加算２
- 医師事務作業補助体制加算１（25対１）
- 急性期看護補助体制加算（25対１）（看護補助者５割以上）
- 療養環境加算
- 医療安全対策加算２
- 感染対策向上加算１
- 患者サポート体制充実加算
- データ提出加算２
- 入院時食事療養（Ⅰ）
食堂加算
- 薬剤管理指導料
- 検体検査管理加算（Ⅱ）
- 画像診断管理加算２
- CT撮影（64列以上のマルチスライス型の機器、その他の場合）
- MRI撮影（３テスラ以上の機器、その他の場合）
- 麻酔管理料（Ⅰ）
- 病理診断管理加算１

（届出は要さないが施設基準等を満たしている状況）

- 臨床研修病院入院診療加算（協力型）

○所在地

東京都文京区（１級地）

2　診療時間

- 月曜日～金曜日　９時00分～17時00分
- 土曜日　９時00分～12時00分
- 日曜日、祝日　休診

3　その他

○オンライン資格確認を導入している。

○オンライン請求を行っている。

○医師、薬剤師等職員の状況

医師数、薬剤師数及び看護職員（看護師及び准看護師）数は、医療法標準を満たしており、常勤の薬剤師、管理栄養士及び理学療法士も配置している。

診　療　録

公費負担者番号		保険者番号	0 1 1 3 0 0 1 2
公費負担医療の受給者番号		被保険者証・被保険者手帳 記号・番号	3911275・335(枝番)00
		有効期限	年　月　日

受診者		被保険者氏名	細川三郎
氏名	細川三郎		
生年月日	明・大・(昭)・平・令 37年 6月 7日生 (男)・女	資格取得	(昭和)・平成・令和 60年 4月 1日
住所	（省略） 電話 ××××局 ××××番	事業所（船舶所有者） 所在地	（省略） 電話 ××××局 ××××番
		事業所（船舶所有者） 名称	（省略）
職業	会社員	保険者 所在地	（省略） 電話 ××××局 ××××番
被保険者との続柄	本人	保険者 名称	全国健康保険協会 東京支部

傷病名	職務	開始	終了	転帰	期間満了予定日
喉頭悪性腫瘍(主)	上・外	令和 6年 4月 10日	年 月 日	治ゆ・死亡・中止	年 月 日

（注）この診療録は、試験問題用に作成したものである。

既往症・原因・主要症状・経過等	処方・手術・処置等
本年1月より喉の違和感があり、F内科医院にて外来投薬治療を受けていたが、本年4月初旬に食事時の嚥下障害を訴え、4/10に当科外来を紹介受診。声門右上部に1 cm大の腫瘤を認め、生検、頸部MRI検査及び腫瘍マーカー検査の結果、喉頭悪性腫瘍と診断。4/18外来で、胸部単純X-P、血液学的検査、生化学的検査、感染症免疫学的検査、肝炎ウイルス関連検査等の術前検査を施行。	
4／25（木） ・喉頭悪性腫瘍手術（切除）目的に、本日入院（AM11：00）。 ・バイタルサイン：BP130/72mmHg、P62/分 ・入院診療計画書等を本人及び家族に説明し文書を交付の上、手術同意書を受領。 ・薬剤師から薬学的管理指導を行う。 ・研修医に指導を行う（内容等は記載省略。）。 ・昼食から普通食。 （耳鼻咽喉科　太田 / 薬剤師　木村） ・麻酔科術前回診：特に問題なし。 （麻酔科　広瀬）	(診療内容を一部省略している。) 4／25 ・末梢血液一般検査、末梢血液像（自動機械法）、CRP *外来で検査（血液、生（Ⅰ）、生（Ⅱ）、免疫）施行のため、検体検査判断料、検体検査管理加算を算定済み。 *外来で画像診断（MRI）施行のため、コンピューター断層診断及び画像診断管理加算を算定済み。
4／26（金） ・朝食から禁食。 ・手術室へ入室（AM9：45）。 ・麻酔科標榜医による麻酔管理のもと、手術を予定どおり問題なく終了。 ・術後頸部CTで腫瘍の切除を確認（主治医が診断。）。 ・頸部X-P検査、特に問題なし。 ・術後、病理組織標本を提出。 ・手術室から一般病棟へ帰室（PM3：00）。 ・帰室時、意識清明、バイタルサイン安定。	4／26 ・術前処置 ヴィーンF輸液500mL 1袋 ・喉頭悪性腫瘍手術（切除） 超音波凝固切開装置使用 ・閉鎖循環式全身麻酔（仰臥位）AM10：00～PM2：00 ・間歇的空気圧迫装置使用 ・呼吸心拍監視 ・経皮的動脈血酸素飽和度測定 ・液化酸素CE 720L

既往症・原因・主要症状・経過等	処方・手術・処置等
・呼吸心拍監視及び経皮的動脈血酸素飽和度測定を続行。 ・手術所見及び経過について家族に説明。 （耳鼻咽喉科　太田）	・ヴィーンＦ輸液500mL ２袋 セファメジンα点滴用キット1g ２キット（生理食塩液100mL付） セボフレン吸入麻酔液120mL プロポフォール静注1%20mL「FK」1A フェンタニル注射液0.1mg「第一三共」2A アルチバ静注用2mg 2V 大塚生食注20mL 2A エスラックス静注50mg/5.0mL 1V ブリディオン静注200mg 1V アセリオ静注液1000mgバッグ １袋 ・膀胱留置用ディスポーザブルカテーテル・２管一般（Ⅱ）・標準型 １本 ・頸部CT（64列以上のマルチスライス型、電子画像管理） ・頸部単純X-P ２方向（１回目）（デジタル、電子画像管理） ・病理組織標本作製（１臓器） ＊病理診断料は、次月施行のため算定しない。 〔帰室後〕 ・持続点滴 ヴィーンＦ輸液500mL ２袋 セファメジンα点滴用キット1g １キット（生理食塩液100mL付） アセリオ静注液1000mgバッグ １袋 ソルデム3AG輸液500mL ２袋 ・呼吸心拍監視（9h） ・経皮的動脈血酸素飽和度測定（9h）
４／27（土）術後1日目 ・麻酔後回診：意識清明、バイタルサイン安定。麻酔合併症等、特になし。 （麻酔科　広瀬） ・朝から飲水可。 ・呼吸心拍監視（観察結果の要点は記載省略。）及び経皮的動脈血酸素飽和度測定は、本日PM1：00で終了。 ・尿道カテーテルは、本日PM1：30抜去。 ・持続点滴は、本日PM3：00中止。 （耳鼻咽喉科　太田）	４／27 ・末梢血液一般検査、CRP ・生化学：Na, Cl, K, AST, ALT, LD, LDL-cho, HDL-cho, T-Bil, TP, Alb（BCP改良法）, BUN, クレアチニン, Glu ・呼吸心拍監視（13h） ・経皮的動脈血酸素飽和度測定（13h） ・持続点滴 ヴィーンＦ輸液500mL ２袋 セファメジンα点滴用キット1g １キット（生理食塩液100mL付） アセリオ静注液1000mgバッグ ２袋 ソルデム3AG輸液500mL ２袋
４／28（日）術後２日目 ・バイタルサイン安定。 ・術後の経過良好。 ・朝食から普通食。 （耳鼻咽喉科　太田）	４／28 ・持続点滴 ヴィーンＦ輸液500mL ２袋 セファメジンα点滴用キット1g １キット（生理食塩液100mL付） ・Rp） ロキソプロフェンナトリウム60mg錠3T （分３毎食後）×３日分 タケプロンOD錠15 1T （分１毎朝食後）×３日分
４／29（月）術後３日目 ・バイタルサイン安定。 ・術後の経過良好。 （耳鼻咽喉科　太田）	４／29
４／30（火）術後４日目 ・バイタルサイン安定。 ・術後の経過良好。 （耳鼻咽喉科　太田）	４／30

[レセプト解答・解説]

- **手術当日の注射実施料の算定可否**
- **麻酔料の算定と麻酔当日の生体検査料の算定可否**
- **特定保険医療材料料の算定要件**
- **コンピューター断層撮影の２回目以降の算定**

⑬（25日、26日）
（25日）
（B008）「2」薬剤管理指導料　325点
・施設基準の届出及び薬剤師による薬剤管理指導が行われている。特に安全管理が必要な投薬又は注射を使用している旨の記載がないため325点を算定する。
※第1章P. 71～72参照
（26日）
（B001-6）肺血栓塞栓症予防管理料　305点
・肺血栓塞栓症予防のために間歇的空気圧迫装置を用いて管理が行われているため算定する。

㉔（28日、29日、30日）
（F000）「2」調剤料　7点×3
・1日につき7点を算定する。
※薬剤管理指導料を算定しているため調基は算定できない。

⑳（25日、26日、27日、28日、29日、30日）
●入院基本料
（A100）「1」イ・急性期一般入院料1　1,688点×6
「注3」イ・初期加算　450点×6
●入院基本料等加算
（A207-3）「1」25対1急性期看護補助体制加算（看護補助者5割以上）　240点×6
（A219）療養環境加算　25点×6
（A218）「1」地域加算1級地　18点×6
（25日）
（A204-2）「2」臨床研修病院入院診療加算（協力型）20点×1
（A207）「2」診療録管理体制加算2　100点×1
（A207-2）「1」ハ・医師事務作業補助体制加算1（25対1）　725点×1
（A234）「2」医療安全対策加算2　30点×1
（A234-2）「1」感染対策向上加算1　710点×1
（A234-3）患者サポート体制充実加算　70点×1
（A245）「2」イ・データ提出加算2　155点×1

診療報酬明細書（医科入院）

令和　6年　4月分　都道府県番号

公費負担者番号①		公費負担医療の受給者番号①	
公費負担者番号②		公費負担医療の受給者番号②	

区分　精神　結核　療養　　特記事項

氏名　**細川　三郎**
①男　2女　1明　2大　③昭　4平　5令　37・6・7生

職務上の事由　1職務上　2下船後3月以内　3通勤災害

傷病名
(1) 喉頭悪性腫瘍（主）
(2)
(3)

区分	項目	回数等	点数	公費分点数
11	初診　時間外・休日・深夜	回		
13	医学管理		630	
14	在宅			
20 投薬	21 内服	6単位	15	
	22 屯服	単位		
	23 外用	単位		
	24 調剤	3日	21	
	26 麻毒	日		
	27 調基			
30 注射	31 皮下筋肉内	回		
	32 静脈内	回		
	33 その他	5回	714	
40 処置		回		
	薬剤			
50 手術麻酔		6回	51,324	
	薬剤		1,994	
60 検査病理		7回	1,222	
	薬剤			
70 画像診断		2回	1,207	
	薬剤			
80 その他				
	薬剤			

90 入院　入院年月日　令和　6年　4月　25日

病　診　急一般1　臨修　録管2　医1の25　急25上　環境　安全2　感向1　患サポ　デ提2

90 入院基本料・加算			点
4,231 ×	1日間		4,231
2,421 ×	5日間		12,105
×	日間		
×	日間		
×	日間		

92 特定入院料・その他

療養の給付	請求 点	※決定 点	負担金額 円
保険	73,463		減額　割（円）免除・支払猶予
公費①	点	※ 点	円
公費②	点	※ 点	円

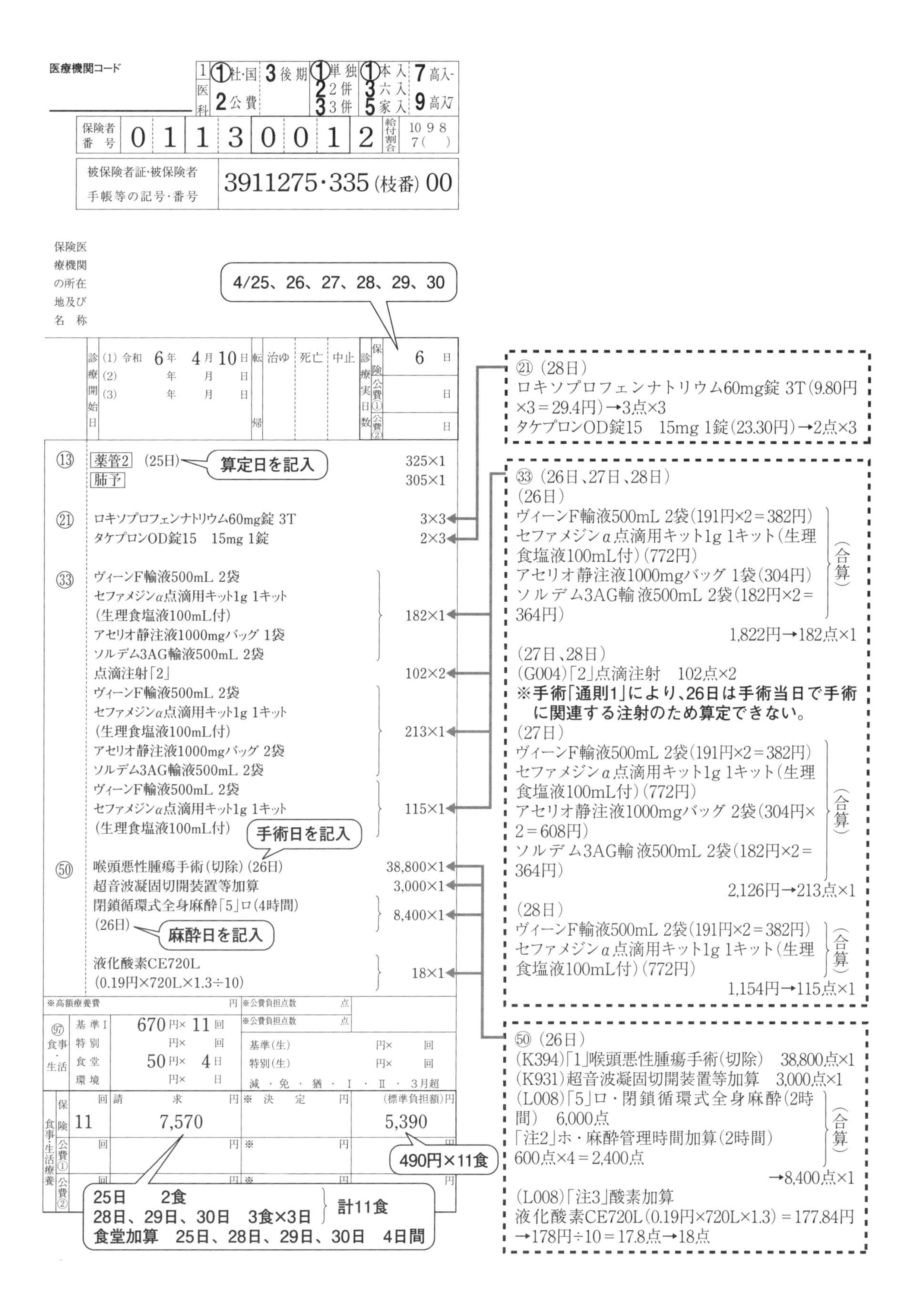

医療機関コード	1 医科	①社・国 2公費	3後期	①単独 2 2併 3 3併	①本入 3六入 5家入	7高入一 9高入7

保険者番号	0	1	1	3	0	0	1	2	給付割合	10 9 8 7( )

被保険者証・被保険者手帳等の記号・番号	3911275・335（枝番）00

保険医療機関の所在地及び名称

4/25、26、27、28、29、30

診療開始日	(1) 令和 6年 4月 10日 (2) 年 月 日 (3) 年 月 日	転帰	治ゆ	死亡	中止	診療実日数	保険 6日 公費① 日 公費② 日

⑬	薬管2 (25日)	325×1
	肺予	305×1
㉑	ロキソプロフェンナトリウム60mg錠 3T	3×3
	タケプロンOD錠15 15mg 1錠	2×3
㉝	ヴィーンF輸液500mL 2袋 セファメジンα点滴用キット1g 1キット (生理食塩液100mL付) アセリオ静注液1000mgバッグ 1袋 ソルデム3AG輸液500mL 2袋	182×1
	点滴注射「2」	102×2
	ヴィーンF輸液500mL 2袋 セファメジンα点滴用キット1g 1キット (生理食塩液100mL付) アセリオ静注液1000mgバッグ 2袋 ソルデム3AG輸液500mL 2袋	213×1
	ヴィーンF輸液500mL 2袋 セファメジンα点滴用キット1g 1キット (生理食塩液100mL付)	115×1
(50)	喉頭悪性腫瘍手術(切除) (26日)	38,800×1
	超音波凝固切開装置等加算	3,000×1
	閉鎖循環式全身麻酔「5」ロ(4時間) (26日)	8,400×1
	液化酸素CE720L (0.19円×720L×1.3÷10)	18×1

算定日を記入

手術日を記入

麻酔日を記入

※高額療養費 円	※公費負担点数 点	
	※公費負担点数 点	
(97) 食事・生活	基準Ⅰ 670円× 11回 特別 円× 回 食堂 50円× 4日 環境 円× 日	基準(生) 円× 回 特別(生) 円× 回 減・免・猶・Ⅰ・Ⅱ・3月超

食事生活療養		回	請求 円	※決定 円	(標準負担額)円
	保険	11	7,570		5,390
	公費①	回	円	※	円
	公費②	回	円	※	円

490円×11食

25日 2食
28日、29日、30日 3食×3日 } 計11食
食堂加算 25日、28日、29日、30日 4日間

㉑（28日）
ロキソプロフェンナトリウム60mg錠 3T(9.80円×3＝29.4円)→3点×3
タケプロンOD錠15 15mg 1錠(23.30円)→2点×3

㉝（26日、27日、28日）
(26日)
ヴィーンF輸液500mL 2袋(191円×2＝382円)
セファメジンα点滴用キット1g 1キット(生理食塩液100mL付)(772円)
アセリオ静注液1000mgバッグ 1袋(304円)
ソルデム3AG輸液500mL 2袋(182円×2＝364円)
(合算)
1,822円→182点×1
(27日、28日)
(G004)「2」点滴注射 102点×2
※手術「通則1」により、26日は手術当日で手術に関連する注射のため算定できない。
(27日)
ヴィーンF輸液500mL 2袋(191円×2＝382円)
セファメジンα点滴用キット1g 1キット(生理食塩液100mL付)(772円)
アセリオ静注液1000mgバッグ 2袋(304円×2＝608円)
ソルデム3AG輸液500mL 2袋(182円×2＝364円)
(合算)
2,126円→213点×1
(28日)
ヴィーンF輸液500mL 2袋(191円×2＝382円)
セファメジンα点滴用キット1g 1キット(生理食塩液100mL付)(772円)
(合算)
1,154円→115点×1

(50)（26日）
(K394)「1」喉頭悪性腫瘍手術(切除) 38,800点×1
(K931)超音波凝固切開装置等加算 3,000点×1
(L008)「5」ロ・閉鎖循環式全身麻酔(2時間) 6,000点
「注2」ホ・麻酔管理時間加算(2時間)
600点×4＝2,400点
(合算)
→8,400点×1
(L008)「注3」酸素加算
液化酸素CE720L(0.19円×720L×1.3)＝177.84円
→178円÷10＝17.8点→18点

[レセプト摘要欄の続き]

⑤⓪	ヴィーンF輸液500mL 3袋 セファメジンα点滴用キット1g 2キット(生理食塩液100mL付) セボフレン吸入麻酔液120mL プロポフォール静注1%20mL「FK」1A フェンタニル注射液0.1mg「第一三共」2A アルチバ静注用2mg 2V 大塚生食注 20mL 2A エスラックス静注50mg/5.0mL 1V ブリディオン静注200mg 1V アセリオ静注液1000mgバッグ 1袋	1,994×1
	膀胱留置用ディスポーザブルカテーテル・2管一般(Ⅱ)・標準型(561円)1本	56×1
	麻管Ⅰ	1,050×1
⑥⓪	B-末梢血液一般、像(自動機械法)	36×1
	B-CRP	16×2
	T-M(組織切片)(コ:その他　喉頭)	860×1
	B-末梢血液一般	21×1
	B-Na・Cl、K、AST、ALT、LD、LDL-cho、HDL-cho、T-Bil、TP、Alb(BCP改良法)、BUN、クレアチニン、Glu(入院時初回加算)	123×1
	呼吸心拍監視「2」イ(算定開始日:令和6年4月27日)	150×1
	(外来にて 判血 判生Ⅰ 判生Ⅱ 判免 検体検査管理加算は請求済み)(病理診断は次月施行予定)	
⑦⓪	頸部CT(64列以上マルチスライス型・その他)(2回目以降) 電画 (初回算定日:MRI　10日、CT　26日)	920×1
	頸部X-Pデジタル(2方向) 電画	287×1
	(外来にてコンピューター断層診断、画像診断管理加算は請求済み)	
⑨⓪	急一般1(14日以内)、臨修(協力型)、録管2、医1の25、急25上、環境、安全2、感向1、患サポ、デ提2、1級地	4,231×1
	急一般1(14日以内)、急25上、環境、1級地	2,421×5

「病理組織標本作製(組織切片)は、通知(1)ア～ケのいずれかを選択し、選択する臓器又は部位がない場合は、(コ)その他として具体的な部位等を記入

算定開始年月日を記入

同一月にCT撮影及びMRI撮影を行った場合は、それぞれの初回算定日を記入

⑤⓪(26日)
薬剤料
ヴィーンF輸液500mL 3袋(191円×3=573円)
セファメジンα点滴用キット1g 2キット(生理食塩液100mL付)(772円×2=1,544円)
セボフレン吸入麻酔液120mL(27.20円×120=3,264円)
プロポフォール静注1%20mL「FK」1A(594円)
フェンタニル注射液0.1mg「第一三共」2A(253円×2=506円)
アルチバ静注用2mg 2V(1,759円×2=3,518円)
大塚生食注 20mL 2A(62円×2=124円)
エスラックス静注50mg/5.0mL 1V(513円)
ブリディオン静注200mg 1V(9,000円)
アセリオ静注液1000mgバッグ 1袋(304円)
(合算)
19,940円→1,994点
特定保険医療材料
膀胱留置用ディスポーザブルカテーテル・2管一般(Ⅱ)・標準型1本(561円)→56点×1
・ 膀胱留置用ディスポーザブルカテーテルは24時間以上体内留置した場合に算定する。
(L009)「2」麻酔管理料(Ⅰ)　1,050点
・ 施設基準及び麻酔科医による麻酔前後の診察が行われているため算定する。

⑥⓪(25日、26日、27日)
(25日)
※外来で検査(血、生Ⅰ、生Ⅱ、免)を実施し、検体検査判断料、検体検査管理加算は算定済み。外来で算定している旨を摘要欄に記載する。
(26日)
(N000)「1」病理組織標本作製(組織切片によるもの)　860点×1
※病理診断料は次月施行のため今月は算定しない。
(記載要項にはその旨の記載事項はないが、T-Mを行っているため今回は摘要欄に記載した)
※26日の呼吸心拍監視、経皮的動脈血酸素飽和度測定は、閉鎖循環式全身麻酔と同一日に行われているため算定できない。
(27日)
(D220)呼吸心拍監視「2」イ　150点
※27日の経皮的動脈血酸素飽和度測定は、酸素吸入等の算定要件を満たしていないため算定できない。

⑦⓪(26日)
(E200)「1」イ(2)頸部CT(64列以上マルチスライス型・その他)(2回目以降)　1,000点×0.8=800点
コンピューター断層撮影診断料「通則3」電子画像管理加算　120点
(合算)
→920点×1
・ 今月外来において、MRIが行われているため頸部CTは2回目以降(所定点数の80/100)の点数を算定(コンピューター断層撮影診断料)「通則2」。
※コンピューター断層診断及び画像診断管理加算は外来で算定済み。外来で算定している旨を摘要欄に記載する。
(E001)「1」イ・写真診断+(E002)「1」ロ・撮影頸部X-Pデジタル2方向　230点
エックス線診断料「通則4」イ・電子画像管理加算　57点
(合算)
→287点×1

4 入院レセプト作成演習

1. 入院①

問題　次の条件で診療録から診療報酬明細書を作成しなさい（令和６年10月診療分）。

○施設の概要等
DPC対象外の一般病院・救急指定病院、一般病床のみ200床
標榜診療科：内科、小児科、外科、整形外科、産婦人科、眼科、耳鼻咽喉科、皮膚科、泌尿器科、脳神経外科、麻酔科、放射線科

○届出等の状況
（届出ている施設基準等）
・急性期一般入院料４
・診療録管理体制加算３
・医師事務作業補助体制加算１（50対１）
・療養環境加算
・感染対策向上加算２
　連携強化加算
　サーベイランス強化加算
・医療安全対策加算１
・データ提出加算１
・入院時食事療養（Ⅰ）
　食堂加算
・検体検査管理加算（Ⅱ）
・麻酔管理料（Ⅰ）
・画像診断管理加算２
・薬剤管理指導料
（届出は要さないが施設基準等を満たしている状況）
・医療情報取得加算
・臨床研修病院入院診療加算（協力型）

○所在地
東京都文京区（１級地）

○診療時間
月曜～金曜　　９時～17時
土曜　　　　　９時～12時
日曜・祝日　　休診

○医師、薬剤師等職員の状況
医師数、薬剤師数及び看護職員（看護師及び准看護師）数は、医療法標準を満たしており、常勤の管理栄養士も配置している。

○その他
・オンライン資格確認を導入している。
・オンライン請求を行っている。

診　療　録

公費負担者番号		保険者番号	3 4 1 3 0 0 2 1
公費負担医療の受給者番号		被保険者手帳 記号・番号	15-A-21・367（枝番）02
		被保険者手帳 有効期限	年　月　日
受診者 氏名	吹田　新	被保険者氏名	吹田幹彦
受診者 生年月日	明大昭㊥令 27年 3月 12日生 ㊚・女	資格取得	昭和㊥成令和 21年 3月 12日
受診者 住所	（省略） 電話 ××××局 ××××番	事業所（船舶所有者） 所在地	（省略） 電話 ××××局 ××××番
		事業所（船舶所有者） 名称	（省略）
受診者 職業	被保険者との続柄：長男	保険者 所在地	（省略） 電話 ××××局 ××××番
		保険者 名称	××共済組合

傷病名	職務	開始	終了	転帰	期間満了予定日
（主）左角膜裂傷	上・外	令和 6年 10月 6日	年 月 日	治ゆ・死亡・中止	年 月 日

（注）この診療録は、試験問題用に作成したものである。

既往症・原因・主要症状・経過等	処方・手術・処置等
（マイナンバーカードを保険証として利用し、診療情報の取得に同意した患者）	
10/6（日）PM1：00 父親と公園でサッカーをしていてボールを取りそこない、手すりに眼球を強打 13：00　来院 13：10～緊急院内検査 緊急入院 左眼３時方向の角膜縁より角膜中央に向かい水平に５mmの角膜穿孔。 虹彩脱出を伴う強角膜裂傷 水晶体に異常はみられない。 出血（＋） KT　36.5℃ 既往歴　特記すべき事項なし 本日、緊急手術 父親に対し、入院診療計画を交付し説明、 薬剤師から薬学的指導を行う。 研修医に対して指導を行う（内容等は記載省略）。 夕食のみ　５分がゆ 明日より普通食	10/6 （緊急院内検査） 眼底カメラ撮影　蛍光眼底法 眼底三次元画像解析 精密眼圧測定 細隙灯顕微鏡検査（前眼部及び後眼部） （入院時検査） U-検、沈（鏡検法） 末梢血液一般、像（鏡検法）、ESR AST，ALT，T-cho，TP，BUN，Crea，タン分画，ALP，Na，Cl，K，γ-GT HBs抗原定性・半定量、HCV抗体定性・定量 ECG（12） 虹彩整復術・角膜縫合術 全身麻酔（14：30～15：50） 液化酸素CE 300L セボフルラン吸入麻酔液15mL ソルラクト輸液0.2mL クロラムフェニコール0.2g エコリシン眼軟膏0.2g 術後左結膜下注射 デキサート注射液3.3mg1mL 1管0.2mL
10/7（月） 術後良好 炎症もおさまってきた。 虹彩との癒着もみられない。	10/7 術後処置　クロラムフェニコール0.2g エコリシン眼軟膏0.2g 筋注　パンスポリン筋注用0.25g 250mg 1瓶（溶解液付）
10/8（火） 昼食後退院手続き 退院後は自宅近くの○○クリニックにてフォローを行う。 診療内容及び検査結果、退院後の治療計画等を添付し情報を提供。	10/8 術後処置　クロラムフェニコール0.2g エコリシン眼軟膏0.2g 筋注　パンスポリン筋注用0.25g 250mg 1瓶（溶解液付）

2. 入院②

問題　次の条件で診療録から診療報酬明細書を作成しなさい（令和6年10月診療分）。

○施設の概要等
DPC対象外の一般病院・救急指定病院、一般病床のみ280床
標榜診療科：内科、小児科、外科、整形外科、脳神経外科、心臓血管外科、眼科、耳鼻咽喉科、産婦人科、皮膚科、泌尿器科、麻酔科、放射線科

○届出等の状況
（届出ている施設基準等）
・急性期一般入院料6
・診療録管理体制加算3
・療養環境加算
・医療安全対策加算2
・感染対策向上加算2
　連携強化加算
　サーベイランス強化加算
・データ提出加算1
・入院時食事療養（Ⅰ）
　食堂加算
・検体検査管理加算（Ⅱ）
　輸血管理料Ⅱ
・麻酔管理料（Ⅰ）
・画像診断管理加算1
・薬剤管理指導料
・CT撮影（16列以上64列未満のマルチスライス型の機器）
・MRI撮影（1.5テスラ以上3テスラ未満の機器）
（届出は要さないが施設基準等を満たしている状況）
・医療情報取得加算
・臨床研修病院入院診療加算（協力型）

○所在地
東京都武蔵野市（2級地）

○診療時間
月曜～金曜　　9時～17時
土曜　　　　　9時～12時
日曜・祝日　　休診

○医師、薬剤師等職員の状況
医師数、薬剤師数及び看護職員（看護師及び准看護師）数は、医療法標準を満たしており、常勤の管理栄養士及び理学療法士も配置している。

○その他
・オンライン資格確認を導入している。
・オンライン請求を行っている。

診　療　録

公費負担者番号		保険者番号	06132021
公費負担医療の受給者番号		被保険者手帳 記号・番号	846・37915（枝番）00
		被保険者手帳 有効期限	年　月　日

受診者		被保険者	
氏名	中原舞子	被保険者氏名	中原舞子
生年月日	明・大・㊍昭・平・令 63年 11月 21日生　男・㊛女	資格取得	昭和・平成・㊍令和 2年 4月 1日
住所	（省略） 電話 ××××局 ××××番	事業所（船舶所有者） 所在地	（省略） 電話 ××××局 ××××番
		事業所（船舶所有者） 名称	（省略）
職業	会社員	保険者 所在地	（省略） 電話 ××××局 ××××番
被保険者との続柄	本人	保険者 名称	○○健康保険組合

傷病名	職務	開始	終了	転帰	期間満了予定日
(主)左卵巣腫瘍	上・外	令和6年9月18日	年　月　日	治ゆ・死亡・中止	年　月　日
子宮筋腫	上・外	令和6年9月18日	年　月　日	治ゆ・死亡・中止	年　月　日
鉄欠乏性貧血	上・外	令和6年9月18日	年　月　日	治ゆ・死亡・中止	年　月　日

（注）この診療録は、試験問題用に作成したものである。

既往症・原因・主要症状・経過等	処方・手術・処置等
10/28（月） ・他院にて子宮筋腫で経過観察中であったが、卵巣嚢腫、茎捻転で腹膜刺激症状出現 精査及び手術目的にて9月18日当院外来を紹介され受診 ・本日10時入院 ・外来にてX-P、CT、心電図、感染症免疫学検査及び肝炎ウイルス関連検査等入院前検査を実施 ・入院診療計画書等を本人及び家族に説明し、文書を交付のうえ、手術同意書を受領 ・薬剤師から薬学的管理指導を行う。 （産婦人科　伊藤／薬剤師　村上） ・昼食から普通食 ・麻酔前回診：特に問題なし （麻酔科　須藤）	10/28 ・末梢血液一般、フェリチン定量、CRP ※外来で検査（尿、血液、生Ｉ、免疫）施行のため、検体検査判断料及び検体検査管理加算を算定済み ※外来で画像診断（単純X-P、MRI）施行のため、画像診断管理加算を算定済み ※自己血貯血200mLは、外来受診時に施行済み ・研修医に対して指導を行う（内容等は記載省略。）
10/29（火） 手術前、特に異常なく10時50分手術室へ 手術時間　11：35～12：45 帰室時（13：50） BP　116/80mmHg、P　88 BT　36.4℃ 意識　麻酔のため傾眠 酸素飽和度　98%　良好 酸素2L/分（17時終了） 術中、術後の状態等を家族に説明。 指示あるまで禁食 （産婦人科　伊藤／麻酔科　須藤）	10/29 ・術前処置 グリセリン浣腸液50% 60mL 1個 アトロピン硫酸塩注射液0.05%1mL 1A ドルミカム注射液10mg2mL 1A 下腿弾性ストッキング使用 ・子宮筋腫摘出（核出）術（腹式） 子宮附属器腫瘍摘出術（開腹によるもの）（左卵巣） ・自己血輸血（液状保存）200mL 1袋 ・閉鎖循環式全身麻酔（11：20～13：15） 呼吸心拍監視 経皮的動脈血酸素飽和度測定 液化酸素CE　400L 亜酸化窒素350 g ヴィーンＦ輸液500mL 1袋 ドロレプタン注射液25mg 2.5mg 1mL キシロカイン注ポリアンプ1%10mL 1A フェンタニル注射液0.1mg「テルモ」0.005%2mL 2A セファメジンα点滴用キット1g 1キット ・膀胱留置用ディスポーザブルカテーテル2管一般（Ⅱ）・標準型　1本 ・病理組織標本作製（組織切片）（左卵巣、子宮体部筋腫） ・持続点滴 ヴィーン3G輸液500mL 2袋 トランサミン注10% 10mL 1A アドナ注（静脈用）0.5%20mL 1A ・帰室後酸素吸入（液化酸素CE380L）
10/30（水） ・バイタルサイン安定、意識クリア 血液検査異常なし ・夕食から7分粥開始 （産婦人科　伊藤） ・麻酔後回診：麻酔合併症等、問題なし （麻酔科　須藤）	10/30 ・術後処置（100㎠未満） イソジン液10% 10mL ・Rp）　オフロキサシン100mg錠 2T （分2朝夕食後）×4TD ・持続点滴　do ・末梢血液一般、CRP
10/31（木） ・バイタルサイン安定 膀胱留置カテーテル抜去 明日、朝から普通食 （産婦人科　伊藤）	10/31 ・術後処置　do ・持続点滴　do

3. 入院③

問題　次の条件で診療録から診療報酬明細書を作成しなさい（令和６年11月診療分）。

○施設の概要等

DPC対象外の一般病院・救急指定病院、一般病床のみ340床

標榜診療科：内科、循環器科、小児科、外科、呼吸器外科、整形外科、リハビリテーション科、脳神経外科、心臓血管外科、産婦人科、眼科、耳鼻咽喉科、皮膚科、泌尿器科、神経科、麻酔科、放射線科、病理診断科

○届出等の状況

（届出ている施設基準等）

- 急性期一般入院料5
- 診療録管理体制加算3
- 医師事務作業補助体制加算2（75対1）
- 急性期看護補助体制加算（50対1）
- 療養環境加算
- 医療安全対策加算1
- 感染対策向上加算1
- 患者サポート体制充実加算
- データ提出加算2
- 入院時食事療養（Ⅰ）
食堂加算
- 薬剤管理指導料
- 検体検査管理加算（Ⅱ）
- 画像診断管理加算2
- CT撮影（64列以上のマルチスライス型の機器、その他の場合）
- MRI撮影（3テスラ以上の機器、その他の場合）
- 運動器リハビリテーション（Ⅰ）・初期加算
- 麻酔管理料（Ⅰ）
- 病理診断管理加算1

（届出は要さないが施設基準等を満たしている状況）

- 医療情報取得加算
- 臨床研修病院入院診療加算（協力型）
- 胸腔鏡下肺切除術

○所在地

神奈川県横浜市（２級地）

○診療時間

月曜～金曜　　９時～17時
土曜　　　　　９時～12時
日曜・祝日　　休診

○医師、薬剤師等職員の状況

医師数、薬剤師数及び看護職員（看護師及び准看護師）数は、医療法標準を満たしており、常勤の管理栄養士及び理学療法士、作業療法士も配置している。

○その他

- オンライン資格確認を導入している。
- オンライン請求を行っている。

診　療　録

公費負担者番号	
公費負担医療の受給者番号	

保険者番号	0 1 1 3 3 0 1 6
被保険者手帳 記号・番号	17459365・251（枝番）00
被保険者手帳 有効期限	年　月　日
被保険者氏名	中　野　康　太
資格取得	昭和・平成・㊀令和　1年　10月　1日
事業所（船舶所有者） 所在地	（省略） 電話 ××××局 ××××番
事業所（船舶所有者） 名称	（省略）
保険者 所在地	（省略） 電話 ××××局 ××××番
保険者 名称	全国健康保険協会東京支部

受診者				
氏名	中　野　康　太			
生年月日	明・大・㊀昭・平・令　62年　8月　6日生		㊀男・女	
住所	（省略） 電話 ××××局 ××××番			
職業		被保険者との続柄	本人	

傷病名	職務	開始	終了	転帰	期間満了予定日
（主）左自然気胸	上・外	令和 6年 11月 21日	年 月 日	治ゆ・死亡・中止	年 月 日
糖尿病	上・外	令和 6年 11月 21日	年 月 日	治ゆ・死亡・中止	年 月 日
呼吸不全	上・外	令和 6年 11月 27日	年 月 日	治ゆ・死亡・中止	年 月 日

（注）この診療録は、試験問題用に作成したものである。

既往症・原因・主要症状・経過等	処方・手術・処置等

（11月8日突然、胸の痛みと息苦しさがあったが、しばらく安静にしていたら軽減した。11月18日再度、胸痛があったため、かかりつけ医を受診。X-P等から左気胸と診断され胸腔ドレナージで軽快したが精査目的で紹介状持参の上、21日当院外来を受診。検査、画像所見にて入院・手術を前提に血液学的検査、生化学的検査、感染症免疫学的検査、肝炎ウイルス関連検査等を施行。）

※外来で検体検査判断料、検体検査管理加算、コンピューター断層診断、画像診断管理加算は算定済み。

既往症・原因・主要症状・経過等	処方・手術・処置等
	（診療内容を一部省略している。）
11/27（水）	11/27
・既往歴：令和3年3月よりかかりつけ医で糖尿病治療継続中	・研修医に指導を行う（内容等省略。）
糖尿病用剤（アクトス錠）を服用中。	・昼から糖尿病食開始、21時以降絶飲食
・入院時検査：HbA1cがJDS値で8.1%とコントロール不良のため	・胸部CT（64列以上マルチスライス型）（2回目）電子画像管理
特別食と、ノボリンR注100単位0.3mLを指示する（その他省略。）	・持続的胸腔ドレナージ
・来院時、SpO2 96%　呼吸苦（＋）	キシロカイン注ポリアンプ1%10mL 1A
・CT撮影後、胸腔ドレナージ施行（10：30）	套管針カテーテル（シングルルーメン・標準型）1本
・CT所見（放射線科医レポート）詳細別紙	・酸素吸入　液化酸素CE 4L/分（8時間）
・入院診療計画等の説明	・検血　BS
関係職種と共同して入院診療計画及び栄養管理計画を策定、本	・心電図12誘導（2回目）
人に文書を交付して説明のうえ、手術同意書を貰う	・経皮的動脈血酸素飽和度測定
（呼吸器外科　森杉）	・iM　ノボリンR注100単位0.3ｍL

既往症・原因・主要症状・経過等	処方・手術・処置等
・使用薬剤（持参のアクトス錠）等について薬剤管理指導を行う （薬剤師　内野） ・麻酔前診察：糖尿病（HbA1c8.1%）のためリスクの高い全身麻酔手術となることを説明する　（麻酔科　三宅）	
11/28（木） ・左自然気胸に対して、全身麻酔下で胸腔鏡下左肺部分切除術施行し、問題なく終了 （呼吸器外科　森杉） ・空腹時血糖：160mg/dL、HbA1c：8.1%/JDS値 ・11時30分麻酔開始、13時45分麻酔終了 （麻酔科　三宅） ・本日禁食 ・帰室後、意識清明、バイタルサイン安定	11/28 ・検血　BS×2回（朝・夕） ・iM　ノボリンR注100単位0.3mL ・術前処置：グリセリン浣腸液50%60mL 1個 ソセゴン注射液15mg 1A ・間歇的空気圧迫装置使用 ・胸腔鏡下肺切除術（肺嚢胞手術・楔状部分切除によるもの） ・超音波凝固切開装置、自動縫合器3個 ・閉鎖循環式全身麻酔（麻酔困難な患者） （分離肺換気による麻酔53分、側臥位20分、仰臥位62分） ・呼吸心拍監視、経皮的動脈血酸素飽和度測定 終末呼気炭酸ガス濃度測定 ・液化酸素CE　640L ・エフェドリン塩酸塩注射液4%1mL 1A アトロピン硫酸塩注射液0.05%1mL 1A アナペイン注2mg/mL0.2%100mL2袋 キシロカイン注ポリアンプ1%10mL1A ヴィーンF輸液 500mL 3袋 セフォチアム塩酸塩静注用1g 1V ・膀胱留置用ディスポーザブルカテーテル2管一般(Ⅱ)・標準型1本 套管針カテーテル（シングルルーメン・標準型）1本 ・術後点滴：ヴィーンF輸液500mL 1袋 ソルデム3A輸液 500mL 2袋 ・帰室後酸素吸入　液化酸素CE　2L/分（12時間20分） ・ドレーン法（持続的吸引） ・胸部単純（2回目）1方向（デジタル・電子画像管理）
11/29（金） ・術後1日目 ・朝食より糖尿病食 ・胸腔ドレナージ継続 ・特に問題なし （呼吸器外科　森杉） ・麻酔後回診：特に問題なし （麻酔科　三宅） ・持続点滴　18時終了抜針	11/29 ・検血　BS×2回（朝・夕） ・呼吸心拍監視（24時間）、経皮的動脈血酸素飽和度測定 ・iM　ノボリンR注100単位0.3mL ・持続点滴：ソルデム3A輸液 500mL　2袋 セフォチアム塩酸塩静注用1g 1V ・酸素吸入　液化酸素CE 2L/分（10時間） ・術後創傷処置（7cm×7cm　3ヶ所） イソジンスクラブ液7.5%　10mL ・ドレーン法（持続的吸引）

既往症・原因・主要症状・経過等	処方・手術・処置等
11/30（土） ・術後2日目 ・胸腔ドレナージ継続 ・膀胱留置カテーテル　10時抜去 ・特に問題なし ・血糖値は安定しているため、ノボリンは中止し、持参の内服薬で経過観察とする （呼吸器外科　森杉）	11/30 ・検血　BS×２回（朝・夕） ・呼吸心拍監視（9時間） ・Rp）セファクロルカプセル250mg　3C 分3（毎食後）×3TD ・胸部単純（3回目）1方向（デジタル・電子画像管理） ・術後創傷処置　do ・ドレーン法（持続的吸引）
以　下	省　略

4. 入院④

問題　次の条件で診療録から診療報酬明細書を作成しなさい（令和６年11月診療分）。

○施設の概要等

DPC 対象外の一般病院・救急指定病院、一般病床のみ 360 床

標榜診療科：内科、小児科、外科、整形外科、リハビリテーション科、脳神経外科、循環器内科、産婦人科、眼科、耳鼻咽喉科、皮膚科、泌尿器科、神経科、麻酔科、放射線科、病理診断科

○届出等の状況

（届出ている施設基準等）

- 急性期一般入院料 5
- 救急医療管理加算
- 診療録管理体制加算 3
- 医師事務作業補助体制加算 2（50 対 1）
- 急性期看護補助体制加算（25対 1）（看護補助者5割未満）
- 療養環境加算
- 医療安全対策加算 1
- 感染対策向上加算 1
- 患者サポート体制充実加算
- データ提出加算 2
- 入院時食事療養（Ⅰ）
  食堂加算
- 薬剤管理指導料
- 検体検査管理加算（Ⅱ）
- 画像診断管理加算 2
- CT 撮影（64 列以上のマルチスライス型の機器、その他の場合）
- MRI 撮影（3 テスラ以上の機器、その他の場合）
- 運動器リハビリテーション料（Ⅱ）・初期加算
- 麻酔管理料（Ⅰ）
- 輸血管理料Ⅱ
- 病理診断管理加算 1

（届出は要さないが施設基準等を満たしている状況）

- 医療情報取得加算
- 臨床研修病院入院診療加算（協力型）
- がん拠点病院加算（地域がん診療病院）

○所在地

神奈川県鎌倉市（３級地）

○診療時間

月曜～金曜　　９時～ 17 時
土曜　　　　　９時～ 12 時
日曜・祝日　　休診

○医師、薬剤師等職員の状況

医師数、薬剤師数及び看護職員（看護師及び准看護師）数は、医療法標準を満たしており、常勤の管理栄養士及び理学療法士、作業療法士も配置している。

○その他

- オンライン資格確認を導入している。
- オンライン請求を行っている。

診　療　録

公費負担者番号		保険者番号	0 6 1 4 0 2 2 2
公費負担医療の受給者番号		被保険者手帳 記号・番号	226・128（枝番）01
		被保険者手帳 有効期限	年　月　日

受診者			
氏名	飯田恵美	被保険者氏名	飯田　保
生年月日	明・大・㊣昭・平・令 56年 5月 15日生 男・㊛女	資格取得	昭和・㊣平成・令和 28年 4月 1日
住所	（省略） 電話 ××××局 ××××番	事業所（船舶所有者） 所在地	（省略） 電話 ××××局 ××××番
		事業所（船舶所有者） 名称	（省略）
職業	なし	保険者 所在地	（省略） 電話 ××××局 ××××番
被保険者との続柄	家族	保険者 名称	××健康保険組合

傷病名	職務	開始	終了	転帰	期間満了予定日
（主）甲状腺悪性腫瘍（乳頭癌）	上・外	令和 6年 10月 28日	年 月 日	治ゆ・死亡・中止	年 月 日

（注）この診療録は、試験問題用に作成したものである。

既往症・原因・主要症状・経過等	処方・手術・処置等
11/25（月） 10月に前頸部にしこりを感じ、近医を受診 甲状腺腫瘍の疑いのため○○クリニックより紹介され来院 外来にて精査を実施し、甲状腺乳頭癌と診断 本日手術目的で入院 ※今月、外来での血液検査、画像診断等は行っていない 本日から手術前医学管理実施 シンチグラム所見（放射線科医レポート）：詳細別紙 入院診療計画等の説明 担当看護師、管理栄養士等と入院診療計画・栄養管理計画を策定し、手術についての必要性等を本人、家族に説明し、同意書を貰う 使用予定の薬剤について薬剤管理指導実施 （特に安全管理が必要な薬剤は使用していない） （薬剤師　斉藤） 本日、夕食より普通食開始	11/25 ・入院時検査（手術前医学管理料対象項目） 尿中一般 生化学：TP、Alb（BCP改良法）、AST、ALT、LD、CK、CRE、Na、Cl、K、Ca、T-Bil、D-Bil、TG、Tcho、BS 末梢血液一般、像（自動機械法）、出血時間、 PT、APTT HBs抗原定性・半定量、HCV抗体定性・定量 梅毒トレポネーマ抗体定性、STS定性、CRP ECG（12） ・胸部X-Pデジタル撮影1回（電子画像管理） ・超音波検査断層（甲状腺） ・シンチグラム（部分・静態）（電子画像管理） 塩化タリウム（^{201}T1）注射液74MBq （研修医の指導内容省略。）
11/26（火） 身体所見・検査所見ともに麻酔を行うに当たっての問題は認められない（麻酔科　岡本） CT所見（放射線科医レポート）詳細別紙	11/26 ・頸部～胸部CT（64列以上マルチスライス型）（電子画像管理） ・フローボリュームカーブ

既往症・原因・主要症状・経過等	処方・手術・処置等
11/27（水） 本日OPe 術前、全身状態変わりなし 肺血栓塞栓症予防のため弾性ストッキング装着 本日禁食 9時　手術室入室 執刀医　大島 補助　遠藤 麻酔科医　岡本 術中迅速病理組織標本を提出 病理医から「悪性」の診断報告書を受領（内容別紙） （帰室時病状省略。）	11/27 ・点滴 ①ソリタ-T1号輸液 500mL4袋 アドナ注 100mg 0.5% 20mL 1A トランサミン注10%2.5mL1A ・前処置 グリセリン浣腸液50%60mL1個 ・前麻酔 アトロピン硫酸塩注射液 0.05% 1mL 1A ドルミカム注射液 10mg 2mL 1A ・閉鎖循環式全身麻酔　5時間10分 経皮的動脈血酸素飽和度測定 終末呼気炭酸ガス濃度測定 呼吸心拍監視 液化酸素CE310L （麻酔薬剤） 亜酸化窒素700g セボフレン吸入麻酔液 30mL 1%ディプリバン注500mg50mL1V ロクロニウム臭化物静注液25mg/2.5mL 1V ワゴスチグミン注1mL1A ・甲状腺悪性腫瘍手術（全摘及び亜全摘、頸部外側区域郭清を伴わないもの）、頸部郭清術（両側）併施 イソジン液 10% 30mL 膀胱留置用カテ・2管一般（Ⅱ）・標準型1本 吸引留置カテ・フィルム・チューブドレーン・フィルム型1本 ・術中迅速病理組織標本作製 ・病理組織標本作製（組織切片）（甲状腺） ・術後点滴 ②ソリタ-T1号輸液　500mL2袋 セファメジンα注射用1g2V ・（帰室後）酸素吸入　液化酸素CE 2L/分（2時間） ・ドレーン法（その他のもの）
11/28（木） 朝より市販品以外の流動食開始 本日から手術後医学管理実施 創部クリア 15時10分　膀胱留置カテーテル抜去 手術後の麻酔合併症なし、経過良好 （麻酔科　岡本）	11/28 ・点滴②do （手術後医学管理料対象検査） ・尿一般 ・末梢血液一般 ・生化学：TP、Alb（BCP改良法・BCG法）、AST、ALT、LD、CK、CRE、Na、Cl、K、Ca、T-Bil、D-Bil、TG、Tcho、BS ・術後創傷処置（100cm^{2}未満） イソジン液10%5mL ・ドレーン法（その他のもの）
11/29（金） 持続ドレーン抜去 昼より5分粥に変更 点滴終了後、静脈内留置針抜去	11/29 ・点滴 セファメジンα注射用1g1V 生理食塩液100mL1V　　（×2回） ・術後創傷処置do ・ドレーン法（その他のもの）
11/30（土） 創部良好 CT所見（放射線科医レポート）（詳細省略。）	11/30 ・術後創傷処置　do ・末梢血液一般 ・TSH、FT_3、FT_4、サイログロブリン ・ECG（12） ・頸部CT（64列以上マルチスライス型）（電子画像管理）
以　下	省　略

入院レセプト作成演習

5. 入院⑤

問題　次の条件で診療録から診療報酬明細書を作成しなさい（令和6年10月診療分）。

○施設の概要等

DPC 対象外の一般病院・救急指定病院、一般病床のみ 350 床

標榜診療科：内科、小児科、外科、整形外科、リハビリテーション科、脳神経外科、循環器内科、産婦人科、眼科、耳鼻咽喉科、皮膚科、泌尿器科、神経科、麻酔科、放射線科、病理診断科

○届出等の状況

（届出ている施設基準等）

- 急性期一般入院料3
- 救急医療管理加算
- 診療録管理体制加算２
- 医師事務作業補助体制加算１（30対１）
- 急性期看護補助体制加算（25対１）（看護補助者5割以上）
- 療養環境加算
- 重症者等療養環境特別加算
- 医療安全対策加算１
- 感染対策向上加算１
  指導強化加算
- 患者サポート体制充実加算
- データ提出加算２
- 特定集中治療室管理料３
- ハイケアユニット入院医療管理料２
- 入院時食事療養（Ⅰ）
  食堂加算
- 薬剤管理指導料
- 検体検査管理加算（Ⅲ）
- 画像診断管理加算２
- CT 撮影（64列以上のマルチスライス型の機器、その他の場合）
- MRI 撮影（3テスラ以上の機器、その他の場合）
- 麻酔管理料（Ⅰ）
- 輸血管理料Ⅰ
- 病理診断管理加算1

（届出は要さないが施設基準等を満たしている状況）

- 医療情報取得加算
- 臨床研修病院入院診療加算（協力型）

○所在地

東京都新宿区（１級地）

○診療時間

月曜～土曜　　9時～ 17 時
日曜・祝日　　休診

○医師、薬剤師等職員の状況

医師数、薬剤師数及び看護職員（看護師及び准看護師）数は、医療法標準を満たしており、常勤の管理栄養士及び理学療法士、作業療法士も配置している。

○その他

- オンライン資格確認を導入している。
- オンライン請求を行っている。

診　療　録

公費負担者番号	
公費負担医療の受給者番号	

保険者番号	0 1 1 3 0 0 1 2
被保険者手帳 記号・番号	10482077・201（枝番）00
有効期限	年　月　日
被保険者氏名	太田光平
資格取得	昭和・平成・令和　19年　4月　1日（昭和に○）
事業所（船舶所有者） 所在地	（省略）　電話 ××××局 ××××番
事業所（船舶所有者） 名称	（省略）
保険者 所在地	（省略）　電話 ××××局 ××××番
保険者 名称	全国健康保険協会東京支部

受診者	
氏名	太田光平
生年月日	明・大・昭・平・令　41年　5月　10日生（昭に○）　男・女（男に○）
住所	（省略）　電話 ××××局 ××××番
職業	会社員
被保険者との続柄	本人

傷病名	職務	開始	終了	転帰	期間満了予定日
出血性胃潰瘍（主）	上・外	令和 6年 10月 28日	年 月 日	治ゆ・死亡・中止	年 月 日
出血性ショック、貧血	上・外	令和 6年 10月 30日	年 月 日	治ゆ・死亡・中止	年 月 日

（注）この診療録は、問題用に作成したものである。

既往症・原因・主要症状・経過等	処方・手術・処置等
10/28（月） （マイナンバーカードを保険証として利用し、診療情報の取得に同意した患者） （午前9時5分来院） 数日前から食欲不振、上腹部の痛みを感じていたが仕事が多忙なこともあり、そのまま放置していた。本日午前8時40分頃、自宅トイレにて吐血（鮮血色）。 救急搬送され緊急入院となる。 救急医療管理：緊急に入院を必要とする重症な状態。 口唇、爪の退色 BP：87／58　P：115 飲酒歴：仕事の付き合いでビール2本又は酎ハイ3杯程度を週2〜3日 喫煙歴：なし 入院診療計画書及び栄養管理計画書を作成。本人、家族に対して入院期間、手術、輸血等の説明と同意書を貰う。 研修医に対して指導を行う（内容等は記載省略。）。 本日から指示あるまで禁食。	10/28 （入院時検査） ・末梢血液一般、像（自動機械法）、網赤血球数 ・TP、Alb（BCP改良法）、ALP、AST、ALT、LD、γ-GT、T-Bil、TG、T-cho、Amy、BUN、Na・Cl、K、Ca、Fe ・出血時間、PT、APTT、フィブリノゲン定量 ・梅毒トレポネーマ抗体定性、STS定性 ・HBs抗原定性・半定量、HCV抗体定性・定量 ・ABO、Rh（D）型、CRP ・尿一般、沈渣（鏡検法） ・胸部X－Pデジタル撮影1回（電子画像管理） ・腹部X－Pデジタル撮影2回（電子画像管理） ・腹部CT（64列以上マルチスライス型機器）（電子画像管理） ・ECG12 ・呼吸心拍監視 ・点滴：①　ラクテック注500mL　4袋 アドナ注0.5％10mL　2A トランサミン注10％2.5mL　2A オメプラゾール注用20mg　2V ブドウ糖注射液5％100mL　2V

既往症・原因・主要症状・経過等	処方・手術・処置等
X−P、CT所見（放射線科医のレポート） 読影文書　別紙 午前9時40分、出血部確認のため内視鏡検査。 胃体下部小弯側に露出血管を確認、引き続き止血術を施行。 露出血管に対して、3ヵ所クリッピング。HSE局注で止血。	・胃ファイバースコピー 　ガスコンドロップ内用液2％4 mL 　キシロカインゼリー2％5 mL 　キシロカインポンプスプレー2 g 　ブスコパン注2% 1mL 1 A ・内視鏡的消化管止血術 　トロンビン10,000単位1袋、生理食塩液20mL　1 A
10/29（火） ベッド上安静 BP：124／64　P：90　BT：36.4℃	10/29 ・点滴：①do ・呼吸心拍監視
10/30（水） 14時50分再度大量出血による血圧低下でショックを起こす。 内視鏡での止血はできないと判断し、緊急手術施行。	10/30 ・点滴：②　ラクテック注500mL　4袋 　フルマリン静注用1 g　2 V 　アドナ注0.5% 10mL　2 A 　トランサミン注10% 2.5mL　2 A 　ブドウ糖注射液5％100mL　2 V
麻酔・手術前検査 Hb　5.8 g／dL（他省略） BP　82／56	・閉鎖循環式全身麻酔（15：35～19：30） 　硬膜外麻酔（腰部）併施 　呼吸心拍監視 　終末呼気炭酸ガス濃度測定
ショック状態により麻酔が困難な状態。 手術・輸血についての必要性、危険性等について家族に説明（文書）。 手術開始　15：45 　終了　19：15	経皮的動脈血酸素飽和度測定 　液化酸素ＣＥ　900 L 　亜酸化窒素1,770 g 　セボフレン吸入麻酔液31mL 　イソゾール注射用　500mg　1 V 　ロクロニウム臭化物静注液25mg/2.5mL 1V 　アトロピン硫酸塩注射液0.05％1 mL　2 A 　フェンタニル注射液0.1mg「第一三共」0.005％2 mL　1 A 　1%ディプリバン注500mg　50mL　1 V
手術後、重症者等療養環境特別加算室（個室）に収容して管理。	・胃切除術（単純切除術） 　自動縫合器2個、自動吻合器1個 　膀胱留置ディスポーザブルカテーテル2管一般（Ⅱ）標準型1本、吸引留置カテーテル・受動吸引型　（フィルム・チューブドレーン・フィルム型）　1本 ・輸血：赤血球液-LR「日赤」　400mL由来2袋 　血液交叉試験2回、不規則抗体検査 ・帰室後酸素吸入　液化酸素CE　3 L／分（19：30～）
10/31（木） モニターにて監視。 バイタル安定、意識クリア 創部良好	10/31 ・尿一般、沈渣（鏡検法） ・末梢血液一般、CRP ・呼吸心拍監視 　経皮的動脈血酸素飽和度測定 ・点滴：②do ・酸素吸入　液化酸素CE　2 L／分（～24：00） ・ドレナージ（その他のもの） ・術後創傷処置（20cm × 20cm）
以　下	省　略

薬価基準等（入院用）

※品名欄の 般 の薬剤は一般名処方医薬品
※日本薬局方収載品目についての記載は省略

	品　　名	規格・単位	薬　　価
内用薬	オフロキサシン100mg錠	100mg1錠	46.30円
	ガスコンドロップ内用液２％	2％1mL	3.40円
	セファクロルカプセル250mg	250mg1カプセル	54.70円
	タケプロンOD錠15	15mg1錠	23.30円
	ピコスルファートNa内用液0.75％	0.75％1mL	7.60円
	般　レボフロキサシン錠500mg	500mg1錠（レボフロキサシンとして）	69.90円
	般　ロキソプロフェンナトリウム60mg錠	60mg1錠	9.80円
外用薬	亜酸化窒素	1g	2.50円
	イソジン液10％	10％10mL	24.20円
	イソジンスクラブ液7.5％	7.5％10mL	36.60円
	エコリシン眼軟膏	1g	63.40円
	キシロカインゼリー２％	2％1mL	6.30円
	キシロカインポンプスプレー8％	1g	27.70円
	グリセリン浣腸液50％60mL	50％60mL1個	113.10円
	クロラムフェニコール	1g	226.70円
	セボフルラン吸入麻酔液	1mL	27.20円
	セボフレン吸入麻酔液	1mL	27.20円
	トロンビン	10,000単位1袋	1,381.00円
	ポビドンヨード消毒液10％	10％10mL	13.10円
注射薬	アセリオ静注液1000mgバッグ	1,000mg100mL1袋	304円
	アドナ注（静脈用）50mg	0.5％10mL1管	89円
	アドナ注（静脈用）100mg	0.5％20mL1管	132円
	アトロピン硫酸塩注射液	0.05％1mL1管	95円
	アナペイン注２mg/mL	0.2％100mL1袋	1,450円
	アルチバ静注用２mg	2mg1瓶	1,759円
	イソゾール注射用0.5g	500mg1瓶（溶解液付）	449円
	１％ディプリバン注	500mg50mL1瓶	1,021円
	ヴィーン3G輸液	500mL1袋	274円
	ヴィーンＦ輸液	500mL1袋	191円
	エスラックス静注50mg/5.0mL	50mg5mL1瓶	513円
	エフェドリン塩酸塩注射液	4％1mL1管	94円
	塩化タリウム（^{201}Tl）注射液	10MBq	4,526円
	大塚生食注	20mL1管	62円
	大塚生食注	1L1袋	356円
	大塚生食注TN	100mL1キット	212円
	オメプラゾール注用20mg	20mg1瓶	284円
	キシロカイン注ポリアンプ１％	1％10mL1管	79円
	生理食塩液	20mL1管	62円
	生理食塩液	100mL1瓶	145円
	赤血球液－ＬＲ「日赤」	血液400mLに由来する赤血球1袋	17,194円
	セファメジンα注射用1g	1g1瓶	346円
	セファメジンα点滴用キット１g	1g1キット（生理食塩液100mL付）	772円
	セフォチアム塩酸塩静注用１g	1g1瓶	276円
	セフメタゾールナトリウム点滴静注用バッグ１g「NP」	1g1キット（生理食塩液100mL付）	811円
	ソセゴン注射液15mg	15mg1管	89円
	ソリタ－Ｔ１号輸液	500mL1袋	177円
	ソリタ－Ｔ３号輸液	500mL1袋	176円
	ソルデム３Ａ輸液	500mL1袋	176円
	ソルデム3AG輸液	500mL1袋	182円

	品　名	規格・単位	薬　価
注射薬	ソルラクト輸液	250mL1袋	208円
	デキサート注射液3.3mg	3.3mg1mL1管	173円
	トランサミン注10%	10% 2.5mL1管	65円
	トランサミン注10%	10% 10mL1管	100円
	ドルミカム注射液10mg	10mg2mL1管	115円
	ドロレプタン注射液25mg	2.5mg1mLバイアル	95円
	ノボリンR注100単位/mL	100単位1mLバイアル	264円
	ハルトマンD液	500mL1袋	214円
	パンスポリン筋注用0.25g	250mg1瓶（溶解液付）	598円
	フェンタニル注射液0.1mg「第一三共」	0.005% 2mL1管	253円
	フェンタニル注射液0.1mg「テルモ」	0.005% 2mL1管	242円
	ブスコパン注20mg	2% 1mL1管	59円
	ブドウ糖注射液	5% 100mL1瓶	150円
	ブリディオン静注200mg	200mg2mL1瓶	9,000円
	フルマリン静注用1g	1g1瓶	1,286円
	プロポフォール静注1% 20mL	200mg20mL1管	594円
	プロポフォール静注1%20mL「FK」	200mg20mL1管	594円
	マーカイン注0.5%	0.5% 10mLバイアル	188円
	ラクテック注	500mL1袋	231円
	ラクトリンゲル液“フソー”	500mL1袋	231円
	ロクロニウム臭化物静注液	25mg/2.5mL1瓶	320円
	YDソリターT3号輸液	500mL1袋	176円
	ワゴスチグミン注0.5mg	0.05% 1mL1管	96円

2024（令和6）年10月1日現在

酸素・特定保険医療材料価格

品　名	規格・単位	価　格
液化酸素CE	1L	0.19円
吸引留置カテーテル・受動吸引型・フィルム・チューブドレーン・チューブ型	1本	897円
吸引留置カテーテル・受動吸引型・フィルム・チューブドレーン・フィルム型	1本	264円
ダイレーター	1本	2,140円
套管針カテーテル（1）シングルルーメン・標準型	1本	1,980円
膀胱留置用ディスポーザブルカテーテル2管一般（II）標準型	1本	561円
膀胱瘻用穿孔針	1本	5,820円
膀胱瘻用カテーテル	1本	3,770円

2024（令和6）年10月1日現在

第2章　解答用紙②（入院用）

診療報酬明細書
（医科入院）

令和　　年　　月分

都道府県番号　医療機関コード

1 医科	1 社･国	3 後期	1 単独	1 本入	7 高入一
	2 公費		2 2併	3 六入	9 高入7
			3 3併	5 家入	

保険者番号　　　給付割合 10 9 8 7（　）

公費負担者番号①　　公費負担医療の受給者番号①

公費負担者番号②　　公費負担医療の受給者番号②

被保険者証･被保険者手帳等の記号･番号　（枝番）

区分　精神　結核　療養　　　特記事項

氏名

1男　2女　1明　2大　3昭　4平　5令　・　・　生

職務上の事由　1職務上　2下船後3月以内　3通勤災害

保険医療機関の所在地及び名称

傷病名	診療開始日	転帰	診療実日数
(1)	(1)　年　月　日	治ゆ　死亡　中止	保険　日
(2)	(2)　年　月　日		公費①　日
(3)	(3)　年　月　日		公費②　日

区分	内容		公費分点数
11 初診	時間外･休日･深夜　回	点	
13 医学管理			
14 在宅			
20 投薬	21 内服　単位		
	22 屯服　単位		
	23 外用　単位		
	24 調剤　日		
	26 麻毒　日		
	27 調基		
30 注射	31 皮下筋肉内　回		
	32 静脈内　回		
	33 その他　回		
40 処置	回 / 薬剤		
50 手術麻酔	回 / 薬剤		
60 検査病理	回 / 薬剤		
70 画像診断	回 / 薬剤		
80 その他	薬剤		
90 入院	入院年月日　年　月　日		
	病　診　90 入院基本料･加算	点	
	×　日間		
	×　日間		
	×　日間		
	×　日間		
	×　日間		
	92 特定入院料･その他		

※高額療養費　円　※公費負担点数　点　※公費負担点数　点

97 食事･生活			
基準Ⅰ	円×	回	
特別	円×	回	
食堂	円×	日	
環境	円×	日	

基準(生)　円×　回
特別(生)　円×　回
減・免・猶・Ⅰ・Ⅱ・3月超

療養の給付	請求　点	※決定　点	負担金額　円
保険			減額　割(円)免除･支払猶予
公費①	点	※　点	円
公費②	点	※　点	円

食事･生活療養	回	請求　円	※決定　円	(標準負担額)円
保険	回	円	※　円	円
公費①	回	円	※　円	円
公費②	回	円	※　円	円

memo

第3章

文章問題（学科試験問題）演習

●学科試験受験のポイント

1 医療関連法規等
2 初・再診
3 入院
4 医学管理等
5 在宅医療
6 投薬・注射
7 処置
8 手術・輸血・麻酔
9 検査・病理診断
10 画像診断
11 リハビリテーション
12 精神科専門療法・放射線治療
13 学科試験問題演習（第60回認定試験）

●学科試験受験のポイント

学科試験の出題数からみると、医療保険制度、療養担当規則、基本診療料などが大きなウエイトを占めているにもかかわらずこの部分が苦手という受験者も少なくない。試験対策には、特に、医療保険制度、療養担当規則の項目について繰り返し解答することが有効である。以下、項目別にポイントを述べておく。

1 医療保険制度等

まずは、日本の医療保険制度の全体の概要を理解することである。次に、医療保険各法、特に、**健康保険法**に重点を置き、給付の概要と要件・給付内容などにつき、基本的なポイントを把握しておくことである。また、実際の試験にあたって最も大切なポイントは、その出題内容がどの法制度に関するものなのか、参考書のどの箇所を調べればよいのかを見極めることである。

医療保険制度は、１回の試験あたり３～４題が出題されている。そのうちの頻出項目は、被用者保険制度、国民健康保険制度、後期高齢者医療制度などである。

2 公費負担医療制度

社会福祉、公的扶助、公衆衛生等を対象として、医療費の一部もしくは全部を国家が税金のなかから負担する制度のことである。この制度は、それぞれの法によって定めが違い、複雑で対策が立てにくい分野である。

ポイントは、感染症法（結核医療）、精神保健及び精神障害者福祉に関する法律、難病の患者に対する医療等に関する法律等について、①申請手続き、②給付内容、③医療保険との関係などをおさえることである。

3 保険医療機関等

保険診療を行うためには、保険医療機関としての指定が必要であり、医師も保険医としての登録が必要である。また、保険薬局、特定機能病院、療養病床など、それぞれの定めにより承認や許可を必要とする。この指定や承認に関する要件などが主な出題対象となっている。

実際の試験にあたってのポイントは、こうした要件や基準を調べる方法、参考書のどの箇所を調べればよいのかを確実に把握しておくことである。

4 療養担当規則等

保険診療を行ううえで守るべきルールを定めた「保険医療機関及び保険医療養担当規則」は、非常に重要度の高い項目である。全般的に、よく理解しておく必要がある。そのうちの頻出項目は、①保険外併用療養費、②入院時食事療養費、③保険医が行う療法などである。

また、その他のポイントとして、診療の具体的方針に関わる規則、診療録の記載・整備などがあげられる。

5 診療報酬等

「診療報酬点数表」を十分に使いこなすだけの知識・テクニック・経験が求められる。特に、「注」や「通知」「届出要件」など細部の規定に関しての問題が多く、規定に関する正確な解釈や、確実で迅速な検索など、点数表に精通しておく必要がある。

全出題数の約７～８割を占める最重要項目である。そのうちの頻出項目は、①入院、②初・再診、③医学管理等などである。

6 薬価基準・材料価格基準

薬価基準は、保険診療で使用できる医薬品の範囲と価格を定めたものである。また、材料価格基準は、診療報酬点数表で定められた特定保険医療材料料として算定できる医療材料の範囲と価格を定めたものである。

7 診療報酬請求事務

レセプト作成上の一般的事項や具体的な記載方法については、厚生労働省の保医発通知「診療報酬請求書等の記載要領等について」に規定されている。実技試験におけるレセプト作成には欠かせない規定であり、その基礎的知識は身につけておきたい。

8 医療関係法規

医療法に関するさまざまな基礎知識が問われる。また、医療従事者の資格と業務に関する問題も出題される。

9 介護保険制度

制度の概要や、医療保険と介護保険の給付調整などが問われている。

本章では、204ページ以降に基本診療料と特掲診療料について第50回・第51回、第53回～第59回の認定試験を項目ごとに分類して掲載している。掲載にあたり、第50回・第51回、第53回～第60回の直近の過去10回の出題数ごとに、**９題以上をA、６題～８題をB、３題～５題をC、２題以下をD**と格付けしている。特に、頻度の高いAの項目は、繰り返し演習するとよい。ただし、学科試験問題のなかで出題割合の高い医療関連法規等については、第1章のポイント解説（P.20～51）のなかで、過去20回分程度を細かく分類して収録している。第3章では、第1章で触れていない「その他の項目」も掲載している。

また、学科試験演習のまとめとして、直近の第60回認定試験（2024年７月実施）を実際の出題形式で収録している。時間配分等を意識してチャレンジしよう。

なお、項目によっては、制度の改正により名称・内容が変更になったものや、新設されたものもある。収録にあたり、2024（令和６）年10月１日現在の法令等に照らして必要最小限の変更を行い、修正箇所に下線を付した。

※第52回認定試験は、新型コロナウイルス感染症拡大防止のため中止された。

1 医療関連法規等

学習日	／	／	／
正解数	／56	／56	／56

以下の問題のうち、正しいものは○、誤っているものは×にチェック！

医療保険制度

出題頻度 A

1．健康保険の被保険者に係る療養の給付は、同一の疾病について、労働者災害補償保険法の規定によりこれに相当する給付を受けることができる場合には、行われない。〈第50回認定試験〉 （○　×）

2．健康保険について、被保険者の兄弟姉妹は、主として当該被保険者により生計を維持するものであっても、当該被保険者と同一の世帯に属していなければ、「被扶養者」として保険給付を受けることができない。〈第50回認定試験〉 （○　×）

3．健康保険法において、被保険者資格証明書の交付を受けた被保険者は、当該資格証明書を保険医療機関に提出することによって療養の給付を受けることができる。〈第51回認定試験〉 （○　×）

4．健康保険の任意継続被保険者が後期高齢者医療の被保険者に該当するに至ったときは、その翌日から資格を喪失する。〈第54回認定試験〉 （○　×）

5．厚生労働大臣は、保険医療機関の指定を取り消した病院又は診療所については、その取り消しの日から５年を経過するまでは、指定をしないことができる。〈第54回認定試験〉 （○　×）

6．保険医療機関は、保険診療に係る一部負担金について、任意に減額すること及び支払いを免除することはできない。〈第54回認定試験〉 （○　×）

7．被保険者が療養の給付を受けるため、病院又は診療所に移送された場合は、保険者が必要であると認める場合に限り、移送費が支給される。〈第54回認定試験、第59回類題〉 （○　×）

8．保険医療機関は、その病院又は診療所の見やすい箇所に、保険医療機関である旨を標示しなければならない。〈第54回認定試験〉 （○　×）

9．保険医療機関又は保険薬局は、1月以上の予告期間を設けて、その指定を辞退することができる。〈第55回認定試験一部修正、第59回類題〉 （○　×）

10．健康保険組合は、健康保険法で定められた保険給付に併せて、規約で定めるところにより、保険給付としてその他の給付を行うことができる。〈第55回認定試験〉 （○　×）

11．被保検者が出産したときは、出産の日（出産の日が出産の予定日後であるときは、出産の予定日）以前42日（多胎妊娠の場合においては、98日）から出産の日後56日までの間において労務に服さなかった期間、出産手当金が支給される。〈第55回認定試験〉 （○　×）

12．保険医療機関の指定は、指定の日から起算して6年を経過したときは、その効力を失う。〈第55回認定試験〉 （○　×）

13．健康保険における家族療養費の給付割合は、被扶養者が6歳に達する日以降の最初の3月31日の翌日以降であって70歳に達する日の属する月以前である場合にあっては100分の70である。〈第55回認定試験、第50回類題〉 （○　×）

14．国民健康保険の保険者は、都道府県及び市町村（特別区を含む）、国民健康保険組合である。〈第55回認定試験一部修正〉 （○　×）

15. 国民健康保険法において、被保険者が自己の故意の犯罪行為により、又は故意に疾病にかかり、又は負傷したときは、当該疾病又は負傷に係る療養の給付等は、行わない。〈第56回認定試験〉 (○ ×)

16. 健康保険の任意継続被保険者の申出は、正当な理由がない限り、被保険者の資格を喪失した日から14日以内に行わなければならない。〈第56回認定試験〉 (○ ×)

17. 保険医療機関の指定を受ける申請を行う場合、その申請が病院又は病床を有する診療所に係るものであるときは、当該申請は、医療法に規定する病床の種別ごとにその数を定めて行わなければならない。〈第56回認定試験〉 (○ ×)

18. 健康保険法において、1年以上被保険者であった者が被保険者の資格を喪失した日後6月以内に出産したときは、被保険者として受けることができるはずであった出産育児一時金の支給を最後の保険者から受けることができる。〈第56回認定試験〉 (○ ×)

19. 保険医療機関において健康保険の診療に従事する医師は、都道府県知事の登録を受けた医師でなければならない。〈第56回認定試験〉 (○ ×)

20. 都道府県等が行う国民健康保険の被保険者は、生活保護法による保護を受けるに至った日から、その資格を喪失する。〈第56回認定試験、第50回類題〉 (○ ×)

21. 保険医療機関は療養の給付に関し、保険医は健康保険の診療に関し、都道府県知事の指導を受けなければならない。〈第58回認定試験〉 (○ ×)

療養担当規則

出題頻度
A

22. 保険医療機関は、国民健康保険の被保険者である患者から療養の給付を求められた場合には、その者の提出する被保険者証に代えて住民票により療養の給付を受ける資格を確認することができる。〈第50回認定試験〉 (○ ×)

23. 保険医療機関は、診療録に療養の給付の担当に関し必要な事項を記載し、これを他の診療録と区別して整備しなければならない。〈第54回認定試験〉 (○ ×)

24. 保険医療機関である病院は、災害その他のやむを得ない事情がある場合を除き、医療法の規定に基づき許可を受け、若しくは届け出をし、又は承認を受けた病床の数の範囲内で、患者を入院させなければならない。〈第55回認定試験〉 (○ ×)

25. 健康保険法において、保険医療機関は、患者が家庭の事情等のため退院が困難であると認められたときは、遅滞なく意見を付して、その旨を地方厚生（支）局に報告しなければならない。〈第56回認定試験〉 (○ ×)

26. 新医薬品であって、薬価基準への収載の日の属する月の翌月の初日から起算して2年を経過していないものは、原則として14日分を限度として投与する。〈第57回認定試験〉 (○ ×)

27. 処方箋の使用期間は、長期の旅行等特殊な事情があると認められる場合を除き、交付の日を含めて原則として7日以内である。〈第58回認定試験〉 (○ ×)

療養担当規則第5条の4第1項（保険外併用療養費）

28. 医療機器の治験について、治験の内容を患者に説明することが医療上好ましくないと認められる場合は、保険外併用療養費の支給対象とならない。〈第53回認定試験〉 (○ ×)

29. 保険外併用療養費における予約診察に係る特別の料金は、予約時間から一定時間（30分程度）以上患者を待たせた場合、徴収することができない。〈第55回認定試験、第50回類題〉 (○ ×)

30. 他の保険医療機関等からの紹介なしに一般病床の数が200床以上の病院を受診した患者について、同時に2以上の傷病について初診を行った場合においても、初診料に係る選定療養の費用は1回しか徴収できない。〈第57回認定試験〉 （○　×）

31. 免疫力が低下し、感染症に罹患するおそれのある患者を、「治療上の必要」により特別療養環境室へ入院させる場合であっても、患者に特別療養環境室に係る特別の料金を求めることができる。〈第58回認定試験、第53回・54回類題〉 （○　×）

療養担当規則関連通知（療養の給付と直接関係ないサービス等の取扱い）

32. 患者の自己利用目的によるレントゲンのコピー代は、セカンド・オピニオンの利用目的の場合であっても、患者から当該費用を徴収することができる。〈第54回認定試験〉 （○　×）

33. 保険医療機関における患者等への処方箋及び薬剤の郵送代は、療養の給付と直接関係ないサービス等であることから、患者から当該費用を算定することができる。〈第54回認定試験〉 （○　×）

34. おむつ代等の「療養の給付と直接関係ないサービス等」について、患者からその費用を徴収した場合は、他の費用と区別した内容のわかる領収証を発行しなければならない。〈第58回認定試験〉 （○　×）

医療法・医療従事者法

出題頻度 A

35. 診療放射線技師は、緊急を要する場合には、医師又は歯科医師の具体的な指示を受けなくても、放射線を人体に対して照射することができる。〈第50回認定試験〉 （○　×）

36. 病院又は診療所が医業を行う場合において、開設者は臨床研修等修了医師でなければならない。〈第51回認定試験〉 （○　×）

37. 病院又は診療所の管理者は、エックス線装置を備えたときは、病院又は診療所所在地の地方厚生（支）局長に届け出なければならない。〈第53回認定試験〉 （○　×）

38. 内科、心療内科、リハビリテーション科を有する病院には、エックス線装置を設置し、かつ、記録を備えて置かなければならない。〈第54回認定試験〉 （○　×）

39. 医療法人は、厚生労働大臣の許可を受けなければ、これを設立することができない。〈第54回認定試験〉 （○　×）

40. 厚生労働大臣の承認を得て臨床研究中核病院と称することができる要件のひとつは、400床以上の入院施設を有することである。〈第54回認定試験〉 （○　×）

41. 臨床工学技士は、医師の具体的な指示を受けなければ、生命維持管理装置の操作として、身体からの血液又は気体の抜き取り（採血を含む）を行ってはならない。〈第54回認定試験、第57回類題〉 （○　×）

42. 臨床研修等修了医師が診療所を開設したときは、開設後10日以内に診療所の所在地の都道府県知事に届け出なければならない。〈第55回認定試験〉 （○　×）

43. 医療法で定める地域医療支援病院の施設の要件のひとつは、化学、細菌及び病理の検査施設を有し、かつ、記録を備えて置くことである。〈第57回認定試験、第53回類題〉 （○　×）

44. 医療法で定める特定機能病院の施設の要件のひとつは、集中治療室を有し、かつ、過去2年間にわたる診療に関する諸記録並びに病院の管理及び運営に関する諸記録を備えて置くことである。〈第58回認定試験〉 （○　×）

入院時食事療養費・入院時生活療養費

出題頻度 A

45. 診療所における入院時食事療養（Ｉ）又は入院時生活療養（Ｉ）の届出に当たっては、管理栄養士又は栄養士が入院時食事療養及び入院時生活療養の食事の提供たる療養の指導を行うことが要件となっている。〈第51回認定試験〉 （○ ×）

46. 入院時食事療養（Ｉ）の届出を行った保険医療機関において特別食として提供される貧血食は、血中ヘモグロビン濃度が10g/dL以下であれば、その原因が鉄分の欠乏に由来しない患者であっても、その対象となる。〈第53回認定試験〉 （○ ×）

47. 一般病床と療養病床を有する保険医療機関において、療養病床から一般病床に転床した日は、転床前の食事も含め、全ての食事について入院時食事療養費が支給され、食事療養標準負担額（患者負担額）を徴収する。〈第58回認定試験〉 （○ ×）

介護保険制度

出題頻度 A

48. 医療保険及び介護保険において、予防給付はいずれも保険給付の対象外である。〈第51回認定試験〉 （○ ×）

49. 介護保険適用病床に入院中の患者が、緊急を要するため当該病床で医療保険からの療養の給付を受けた場合は、当該医療保険の請求は「入院外」のレセプトを使用する。〈第53回認定試験、第58回類題〉（○ ×）

50. 介護保険における介護給付には、被保険者の要介護状態に加え、要支援状態に関する保険給付も含まれる。〈第56回認定試験、第50回類題〉 （○ ×）

後期高齢者医療制度

出題頻度 A

51. 後期高齢者医療広域連合の区域内に住所を有する者が、後期高齢者医療の被保険者の資格を取得する時期は、75歳に達した月の翌月1日（その日が月の初日である場合は当月）である。〈第50回認定試験、第57回類題〉 （○ ×）

52. 後期高齢者医療の療養の給付に係る一部負担金は、被保険者等の所得の額にかかわらず、療養の給付に要する費用の額に100分の10を乗じて得た額である。〈第53回認定試験〉 （○ ×）

53. 後期高齢者医療制度の療養の給付に係る一部負担金は、高齢者の医療の確保に関する法律により10円未満の端数を四捨五入して10円単位で支払うことが定められている。〈第58回認定試験〉 （○ ×）

公費負担医療制度

出題頻度 B

54. 都道府県知事は、一類感染症のまん延を防止するため必要があると認めるときは、当該感染症の患者に対し特定感染症指定医療機関若しくは第一種感染症指定医療機関に入院し、又はその保護者に対し当該患者を入院させるべきことを勧告することができる。〈第57回認定試験〉 （○ ×）

その他

出題頻度 C

55. 特定保険医療材料の気管内チューブについて、当該チューブは、24時間以上体内留置した場合に算定できるが、やむを得ず24時間未満で使用した場合は、１個を限度として算定できる。〈第50回認定試験、第57回類題〉 （○ ×）

56. 診療報酬明細書の「診療開始日」欄について、同月中に保険種別等の変更があった場合には、その変更があった日を診療開始日として記載し、「摘要」欄にその旨を記載する。〈第50回認定試験〉 （○ ×）

2 初・再診

学習日	／	／	／
正解数	／53	／53	／53

以下の問題のうち、正しいものは○、誤っているものは×にチェック！

初診料

出題頻度
A

1．初診料及び再診料の夜間・早朝等加算を算定する保険医療機関（診療所に限る）は、1週間当たりの診療時間が24時間以上でなければならない。〈第50回認定試験、第58回・第59回類題〉（○ ×）

2．急性胃腸炎で通院中の患者が、4月9日以降患者が任意に診療を中止し、同年5月9日になって再び急性胃腸炎で同一の保険医療機関に受診した場合の診療は、初診として取り扱うことができる。〈第50回認定試験〉（○ ×）

3．初診料について、深夜加算を算定する場合、時間外加算、休日加算、時間外加算の特例又は夜間・早朝等加算は、算定できない。〈第51回認定試験、第59回類題〉（○ ×）

4．一保険医療機関において診療を受けている患者につき、他の保険医療機関の保険医が対診を行った場合は、対診を行った保険医が勤務する保険医療機関においては初診料を算定できない。〈第51回認定試験、第58回類題〉（○ ×）

5．健康診断で疾患が発見された患者が、疾患を発見した保険医以外の保険医（当該疾患を発見した保険医の属する保険医療機関の保険医を除く）において治療を開始した場合には、初診料を算定できる。〈第51回認定試験〉（○ ×）

6．いわゆる夜間開業の保険医療機関において、当該保険医療機関の診療時間又は診療態勢が午後10時から午前6時までの間と重複している場合には、当該重複している時間帯における診療については深夜加算を算定できない。〈第53回認定試験、第59回類題〉（○ ×）

7．休日を診療時間とする小児科標榜の保険医療機関において、当該休日に6歳未満の乳幼児の初診を行った場合は、休日加算を算定できるが、診療を行う保険医が小児科以外を担当する保険医である場合は、当該加算を算定できない。〈第53回認定試験〉（○ ×）

8．初診料又は再診料において休日加算の対象となる休日とは、日曜日及び国民の祝日に関する法律第3条に規定する休日であり、1月2日及び3日並びに12月29日、30日及び31日についても休日の取扱いとなる。〈第54回認定試験〉（○ ×）

9．初診の患者に占める他の病院又は診療所等からの文書による紹介があるものの割合である紹介割合の計算式は、「紹介割合（％）＝（紹介患者数＋救急患者数）÷初診の患者数×100」のとおりである。〈第55回認定試験一部修正〉（○ ×）

10．労災保険、健康診断、自費等（医療保険給付対象外）により傷病の治療を入院外で受けている期間中又は医療法に規定する病床に入院している期間中にあっては、当該保険医療機関において医療保険給付対象となる診療を受けた場合においても、初診料は算定できない。〈第55回認定試験〉（○ ×）

11．初診料について、患者が異和を訴え診療を求めた場合において、診断の結果、疾病と認むべき徴候のない場合は算定できない。〈第56回認定試験〉（○ ×）

12．初診料について、休日加算を算定できる患者には、当該休日を診療日としている保険医療機関の診療時間内の時間に、急病等やむを得ない理由により受診した患者が含まれる。〈第56回認定試験〉（○ ×）

13. 2ヵ所の診療所を開設している保険医が、本院で患者を初診し、同日容態悪化のため分院で往診依頼を受けて往診した場合の初診料は同一保険医の診察であるから算定できない。〈第57回認定試験〉（○　×）

14. 初診料について、情報通信機器を用いた診療を行う際は、予約に基づく診察による特別の料金の徴収はできない。〈第57回認定試験〉（○　×）

15. 初診料の連携強化加算について、当該加算の施設基準の要件のひとつは、外来感染対策向上加算に係る届出を行っていることである。〈第57回認定試験〉（○　×）

16. 初診料及び再診料の外来感染対策向上加算について、当該加算の施設基準の要件のひとつは、感染防止対策部門を設置していることであるが、入院基本料等加算の医療安全対策加算に係る医療安全管理部門をもって感染防止対策部門としても差支えない。〈第58回認定試験、第59回類題〉（○　×）

17. 初診料について、情報通信機器を用いた診療は、原則として、保険医療機関に所属する保険医が保険医療機関内で実施しなければならない。〈第58回認定試験〉（○　×）

18. 基本診療料は、初診、再診及び入院診療の際（特に規定する場合を除く）に原則として必ず算定できるものであり、初診の際に診察だけで終わり、検査も注射もしなかった場合においても、初診料の所定点数を算定できる。〈第59回認定試験〉（○　×）

19. 初診料の機能強化加算を算定する保険医療機関の要件のひとつは、健康診断の結果等の健康管理に係る相談に応じることである。〈オリジナル〉（○　×）

20. 紹介割合及び逆紹介割合における「初診の患者数」は、初診料の算定の有無に関わらず、患者の傷病について医学的に初診といわれる診療行為が行われた患者の数のことである。〈オリジナル〉（○　×）

21. 患者が適切な診療科を受診できるよう設置した総合診療外来等は診療科とみなされず、総合診療外来等を受診後、新たに別の診療科を受診した場合でも、同一日複数科初診料146点を算定できない。〈オリジナル〉（○　×）

22. 初・再診料の夜間・早朝等加算は、1週当たりの表示診療時間の合計が30時間以上の診療所が対象であるが、その診療時間には訪問診療の時間は含まれない。〈オリジナル〉（○　×）

23. CTの設備がない診療所から診療状況を示す文書を添えて、判読も含めCT実施の依頼を受けた場合、依頼を受けた病院においては初診料や画像診断料を算定できない。〈オリジナル〉（○　×）

24. 保険医療機関が表示する診療時間以外の時間において、急患等以外の患者につき常態として診療応需の態勢をとっているときは、時間外加算は算定できない。〈オリジナル〉（○　×）

25. 土曜日の午前10時から午後7時を診療時間とし、夜間・早朝等の施設基準を満たしている診療所において、土曜日の診療時間内である午後1時に初診を行った場合、夜間・早朝等加算は算定できない。〈オリジナル〉（○　×）

26. 情報通信機器を用いた初診を行う際、患者の急変時等には、患者が速やかに受診できる医療機関において対面診療を行えるよう、事前に受診可能な医療機関を患者に説明していれば、対面診療を提供できる体制は必要ない。〈オリジナル〉（○　×）

再診料

出題頻度 A

27. 外来管理加算について、患者又は家族等患者の看護等に当たる者からの求めに応じ患家に赴き診療を行い往診料を算定した場合にも、再診料に加えて当該外来管理加算を算定できる。〈第50回認定試験〉（○　×）

28. 内科で再診料と外来管理加算を算定した後に、同一保険医療機関において同一日に初診として眼科を受診し処置を行った場合、内科で算定した外来管理加算は、算定を取り消す必要がない。〈第51回認定試験、第56回類題〉（○　×）

29. 外来管理加算は、厚生労働大臣が別に定める検査を行わないことが算定要件のひとつとなっており、当該検査には皮膚科学的検査が含まれる。〈第51回認定試験、第53回・第55回・第57回類題〉（○　×）

30. 再診料の地域包括診療加算の対象患者は、高血圧症、糖尿病、脂質異常症、慢性心不全、慢性腎臓病（慢性維持透析を行っていないものに限る）及び認知症の6疾病のうち、2つ以上（疑いを除く）を有する者であるが、この中の糖尿病には、境界型糖尿病あるいは耐糖能異常は含まれない。〈第53回認定試験〉（○　×）

31. 乳幼児の再診について、母親等看護に当たっている者から電話等によって治療上の意見を求められて指示した場合は、再診料及び乳幼児加算を算定できる。〈第53回認定試験〉（○　×）

32. 診療所の再診において基本診療料に含まれる処置を行い、当該処置の際に使用した薬剤の費用を処置の薬剤料として算定した場合には、外来管理加算は算定できない。〈第54回認定試験〉（○　×）

33. 外来管理加算は、厚生労働大臣が別に定める検査を行わないことが算定要件のひとつとなっており、当該検査にはラジオアイソトープを用いた諸検査が含まれる。〈第54回認定試験、第57回類題〉（○　×）

34. 明細書発行体制等加算について、該当の保険医療機関において患者が明細書は不要である旨申し出た場合であっても、当該加算は算定できる。〈第54回認定試験〉（○　×）

35. 再診料の地域包括診療加算を算定するための施設基準の要件のひとつは、当該保険医療機関が院外処方を行う場合に、24時間対応をしている保険薬局と連携をしていることである。〈第54回認定試験、第56回類題〉（○　×）

36. 地域包括診療加算を算定する患者については、原則として院内処方を行うこととしているが、調剤について24時間対応できる体制を整えている薬局と連携している場合は、院外処方を行うことも可能である。〈第55回認定試験〉（○　×）

37. 情報通信機器を用いた再診を行った場合には、外来管理加算は算定できない。〈第57回認定試験〉（○　×）

38. 再診料の時間外対応加算1について、標榜時間外における対応体制等の要件を満たしていれば、標榜時間内の再診時にも当該加算を算定できる。〈第57回認定試験〉（○　×）

39. 月の途中に慢性疼痛疾患管理料の算定対象疾患が発症し、当該管理料を算定した場合は、当該管理料の算定日前を含め、その月は外来管理は算定できない。〈第57回認定試験〉（○　×）

40. 一般病床数が200床未満の保険医療機関において、患者又はその看護に当たっている者から電話等によって治療上の意見を求められて指示した場合には、再診料は算定できるが、外来感染対策向上加算は算定できない。〈第58回認定試験〉（○　×）

41. 再診料の地域包括診療加算について、患者の担当医以外の医師が診療を行った場合には、当該地域包括診療加算は算定できない。〈第59回認定試験〉（○　×）

42. 外来管理加算より所定点数が低い眼科学的検査、処置等を行った場合は、当該点数を算定しないで外来管理加算を算定することができる。〈オリジナル〉（○　×）

外来診療料

出題頻度
B

43. 創傷処置の100平方センチメートル未満のもの及び100平方センチメートル以上500平方センチメートル未満のものについては、外来診療料の所定点数に包括される項目となっている。〈第50回認定試験、第58回類題〉
（○　×）

44. 外来診療料は、許可病床のうち一般病床に係るものの数が200以上である保険医療機関（病院）において再診を行った場合に算定できる。〈第50回認定試験〉
（○　×）

45. 外来診療料について、当該外来診療料に包括される血液形態・機能検査のうち、HbA1c（ヘモグロビンA1c）及びHbF（ヘモグロビンF）は、その包括検査項目の対象外とされているものである。〈第51回認定試験〉
（○　×）

46. 外来診療料には、包括されている検査項目に係る検体検査実施料は含まれるが、当該実施した検査項目が属する区分の検体検査判断料は含まれない。〈第53回認定試験〉
（○　×）

47. 外来診療料の所定点数に包括される処置項目には、100cm^{2}未満の熱傷処置が含まれる。〈第54回認定試験、第58回・第59回類題〉
（○　×）

48. 外来診療料について、一般病床数が200床以上の病院において、再診の際に熱傷処置を行った場合は、当該処置料は算定できないが、使用した薬剤の薬剤料は算定できる。〈第55回認定試験〉
（○　×）

49. 外来診療料について、医療用医薬品の取引価格の妥結率に関して別に厚生労働大臣が定める施設基準を満たす保険医療機関において再診を行った場合には、特定妥結率外来診療料を算定する。〈第56回認定試験、第50回類題〉
（○　×）

50. 外来診療料は、許可病床数が200床以上である保険医療機関において再診を行った場合に算定する。〈オリジナル〉
（○　×）

通則

出題頻度
C

51. 医科歯科併設の保険医療機関において、同一の傷病又は互いに関連のある傷病により、医科と歯科を併せて受診した場合は、それぞれの診療科で初診料又は再診料（外来診療料を含む）を算定できる。〈第53回認定試験〉
（○　×）

52. 初診又は再診の際、検査、画像診断、手術等の必要性を認めたが、一旦帰宅し、後刻又は後日検査、画像診断、手術等を受けに来た場合は、別に再診料又は外来診療料が算定できる。〈第55回認定試験〉
（○　×）

53. 医療法に規定する病床に入院中の患者が、当該入院の原因となった傷病以外の傷病により、別の診療科で再診を受けた場合は、再診料（外来診療料を含む）を算定できる。〈オリジナル〉
（○　×）

3 入院

学習日	／	／	／
正解数	／55	／55	／55

以下の問題のうち、正しいものは○、誤っているものは×にチェック！

通則

出題頻度 A

1．投薬に係る費用が包括されている入院基本料（療養病棟入院基本料等）又は特定入院料（特殊疾患病棟入院料等）を算定している患者に対して、退院時に退院後に在宅において使用するための薬剤（在宅医療に係る薬剤を除く）を投与した場合は、当該薬剤に係る費用（薬剤料に限る）は、算定できる。〈第50回認定試験〉 （○ ×）

2．保険医療機関は、患者の入院に際し、患者又はその家族等に対して当該患者の過去6か月以内の入院の有無を確認しなければならない。〈第54回認定試験〉 （○ ×）

3．入院中の患者が他医療機関を受診する場合には、入院医療機関は、当該他医療機関に対し、当該診療に必要な診療情報（当該入院医療機関での算定入院料及び必要な診療科を含む）を文書により提供しなければならないが、これらに要するコピー等の費用（実費）は、患者の負担となる。〈第57回認定試験〉（○ ×）

4．患者は、入院に際しては、保険医療機関からの求めに応じ、自己の入院履歴を申告しなければならないが、虚偽の申告等を行った場合は、それにより発生する損失について、後日当該患者に費用徴収が行われる可能性がある。〈第57回認定試験〉 （○ ×）

5．同一保険医療機関内の病棟から他の病棟に移動した日の入院料については、移動前の病棟の入院料を算定する。〈第57回認定試験〉 （○ ×）

6．救急患者として受け入れた患者が、処置室、手術室等において死亡した場合は、当該保険医療機関が救急医療を担う施設として確保することとされている専用病床（救急医療管理加算又は救命救急入院料を算定する病床に限る）に入院したものとみなし、入院料等を算定できる。〈第59回認定試験、第51回類題〉（○ ×）

入院基本料

出題頻度 A

7．有床診療所入院基本料について、当該患者が他の保険医療機関から転院してきた者であって、当該他の保険医療機関において入退院支援加算3を算定したものである場合には、入院初日に限り重症児（者）受入連携加算を算定できる。〈第50回認定試験〉 （○ ×）

8．特定機能病院入院基本料について、特定機能病院の精神病棟において算定要件を満たす場合に算定できる入院基本料等加算には、精神科措置入院診療加算（精神病棟に限る）が含まれる。〈第50回認定試験一部修正、第55回類題〉 （○ ×）

9．急性期一般入院基本料の施設基準の要件のひとつは、当該病棟において、看護職員の最小必要数の6割以上が看護師であることである。〈第55回認定試験〉 （○ ×）

10．精神病棟入院基本料を算定する病棟に入院する患者が、入院に当たって精神科救急搬送患者地域連携受入加算を算定したものである場合には、入院した日から起算して7日を限度として、救急支援精神病棟初期加算を算定できる。〈第55回認定試験〉 （○ ×）

11．有床診療所入院基本料の看取り加算は、夜間に1名以上の看護職員が配置されている有床診療所において、入院の日（入院期間が通算される再入院の場合は、初回入院日）から30日以内に看取った場合に算定できる。〈第55回認定試験〉 （○ ×）

12. 専門病院入院基本料における専門病院とは、主として悪性腫瘍患者又は呼吸器疾患患者を当該病院の一般病棟に7割以上入院させ、高度かつ専門的な医療を行っている病院をいう。〈第56回認定試験〉（○　×）

13. 療養病棟入院基本料の施設基準の要件のひとつは、当該病棟において、看護職員の最小必要数の2割以上が看護師であることである。〈第57回認定試験〉（○　×）

14. 療養病棟入院基本料について、診療所に入院していた患者を療養病棟で受け入れた場合、急性期患者支援療養病床初期加算を算定できる。〈第59回認定試験、第56回類題〉（○　×）

15. 結核病棟入院基本料について、当該保険医療機関において複数の結核病棟がある場合には、当該病棟全てについて同じ区分の結核病棟入院基本料を算定しなければならない。〈第59回認定試験〉（○　×）

入院基本料等加算

出題頻度
A

16. 栄養サポートチーム加算について、療養病棟入院基本料を算定している患者は、入院した日から起算して1月以内の期間にあっては週1回、入院した日から起算して1月を超え1年以内の期間にあっては月1回に限り加算できる。〈第50回認定試験〉（○　×）

17. 看護補助加算は、当該加算を算定できる病棟において、看護補助者の配置基準に応じて算定でき、当該病棟に必要最小数を超えて配置している看護職員を看護補助者とみなして計算することができる。〈第50回認定試験〉（○　×）

18. 難病等特別入院診療加算は、メチシリン耐性黄色ブドウ球菌感染症患者については、菌の排出がなくなった後、6週間を限度として算定できる。〈第51回認定試験一部修正〉（○　×）

19. 認知症ケア加算について、身体的拘束を実施した日は、認知症ケア加算1、認知症ケア加算2又は認知症ケア加算3のそれぞれの所定点数の100分の70に相当する点数により算定する。〈第51回認定試験一部修正、第59回類題〉（○　×）

20. 特殊疾患入院施設管理加算は、重度の肢体不自由児（者）、脳卒中の後遺症の患者、脊髄損傷等の重度の障害者又は重度の意識障害者等を主として入院させる病棟において算定できる。〈第51回認定試験〉（○　×）

21. せん妄ハイリスク患者ケア加算は、せん妄対策を実施したが、結果的にせん妄を発症した患者については算定できない。〈第53回認定試験〉（○　×）

22. 妊産婦緊急搬送入院加算は、直近3か月以内に当該加算を算定する保険医療機関への受診歴のある患者には算定できないが、その受診歴には当該加算を算定する保険医療機関の産婦人科以外の診療科以外の受診は含まれない。〈第53回認定試験〉（○　×）

23. 診療の必要から感染症法第6条第3項に規定する新型インフルエンザの患者を個室の陰圧室に入院させた場合は、特定感染症患者療養環境特別加算の個室加算及び陰圧室加算を併せて算定できる。〈第53回認定試験一部修正〉（○　×）

24. 認知症ケア加算について、身体的拘束を実施した場合は、解除に向けた検討を少なくとも1日に1度は行わなければならない。〈第53回認定試験〉（○　×）

25. 救急医療管理加算1は、急性薬物中毒で緊急に入院が必要であると認めた重症患者の状態であれば算定対象となり、継続して当該状態である期間中のみ算定できる。〈第53回認定試験〉（○　×）

26. 精神病棟においては、精神病棟入院時医学管理加算及び総合入院体制加算を併せて算定できる。〈第53回認定試験〉（○　×）

27. がん拠点病院加算を算定した場合は、がん治療連携管理料は算定できない。〈第54回認定試験〉（○　×）

28. 入院基本料等加算の乳幼児加算は、当該患児を入院させた場合のほか、産婦又は生母の入院に伴って健康な乳幼児を在院させた場合にも算定できる。〈第54回認定試験〉（○　×）

29. 栄養サポートチーム加算は、チームによる回診の際にチームを構成する保険医、看護師、薬剤師及び管理栄養士の4職種全員が参加しなければ算定できない。〈第54回認定試験〉（○　×）

30. 重症者等療養環境特別加算の対象患者には、特に医療上の必要から個室又は２人部屋の病床に入院した患者であって、必ずしも病状は重篤ではないが、手術又は知的障害のため常時監視を要し、適時適切な看護及び介助を必要とする者が含まれる。〈第54回認定試験〉（○　×）

31. 診療録管理体制加算は、入院初日に限り算定することとなっており、入院期間が通算される再入院の初日においても算定できる。〈第54回認定試験〉（○　×）

32. 認知症ケア加算1の施設基準の要件のひとつは、認知症患者の看護に従事した経験が５年以上であり、認知症看護に係る適切な研修を修了した専任の常勤看護師を含めて構成される認知症ケアチームが設置されていることであり、当該看護師は、原則週8時間以上、認知症ケアチームの業務に従事していなければならない。〈第54回認定試験〉（○　×）

33. 臨床研修病院入院診療加算の「1　基幹型」の施設基準の要件のひとつは、研修医５人につき、指導医１人以上であることである。〈第55回認定試験、第59回類題〉（○　×）

34. ハイリスク妊娠管理加算の算定対象となる患者には、当該妊娠中に帝王切開術以外の開腹手術（腹腔鏡による手術を含む）を行った患者は含まれるが、行う予定のある患者は含まれない。〈第55回認定試験〉（○　×）

35. 医療安全対策加算1の施設基準の要件のひとつは、医療安全対策に係る研修を受けた専任の薬剤師、看護師等が医療安全管理者として配置されていることである。〈第55回認定試験一部修正〉（○　×）

36. 精神科リエゾンチーム加算を算定した患者に精神科専門療法を行った場合には、精神科専門療法の所定点数は別に算定できる。〈第56回認定試験〉（○　×）

37. 救急医療管理加算を算定する患者が６歳以上15歳未満である場合には、救急医療管理加算の所定点数に、更に小児加算を算定できる。〈第56回認定試験〉（○　×）

38. データ提出加算１は、入院患者に係るデータに加え、外来患者に係るデータを提出しなければ所定点数を算定できない。〈第56回認定試験〉（○　×）

39. 褥瘡ハイリスク患者ケア加算は、当該入院期間中１回に限り算定できるものであり、入院期間が通算される再入院の場合は再度算定できない。〈第57回認定試験〉（○　×）

40. 看護配置加算は、看護師比率が40％以上と規定されている入院基本料を算定している病棟全体において、70％を超えて看護師を配置している場合に算定できる。〈第58回認定試験〉（○　×）

41. 無菌治療室管理加算は、一連の治療につき、無菌室に入室した日を起算日として120日を限度として算定できる。〈第58回認定試験〉（○　×）

42. ハイリスク分娩等管理加算の「1 ハイリスク分娩管理加算」について、当該加算の施設基準の要件のひとつは、当該保険医療機関内に、常勤の助産師が2名以上配置されていることである。〈第58回認定試験〉（○　×）

43. 総合入院体制加算は、十分な人員配置及び設備等を備え総合的かつ専門的な急性期医療を24時間提供できる体制及び医療従事者の負担の軽減及び処遇の改善に資する体制等を評価した加算であり、入院した日から起算して7日を限度として算定できる。〈第59回認定試験〉 （○　×）

特定入院料

出題頻度 A

44. 脳梗塞、脳出血又はくも膜下出血以外の疾患で救命救急入院料を算定した患者が、一般病棟に転棟後、脳出血を発症した場合、脳卒中ケアユニット入院医療管理料を算定できる。〈第54回認定試験〉（○　×）

45. 救命救急入院料における急性薬毒物中毒加算については、薬毒物中毒を疑って検査を実施した結果、実際には薬毒物中毒ではなかった場合であっても算定できる。〈第54回認定試験〉 （○　×）

46. 緩和ケア病棟入院料について、悪性腫瘍の患者及び後天性免疫不全症候群の患者以外の患者が、当該病棟に入院した場合には、一般病棟入院基本料の特別入院基本料を算定する。〈第55回認定試験〉（○　×）

47. 回復期リハビリテーション病棟入院料等を算定する日に使用するものとされた投薬に係る薬剤料は、回復期リハビリテーション病棟入院料等に含まれ、別に算定できない。〈第56回認定試験一部修正〉 （○　×）

48. 広範囲熱傷特定集中治療管理料の算定対象となる患者とは、第3度熱傷30％程度以上の重症広範囲熱傷患者であって、医師が広範囲熱傷特定集中治療が必要であると認めた者である。〈第56回認定試験〉 （○　×）

49. 保険医療機関の一般病棟に入院中の患者が、症状の増悪等をきたし同一施設内の救命救急センターに転棟した場合は、救命救急入院料を算定できる。〈第57回認定試験、第51回類題〉 （○　×）

50. 小児入院医療管理料を算定している患者に対して、1日5時間を超えて体外式陰圧人工呼吸器を使用した場合は、人工呼吸器使用加算として1日につき600点を加算できる。〈第58回認定試験〉 （○　×）

51. 精神科救急急性期医療入院料の算定対象となる患者には、精神作用物質使用による精神及び行動の障害（アルコール依存症にあっては、単なる酩酊状態であるものを除く）を有する者が含まれる。〈第59回認定試験〉 （○　×）

短期滞在手術等基本料

出題頻度 C

52. 短期滞在手術等基本料1及び3を算定する場合は、入院外の診療報酬明細書を使用する。〈第51回認定試験一部修正〉 （○　×）

53. 短期滞在手術等基本料3について、関節鏡下手根管開放手術を行った場合（入院した日から起算して5日までの期間に限る）は、当該手術を行った日に短期滞在手術等基本料3の所定点数を算定する。〈第51回認定試験〉 （○　×）

54. 短期滞在手術等基本料1は、DPC対象病院においては算定できない。〈第55回認定試験〉 （○　×）

55. 短期滞在手術等基本料3は、患者が退院後概ね3日間、1時間以内で当該医療機関に来院可能な距離にいるという要件を満たしていなければ算定できない。〈第59回認定試験〉 （○　×）

4 医学管理等

学習日	／	／	／
正解数	／52	／52	／52

以下の問題のうち、正しいものは○、誤っているものは×にチェック！

特定疾患療養管理料　出題頻度 C

1．特定疾患療養管理料について、初診料を算定する初診の日に行った管理又は当該初診の日から1月以内に行った管理の費用は、初診料に含まれ別に算定できない。〈第50回認定試験〉 （○　×）

2．特定疾患療養管理料は、対診又は依頼により検査のみを行っている保険医療機関であっても、所定点数を算定できる。〈第51回認定試験〉 （○　×）

3．特定疾患療養管理料は、別に厚生労働大臣が定める疾患を主病とする患者について、プライマリケア機能を担う地域のかかりつけ医師が計画的に療養上の管理を行うことを評価したものであり、許可病床数が100床以上の病院においては算定できない。〈第54回認定試験一部修正〉 （○　×）

4．特定疾患療養管理料は、同一保険医療機関において、２以上の診療科にわたり受診している場合においては、主病と認められる特定疾患の治療に当たっている診療科においてのみ当該管理料を算定できる。〈第57回認定試験〉 （○　×）

外来栄養食事指導料・入院栄養食事指導料・集団栄養食事指導料　出題頻度 C

5．入院栄養食事指導料2については、診療所において、入院中の患者であって、別に厚生労働大臣が定めるものに対して、保険医療機関の医師の指示に基づき当該保険医療機関以外の管理栄養士が具体的な献立等によって指導を行った場合に、入院中1回に限り算定できる。〈第55回認定試験〉 （○　×）

6．外来栄養食事指導料の対象となる低栄養状態にある患者には、GLIM基準による栄養評価を行い、低栄養と判定された患者が含まれる。〈第56回認定試験一部修正〉 （○　×）

7．集団栄養食事指導料は、入院中の患者については、入院期間が２か月を超える場合であっても、入院期間中に２回を限度として算定できる。〈第58回認定試験〉 （○　×）

特定薬剤治療管理料　出題頻度 C

8．悪性腫瘍の患者であってメトトレキサートを投与しているものについて、投与薬剤の血中濃度を測定し、その結果に基づき当該薬剤の投与量を精密に管理した場合は、月1回に限り特定薬剤治療管理料1を算定できる。〈第55回認定試験、第51回・第53回類題〉 （○　×）

9．同一患者に対して、てんかんに対する抗てんかん剤と気管支喘息に対するテオフィリン製剤の血中濃度を測定し、その結果に基づき当該薬剤の投与量を精密に管理した場合は、それぞれ特定薬剤治療管理料1を月1回に限り算定できる。〈第57回認定試験〉 （○　×）

10．臓器移植術を受けた患者であって臓器移植における拒否反応の抑制を目的として免疫抑制剤を投与しているものに対して、投与薬剤の血中濃度を測定し、その結果に基づき当該薬剤の投与量を精密に管理した場合は、月１回に限り特定薬剤治療管理料１を算定できる。〈第59回認定試験〉 （○　×）

小児特定疾患カウンセリング料

出題頻度 C

11. 小児特定疾患カウンセリング料の対象となる患者には、登校拒否の者が含まれる。〈第51回認定試験〉 （○　×）

12. 小児特定疾患カウンセリング料は、小児科若しくは心療内科を担当する医師又は公認心理師が、電話でカウンセリングを行った場合であっても算定できる。〈第53回認定試験一部修正〉 （○　×）

13. 小児特定疾患カウンセリング料について、医師が患者の家族等に対して療養上必要なカウンセリングを行った場合は、患者を伴わない場合であっても算定できる。〈第57回認定試験〉 （○　×）

手術前医学管理料・手術後医学管理料

出題頻度 C

14. 手術後医学管理料について、尿・糞便等検査判断料、血液学的検査判断料、生化学的検査（Ⅰ）判断料又は生化学的検査（Ⅱ）判断料を算定している患者は、当該管理料を算定できない。〈第50回認定試験、第60回類題〉 （○　×）

15. 手術前医学管理料を算定した同一月に心電図検査を算定した場合には、算定の期日にかかわらず、当該心電図検査の所定点数の100分の90に相当する点数を算定する。〈第51回認定試験〉 （○　×）

16. 手術後医学管理料を算定する場合、当該手術に係る手術料を算定した日の翌日から起算して3日以内に行った末梢血液像（自動機械法）及び末梢血液一般検査は、当該管理料に含まれ別に算定できない。〈第57回認定試験〉 （○　×）

診療情報提供料

出題頻度 C

17. 診療情報提供料（Ⅰ）は、保険医療機関が診療に基づき患者の同意を得て、介護老人保健施設又は介護医療院に対して、診療状況を示す文書を添えて患者の紹介を行った場合、患者1人につき月1回に限り算定できる。〈第50回認定試験〉 （○　×）

18. 診療情報提供料（Ⅰ）について、診療情報の提供に当たり、レントゲンフィルム等をコピーした場合には、当該レントゲンフィルム等及びコピーに係る費用は当該情報提供料に含まれ、別に算定できない。〈第56回認定試験〉 （○　×）

19. 診療情報提供料（Ⅰ）について、A保険医療機関には、検査又は画像診断の設備がないため、B保険医療機関（特別の関係にあるものを除く）に対して、診療状況を示す文書を添えてその実施を依頼した場合には、当該管理料は算定できる。〈第57回認定試験〉 （○　×）

その他

出題頻度 D

20. 植込型輸液ポンプ持続注入療法指導管理料について、植込術を行った日から起算して3月以内の期間に行った場合には、当該指導管理料の所定点数に導入期加算を算定できる。〈第50回認定試験〉 （○　×）

21. 第1回目の難病外来指導管理料は、初診料を算定した初診の日又は当該保険医療機関から退院した日からそれぞれ起算して1か月を経過した日以降に算定できる。〈第50回認定試験〉 （○　×）

22. 療養・就労両立支援指導料は、産業医が選任されていない事業場において就労するがん患者について、地域産業保健センターの医師に対し病状等に関する情報提供を行った場合にあっても、当該指導料の所定点数を算定できない。〈第51回認定試験〉 （○　×）

23. 薬剤管理指導料の「1　特に安全管理が必要な医薬品が投薬又は注射されている患者の場合」の算定対象となる免疫抑制剤には、トシリズマブ及びアダリムマブが含まれる。〈第51回認定試験〉 （○　×）

24. 悪性腫瘍特異物質治療管理料には、腫瘍マーカー検査、当該検査に係る採血及び当該検査の結果に基づく治療管理に係る費用が含まれ、1月のうち2回以上腫瘍マーカー検査を行っても、それに係る費用は別に算定できない。〈第53回認定試験〉 （○ ×）

25. 糖尿病透析予防指導管理料は、専任の医師、当該医師の指示を受けた専任の看護師（又は保健師）及び管理栄養士それぞれが同日に指導を行わなければ算定できない。〈第53回認定試験〉 （○ ×）

26. 地域包括診療料の対象患者は、脂質異常症、高血圧症、糖尿病、慢性心不全、慢性腎臓病（慢性維持透析を行っていないものに限る）又は認知症の6疾病のうち、2つ以上（疑いは除く）を有する入院中の患者以外の患者である。〈第53回認定試験一部修正〉 （○ ×）

27. ハイリスク妊産婦連携指導料1を算定した月は、診療情報提供料（Ⅰ）は別に算定できない。〈第53回認定試験〉 （○ ×）

28. 特定疾患療養管理料を算定している患者であっても、心臓ペースメーカー指導管理料は算定できる。〈第53回認定試験〉 （○ ×）

29. 遠隔連携診療料の請求については、対面による診療を行っている保険医療機関が行うものとし、当該診療報酬の分配は相互の合議に委ねられる。〈第53回認定試験〉 （○ ×）

30. 認知症サポート指導料は、認知症患者に対する支援体制の確保に協力している医師が、他の保険医療機関からの求めに応じ、認知症を有する入院中の患者以外の患者に対し、当該患者又はその家族等の同意を得て療養上の指導を行うとともに、当該他の保険医療機関に対し、療養方針に係る助言を行った場合に、6月に1回に限り算定する。〈第54回認定試験〉 （○ ×）

31. 婦人科特定疾患治療管理料を算定する場合には、初診料を算定する初診の日に行った指導又は当該初診の日からの同月内に行った指導の費用は、初診料に含まれるものとする。〈第54回認定試験〉 （○ ×）

32. 救急救命管理料について、救急救命士の所属する保険医療機関と指示等を行った医師の所属する保険医療機関が異なる場合には、当該指示等を行った医師の所属する保険医療機関において算定する。〈第54回認定試験〉 （○ ×）

33. 月初めに地域包括診療料を算定後、急性増悪した場合に、月初めに遡って地域包括診療料の算定を取り消し、出来高算定に戻すことはできない。〈第54回認定試験〉 （○ ×）

34. 同一の患者について、同一の保険医療機関で同一月内に入院と入院外が混在する場合には、慢性維持透析患者外来医学管理料は算定できない。〈第54回認定試験〉 （○ ×）

35. 心療内科を標榜する保険医療機関において、心療内科の専任の医師が、てんかん（外傷性を含む）の患者であって入院中以外のもの又はその家族に対し、治療計画に基づき療養上必要な指導を行った場合は、月1回に限りてんかん指導料を算定できる。〈第55回認定試験〉 （○ ×）

36. 慢性疼痛疾患管理料は、変形性膝関節症、筋筋膜性腰痛症等の疼痛を主病とし、疼痛による運動制限を改善する等の目的でマッサージ又は器具等による療法を行った場合に、月1回に限り算定できる。〈第55回認定試験〉 （○ ×）

37. ニコチン依存症管理料は、初回算定日より起算して2年を超えた日からでなければ再度算定することはできない。〈第55回認定試験〉 （○ ×）

38. 地域連携小児夜間・休日診療料は、夜間、休日又は深夜に急性に発症し、又は増悪した6歳未満の患者であって、やむを得ず当該時間帯に保険医療機関を受診するものを対象としたものであり、慢性疾患の継続的な治療等のための受診については算定できない。〈第55回認定試験〉 （○ ×）

39. 電子的診療情報評価料について、別の保険医療機関から診療情報提供書の提供を受けた患者に係る検査結果、画像情報等の情報が当該保険医療機関の依頼に基づくものであった場合にも、当該評価料は算定できる。〈第56回認定試験〉 (○ ×)

40. 傷病手当金意見書交付料は、医師・歯科医師が労務不能と認め証明した期間ごとにそれぞれ算定できる。〈第56回認定試験〉 (○ ×)

41. 喘息治療管理料2 は、6歳未満又は65歳以上の喘息患者であって、吸入ステロイド薬を服用する際に吸入補助器具を必要とするものに対して、吸入補助器具を患者に提供し、服薬指導等を行った場合に、月1回に限り算定できる。〈第56回認定試験〉 (○ ×)

42. 糖尿病透析予防指導管理料は、通院又は在宅での療養を行う糖尿病患者であって、医師が糖尿病透析予防に関する指導の必要性があると認めた場合に、月1回に限り算定できる。〈第56回認定試験〉 (○ ×)

43. 外来放射線照射診療料を算定する日から起算して7日以内の期間においては、当該放射線治療の実施に係る初診料、再診料及び外来診療料は、算定できない。〈第56回認定試験〉 (○ ×)

44. 臍ヘルニア圧迫指導管理料について、保険医療機関において、医師が3歳未満の乳児に対する臍ヘルニアについて療養上の必要な指導を行った場合に、患者1人につき1回に限り当該管理料を算定できる。〈第57回認定試験〉 (○ ×)

45. 健康保険法若しくは国民健康保険法に基づく出産育児一時金若しくは出産手当金に係る証明書又は意見書を作成する場合、傷病手当金意見書交付料を算定できる。〈第58回認定試験〉 (○ ×)

46. こころの連携指導料（Ⅰ）について、心療内科又は精神科を標榜する保険医療機関の心療内科又は精神科を担当する医師が、患者の病態を踏まえ、他の心療内科又は精神科に当該患者を紹介した場合、当該指導料は算定できない。〈第58回認定試験〉 (○ ×)

47. 退院後訪問指導料を算定した場合は、同一の保険医療機関において精神科在宅患者支援管理料は算定できない。〈第59回認定試験、第50回類題〉 (○ ×)

48. ウイルス疾患指導料について、HIVの感染者に対して指導を行った場合は、当該指導料の「イ ウイルス疾患指導料1」を算定する。〈第59回認定試験〉 (○ ×)

49. ニコチン依存症管理料は、入院中の患者以外の患者に対し、「禁煙治療のための標準手順書」に沿って、初回の当該管理料を算定した日から起算して12週間にわたり計4回の禁煙治療を行った場合に算定できる。〈第59回認定試験〉 (○ ×)

50. 救急救命管理料について、救急救命士の行った処置等の費用は、救急救命管理料の所定点数とは別に算定できる。〈第59回認定試験〉 (○ ×)

51. 遠隔連携診療料の算定に当たっては、患者に対面診療を行っている保険医療機関の医師が、他の保険医療機関の医師に診療情報の提供を行い、当該医師と連携して診療を行うことについて、あらかじめ患者に説明し同意を得なければならない。〈第59回認定試験〉 (○ ×)

52. 肺血栓塞栓症予防管理料について、肺血栓塞栓症の予防を目的として行った処置に用いた機器及び材料の費用は、所定点数に含まれ別に算定できない。〈オリジナル〉 (○ ×)

5 在宅医療

学習日	／	／	／
正解数	／38	／38	／38

以下の問題のうち、正しいものは○、誤っているものは×にチェック！

通則

出題頻度 D

1．在宅療養支援病院の施設基準の要件のひとつは、当該病院において、緊急時に在宅での療養を行っている患者が入院できる病床を常に確保していることである。〈第55回認定試験〉 （○ ×）

(在宅患者診療・指導料)

在宅患者訪問診療料（Ⅰ）・（Ⅱ）

出題頻度 C

2．在宅で療養を行っている筋萎縮性側索硬化症の患者に対して、定期的に週5回の訪問診療を行っている場合であっても、在宅患者訪問診療料（Ⅰ）は週3回を限度に算定する。〈第50回認定試験〉 （○ ×）

3．在宅患者訪問診療料（Ⅰ）について、往診又は訪問診療を行い、在宅で患者を看取り、死亡診断を行った場合は、看取り加算及び死亡診断加算を併せて算定できる。〈第56回認定試験〉 （○ ×）

4．在宅患者訪問診療料（Ⅰ）について、患者の都合等により、同一建物居住者であっても、同一日の午前と午後の2回に分けて訪問診療を行わなければならない場合は、いずれの患者に対しても「イ 同一建物居住者以外の場合」の所定点数を算定できる。〈第57回認定試験〉 （○ ×）

その他

出題頻度 D

5．救急医療用ヘリコプターにより搬送される患者に対して、当該ヘリコプター内において診療を行った場合は、救急搬送診療料として所定点数を算定できる。〈第50回認定試験〉 （○ ×）

6．在宅患者訪問薬剤管理指導料の乳幼児加算は、乳幼児に係る薬学的管理指導の際に、患者の体重、適切な剤形その他必要な事項等の確認を行った上で、患者の家族等に対して適切な服薬方法、誤飲防止等の必要な服薬指導を行った場合に算定できる。〈第51回認定試験〉 （○ ×）

7．訪問看護指示料の衛生材料等提供加算について、当該指示料を算定していない月であっても、必要かつ十分な量の衛生材料又は保険医療材料を提供した場合にあっては、当該加算を算定できる。〈第51回認定試験〉 （○ ×）

8．在宅患者訪問褥瘡管理指導料の施設基準の要件のひとつは、医師及び看護師からなる在宅褥瘡対策チームを構成していることである。〈第54回認定試験〉 （○ ×）

9．在宅患者訪問点滴注射管理指導料には、必要な回路等の費用は含まれず、別に算定できる。〈第55回認定試験〉 （○ ×）

10．在宅患者訪問薬剤管理指導料について、当該指導に要した交通費は、患家の負担となる。〈第55回認定試験〉 （○ ×）

11．他の保険医療機関において在宅患者訪問リハビリテーション指導管理料を算定している患者については、在宅患者訪問リハビリテーション指導管理料を算定できない。〈第56回認定試験〉 （○ ×）

12. 救急搬送診療料について、同一の搬送において、複数の保険医療機関の医師が診療を行った場合は、それぞれの保険医療機関において当該診療料を算定できる。〈第57回認定試験〉 （○ ×）

13. 在宅患者連携指導料は、在宅での療養を行っている患者であって通院が困難な者に対して、患者の同意を得て、月２回以上医療関係職種間で文書等により共有された診療情報を基に、患者又はその家族等に対して指導等を行った場合に、月2回に限り算定する。〈第57回認定試験〉 （○ ×）

14. 訪問看護指示料について、同一月において、1人の患者について複数の訪問看護ステーション等に対して訪問看護指示書を交付した場合、当該指示料は、それぞれの訪問看護ステーション等ごとに1月に1回を限度に算定できる。〈第58回認定試験、第56回類題〉 （○ ×）

15. 往診料について、患家における診療時間が1時間を超えた場合は、患家診療時間加算として、30分又はその端数を増すごとに、所定点数に100点を加算できる。〈第59回認定試験〉 （○ ×）

16. 保険医は、患者から訪問看護指示書の交付を求められ、その必要があると認めた場合には、その保険医は速やかに訪問看護ステーションを選定し、指示書を交付しなければならない。〈オリジナル〉（○ ×）

17. 往診を求められて患家に赴いたが、既に他医に受診していたため、診察を行わないで帰った場合の往診料は、療養の給付の対象として扱うことができる。〈オリジナル〉 （○ ×）

（在宅療養指導管理料）

在宅療養指導管理材料加算

出題頻度 C

18. 酸素ボンベ加算は、チアノーゼ型先天性心疾患の患者に対して酸素ボンベを使用し、在宅療養指導管理を行った場合に算定できる。〈第50回認定試験〉 （○ ×）

19. 厚生労働大臣が定める注射薬（インスリン製剤等）の自己注射を行っている入院中の患者以外の患者に対して、当該注射薬とともに注入器を処方した場合は、在宅療養指導管理料の所定点数に注入器加算200点を算定できる。〈第51回認定試験〉 （○ ×）

20. 入院中の患者に対して、退院時に在宅自己注射指導管理料を算定すべき指導管理を行った場合は、退院の日に限り、在宅自己注射指導管理料の所定点数及び注入器加算の点数を算定できる。〈第54回認定試験〉 （○ ×）

21. 注入器用注射針加算は、針付一体型の製剤を処方した場合であっても算定できる。〈第54回認定試験〉 （○ ×）

22. 在宅療養指導管理材料加算について、同一保険医療機関において、２以上の指導管理を行っている場合は、主たる指導管理の所定点数を算定するが、この場合、在宅療養指導管理材料加算及び当該２以上の指導管理に使用した薬剤、特定保険医療材料の費用は、それぞれ算定できる。〈第58回認定試験〉（○ ×）

その他

出題頻度 D

23. 在宅経腸投薬指導管理料は、パーキンソン病の患者に対し、レボドパ・カルビドパ水和物製剤を経胃瘻空腸投与する場合に、医師が患者又は患者の看護に当たる者に対して、当該療法の方法、注意点及び緊急時の措置等に関する指導を行い、当該患者の医学管理を行った場合に算定できる。〈第50回認定試験〉 （○ ×）

24. 在宅自己注射指導管理料の導入初期加算は、新たに在宅自己注射を導入した患者に対し、3月に限り、月1回に限り算定することができ、処方の内容に変更があった場合には、更に1回に限り算定できる。〈第50回認定試験一部修正〉 （○ ×）

25. 在宅振戦等刺激装置治療指導管理料について、植込型脳・脊髄刺激装置の植込術を行った日から起算して6月以内の期間に在宅振戦等管理に関する指導管理を行った場合には、導入期加算として、当該指導管理料の所定点数に140点を加算できる。〈第51回認定試験〉 (○ ×)

26. 在宅持続陽圧呼吸療法指導管理料は、当該治療の開始後最長2か月間の治療状況を評価し、当該療法の継続が可能であると認められる症例についてのみ、引き続き算定の対象となる。〈第53回認定試験一部修正〉 (○ ×)

27. 在宅療養指導管理料について、同一の保険医療機関において、2以上の指導管理を行っている場合は、それぞれの指導管理の所定点数を算定できる。〈第53回認定試験〉 (○ ×)

28. 在宅中心静脈栄養法指導管理料を算定している患者（入院中の患者を除く）については、中心静脈注射及び植込型カテーテルによる中心静脈注射の費用は算定できない。〈第53回認定試験、第59回類題〉 (○ ×)

29. 入院中の患者に対して外泊時に退院後の在宅療養指導管理料を算定すべき指導管理を行った場合には、外泊の初日1回に限り退院前在宅療養指導管理料を算定できる。〈第53回認定試験〉 (○ ×)

30. 退院前在宅療養指導管理料は、入院中の患者が在宅医療に備えて一時的に外泊するに当たり、当該在宅医療に関する指導管理を行った場合に算定できるが、病状の悪化等により退院できなかった場合であっても算定できる。〈第55回認定試験〉 (○ ×)

31. 在宅血液透析指導管理料を算定している患者は、週1回を限度として、人工腎臓を算定できる。〈第56回認定試験〉 (○ ×)

32. 在宅半固形栄養経管栄養法指導管理料を算定している患者（入院中の患者を除く）については、鼻腔栄養の費用は算定できない。〈第57回認定試験〉 (○ ×)

33. 在宅気管切開患者指導管理料を算定している患者（入院中の患者を除く）については、創傷処置（気管内ディスポーザブルカテーテル交換を含む）の費用は算定できない。〈第58回認定試験〉 (○ ×)

34. 在宅人工呼吸指導管理料の対象となる患者は、病状が安定し、在宅での人工呼吸療法を行うことが適当と医師が認めた者であり、睡眠時無呼吸症候群の患者が含まれる。〈第58回認定試験、第51回類題〉 (○ ×)

35. 在宅酸素療法指導管理料を算定している患者（入院中の患者を除く）については、喀痰吸引の費用（薬剤及び特定保険医療材料に係る費用を含む）は算定できない。〈第59回認定試験、第54回類題〉 (○ ×)

36. 在宅気管切開患者指導管理料について、当該管理を実施する保険医療機関又は緊急時に入院するための施設においては、レスピレーターを備えなければならない。〈第59回認定試験〉 (○ ×)

37. 在宅寝たきり患者処置指導管理料について、皮膚科特定疾患指導管理料を算定している患者については、当該管理料は算定できない。〈第59回認定試験〉 (○ ×)

38. 在宅自己注射指導管理料を算定している患者については、当該保険医療機関において在宅患者訪問診療料を算定する日に行った点滴注射の費用（薬剤及び特定保険医療材料に係る費用を含む）は算定できない。〈オリジナル〉 (○ ×)

6 投薬・注射

学習日	／	／	／
正解数	／53	／53	／53

以下の問題のうち、正しいものは○、誤っているものは×にチェック！

（投薬）

処方料

出題頻度 A

1．特定疾患処方管理加算は、特定疾患に対する薬剤を含めて、当該患者に処方された全ての薬剤の処方期間が28日以上の場合に算定できる。〈第51回認定試験一部修正、第60回類題〉 （○ ×）

2．特定疾患処方管理加算は、薬剤の処方期間が28日以上の場合の内服薬のみを対象としている。〈第53回認定試験一部修正〉 （○ ×）

3．処方料の外来後発医薬品使用体制加算は、後発医薬品の品質、安全性、安定供給体制等の情報を収集・評価し、その結果を踏まえ後発医薬品の採用を決定する体制が整備されている保険医療機関を評価したものであり、診療所においてのみ算定できる。〈第55回認定試験〉 （○ ×）

4．入院中の患者に対して処方を行った場合、当該処方の費用については、入院基本料に含まれ別に算定できない。〈第56回認定試験〉 （○ ×）

5．処方料について、向精神薬多剤投与の場合の薬剤の種類数は、抗不安薬、睡眠薬、抗うつ薬及び抗精神病薬の一般名で計算する。〈第57回認定試験〉 （○ ×）

6．特定疾患処方管理加算は、別に厚生労働大臣が別に定める疾患を主病とする患者について、プライマリ機能を担う地域のかかりつけ医師が総合的に病態分析を行い、それに基づく処方管理を行うことを評価したものであり、診療所においてのみ算定する。〈第58回認定試験一部修正〉 （○ ×）

7．特定疾患処方管理加算は初診料を算定した初診の日には算定できない。〈第59回認定試験〉 （○ ×）

8．処方料について、複数の診療科を標榜する保険医療機関において、２以上の診療科で、異なる医師が３歳未満の乳幼児に対して処方を行った場合は、それぞれの処方について乳幼児加算を算定できる。〈第59回認定試験〉 （○ ×）

通則

出題頻度 C

9．外来において数日分投与した薬剤を入院後も服用する場合、この入院後服用の分の請求区分は、服用の日の如何にかかわらず、外来投与として扱う。〈第50回認定試験、第60回類題〉 （○ ×）

10．患者に直接投薬する目的で製品化されている薬剤入りチューブのように再使用できない薬剤の容器については、患者に容器代金を負担させることができない。〈第54回認定試験〉 （○ ×）

11．入院中の患者に対して月をまたがって投与した薬剤は、投薬の日の属する月により区分する。〈第56回認定試験〉 （○ ×）

12．患者の過失により、投与された医薬品を持ち帰りの途中又は自宅で紛失したために（天災地変の他やむを得ない場合を除く）、保険医が再交付した場合は、その薬剤の費用は患者負担とする。〈オリジナル〉 （○ ×）

処方箋料

出題頻度
C

13. 同一の保険医療機関が一連の診療に基づいて、同時に、同一の患者に2枚以上の処方箋を交付した場合の処方箋料は、交付1回として所定点数を算定する。〈第51回認定試験〉 （○　×）

14. 処方箋料について、一の処方薬について、一般名とカッコ書等で銘柄名が併記されている場合であっても、一般名処方加算を算定できる。〈第54回認定試験、第59回類題〉 （○　×）

15. 処方箋料は、保険薬局で保険調剤を受けさせるために、患者に療養担当規則に定められている様式の完備した院外処方箋を交付した場合に限り算定し、その処方箋に処方した剤数、投与量等の如何にかかわらず、1回として算定する。〈オリジナル〉 （○　×）

16. 処方箋に記載する医薬品名は、一般名処方又は薬価基準に記載されている名称による記載であるが、保険医療機関と保険薬局との間で約束されたいわゆる約束処方による医薬品名の省略、記号等であっても差し支えない。〈オリジナル〉 （○　×）

その他

出題頻度
D

17. 調剤料について、入院中の患者に対して投薬を行った場合、外泊期間中及び入院実日数を超えた部分は、所定点数を算定できない。〈第50回認定試験〉 （○　×）

18. 同一の保険医療機関において、同一の患者につき同一月内に処方箋の交付がある場合は、調剤技術基本料は算定できない。〈第53回認定試験〉 （○　×）

19. トローチ剤又は亜硝酸アミル等の嗅薬は内服薬として、噴霧吸入剤は外用薬としてそれぞれ投薬に係る費用を算定する。〈第54回認定試験〉 （○　×）

20. 入院中の患者に対して投薬を行った場合の調剤料は、1回ごとの処方に係る調剤につき所定点数を算定できる。〈第54回認定試験〉 （○　×）

21. 調剤技術基本料について、同一月に薬剤管理指導料を算定している患者は算定できないが、在宅患者訪問薬剤管理指導料を算定している患者であれば算定できる。〈第55回認定試験〉 （○　×）

22. 院内製剤加算は、薬価基準に収載されている医薬品に溶媒、基剤等の賦形剤を加え、当該医薬品とは異なる剤形の医薬品を院内製剤の上調剤した場合に算定できるが、散剤を調剤した場合には算定できない。〈第56回認定試験〉 （○　×）

23. 入院中の患者に対して麻薬、向精神薬、覚醒剤原料又は毒薬を調剤して投薬を行った場合は、麻薬等加算として1処方につき1点を、調剤料の所定点数に加算できる。〈第57回認定試験〉 （○　×）

24. 投薬の薬剤料の算定に当たっては、トローチ剤の1日量6錠3日分は、18錠分を1調剤の薬剤料として算定する。〈第57回認定試験〉 （○　×）

25. 調剤技術基本料は、同一の患者につき同一月内に調剤技術基本料を算定すべき投薬を2回以上行った場合には、月2回に限り所定点数を算定できる。〈第58回認定試験〉 （○　×）

26. 投薬の薬剤料について、1回の処方において内服薬として固形剤と内用液剤を調剤する場合には、服用時点及び服用回数が同じものは、1剤として算定する。〈第58回認定試験、第51回類題〉 （○　×）

27. 調剤について、外泊期間中及び入院実日数を超えた部分については算定できない。〈オリジナル〉 （○　×）

（注射）

通則

出題頻度
A

28. トキソイド、ワクチン及び抗毒素であって注射の方法にかかわらず生物学的製剤注射加算を算定できる注射薬には、肺炎球菌ワクチンが含まれる。〈第51回認定試験、第55回類題〉 （○　×）

29. 抗悪性腫瘍剤局所持続注入について、当該局所持続注入の実施時に精密持続点滴を行った場合には、精密持続点滴注射加算は算定できない。〈第51回認定試験〉 （○　×）

30. 臨床試用医薬品は、健康保険法の規定による療養に要する費用の額の算定方法に規定され、医療保険上の給付対象となる「薬剤」には該当しないので、臨床試用医薬品に係る薬剤料については、保険請求は認められない。〈第53回認定試験〉 （○　×）

31. 精密持続点滴注射加算は、3歳未満の幼児に対して精密持続点滴注射を行う場合、注入する薬剤の種類にかかわらず当該加算を算定できる。〈第53回認定試験〉 （○　×）

32. 外来化学療法加算1の施設基準の要件のひとつは、化学療法に係る調剤の経験を5年以上有する専任の常勤薬剤師が勤務していることである。〈第54回認定試験、第55回類題〉 （○　×）

33. 麻薬注射加算について、特定入院料等注射の手技料を含む点数を算定した場合は、当該麻薬注射加算を算定できない。〈第54回認定試験〉 （○　×）

34. 中心静脈注射又は植込型カテーテルによる中心静脈注射の回路より精密持続点滴注射を行った場合には、精密持続点滴注射加算は算定できない。〈第55回認定試験〉 （○　×）

35. 沈降破傷風トキソイドを注射した場合は、注射の方法にかかわらず、生物学的製剤注射加算を算定できる。〈第55回認定試験〉 （○　×）

36. 外来化学療法加算2の施設基準の要件のひとつは、化学療法の経験を有する専任の看護師が化学療法を実施している時間帯において常時当該治療室に勤務していることである。〈第57回認定試験〉 （○　×）

37. 生物学的製剤注射加算は、植込型カテーテルによる中心静脈注射の回路より生物学的製剤を注入した場合には、算定できない。〈第58回認定試験、第50回類題〉 （○　×）

38. 精密持続点滴注射加算について、抗悪性腫瘍剤局所持続注入の実施時に精密持続点滴を行った場合は、当該加算は算定できない。〈第59回認定試験〉 （○　×）

39. 心臓内注射及び痔核注射の実施料は、処置に掲げる所定点数をそれぞれ算定する。〈オリジナル〉 （○　×）

無菌製剤処理料

出題頻度
C

40. 無菌製剤処理料に関する施設基準のひとつは、2名以上の常勤の薬剤師がいることである。〈第50回認定試験〉 （○　×）

41. 無菌製剤処理料の施設基準の要件のひとつは、無菌製剤処理を行うための無菌室、クリーンベンチ又は安全キャビネットを備えていることである。〈第57回認定試験〉 （○　×）

42. 無菌製剤処理料を算定する場合、無菌製剤処理は、常勤の薬剤師が行うとともに、その都度、当該処理に関する記録を整備し、保管しておかなければならない。〈第58回認定試験〉 （○　×）

出題頻度
D

43. 末梢留置型中心静脈注射用カテーテル挿入について、カテーテルの詰まり等によりカテーテルを交換する場合は、カテーテルの材料料及び手技料はその都度算定できる。〈第51回認定試験〉 (○ ×)

44. 抗悪性腫瘍剤局所持続注入について、動脈内に局所持続注入をする際に、ポンプを利用して注入する場合におけるポンプの費用及び当該注入に必要なカテーテル等の材料の費用は、当該持続注入の所定点数に含まれ、別に算定できない。〈第53回認定試験〉 (○ ×)

45. カフ型緊急時ブラッドアクセス用留置カテーテル挿入について、当該カテーテルの材料料及び手技料は、1週間に1回を限度として所定点数を算定できる。〈第53回認定試験〉 (○ ×)

46. 涙のう内薬液注入については、皮内、皮下及び筋肉内注射に準じて算定するが、両眼にそれぞれ異なる薬剤を使用した場合は、片眼ごとに当該注入の所定点数を算定できる。〈第56回認定試験〉 (○ ×)

47. アレルゲン治療エキス及びアレルゲンハウスダストエキス等によるアレルギー疾患減感作療法において使用した薬剤料は、使用量に応じて薬価により算定し、やむを得ず廃棄した場合の薬液量は別に算定できない。〈第56回認定試験〉 (○ ×)

48. 植込型カテーテルによる中心静脈注射により高カロリー輸液を行っている場合であっても、必要に応じ食事療養を行った場合は、入院時食事療養（Ⅰ）又は入院時食事療養（Ⅱ）の食事の提供たる療養に係る費用を別に算定できる。〈第57回認定試験〉 (○ ×)

49. 皮内、皮下及び筋肉内注射は、入院中の患者以外の患者に対して行った場合にのみ算定し、入院中の患者に行った場合は、1日の薬剤料を合算し、薬剤料のみ算定できる。〈第59回認定試験〉 (○ ×)

50. 関節腔内注射について、検査、処置を目的とする穿刺と同時に実施した場合は、当該検査若しくは処置又は関節腔内注射のいずれかの所定点数を算定する。〈第59回認定試験〉 (○ ×)

51. 肝動脈塞栓を伴う抗悪性腫瘍剤肝動脈内注入は、抗悪性腫瘍剤注入用肝動脈塞栓材の使用量を決定する目的で当該塞栓材のみを注入する場合、その必要性が高い場合に限り、週1回に限り算定できる。〈オリジナル〉 (○ ×)

52. 自家血清の眼球注射の実施に際し、患者の血液を採取する場合の採血料は別に算定できない。〈オリジナル〉 (○ ×)

53. 末梢留置型中心静脈注射用カテーテル挿入について、6歳未満の乳幼児に対して行った場合は、所定点数に50点を加算できる。〈オリジナル〉 (○ ×)

7 処置

学習日	／	／	／
正解数	／29	／29	／29

以下の問題のうち、正しいものは○、誤っているものは×にチェック！

通則

出題頻度 C

1．処置に用いる衛生材料は、患者に持参させ又は処方箋により投与するなど患者の自己負担とすることは認められない。〈第50回認定試験〉 （○　×）

2．点眼は、基本診療料に含まれ、別に算定できないが、洗眼については、眼処置の所定点数を算定できる。〈第53回認定試験〉 （○　×）

3．耳鼻咽喉科小児抗菌薬適正使用支援加算は、インフルエンザの患者又はインフルエンザの疑われる患者については、算定できない。〈第59回認定試験〉 （○　×）

高気圧酸素治療

出題頻度 C

4．高気圧酸素治療の「2 その他のもの」は、重症の低酸素脳症の患者に対して行う場合には、一連につき30回を限度として算定できる。〈第59回認定試験、第51回・第56回類題〉 （○　×）

その他

出題頻度 D

5．6歳未満の乳幼児に対して3,000平方センチメートル以上の創傷処置を行った場合は、当該創傷処置の所定点数に乳幼児加算を算定できる。〈第50回認定試験〉 （○　×）

6．救命のための気管内挿管に併せて、人工呼吸を行った場合は、主たるものの所定点数により算定する。〈第51回認定試験〉 （○　×）

7．気管内洗浄（気管支ファイバースコピーを使用した場合を含む）と同時に行う酸素吸入は、所定点数に含まれ別に算定できない。〈第53回認定試験〉 （○　×）

8．血漿交換療法の対象となる重症筋無力症については、発病後5年以内で重篤な症状悪化傾向のある場合、又は胸腺摘出術や副腎皮質ホルモン剤に対して十分奏効しない場合に限り、当該療法の実施回数は、一連につき月7回を限度として3月間に限って算定する。〈第53回認定試験〉 （○　×）

9．カウンターショックと開胸心臓マッサージを併せて行った場合は、カウンターショックの所定点数と開胸心臓マッサージの所定点数をそれぞれ算定できる。〈第53回認定試験〉 （○　×）

10．間歇的陽圧吸入法又は人工呼吸と同時に行う喀痰吸引の費用は、それぞれ間歇的陽圧吸入法又は人工呼吸の所定点数に含まれ別に算定できない。〈第53回認定試験、第55回類題〉 （○　×）

11．人工腎臓を行っている患者に対して、療養の一環として行われた食事以外の食事を提供した場合は、患者から当該実費を徴収することができる。〈第53回認定試験〉 （○　×）

12．多血小板血漿処置に伴って行われた採血等の費用は、当該多血小板血漿処置の所定点数に含まれず別に算定できる。〈第54回認定試験〉 （○　×）

13. 重度褥瘡処置は、重度の褥瘡処置を必要とする患者に対して、初回の処置を行った日から起算して2月を経過するまでに行われた場合に限り算定し、それ以降に行う当該処置については、創傷処置の例により算定する。〈第55回認定試験〉 (○ ×)

14. 熱傷処置を算定する場合は、創傷処置、爪甲除去（麻酔を要しないもの）及び穿刺排膿後薬液注入は併せて算定できない。〈第55回認定試験〉 (○ ×)

15. エタノールの局所注入に伴って実施される超音波検査、画像診断の費用は、当該局所注入の所定点数に含まれ別に算定できない。〈第55回認定試験〉 (○ ×)

16. 高位浣腸、高圧浣腸、洗腸、摘便、腰椎麻酔下直腸内異物除去又は腸内ガス排気処置（開腹手術後）を同一日に行った場合は、主たるものの所定点数により算定する。〈第55回認定試験〉 (○ ×)

17. 間歇的陽圧吸入法と同時に行う喀痰吸引、酸素吸入又は酸素テントは、間歇的陽圧吸入法の所定点数に含まれ、別に算定できない。〈第55回認定試験〉 (○ ×)

18. 熱傷温浴療法は、広範囲熱傷の患者であって、入院中のものについて行った場合に受傷後60日以内に限り算定できる。〈第56回認定試験〉 (○ ×)

19. 介達牽引、矯正固定又は変形機械矯正術を同一日に併せて行った場合は、主たるものいずれかの所定点数のみにより算定する。〈第56回認定試験〉 (○ ×)

20. 局所陰圧閉鎖処置（入院外）を算定する場合は、重度褥瘡処置及び皮膚科軟膏処置は併せて算定できない。〈第56回認定試験〉 (○ ×)

21. 下肢創傷処置を算定する場合は、創傷処置及び爪甲除去（麻酔を要しないもの）は併せて算定できないが、穿刺排膿後薬液注入は併せて算定できる。〈第57回認定試験〉 (○ ×)

22. 人工腎臓について、透析時運動指導等加算を算定した日については、疾患別リハビリテーション料は別に算定できない。〈第57回認定試験〉 (○ ×)

23. 創傷処置は、軟膏の塗布又は湿布の貼付のみの処置では算定できない。〈第58回認定試験〉 (○ ×)

24. 酸素テントについて、使用したソーダライム等の二酸化炭素吸着剤の費用は、酸素テントの所定点数に含まれ別に算定できない。〈第58回認定試験〉 (○ ×)

25. 流注膿瘍穿刺は、穿刺排膿後薬液注入と同一日に算定することはできない。〈第58回認定試験〉(○ ×)

26. 下肢創傷処置の対象となる部位は、足部、足趾又は踵であって、浅い潰瘍とは潰瘍の深さが腱、筋、骨又は関節のいずれにも至らないものをいい、深い潰瘍とは潰瘍の深さが腱、筋、骨又は関節のいずれかに至るものをいう。〈第58回認定試験〉 (○ ×)

27. 腹膜灌流の「1 連続携行式腹膜灌流」は、導入期の21日の間に限り、導入期加算として、1日につき当該灌流の所定点数に500点を加算できる。〈第58回認定試験〉 (○ ×)

28. 硬膜外自家血注入は、起立性頭痛を有する患者に係るものであって、関係学会の定める脳脊髄液漏出症診療指針に基づき、脳脊髄液漏出症として「確実」又は「確定」と診断されたものに対して実施した場合に限り算定できる。〈第59回認定試験〉 (○ ×)

29. 耳処置とは、外耳道入口部から鼓膜面までの処置であり、耳浴及び耳洗浄が含まれており、これらを包括して片側ごとに所定点数を算定できる。〈第59回認定試験〉 (○ ×)

8 手術・輸血・麻酔

学習日	／	／	／
正解数	／57	／57	／57

以下の問題のうち、正しいものは○、誤っているものは×にチェック！

（手術）

手術料

出題頻度 A

1．内視鏡的大腸ポリープ・粘膜切除術について、長径1cmのポリープを3個切除した場合は、「2　長径2センチメートル以上」の所定点数を算定できる。〈第50回認定試験〉（○　×）

2．骨移植術（軟骨移植術を含む）は、移植用に採取した健骨を複数か所に移植した場合であっても、当該手術の所定点数を1回のみ算定する。〈第50回認定試験〉（○　×）

3．乳腺悪性腫瘍手術について、インドシアニングリーンを用いたリンパ節生検を行った場合には、当該手術の所定点数に乳癌センチネルリンパ節生検加算2の所定点数を加算できる。〈第51回認定試験一部修正〉（○　×）

4．頭蓋内腫瘍摘出術について、脳腫瘍覚醒下マッピングを用いて実施した場合の費用は、当該手術の所定点数に含まれ、別に算定できない。〈第51回認定試験〉（○　×）

5．腰椎分離部修復術は、腰椎分離症に対して、椎間の可動域を温存しながら修復術を行った場合に算定できる。〈第53回認定試験〉（○　×）

6．緑内障手術について、眼内レンズ及び眼内ドレーンの費用は、当該手術の所定点数に含まれ別に算定できない。〈第53回認定試験〉（○　×）

7．生体腎移植術の所定点数には、灌流の費用が含まれず別に算定できる。〈第54回認定試験〉（○　×）

8．鼓膜形成手術に伴う鼓膜又は皮膚の移植については、当該手術の所定点数に含まれず別に算定できる。〈第55回認定試験〉（○　×）

9．経皮的冠動脈形成術に関する施設基準は、当該手術について、前年（1月から12月まで）の急性心筋梗塞に対するもの、不安定狭心症に対するもの及びその他のものの手術件数を院内掲示することである。〈第55回認定試験〉（○　×）

10．胃瘻閉鎖術は、外科的に造設された胃瘻について、開腹や腹腔鏡による操作等を伴う胃瘻閉鎖を行った場合に算定するが、胃瘻カテーテルを抜去し閉鎖した場合においても算定できる。〈第56回認定試験〉（○　×）

11．体外衝撃波疼痛治療術は、治療に要した日数又は回数にかかわらず一連のものとして算定するが、再発により2回目以降算定する場合には、少なくとも3か月以上あけなければ算定できない。〈第56回認定試験〉（○　×）

12．生体部分肝移植術を実施する移植者に係る組織適合性試験の費用は、当該移植術の所定点数に含まれ、別に算定できない。〈第57回認定試験〉（○　×）

13．冠動脈、大動脈バイパス移植術におけるバイパス造成用自家血管の採取料については、当該移植術の所定点数に含まれ別に算定できない。〈第57回認定試験〉（○　×）

14. 骨折観血的手術について、大腿骨近位部の骨折に対して、骨折後72時間以内に整復固定を行った場合は、緊急整復固定加算として、当該手術の所定点数に4,000点を加算できる。〈第57回認定試験〉（○　×）

15. 体外受精・顕微授精管理料につて、体外受精又は顕微授精の実施前の卵子又は精子の凍結保存に係る費用は、当該管理料の所定点数に含まれ、別に算定できない。〈第57回認定試験〉（○　×）

16. 胚凍結保存管理料について、患者の希望に基づき、凍結した初期胚又は胚盤胞を他の保険医療機関に移送する場合には、その費用は患家の負担となる。〈第57回認定試験〉（○　×）

17. 開胸心臓マッサージに併せて行ったカウンターショックは、当該開胸心臓マッサージの所定点数に含まれ、別に算定できない。〈第57回認定試験〉（○　×）

18. 人工心肺実施のために血管を露出し、カニューレ、カテーテル等を挿入した場合の手技料は、人工心肺の所定点数とは別に算定できる。〈第58回認定試験〉（○　×）

19. 皮膚悪性腫瘍切除術を行った場合において、リンパ節の郭清を伴う場合は「1 広汎切除」により算定し、病巣部のみを切除した場合は「2 単純切除」により算定する。〈第58回認定試験〉（○　×）

20. 角膜移植術について、角膜を採取・保存するために要する費用は、当該手術の所定点数に含まれ別に算定できない。〈第59回認定試験〉（○　×）

21. 瘢痕拘縮形成手術は、単なる拘縮に止まらず運動制限を伴うものに限り算定できる。〈第59回認定試験〉（○　×）

22. レックリングハウゼン病偽神経腫切除術は、露出部と露出部以外が混在する患者については、露出部に係る長さが全体の50%未満の場合は、レックリングハウゼン病偽神経腫切除術（露出部）の所定点数により算定する。〈オリジナル〉（○　×）

23. 胃全摘術について、悪性腫瘍に対する手術であっても、リンパ節郭清等を伴わない単純な全摘・消化管吻合術を行った場合には単純全摘術により算定する。〈オリジナル〉（○　×）

24. 創傷処理について、汚染された挫創に対してデブリードマンを行った場合は、当初の1回に限り460点を加算できる。〈オリジナル〉（○　×）

通則

出題頻度 B

25. 虫垂切除術と盲腸縫縮術を同一皮切により行った場合は、同一手術野又は同一病巣の手術に該当するので、主たる手術の所定点数のみを算定する。〈第54回認定試験〉（○　×）

26. 先天性巨大結腸症手術を手術時体重が2,000グラム未満の児に実施した場合は、当該手術の所定点数に所定点数の100分の400に相当する点数を加算できる。〈第55回認定試験、第54回類題〉（○　×）

27. 周術期栄養管理実施加算について、術前に行う栄養管理を、患者の入院前に外来において実施した場合には、当該加算は算定できない。〈第57回認定試験〉（○　×）

28. 角膜移植術を実施する場合の臓器等提供者に係る感染症検査の費用については、当該移植術の所定点数とは別に算定できる。〈第58回認定試験〉（○　×）

29. 生体腎移植術を実施する場合の移植者に係る組織適合性試験の費用は、当該移植術の所定点数とは別に算定できる。〈第59回認定試験〉（○　×）

30. 休日加算・時間外加算又は深夜加算は、手術料、輸血料それぞれに対し算定できる。〈オリジナル〉
（○　×）

31. 内視鏡による尿道悪性腫瘍摘出術を行う際に、内視鏡検査を併せて行った場合は、当該内視鏡検査の所定点数を別に算定できる。〈オリジナル〉
（○　×）

手術医療機器等加算

出題頻度 C

32. 胃切除術に当たって、自動縫合器を使用した場合は、5個を限度として、自動縫合器加算の所定点数に使用個数を乗じて得た点数を、当該手術の所定点数に加算できる。〈第57回認定試験、第53回・第54回・第56回類題〉
（○　×）

33. 口蓋腫瘍摘出術の「1　口蓋粘膜に限局するもの」を行うにあたって、レーザー手術装置を使用した場合は、当該手術の所定点数にレーザー機器加算の「レーザー機器加算2」の所定点数を加算できる。〈オリジナル〉
（○　×）

（輸血）

輸血料

出題頻度 C

34. 自己血輸血は、保険医療機関が手術を行う際に予め貯血しておいた自己血（自己血貯血）を、手術時及び手術後5日以内に当該保険医療機関において輸血を行った場合に算定できる。〈第51回認定試験〉
（○　×）

35. 造血幹細胞移植の「3　臍帯血移植」を実施する場合の提供者及び移植者に係る組織適合性試験の費用は、当該移植の所定点数に含まれず、別に算定できる。〈第54回認定試験、第53回類題〉（○　×）

36. 12歳未満の患者に対して術中術後自己血回収術（自己血回収器具によるもの）を行った場合は、患者の体重及び出血量を診療報酬明細書の「摘要」欄に記載する。〈第54回認定試験〉（○　×）

37. 希釈式自己血輸血を算定する単位としての血液量は、採血を行った量ではなく、手術開始後に実際に輸血を行った1日当たりの量であり、使用しなかった自己血については、算定できない。〈第56回認定試験〉（○　×）

38. 血小板濃厚液の注入は、血漿成分製剤（新鮮液状血漿、新鮮凍結血漿等）と同様、注射の部において取り扱われる。〈オリジナル〉
（○　×）

39. 輸血管理料は、赤血球濃厚液（浮遊液を含む）、血小板濃厚液若しくは自己血の輸血、又は新鮮凍結血漿若しくはアルブミン製剤の輸注を行った場合に、週1回を限度として算定する。〈オリジナル〉（○　×）

（麻酔）

麻酔料

出題頻度 A

40. 麻酔管理料（Ⅱ）について、常勤の麻酔科標榜医の監督下に、麻酔科標榜医以外の医師が麻酔前後の診察及び麻酔手技を行っても、当該管理料は算定できる。〈第51回認定試験〉（○　×）

41. マスク又は気管内挿管による閉鎖循環式全身麻酔における麻酔が困難な患者には、貧血（Hb6.0g/dL未満のものに限る）の患者が含まれる。〈第53回認定試験、第54回・第58回類題〉（○　×）

42. 静脈麻酔の「1　短時間のもの」は、静脈麻酔の実施の下、検査、画像診断、処置又は手術が行われた場合であって、麻酔の実施時間が10分未満の場合に算定する。〈第53回認定試験〉（○　×）

43. ガス麻酔器を使用する10分以上20分未満の麻酔は、開放点滴式全身麻酔により算定する。〈第55回認定試験〉 (○ ×)

44. 麻酔管理料（Ⅰ）について、麻酔科標榜医が、麻酔科標榜医以外の医師と共同して麻酔を実施する場合においては、麻酔科標榜医が、当該麻酔を通じ、麻酔中の患者と同室内で麻酔管理に当たり、主要な麻酔手技を自ら実施した場合に当該管理料を算定できる。〈第55回認定試験〉 (○ ×)

45. 体温維持療法は、心肺蘇生後の患者に対し、直腸温36℃以下で24時間以上維持した場合に、開始日から5日間に限り算定できる。〈第56回認定試験〉 (○ ×)

46. 脊椎麻酔の実施時間は、くも膜下腔に局所麻酔剤を注入した時点を開始時間とし、当該検査、画像診断、処置又は手術の終了した時点を終了時間として計算する。〈第57回認定試験〉 (○ ×)

47. 麻酔管理料（Ⅰ）の「2 マスク又は気管内挿管による閉鎖循環式全身麻酔を行った場合」について、当該保険医療機関の薬剤師が、病棟等において薬剤関連業務を実施している薬剤師等と連携して、周術期に必要な薬学的管理を行った場合は、周術期薬剤管理加算として、当該管理料の所定点数に75点を加算する。〈第57回認定試験〉 (○ ×)

48. 麻酔管理料（Ⅰ）について、広範囲頭蓋底腫瘍切除・再建術に当たって、マスク又は気管内挿管による閉鎖循環式全身麻酔の実施時間が8時間を超えた場合は、長時間麻酔管理加算として、当該管理料の所定点数に7,500点を加算できる。〈第58回認定試験〉 (○ ×)

49. 体温維持療法は、重度脳障害患者（脳浮腫又は頭蓋内血腫を伴うGCS8点以下の状態にある頭部外傷患者を除く）への治療的低体温の場合は算定できない。〈第59回認定試験一部修正〉 (○ ×)

50. 麻酔管理料（Ⅱ）について、主要な麻酔手技を実施する際には、麻酔科標榜医の管理下で行わなければならず、この場合、当該麻酔科標榜医は、麻酔中の患者と同室内にいる必要がある。〈第59回認定試験〉 (○ ×)

51. マスク又は気管内挿管による閉鎖循環式全身麻酔の実施時間は、当該麻酔を行うために鎮静剤等を術前投与した時点を麻酔の開始時間とする。〈オリジナル〉 (○ ×)

52. マスク又は気管内挿管による閉鎖循環式全身麻酔は、ガス麻酔器を使用する閉鎖式・半閉鎖式等の全身麻酔を30分以上実施した場合でなければ、所定点数を算定できない。〈オリジナル〉 (○ ×)

通則

出題頻度 D

53. 麻酔の術中に起こる偶発事故に対する処置（酸素吸入、人工呼吸）の費用は、マスク又は気管内挿管による閉鎖循環器式全身麻酔の場合を除き別に算定できる。〈オリジナル〉 (○ ×)

54. 検査、画像診断、処置又は手術に当たって、麻酔が前処置と局所麻酔のみによって行われる場合には、麻酔の手技料及び薬剤料は検査料、画像診断料、処置料又は手術料に含まれ算定できない。〈オリジナル〉 (○ ×)

神経ブロック料

出題頻度 D

55. トリガーポイント注射と神経幹内注射は、同時に算定できない。〈第54回認定試験〉 (○ ×)

56. 神経ブロックに先立って行われるエックス線透視や造影等に要する費用は、神経ブロックの所定点数に含まれ、別に算定できない。〈第56回認定試験〉 (○ ×)

57. 同一名称の神経ブロックを複数か所に行った場合は、主たるもののみ算定するが、2種類以上の神経ブロックを行った場合は、その種類ごとに所定点数を算定できる。〈オリジナル〉 (○ ×)

9 検査・病理診断

学習日	／	／	／
正解数	／52	／52	／52

以下の問題のうち、正しいものは○、誤っているものは×にチェック！

（検査通則）

出題頻度 C

1．定性、半定量又は定量の明示がない検査については、定量検査を行った場合にのみ当該検査の所定点数を算定できる。〈第51回認定試験〉（○　×）

2．血液比重測定は、基本診療料に含まれる検査であり、別に算定することはできない。〈第55回認定試験〉（○　×）

3．検査において、同一項目について検査方法を変えて測定した場合には、測定回数にかかわらず、主たる測定方法の所定点数のみを算定する。〈第57回認定試験〉（○　×）

（検体検査）

尿・糞便等検査

出題頻度 A

4．尿沈査（鏡検法）と尿沈査（フローサイトメトリー法）を併せて実施した場合は、主たるもののみ算定する。〈第53回認定試験〉（○　×）

5．慢性的な炎症性腸疾患（潰瘍性大腸炎やクローン病等）の診断補助又は病態把握を目的として、カルプロテクチン（糞便）及び大腸内視鏡検査を同一月中に併せて行った場合は、主たるもののみ算定する。〈第56回認定試験〉（○　×）

6．関節液検査と排泄物、滲出物又は分泌物の細菌顕微鏡検査を併せて実施した場合は、主たるもののみ算定する。〈第57回認定試験〉（○　×）

7．尿沈渣（フローサイトメトリー法）は、外注により検査を行った場合であっても算定できる。〈第59回認定試験、第55回類題〉（○　×）

8．尿中特殊物質定性定量検査のシュウ酸（尿）は、再発性尿路結石症の患者に対して、キャピラリー電気泳動法により行った場合に、原則として1年に1回に限り算定できる。〈第59回認定試験、第50回類題〉（○　×）

9．患者から1回に採取した組織等を用いて、同一がん種に対して悪性腫瘍遺伝子検査の「イ 処理が容易なもの」に掲げる検査を3項目以上実施した場合には、所定点数にかかわらず12,000点を算定する。〈オリジナル〉（○　×）

通則・加算等

出題頻度 C

10．外来迅速検体検査加算について、同日に2診療科を受診しそれぞれ検体検査を行った場合、当該検査の算定要件を満たす場合には、それぞれの診療科で1日5項目を限度として所定点数を算定できる。〈第50回認定試験〉（○　×）

11．基本的検体検査実施料について、当該実施料を算定する場合の入院日数については、入院の都度当該入院の初日から起算し、退院日まで算定対象となる。〈第53回認定試験〉（○　×）

12. 外来迅速検体検査加算について、院内処理する検査と外注検査が混在する場合、院内処理する検査のみ算定要件を満たせば、当該加算の所定点数を算定できる。〈第55回認定試験〉 （○　×）

13. 検体検査判断料は、同一月内において、同一患者に対して、入院及び外来の両方又は入院中に複数の診療科において検体検査を実施した場合においても、同一区分の判断料は、入院・外来又は診療科の別にかかわらず、月１回に限り算定できる。〈第59回認定試験〉 （○　×）

血液学的検査

出題頻度 C

14. 血液粘弾性検査は、心臓血管手術（人工心肺を用いたものに限る）を行う患者に対して、術前、術中又は術後に実施した場合に、それぞれ1回ずつ算定できる。〈第54回認定試験〉 （○　×）

15. 同一検体について、好酸球数及び末梢血液像（自動機械法）又は末梢血液像（鏡検法）を行った場合は、それぞれの所定点数を算定できる。〈第56回認定試験〉 （○　×）

16. 末梢血液像（自動機械法）、末梢血液像（鏡検法）及び骨髄像の検査については、少なくともリンパ球、単球、好中球、好酸球、好塩基球の５分類以上の同定・比率計算を行った場合に算定できる。〈第57回認定試験〉 （○　×）

生化学的検査（Ⅰ）

出題頻度 C

17. 血液化学検査のマンガン（Mn）は、1月以上（胆汁排泄能の低下している患者については2週間以上）高カロリー静脈栄養法が行われている患者に対して、1月に1回に限り算定できる。〈第53回認定試験一部修正〉 （○　×）

18. 血液化学検査のカルシウム及びイオン化カルシウムを同時に測定した場合には、いずれか一方についてのみ所定点数を算定する。〈第55回認定試験、第50回類題〉 （○　×）

免疫学的検査

出題頻度 C

19. 同一検体について免疫電気泳動法（抗ヒト全血清）及び免疫電気泳動法（特異抗血清）を併せて行った場合は、主たる検査の所定点数のみを算定する。〈第51回認定試験〉 （○　×）

20. ノロウイルス抗原定性は、6歳未満の患者について、当該ウイルス感染症が疑われる場合に算定できる。〈第54回認定試験〉 （○　×）

21. アデノウイルス抗原定性（糞便）とロタウイルス抗原定性（糞便）又はロタウイルス抗原定量（糞便）を同時に行った場合は、主たる検査のみ算定できる。〈第55回認定試験〉 （○　×）

22. RSウイルス抗原定性は、３歳未満の患者について、当該ウイルス感染症が疑われる場合に算定できる。〈第56回認定試験〉 （○　×）

23. 血小板関連IgG（PA-IgG）は、特発性血小板減少性紫斑病の診断又は経過判定の目的で行った場合に算定する。〈第57回認定試験〉 （○　×）

微生物学的検査

出題頻度 D

24. 細菌培養同定検査について、症状等から同一起因菌によると判断される場合であって、当該起因菌を検索する目的で異なった部位から検体を採取した場合は、部位ごとに所定点数を算定できる。〈第53回認定試験〉 （○　×）

25. 抗酸菌分離培養検査は、結核患者の退院の可否を判断する目的で、患者の病状を踏まえ頻回行われる場合においても、その都度所定点数を算定できる。〈第56回認定試験〉 （○ ×）

（生体検査）

出題頻度
A

26. ホルター型心電図検査は、患者携帯用の記録装置を使って長時間連続して心電図記録を行った場合に算定するものであり、所定点数には単に記録を行うだけでなく、再生及びコンピューターによる解析を行った場合の費用も含まれる。〈第51回認定試験〉 （○ ×）

27. 骨塩定量検査は、骨粗鬆症の診断及びその経過観察の際に、3月に1回を限度として算定できる。〈第51回認定試験〉 （○ ×）

28. 小児食物アレルギー負荷検査を行い、重篤なアレルギー反応を起こした場合の治療に要する費用は、当該負荷検査の所定点数に含まれ別に算定できない。〈第53回認定試験〉 （○ ×）

29. 長期継続頭蓋内脳波検査は、難治性てんかんの患者に対し、硬膜下電極若しくは深部電極を用いて脳波測定を行った場合、患者1人につき14日間を限度として算定できる。〈第55回認定試験〉 （○ ×）

30. 神経学的検査について、意識障害のため検査不能な項目があった場合、理由の如何を問わず、当該検査の所定点数は算定できない。〈第55回認定試験〉 （○ ×）

31. 心臓カテーテル法による諸検査について、同一月中に血管内超音波検査、血管内光断層撮影、冠動脈血流予備能測定検査及び血管内視鏡検査のうち、２以上の検査を行った場合には、主たる検査の加算点数を算定する。〈第56回認定試験〉 （○ ×）

32. 中心静脈圧測定を算定中にカテーテルの挿入手技を行った場合（手術に関連して行う場合を除く）は、中心静脈注射用カテーテル挿入により算定する。〈第57回認定試験〉 （○ ×）

33. 経皮的血液ガス分圧測定は、循環不全及び呼吸不全があり、酸素療法を行う必要のある新生児に対して測定を行った場合に算定できるが、出生時体重が1,000g以上1,500g未満の新生児の場合は、90日を限度として算定できる。〈第57回認定試験〉 （○ ×）

34. 大腸内視鏡検査の「２　カプセル型内視鏡によるもの」について、18歳未満の患者に対して、内視鏡的挿入補助具を用いて行った場合は、内視鏡的留置術加算として、260点を当該検査の所定点数に加算できる。〈第58回認定試験〉 （○ ×）

35. 負荷心電図検査について、当該保険医療機関以外の医療機関で描写したものについて診断のみを行った場合は、診断料として１回につき所定点数を算定できるが、患者が当該傷病につき当該保険医療機関で受診していない場合は、算定できない。〈第58回認定試験〉 （○ ×）

36. イヌリンクリアランス測定について、検査に伴って行った注射、採血及び検体測定の費用は、当該検査の所定点数に含まれるが、使用した薬剤は別に算定できる。〈第59回認定試験〉 （○ ×）

37. 経皮的酸素ガス分圧測定について、重症下肢血流障害が疑われる患者に対し、虚血肢の切断若しくは血行再建に係る治療方針の決定又は治療効果の判定のために経皮的に血中のPO2を測定した場合に、2月に1回に限り算定できる。〈第59回認定試験〉 （○ ×）

38. 小児食物アレルギー負荷検査は、問診及び血液検査等から、食物アレルギーが強く疑われる16歳未満の小児に対し、原因抗原の特定、耐性獲得の確認のために、食物負荷検査を実施した場合に、12月に4回を限度として算定できる。〈第59回認定試験〉 （○ ×）

39. 残尿測定検査の「1 超音波検査によるもの」について、同一月に2回行った場合、2回目の検査は、所定点数の100分の90 に相当する点数で算定する。〈オリジナル〉 （○　×）

（診断穿刺・検体採取料）

出題頻度
C

40. 臓器穿刺、組織採取の「2　開腹によるもの（腎を含む）」については、穿刺回数、採取臓器数又は採取した組織の数にかかわらず、1回として算定する。〈第56回認定試験〉 （○　×）

41. 診断穿刺・検体採取料のその他の検体採取の「6 鼻腔・咽頭拭い液採取」について、同日に複数検体の検査を行った場合、検査の検体ごとに当該検査の所定点数を算定できる。〈第58回認定試験〉 （○　×）

42. 診断穿刺・検体採取料のセンチネルリンパ節生検に伴う放射性同位元素の薬剤料は、検査の薬剤として算定できる。〈第58回認定試験〉 （○　×）

（病理診断）

出題頻度
A

43. 病理判断料が含まれない入院料を算定する病棟に入院中の患者に対して、病理判断料を算定した場合であって、同一月内に当該患者が病理判断料が含まれる入院料を算定する病棟に転棟した場合には、当該病理判断料は算定できない。〈第50回認定試験〉 （○　×）

44. 病理診断に当たって、病理標本を撮影した画像を電子媒体に保存した場合、保存に要した電子媒体の費用は所定点数に含まれ、別に算定できない。〈第50回認定試験〉 （○　×）

45. 迅速細胞診は、手術又は気管支鏡検査（超音波気管支鏡下穿刺吸引生検法の実施時に限る）の途中において腹水及び胸水等の体腔液又は穿刺吸引検体による標本作製及び鏡検を完了した場合において、1手術又は1検査につき1回算定できる。〈第51回認定試験一部修正〉 （○　×）

46. 病理診断料は、他の保険医療機関（衛生検査所等を含む）で作製した病理標本につき診断を行った場合には、算定できない。〈第51回認定試験〉 （○　×）

47. 細胞診の婦人科材料等液状化検体細胞診加算は、過去に穿刺し又は採取し、固定保存液に回収した検体から標本を作製し診断を行った場合であっても算定できる。〈第54回認定試験〉 （○　×）

48. 病理組織標本作製の「1　組織切片によるもの」について、上行結腸、横行結腸及び下行結腸の病理組織標本を作製した場合は、1臓器として所定点数を算定する。〈第55回認定試験〉 （○　×）

49. 免疫染色（免疫抗体法）病理組織標本作製は、病理組織標本を作製するにあたり、免疫染色を行った場合に、方法（蛍光抗体法又は酵素抗体法）又は試薬の種類にかかわらず、1臓器につき1回のみ算定できる。〈第55回認定試験〉 （○　×）

50. 病理組織標本作製において、悪性腫瘍がある臓器又はその疑いがある臓器から多数のブロックを作製し、又は連続切片標本を作製した場合であっても、当該標本作製の所定点数のみ算定する。〈第56回認定試験〉 （○　×）

51. 病理診断料について、当該保険医療機関以外に勤務する病理診断を行う医師が、当該保険医療機関に出向いて病理診断を行った場合等、当該保険医療機関における勤務の実態がない場合においては、病理診断料は算定できない。〈第57回認定試験〉 （○　×）

52. 細胞診は、同一又は近接した部位より同時に数検体を採取して標本作製を行った場合であっても、1回として算定する。〈第58回認定試験、第50回類題〉 （○　×）

10 画像診断

学習日	／	／	／
正解数	25	／25	／25

以下の問題のうち、正しいものは○、誤っているものは×にチェック！

核医学診断料

出題頻度 B

1．乳房用ポジトロン断層撮影は、^{18}FDGを用いて、乳がんの病期診断及び転移又は再発の診断を目的とし、他の検査又は画像診断により病期診断又は転移若しくは再発の診断が確定できない患者に使用した場合に限り所定点数を算定できる。〈第53回認定試験〉 （○　×）

2．^{18}FDGを用いたポジトロン断層撮影について、てんかんの患者に対して実施するときは、難治性部分てんかんで外科切除が必要とされる患者に使用する場合に限り算定できる。〈第54回認定試験〉 （○　×）

3．ポジトロン断層撮影を実施した同一月内に悪性腫瘍の診断の目的でシンチグラム（画像を伴うもの）（ガリウムにより標識された放射性医薬品を用いるものに限る）を実施した場合には、主たるもののみ所定点数を算定する。〈第55回認定試験〉 （○　×）

4．ポジトロン断層撮影と同時に同一の機器を用いてCT撮影を行った場合は、それぞれの所定点数を算定できる。〈第58回認定試験〉 （○　×）

5．乳房用ポジトロン断層撮影は、乳房専用のPET装置を用いて、診断用の画像としてポジトロン断層撮影画像を撮影するものであり、画像の方向、スライスの数、撮影の部位数、疾病の種類等にかかわらず、当該断層撮影の所定点数により算定する。〈第59回認定試験〉 （○　×）

6．^{18}FDGを用いたポジトロン断層撮影は、悪性腫瘍（早期胃癌を除き、悪性リンパ腫を含む）のスクリーニングとして行ったものが算定の対象となる。〈オリジナル〉 （○　×）

7．ポジトロン断層撮影は、画像の方向、スライスの数、撮影の部位数、疾患の種類等にかかわらず当該断層撮影の所定点数により算定する。〈オリジナル〉 （○　×）

エックス線診断料

出題頻度 C

8．乳房撮影とは、当該撮影用の機器を用いて、原則として両側の乳房に対し、それぞれ2方向以上の撮影を行うものをいい、両側について一連として所定点数を算定する。〈第50回認定試験〉 （○　×）

9．造影剤使用撮影を行うに当たって造影剤を注入した場合に算定する造影剤注入手技料は、同一日に静脈注射又は点滴注射の所定点数を算定した場合であっても、当該造影剤注入手技の「1 点滴注射」を算定できる。〈第51回認定試験〉 （○　×）

10．エックス線診断料について、食道・胃・十二指腸、血管系（血管及び心臓）、リンパ管系及び脳脊髄腔については、それぞれ全体を「同一の部位」として取り扱う。〈第54回認定試験〉 （○　×）

11．造影剤を使用する腸管の透視診断について、腸管の透視を時間を隔てて数回行い、その時間が4時間にわたった場合であっても、一連の診断目的で行うものであり、1回として所定点数を算定する。〈第57回認定試験〉 （○　×）

12．造影剤注入手技について、造影剤を注入するために観血手術を行った場合は、当該観血手術の所定点数をあわせて算定できる。〈第57回認定試験〉 （○　×）

13. 透視診断は、撮影の時期決定や準備手段又は検査の補助手段として行う透視については算定できないが、手術の補助手段として行う透視については算定できる。〈オリジナル〉 （○　×）

14. 写真診断について、肩関節部、肩胛骨又は鎖骨は、単純撮影の「ロ　その他」の43点を算定する。〈オリジナル〉 （○　×）

15. エックス線フィルムサブトラクションについては、反転フィルムの作製の費用として、一連につき、撮影の「1　単純撮影」及びフィルムによって算定し、診断料は別に算定できない。〈オリジナル〉 （○　×）

コンピューター断層撮影診断料

出題頻度 C

16. MRI撮影（脳血管に対する造影の場合を除く）における造影剤使用加算は、静脈内注射等により造影剤使用撮影を行った場合に算定できるものであり、経口造影剤を使用した場合は算定できない。〈第51回認定試験〉 （○　×）

17. 造影剤を使用して磁気共鳴コンピューター断層撮影（MRI撮影）を行った場合は、閉鎖循環式全身麻酔に限り麻酔手技料を別に算定できる。〈第59回認定試験、第50回類題〉 （○　×）

18. 心臓MRI撮影加算は、1.5テスラ以上のMRI装置のある放射線科標榜の病院でなければ算定できない。〈オリジナル〉 （○　×）

19. 造影剤を使用して磁気共鳴コンピューター断層撮影を行った場合の麻酔手技料は、別に算定できない。〈オリジナル〉 （○　×）

通則等

出題頻度 C

20. 休日に外来患者の診療を行った際、当該患者が持参した他の医療機関で撮影したフィルムにより診断した場合は、時間外緊急院内画像診断加算を算定できる。〈第50回認定試験〉 （○　×）

21. 画像診断に係る手技料を別に算定できない検査、処置、手術を行った場合においても、使用したフィルムに要する費用については、画像診断のフィルム料として算定できる。〈第50回認定試験〉 （○　×）

22. 画像診断に当たって使用される患者の衣類の費用は、患者から実費を徴収することができる。〈オリジナル〉 （○　×）

23. 時間外緊急院内画像診断加算を算定した場合は、加算点数として得た点数を診療報酬明細書の「画像診断」欄の「点数」欄に記載し、「摘要」欄に緊画と表示し、撮影開始日時を記載する。〈オリジナル〉 （○　×）

24. 遠隔画像診断を行った場合、画像診断管理加算1は、受信側の保険医療機関において専ら画像診断を担当する医師が読影及び診断を行い、その結果を文書により送信側の保険医療機関において当該患者の主治医に報告した場合に、月の最初の診断の日に算定する。〈オリジナル〉 （○　×）

25. 画像診断のフィルムについて、6歳未満の乳幼児に対して胸部単純撮影又は腹部単純撮影を行った場合は、材料価格に1.1を乗じて得た額を10円で除して得た点数を算定する。〈オリジナル〉 （○　×）

11 リハビリテーション

学習日	／	／	／
正解数	／26	／26	／26

以下の問題のうち、正しいものは○、誤っているものは×にチェック！

疾患別リハビリテーション料

出題頻度
A

1．運動器リハビリテーション料を算定していた患者が患者の都合により診療を中止し、1月を経過した後、同一の疾患について運動器リハビリテーションを再開する場合、当該リハビリテーションの起算日は、患者が診療を中止する前の当初の発症日となる。〈第53回認定試験〉 （○　×）

2．心大血管疾患リハビリテーション料の所定点数には、同一日に行われる心電図検査及び負荷心電図検査の費用が含まれ、当該検査の所定点数は別に算定できない。〈第54回認定試験〉 （○　×）

3．疾患別リハビリテーション料は、脳血管疾患等の患者のうちで発症後60日以内のものについて行う場合、患者1人につき1日合計9単位に限り算定できる。〈第54回認定試験〉 （○　×）

4．疾患別リハビリテーション料について、届出施設である保険医療機関内において、治療又は訓練の専門施設外で訓練を実施した場合には、当該リハビリテーション料を算定できない。〈第54回認定試験〉 （○　×）

5．廃用症候群リハビリテーションの実施単位数は、従事者1人につき1日18単位を標準とし、週108単位までとしており、1日24単位が上限である。〈第55回認定試験〉 （○　×）

6．廃用症候群リハビリテーション料の所定点数には、徒手筋力検査及びその他のリハビリテーションに付随する諸検査は含まれず、当該リハビリテーションとは別に算定できる。〈第55回認定試験〉 （○　×）

7．脳血管疾患等リハビリテーション料の対象となる患者には、失語症、失認及び失行症の患者が含まれるが、高次脳機能障害の患者は含まれない。〈第55回認定試験、第53回・第56回・第59回類題〉 （○　×）

8．運動器リハビリテーション料（Ⅰ）の施設基準の要件のひとつは、専従の常勤理学療法士又は専従の常勤作業療法士が合わせて4名以上勤務していることである。〈第56回認定試験〉 （○　×）

9．脳血管疾患等リハビリテーションについては、1人の従事者が1人の患者に対して重点的に個別的訓練を行う必要があると認められ、理学療法士等と患者が1対1で行う場合に算定できるが、当該リハビリテーションの従事者1人あたりの実施単位数は、1日30単位が標準とされる。〈第57回認定試験〉 （○　×）

10．心大血管疾患リハビリテーション料に規定する算定日数の上限について、狭心症の患者は、当該上限の除外対象者とはならない。〈第57回認定試験〉 （○　×）

11．心大血管疾患リハビリテーション料のリハビリテーションデータ提出加算は、データ提出の実績が認められた保険医療機関において、当該リハビリテーション料を現に算定している患者について、データを提出する外来診療に限り算定できる。〈第58回認定試験〉 （○　×）

12．運動器リハビリテーション料の所定点数には、徒手筋力検査及びその他のリハビリテーションに付随する諸検査が含まれる。〈第59回認定試験、第51回類題〉 （○　×）

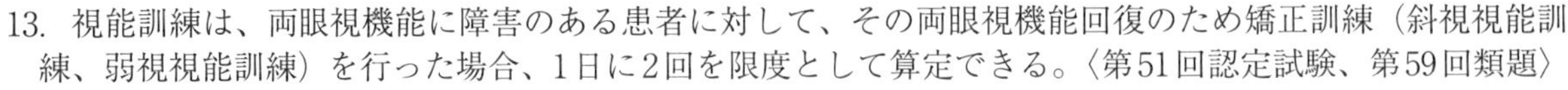

13. 視能訓練は、両眼視機能に障害のある患者に対して、その両眼視機能回復のため矯正訓練（斜視視能訓練、弱視視能訓練）を行った場合、1日に2回を限度として算定できる。〈第51回認定試験、第59回類題〉
（○　×）

14. 集団コミュニケーション療法料は、当該療法料の施設基準に係る届出を行った保険医療機関において、集団コミュニケーション療法室以外の場所で行った場合には算定できない。〈第51回認定試験、第58回類題〉
（○　×）

15. 集団コミュニケーション療法の実施に当たっては、医師は定期的な言語聴覚機能能力に係る検査をもとに効果判定を行い、当該集団コミュニケーション療法の実施計画を作成しなければならない。〈第53回認定試験、第58回類題〉
（○　×）

16. リンパ浮腫複合的治療料について、あん摩マッサージ指圧師が当該治療を実施する場合は、専任の医師、看護師、理学療法士又は作業療法士が事前に指示し、かつ事後に報告を受ける場合に限り算定できるが、この場合の指示及び報告は1月に1回以上行わなければならない。〈第54回認定試験〉
（○　×）

17. 目標設定等支援・管理料とリハビリテーション総合計画評価料は、同一月に併せて算定できない。〈第54回認定試験〉
（○　×）

18. 月の途中で転院した患者に係るリハビリテーション総合計画評価料は、当該点数の算定要件を満たすものであれば、転院前及び転院先の保険医療機関において、それぞれ算定できる。〈第55回認定試験〉（○　×）

19. がん患者リハビリテーション料の対象となる患者には、在宅において緩和ケア主体で治療を行っている進行がん又は末期がんの患者であって、症状増悪のため一時的に入院加療を行っており、在宅復帰を目的としたリハビリテーションが必要なものが含まれる。〈第55回認定試験一部修正〉
（○　×）

20. 障害児（者）リハビリテーション料について、当該リハビリテーションを実施するに当たっては、開始時及びその後6か月に1回以上、患者又はその家族に対して実施計画の内容を説明し、その要点を診療録に記載又は添付しなければならない。〈第56回認定試験〉
（○　×）

21. 摂食機能療法の「2 30分未満の場合」については、脳卒中の患者であって、摂食機能障害を有するものに対して、脳卒中の発症から1月以内に限り、1日につき算定できる。〈第57回認定試験、第56回・第57回類題〉
（○　×）

22. 認知症患者リハビリテーションを算定している患者について、疾患別リハビリテーション料及び障害児（者）リハビリテーション料は別に算定できないが、がん患者リハビリテーション料は別に算定できる。〈第57回認定試験〉
（○　×）

23. 集団コミュニケーション療法料の対象となる患者には、顎・口腔の先天異常に伴う構音障害を有する患者であって、言語・聴覚機能の障害を有するものが含まれる。〈第57回認定試験〉
（○　×）

24. 難病患者リハビリテーション料の対象疾患には、モヤモヤ病（ウィリス動脈輪閉塞症）が含まれる。〈第58回認定試験〉
（○　×）

25. がん患者リハビリテーション料を算定している患者に対して、疾患別リハビリテーション料及び障害児（者）リハビリテーション料は、別に算定できない。〈第58回認定試験〉
（○　×）

26. 難病患者リハビリテーション料について、当該リハビリテーションの実施に当たっては、患者の症状等に応じたプログラムの作成、効果の判定等に万全を期することとされ、その実施時間は、患者1人当たり1日につき4時間が標準である。〈第59回認定試験〉
（○　×）

12 精神科専門療法・放射線治療

学習日	／	／	／
正解数	／40	／40	／40

以下の問題のうち、正しいものは○、誤っているものは×にチェック！

（精神科専門療法）

精神科専門療法料

出題頻度
D

1．通院集団精神療法は、1回に10人に限り、1日につき30分以上実施した場合に、開始日から6月を限度として週2回に限り算定できる。〈第50回認定試験〉（○　×）

2．医療保護入院等診療料は、措置入院、緊急措置入院、医療保護入院、応急入院に係る患者について、当該入院期間中1回に限り算定する。〈第50回認定試験、第58回類題〉（○　×）

3．精神科ショート・ケアは、治療上の必要がある場合には、病棟や屋外など専用の施設以外においても当該療法を実施することも可能である。〈第50回認定試験〉（○　×）

4．入院精神療法について、入院中の対象精神疾患の患者に対して、入院精神療法に併せて心身医学療法が算定できる自律訓練法又は森田療法等を行った場合であっても、入院精神療法のみにより算定する。〈第51回認定試験〉（○　×）

5．標準型精神分析療法は、診療に要した時間が45分を超えたときに限り算定できる。〈第51回認定試験〉（○　×）

6．認知療法・認知行動療法と同一日に行う他の精神科専門療法は、別に算定できない。〈第53回認定試験〉（○　×）

7．入院精神療法には、週1回、週2回等の算定回数制限があるが、家族に対して入院精神療法を行った場合も、この制限の対象になる。〈第53回認定試験〉（○　×）

8．通院・在宅精神療法は、同時に複数の患者又は複数の家族を対象として集団的に行う場合であっても算定できる。〈第54回認定試験〉（○　×）

9．心身医学療法は、当該療法に習熟した医師によって行われた場合に算定するものであり、精神科を標榜する保険医療機関以外の保険医療機関においては、算定できない。〈第54回認定試験〉（○　×）

10．通院・在宅精神療法は、精神科を標榜する保険医療機関の精神科を担当する医師が、訪問診療又は往診による診療を行った際にも算定できる。〈第56回認定試験〉（○　×）

11．依存症集団療法と同一日に行う他の精神科専門療法は、依存症集団療法の所定点数に含まれ別に算定できない。〈第57回認定試験〉（○　×）

12．精神科作業療法は、1人の作業療法士が当該療法を実施した場合に算定できるものであり、1日当たりの取扱い患者数は、概ね25人を1単位として、1人の作業療法士の取扱い患者数は1日2単位50人以内が標準となる。〈第57回認定試験〉（○　×）

13．精神科退院指導料は、死亡退院の場合又は他の病院若しくは診療所に入院するため転院した場合については、算定できない。〈第58回認定試験〉（○　×）

14. 認知療法・認知行動療法は、精神科を標榜する保険医療機関以外の保険医療機関においては、算定できない。〈第58回認定試験〉 （○　×）

15. 入院精神療法（Ⅰ）を行った週と同一週に行われた入院精神療法（Ⅱ）は別に算定できない。〈第59回認定試験〉 （○　×）

16. 精神科ナイト・ケアは、精神疾患を有する者の社会生活機能の回復を目的として行うものであり、その開始時間は午後４時以降とし、実施される内容の種類にかかわらず、その実施時間は患者１人当たり１日につき3時間を標準とする。〈第59回認定試験〉 （○　×）

17. 閉鎖循環式全身麻酔を伴う精神科電気痙攣療法を行った場合、当該麻酔に要する費用は所定点数に含まれるが、薬剤料及び特定保険医療材料料は別に算定できる。〈オリジナル〉 （○　×）

18. 精神科作業療法に要する消耗材料及び作業衣等を提供した場合は、患者からその費用を徴収することができる。〈オリジナル〉 （○　×）

19. 精神科訪問看護を実施した患者が、訪問看護ステーションにおいて訪問看護療養費を算定した週については、精神科訪問看護・指導料を算定できない。〈オリジナル〉 （○　×）

20. 重度認知症患者デイ・ケア料について、早期加算の対象となる患者は、当該療法の算定を開始してから１年以内又は精神病床を退院して半年以内の患者であることが要件となる。〈オリジナル〉 （○　×）

21. 入院精神療法を行う患者に対して、同じ日に入院精神療法と標準型精神分析療法を行った場合は入院精神療法により算定する。〈オリジナル〉 （○　×）

（放射線治療）

放射線治療料

出題頻度
D

22. 放射線治療管理料について、画像診断を実施し、その結果に基づき線量分布図に基づいた照射計画を作成した場合には、画像診断に係る費用及び照射計画の作成に係る費用は、当該放射線治療管理料に含まれ別に算定できない。〈第50回認定試験〉 （○　×）

23. 外来放射線治療加算は、放射線治療管理料の加算であり、当該管理料を算定しない日については算定できない。〈第51回認定試験〉 （○　×）

24. 全身照射は、1回の造血幹細胞移植について、一連として1回に限り所定点数を算定できる。〈第51回認定試験〉 （○　×）

25. 体外照射の体外照射用固定器具加算は、腫瘍等に対して体外照射を行う際に身体を精密に固定する器具を使用した場合に限り、一連の治療につき1回に限り算定できる。〈第53回認定試験一部修正〉 （○　×）

26. 密封小線源治療について、同一のコバルトを使用し、1人の患者に対して複数回の密封小線源治療を行った場合は、使用したコバルトの費用として、患者1人につき1回に限り購入価格を1,000円で除して得た点数を当該治療の所定点数に加算できる。〈第53回認定試験〉 （○　×）

27. 放射性同位元素内用療法管理料の「5　骨転移のある去勢抵抗性前立腺癌に対するもの」は、当該癌患者に対して放射性同位元素内用療法を行い、かつ、計画的な治療管理を行った場合に、放射性同位元素を投与した日に限り算定できる。〈第54回認定試験〉 （○　×）

28. 四肢若しくは頸部の悪性腫瘍に対して電磁波温熱療法を行う場合は、腫瘍の存在する部位及び使用する機器の如何を問わず、浅在性悪性腫瘍に対するものの所定点数により算定する。〈第54回認定試験〉
（○　×）

29. 放射性同位元素内用療法管理料の「3　固形癌骨転移による疼痛に対するもの」は、固形癌骨転移による疼痛を有する患者に対して、放射性同位元素内用療法を行い、かつ、計画的な治療管理を行った場合に、月1回に限り算定できる。〈第55回認定試験〉
（○　×）

30. 体外照射の「1　エックス線表在治療」について、1日に同一部位に対する複数回の照射を行う場合は、1回目の照射と2回目の照射の間隔が2時間を超える場合に限り、「イ　1回目」の所定点数を1日に2回分算定できる。〈第56回認定試験〉
（○　×）

31. 体外照射の治療料は、疾病の種類、部位の違い、部位数及び同一患部に対する照射方法にかかわらず、1回につき所定点数を算定する。〈第57回認定試験〉
（○　×）

32. 放射性同位元素内用療法管理料の「1　甲状腺癌に対するもの」及び「2　甲状腺機能亢進症に対するもの」は、甲状腺疾患（甲状腺癌及び甲状腺機能亢進症）を有する患者に対して、放射性同位元素内用療法を行い、かつ、計画的な治療管理を行った場合に、月1回に限り算定できる。〈第58回認定試験〉
（○　×）

33. 放射性同位元素内用療法管理料は、入院・入院外を問わず、患者に対して放射性同位元素内用療法に関する内容について説明・指導した場合に限り算定できる。〈第59回認定試験〉
（○　×）

34. 密封小線源治療の治療料は、疾病の種類、部位の違い、部位数の多寡にかかわらず、一連として所定点数を算定する。〈第59回認定試験〉
（○　×）

35. 直線加速器による放射線治療について、定位放射線治療における頭頸部に対する治療は、頭頸部腫瘍（頭蓋内腫瘍を含む）及び脳動静脈奇形に対して行った場合にのみ所定点数を算定できる。〈オリジナル〉
（○　×）

36. 強度変調放射線治療（IMRT）を算定する保険医療機関は、放射線治療を専ら担当する常勤の医師が2名以上配置されており、このうち1名は放射線治療の経験を5年以上有する者でなければならない。〈オリジナル〉
（○　×）

37. 粒子線治療の実施に当たっては、薬事承認された粒子線治療装置を用いた場合に限り算定する。〈オリジナル〉
（○　×）

38. ガンマナイフによる定位放射線治療は、数か月間の一連の治療過程に複数回の治療を行った場合は、2回に限り所定点数を算定できる。〈オリジナル〉
（○　×）

39. 血液照射を行った血液量は、実際に照射を行った総量又は原材料として用いた血液の総量のうちいずれか多い量により算定する。〈オリジナル〉
（○　×）

40. 放射線を照射した血液製剤を使用した場合は、薬剤料に併せて血液照射の所定点数を算定できる。〈オリジナル〉
（○　×）

13 学科試験問題演習（第60回認定試験）

学習日	／	／	／
正解数	／20	／20	／20

以下の問題について、それぞれ正しい文章の組み合わせをa～eのうちから選び、解答用紙にマーク！

問1

(1) 保険医療機関において健康保険の診療に従事する医師は、都道府県知事の登録を受けた医師でなければならない。
(2) 健康保険の任意継続被保険者の申出は、正当な理由がない限り、被保険者の資格を喪失した日から20日以内に行わなければならない。
(3) 健康保険の被保険者に係る療養の給付は、同一の疾病について、労働者災害補償保険法の規定によりこれに相当する給付を受けることができる場合には、行われない。
(4) 後期高齢者医療広域連合の区域内に住所を有する者が、後期高齢者医療の被保険者の資格を取得する時期は、75歳に達した月の翌月1日（その日が月の初日である場合は当月）である。

a (1), (2)　　b (2), (3)　　c (1), (3), (4)　　d (1)～(4) のすべて　　e (4) のみ

問2

(1) 都道府県等が行う国民健康保険の被保険者は、生活保護法による保護を受けるに至った日の翌日から、その資格を喪失する。
(2) 保険外併用療養費における予約に基づく診察については、予約料を徴収しない時間を各診療科ごとに少なくとも延べ外来診療時間の２割程度確保するものとされており、この時間帯の確保に当たっては、各診療科における各医師の同一診療時間帯に、予約患者とそうでない患者を混在させる方法によってはならない。
(3) 医療法人は、厚生労働大臣の認可を受けなければ、これを設立することができない。
(4) 自立支援医療費の支給を受けようとする障害者又は障害児の保護者は、市町村等の自立支援医療費を支給する旨の認定を受けなければならない。

a (1), (2)　　b (2), (3)　　c (1), (3), (4)　　d (1)～(4) のすべて　　e (4) のみ

問3

(1) 保険医療機関の開設者に異動があったときは、旧開設者は、速やかに、その旨及びその年月日を指定に関する管轄地方厚生局長等に届け出なければならない。
(2) 特別食として提供される脂質異常症食の対象となる患者は、空腹時定常状態におけるLDL-コレステロール値が140mg/dL以上である者又はHDL-コレステロール値が40mg/dL未満である者若しくは中性脂肪値が150mg/dL以上である者である。
(3) 医師国家試験に合格した者は、厚生労働大臣への申請により、医籍に登録されるとともに医師免許証が交付され、同申請により同時に保険医としても登録される。
(4) 保険医療機関は、厚生労働大臣が定める療養の給付の担当に関する事項について、所在地を管轄する保健所長に定期的に報告を行わなければならない。

a (1), (2)　　b (2), (3)　　c (1), (3), (4)　　d (1)～(4) のすべて　　e (4) のみ

問4

(1) 手術後に使用する腹帯の費用は、「療養の給付と直接関係ないサービス等」とはいえないものであり、患者から当該費用を徴収することはできない。
(2) 医薬品の治験について、治験の内容を患者等に説明することが医療上好ましくないと認められる場合は、保険外併用療養費の支給対象とならない。
(3) 保険外併用療養費における入院医療に係る特別の療養環境の提供について、患者から特別の料金を徴収するための算定要件のひとつは、当該特別の療養環境に係る一の病室の病床数が4床以下であることである。

(4) 臨床研修等修了医師が診療所を開設したときは、開設後20日以内に診療所の所在地の都道府県知事に届け出なければならない。

a (1), (2)　b (2), (3)　c (1), (3), (4)　d (1)～(4) のすべて　e (4) のみ

問5

(1) 医科歯科併設の保険医療機関において、同一の傷病又は互いに関連のある傷病により、医科と歯科を併せて受診した場合には、主たる診療科においてのみ初診料又は再診料（外来診療料を含む）を算定する。

(2) 初診料及び再診料の外来感染対策向上加算の施設基準の要件のひとつは、院内感染管理者により、職員を対象として、少なくとも年1回、定期的に院内感染対策に関する研修を行っていることである。

(3) 初診料について、情報通信機器を用いた診療を行う際の情報通信機器の運用に要する費用については、療養の給付と直接関係ないサービス等の費用として別途徴収できる。

(4) 健康診断で疾患が発見された患者が、疾患を発見した保険医以外の保険医（当該疾患を発見した保険医の属する保険医療機関の保険医を除く）において治療を開始した場合には、初診料を算定できる。

a (1), (2)　b (2), (3)　c (1), (3), (4)　d (1)～(4) のすべて　e (4) のみ

問6

(1) 外来管理加算は、厚生労働大臣が別に定める検査を行わないことが算定要件のひとつとなっており、当該検査には内視鏡検査が含まれる。

(2) 認知症地域包括診療加算の算定要件のひとつは、認知症以外に1以上の疾病（疑いを除く）を有する者であることである。

(3) 外来診療料の所定点数に包括される処置項目には、膀胱洗浄が含まれる。

(4) 地域包括診療加算を算定するための施設基準の要件のひとつは、保険医療機関が建造物の一部分を用いて開設されている場合、当該保険医療機関の保有又は借用している部分が禁煙であることである。

a (1), (2)　b (2), (3)　c (1), (3), (4)　d (1)～(4) のすべて　e (4) のみ

問7

(1) 投薬に係る費用が包括されている入院基本料（療養病棟入院基本料等）又は特定入院料（特殊疾患病棟入院料等）を算定している患者に対して、退院時に退院後に在宅において使用するための薬剤（在宅医療に係る薬剤を除く）を投与した場合、当該薬剤に係る費用（薬剤料に限る）は、算定できる。

(2) 特定機能病院入院基本料について、特定機能病院の精神病棟において算定要件を満たす場合に算定できる入院基本料等加算には、精神科隔離室管理加算が含まれる。

(3) 救急医療管理加算1は、意識障害又は昏睡で、緊急に入院が必要であると認めた重症患者の状態であれば算定対象となり、継続して当該状態である期間中のみ算定できる。

(4) 厚生労働大臣の定める入院患者数の基準及び医師等の員数の基準並びに入院基本料の算定方法について、同基準における「入院患者数に係る平均入院患者数の計算方法」で定める入院日数には、当該患者が入院した日及び退院した日が含まれる。

a (1), (2)　b (2), (3)　c (1), (3), (4)　d (1)～(4) のすべて　e (4) のみ

問8

(1) 療養環境加算について、特別の療養環境の提供に係る病室においても、当該加算は算定できる。

(2) 一般病棟入院基本料において算定できるリハビリテーション・栄養・口腔連携体制加算は、別に厚生労働大臣が定める施設基準に適合するものとして保険医療機関が地方厚生局長等に届け出た病棟に入院している患者について、リハビリテーション、栄養管理及び口腔管理に係る計画を作成した日から起算して14日を限度として所定点数に加算できる。

(3) 依存症入院医療管理加算の対象となるのは、入院治療を要するアルコール依存症患者又は薬物依存症患者に対して、治療プログラムを用いた依存症治療を行った場合であり、合併症の治療のみを目的として入院した場合には、当該加算は算定できない。

(4) 患者サポート体制充実加算について、当該加算の施設基準の要件のひとつは、当該保険医療機関内に患者又はその家族からの疾病に関する医学的な質問並びに生活上及び入院上の不安等、様々な相談に対応する窓口を設置していることであるが、当該窓口は、医療安全対策加算に規定する窓口と兼用であってはならない。

a (1), (2)　b (2), (3)　c (1), (3), (4)　d (1)～(4) のすべて　e (4) のみ

問9

(1) 第1回目の皮膚科特定疾患指導管理料は、初診料を算定した初診の日又は当該保険医療機関から退院した日からそれぞれ起算して1か月を経過した日以降に算定できる。

(2) 腎代替療法指導管理料を算定すべき指導の実施に当たっては、血液透析、腹膜透析、腎移植等の腎代替療法のうち、いずれかについて情報提供しなければならない。

(3) 手術前医学管理料には、包括されている検査項目に係る判断料が含まれており、手術前医学管理料を算定した月に血液学的検査判断料、生化学的検査（Ⅰ）判断料及び免疫学的検査判断料は別に算定できない。

(4) 診療情報提供料（Ⅱ）を算定すべき診療情報の提供に当たっては、患者又はその家族からの希望があった旨を診療録に記載しなければならない。

a (1), (2)　b (2), (3)　c (1), (3), (4)　d (1)～(4) のすべて　e (4) のみ

問10

(1) 難病外来指導管理料は、特定疾患療養管理料を算定している患者であっても算定できる。

(2) ハイリスク妊産婦共同管理料（Ⅰ）は、救急搬送診療料と併せて算定することができない。

(3) 診療情報提供料（Ⅰ）について、紹介先の医療機関を特定しないで、診療状況を示す文書を患者に交付した場合であっても、当該情報提供料は算定できる。

(4) 医師が傷病手当金意見書を被保険者に交付した後に、被保険者が当該意見書を紛失し、再度医師が意見書を交付した場合は、最初の傷病手当金意見書交付料のみを算定し、2度目の意見書の交付に要する費用は、被保険者の負担とする。

a (1), (2)　b (2), (3)　c (1), (3), (4)　d (1)～(4) のすべて　e (4) のみ

問11

(1) 在宅自己疼痛管理指導管理料は、疼痛除去のために植込型脳・脊髄電気刺激装置を植え込んだ後に、在宅において、患者自らが送信器を用いて疼痛管理を実施する場合に算定できる。

(2) 在宅患者共同診療料について、15歳未満の人工呼吸器装着患者、15歳未満から引き続き人工呼吸を実施しており体重が20キログラム未満の患者又は神経難病等の患者を対象とする場合については、当該診療料を1年に12回算定できる。

(3) 訪問看護指示料の衛生材料等提供加算について、当該指示料を算定していない月であっても、必要かつ十分な量の衛生材料又は保険医療材料を提供した場合には、当該加算を算定できる。

(4) 在宅小児低血糖症患者指導管理料は、15歳未満の小児低血糖症であって入院中の患者以外の患者に対して、重篤な低血糖の予防のために適切な指導管理を行った場合に算定できる。

a (1), (2)　b (2), (3)　c (1), (3), (4)　d (1)～(4) のすべて　e (4) のみ

問12

(1) IgE定性（涙液）は、アレルギー性結膜炎の診断の補助を目的とした場合に、月1回に限り算定できる。

(2) 有機モノカルボン酸については、グルタチオン、乳酸、ピルビン酸及びα-ケトグルタール酸の各物質の測定を行った場合に、それぞれの測定ごとに所定点数を算定できる。

(3) 先天性代謝異常症検査の「イ　尿中有機酸分析」は、有機酸代謝異常症が疑われる患者に対して、ガスクロマトグラフ質量分析装置を用いて尿中有機酸の分析を行った場合に算定できる。

(4) 基礎代謝測定の所定点数には、患者に施用する窒素ガス又は酸素ガスの費用が含まれ、別に算定できない。

a (1), (2)　b (2), (3)　c (1), (3), (4)　d (1)～(4) のすべて　e (4) のみ

問13

(1) 負荷心電図検査には、この検査を行うために一連として実施された心電図検査を含むものであり、同一日に行われた心電図検査は、別に算定できない。
(2) 遠隔画像診断による画像診断を行った場合は、受信側の保険医療機関において撮影料、診断料及び画像診断管理加算（当該加算の算定要件を満たす場合に限る）を算定する。
(3) ノンストレステストは、羊水異常症で入院中の患者に対して行った場合には、1週間につき3回に限り算定できる。
(4) ケトン体及びケトン体分画の検査を併せて実施した場合は、ケトン体分画の所定点数のみ算定する。

a (1), (2)　b (2), (3)　c (1), (3), (4)　d (1)～(4) のすべて　e (4) のみ

問14

(1) 健康保険法における療養の給付と労災保険法による療養補償給付を同時に受けている場合には、再診料（外来診療料を含む）及び処方料は、健康保険の療養の給付を優先させて、健康保険の再診料等として算定する。
(2) 特定疾患処方管理加算は、薬剤の処方期間が28日以上の場合の内服薬のみを対象としている。
(3) 自家血清の眼球注射について、眼球注射に際し、自家血清のために患者の血液を採取する場合には、採血料は算定できない。
(4) 外来において数日分投与しその薬剤を入院後も服用する場合、この入院後服用の分の請求区分は、服用の日の如何にかかわらず、外来投与として扱われる。

a (1), (2)　b (2), (3)　c (1), (3), (4)　d (1)～(4) のすべて　e (4) のみ

問15

(1) 植込型カテーテルによる中心静脈注射について、当該注射の回路に係る費用並びに穿刺部位のガーゼ交換等の処置料及び材料料については、当該注射の所定点数に含まれ別に算定できない。
(2) 外来化学療法加算については、入院中の患者以外の関節リウマチ等の患者に対して、注射による化学療法の必要性、副作用、用法・用量、その他の留意点等について文書で説明し同意を得た上で、外来化学療法に係る専用室において、注射により薬剤等が投与された場合に算定できる。
(3) 心大血管疾患リハビリテーション料の標準的な実施時間は、1回1時間（3単位）程度とするが、入院中の患者以外の患者については、1日当たり1時間（3単位）以上、1週3時間（9単位）を標準とする。
(4) 呼吸器リハビリテーション料の所定点数には、呼吸機能訓練と同時に行った酸素吸入の費用は含まれるが、呼吸機能訓練と別に行った酸素吸入の費用は同日であっても別に算定できる。

a (1), (2)　b (2), (3)　c (1), (3), (4)　d (1)～(4) のすべて　e (4) のみ

問16

(1) 精神科退院指導料は、指導を行ったもの及び指導の対象が患者又はその家族等であるか等の如何を問わず、算定の基礎となる退院につき、1回に限り当該患者の入院中に算定できる。
(2) 通院・在宅精神療法は、精神科を標榜する保険医療機関の精神科を担当する医師が行った場合に限り算定できる。
(3) 脳血管疾患等リハビリテーション料の対象となる患者には、舌悪性腫瘍等の手術による構音障害を有する患者は含まれない。
(4) 精神科継続外来支援・指導料は、入院中の患者以外の患者について、精神科を担当する医師が、患者又はその家族等に対して、病状、服薬状況及び副作用の有無等の確認を主とした支援を行った場合に、患者1人につき月1回に限り算定できる。

a (1), (2)　b (2), (3)　c (1), (3), (4)　d (1)～(4) のすべて　e (4) のみ

問17

(1) ストーマ処置について、在宅寝たきり患者処置指導管理料を算定している患者（これに係る薬剤料又は特定保険医療材料料のみを算定している者を含み、入院中の患者を除く）についても、当該処置の費用は算定できる。
(2) 入院集団精神療法は、精神科を標榜している保険医療機関において、精神科を担当する医師及び１人以上の精神保健福祉士又は公認心理師等により構成される２人以上の者が行った場合に限り算定できる。
(3) 精神科作業療法について、当該療法に要する消耗材料及び作業衣等については、当該保険医療機関の負担とする。
(4) 腹腔鏡下胃全摘術について、悪性腫瘍に対する手術であって、リンパ節郭清等を伴わない単純な全摘・消化管吻合術を行った場合には、腹腔鏡下胃全摘術の「２　悪性腫瘍手術」の所定点数により算定する。

a (1), (2)　b (2), (3)　c (1), (3), (4)　d (1)～(4) のすべて　e (4) のみ

問18

(1) 絆創膏固定術は、足関節捻挫又は膝関節靱帯損傷に絆創膏固定術を行った場合に算定し、交換は原則として週１回とする。
(2) 人工腎臓療法について、当該療法を４日以上実施した場合の費用は、３日目までの所定点数に含まれ別に算定できない。
(3) 手術の準備をしていたところ、患者が来院しなかったとき又は患者が手術の術前において手術不能となった場合は、保険給付の対象とならない。
(4) 全層植皮術について、広範囲皮膚欠損の患者に対して当該植皮術を行う場合は、頭頸部、左上肢、左下肢、右上肢、右下肢、腹部（胸部を含む）又は背部のそれぞれの部位ごとに所定点数を算定できる。

a (1), (2)　b (2), (3)　c (1), (3), (4)　d (1)～(4) のすべて　e (4) のみ

問19

(1) 長期療養患者褥瘡等処置は、入院期間が６月を超える入院中の患者に対して褥瘡処置を行った場合に、その範囲又は回数にかかわらず、当該処置の所定点数を算定できる。
(2) インキュベーターを行うに当たって使用した滅菌精製水の費用は、インキュベーターの所定点数とは別に算定できる。
(3) ギプスベッド又はギプス包帯の修理を行ったときは、修理料としてそれぞれの所定点数の100分の20に相当する点数を算定できる。
(4) 血漿交換療法について、当該療法の対象となる溶血性尿毒症症候群の実施回数は、一連につき21回を限度として算定できる。

a (1), (2)　b (2), (3)　c (1), (3), (4)　d (1)～(4) のすべて　e (4) のみ

問20

(1) 輸血について、自己血を採血する際の採血バッグ並びに輸血する際の輸血用回路及び輸血用針の費用並びに自己血の保存に係る費用は、輸血の所定点数に含まれ別に算定できない。
(2) 電磁波温熱療法を行うに当たって使用するセンサー等の消耗品の費用は、当該療法の所定点数とは別に算定できる。
(3) 下肢伝達麻酔は、検査、画像診断、処置又は手術のために少なくとも坐骨神経及び大腿神経の麻酔を行った場合に算定できる。
(4) 放射性同位元素内用療法管理料の「４　B細胞性非ホジキンリンパ腫に対するもの」は、B細胞性非ホジキンリンパ腫の患者に対して、放射性同位元素内用療法を行い、かつ、計画的な治療管理を行った場合に、月１回に限り算定できる。

a (1), (2)　b (2), (3)　c (1), (3), (4)　d (1)～(4) のすべて　e (4) のみ

第3章　解答用紙（学科試験問題演習）

問1	a	b	c	d	e
問2	a	b	c	d	e
問3	a	b	c	d	e
問4	a	b	c	d	e
問5	a	b	c	d	e
問6	a	b	c	d	e
問7	a	b	c	d	e
問8	a	b	c	d	e
問9	a	b	c	d	e
問10	a	b	c	d	e
問11	a	b	c	d	e
問12	a	b	c	d	e
問13	a	b	c	d	e
問14	a	b	c	d	e
問15	a	b	c	d	e
問16	a	b	c	d	e
問17	a	b	c	d	e
問18	a	b	c	d	e
問19	a	b	c	d	e
問20	a	b	c	d	e

●著者紹介●

森岡 浩美（もりおか ひろみ）
1996年より、医療機関にて診療報酬の仕事に携わる。
2000年より、医療系の専門学校、社会人向け資格取得教育スクールで、医療事務、診療報酬の講師を務める。

山﨑 美和（やまざき みわ）
1985年より、医療機関にて診療報酬の仕事に携わる。
2000年より、各種養成機関、社会人向け資格取得教育スクールで、医療事務、診療報酬の講師を務める。

2024年後期試験・2025年前期試験対応版
医療事務［診療報酬請求事務能力認定試験（医科）］合格テキスト＆問題集

2024年11月10日　初版第1刷発行

著　者――森岡 浩美、山﨑 美和

発行者――張 士洛
発行所――日本能率協会マネジメントセンター
〒103-6009　東京都中央区日本橋2-7-1　東京日本橋タワー
TEL 03（6362）4339（編集）／03（6362）4558（販売）
FAX 03（3272）8127（販売・編集）
https://www.jmam.co.jp/

装　　丁――吉村 朋子
イラスト――すぎやま ちかこ
本文DTP――株式会社森の印刷屋
印刷所――シナノ書籍印刷株式会社
製本所――株式会社三森製本所

本書の内容に関するお問い合わせは、２ページにてご案内しております。

ISBN 978-4-8005-9270-5 C3047
落丁・乱丁はおとりかえします。
PRINTED IN JAPAN

2024年後期試験・2025年前期試験対応版

解答・解説

Ⅰ　レセプト作成（実技試験問題）演習

Ⅱ　文章問題（学科試験問題）演習

1 外来 ①

［レセプト解答］

診療報酬明細書（医科入院外）　令和 6年 10月分

都道府県番号　医療機関コード

1 医科　①社・国　3 後期　2 公費　①単独　2 2併　3 3併　2 本外　4 六外　⑥家外　8 高外一　0 高外7

保険者番号　0 1 1 3 0 0 1 2　給付割合 10 9 8 7（ ）

被保険者証・被保険者手帳等の記号・番号　1200・263（枝番）03

公費負担者番号①　公費負担医療の受給者番号①

公費負担者番号②　公費負担医療の受給者番号②

氏名　鍋島　幹

①男 2女 1明 2大 3昭 ④平 5令 29・12・1 生

特記事項

職務上の事由　1 職務上　2 下船後3月以内　3 通勤災害

保険医療機関の所在地及び名称　（ 100 床）

傷病名	診療開始日
(1)（主）てんかん	(1) 平成31年 3月 20日
(2) 花粉症	(2) 令和 6年 10月 18日
(3)	(3)

転帰：治ゆ　死亡　中止

診療実日数：保険 2日　公費① 日　公費② 日

区分	項目		回数	点数
11 初診	時間外・休日・深夜		1回	146点
12 再診	再診	75 ×	2回	150
	外来管理加算	52 ×	1回	52
	時間外	×	回	
	休日	×	回	
	深夜	×	回	
13 医学管理				720
14 在宅	往診		回	
	夜間		回	
	深夜・緊急		回	
	在宅患者訪問診療		回	
	その他			
	薬剤			
20 投薬	21 内服 薬剤		単位	
	21 内服 調剤	×	回	
	22 屯服 薬剤		単位	
	23 外用 薬剤		単位	
	23 外用 調剤	×	回	
	25 処方	×	回	
	26 麻毒		回	
	27 調基			
30 注射	31 皮下筋肉内		回	
	32 静脈内		回	
	33 その他		回	
40 処置			1回	12
	薬剤			2
50 手術麻酔			回	
	薬剤			
60 検査病理			9回	3,166
	薬剤			
70 画像診断			3回	2,445
	薬剤			
80 その他	処方箋		3回	188
	薬剤			

⑪	複初（小児科）	146×1
⑬	てんかん	250×1
	薬1（てんかん患者で抗てんかん剤を投与）	470×1
㊵	ネブライザ	12×1
	デカドロン注射液3.3mg0.1管 生理食塩液20mL0.1管	2×1
⑥⓪	U-検	26×1
	B-末梢血液一般	21×1
	B-AST、ALT、γ-GT、Na・Cl	56×1
	外迅検（5項目）	50×1
	EEG8、賦活検査加算	970×1
	B-非特異的IgE定量（RIST） 特異的IgE半定量・定量(RAST)10種類	1,200×1
	B-V	40×1
	判血　判生Ⅰ　判免　検管Ⅰ	453×1
	判脳1	350×1
⑦⓪	頭部MRI(3テスラ以上、その他の場合) 電画　頭部MRI撮影加算	1,820×1
	コンピューター断層診断	450×1
	コ画2	175×1
⑧⓪	処方箋料「3」	60×1
	処方箋料「3」（複数診療科にて処方）	60×2
	一般2	8×1

療養の給付	請求 点	※決定 点	一部負担金額 円
保険	6,881		減額 割(円)免除・支払猶予
公費①			
公費②			

※高額療養費 円　※公費負担点数 点　※公費負担点数 点

［カルテ解説］

〈算定ポイント〉

●複数科初診料の算定
●脳波検査、頭部MRI撮影

⑪　初診（18日）

● **（A000）「注5」複数科初診料**　146点
・てんかんで通院中の患者が同一日に、関連のない別の疾患で新たに別の診療科（小児科）を受診しているため算定する。

⑫　再診（4日、18日）

● **（A001）再診料**　150点＝75点×2
● **「注８」外来管理加算**　52点×1
・4日のみ算定。18日は脳波検査及び処置のネブライザを行っているため算定できない。

⑬　医学管理等（4日）

● **（B001）「6」てんかん指導料**　250点×1
・脳神経外科の医師により、てんかんについて療養上必要な指導が行われているため算定する。
● **（B001）「2」特定薬剤治療管理料1**　470点×1
・抗てんかん剤（ザロンチンシロップ）の血中濃度を測定し、治療管理が行われているため算定する。抗てんかん剤を投与している患者については初回の算定から4月目以降であっても100/100（470点）を算定する。なお、抗てんかん剤の患者について［薬1］を算定する場合には、診療報酬明細書の摘要欄に初回の算定年月の記載を省略して差し支えない。
※［薬1］を算定する場合は、通知（1）のアの（イ）～（ナ）までの中から該当するものを摘要欄に記載する。

㊵　処置（18日）

● **（J114）ネブライザ**　12点×1
● **薬剤料**　2点×1
デカドロン注射液3.3mg0.1管（173円×0.1=17.30円）＋生理食塩液20mL0.1管（62円×0.1=6.20円）＝23.50円→2点
※ネブライザで使用した薬剤の薬剤料の算定については、管（アンプル）を使用した場合であっても使用した薬剤の量を比例計算して算定する。

⑥⓪　検査（4日、18日）

〈4日〉
● **（D000）尿中一般検査**　26点
● **（D005）「5」末梢血液一般**　21点。**（D026）「3」血液学的検査判断料**　125点
● **（D007）「3」AST**　17点＋**ALT**　17点＋**「1」γ-GT**　11点＋**Na・Cl**　11点=56点。**（D026）「4」生化学的検査（Ⅰ）判断料**　144点
※［薬1］の算定に当たり、同一日に血中濃度（ザロンチンシロップ）を測定しているため、血中濃度測定、静脈血採血の費用は当該管理料に含まれ算定できない。
● **（D026）「注4」・イ.検体検査管理加算（Ⅰ）**　40点。
・施設基準の届出及び検体検査判断料を算定しているため、上記の検体検査判断料に加算する。［検管Ⅱ］の届出ではあるが、外来での算定となるため［検管Ⅰ］を算定する。
● **（検体検査実施料）「通則3」外来迅速検体検査加算**　50点
・検体検査を行った当日に、検査結果を説明し文書により情報を提供し、結果に基づく診療が行われた場合に5項目を限度として、厚生労働大臣が定める検体検査の各項目の所定点数にそれぞれ10点を加算する。
〈18日〉
● **（D235）脳波検査**　970点＝720点＋**「注1」賦活検査加算**　250点。**（D238）「1」脳波検査判断料1**　350点
・脳波検査に当たって、睡眠賦活検査を行っているため**賦活検査加算**250点を加算する。また脳波検査を行った場合は、月1回に限り脳波検査判断料を算定する。施設基準の届出により判断料は［判脳1］を算定する。
● **（D015）「11」非特異的IgE定量（RIST）**　100点＋**（D015）「13」特異的IgE半定量・定量（RAST）**　110点×10（10種類）＝1,200点。**（D026）「6」免疫学的検査判断料**　144点
● **（D400）血液採取「1」静脈（B-V）**　40点
※本日行った検査の結果を説明し文書にて手交しているが、外来迅速検体検査加算の対象外の検査となるため、当該加算は算定できない。

⑦ 画像診断（18日）

●頭部MRI（3テスラ以上、その他の場合）・頭部MRI撮影加算　電子画像管理 1,820点＝①＋②＋③

① **（E202）「1」・ロ　MRI撮影** 1,600点

② **（E202）「1」「注8」頭部MRI撮影加算** 100点

③ **（コンピューター断層撮影診断料）「通則3」電子画像管理加算** 120点

・①MRI撮影は、一連につきの算定となるため撮影回数に関係なく所定点数のみ算定する。②施設基準の届出により、MRI撮影に頭部MRI撮影加算を加算する。

●（E203）コンピューター断層診断 450点

●「通則5」画像診断管理加算2（コンピューター断層診断） 175点

・施設基準の届出及び頭部のMRI撮影に対し、放射線科医のレポートがあるため、［コ画2］を算定する。

⑧ 処方箋料（4日、18日）

〈4日〉

●（F400）「3」処方箋料 60点×1

〈18日〉

●（F400）「3」処方箋料 60点×2

●「注6」一般名処方加算2 8点×1

・薬価基準抜粋から、交付した処方箋の医薬品1品目（フェキソフェナジン塩酸塩錠）が一般名処方されているため、施設基準により［一般2］を算定する。

・2以上の診療科で異なる医師が処方した場合は、それぞれの処方につき処方箋料を算定する。

2 外来 ②

［レセプト解答］

診療報酬明細書（医科入院外）　令和 6年 10月分

都道府県番号　医療機関コード

1 医科　①社·国　3 後期　①単独　2 2併　3 3併　②本外　4 六外　6 家外　8 高外-　0 高外7　2 公費

保険者番号	1	3	8	2	0	6	給付割合 10 9 8 ⑦（ ）

被保険者証・被保険者手帳等の記号・番号：20-68·3475（枝番）00

公費負担者番号①　公費負担医療の受給者番号①
公費負担者番号②　公費負担医療の受給者番号②

氏名：村上　真一
①男 2女 1明 2大 ③昭 4平 5令 34· 3· 20生

職務上の事由：1 職務上　2 下船後3月以内　3 通勤災害

特記事項

保険医療機関の所在地及び名称　（ 180 床）

傷病名	診療開始日
(1)（主）慢性閉塞性肺疾患	(1) 令和 4年 10月 23日
(2) 高血圧症	(2) 令和 4年 10月 23日
(3) 大腸癌術後	(3) 令和 4年 10月 23日
(4) 急性気管支炎、脱水症	(4) 令和 6年 10月 27日

転帰：治ゆ　死亡　中止

診療実日数：保険 2日　公費① 日　公費② 日

区分	項目	点数 × 回数		点	公費分点数
11 初診	時間外・休日・深夜		回		
12 再診	再診	75 ×	2回	150	
	外来管理加算	52 ×	2回	104	
	時間外	×	回		
	休日	190 ×	1回	190	
	深夜	×	回		
13 医学管理				407	
14 在宅	往診		回		
	夜間		回		
	深夜・緊急		回		
	在宅患者訪問診療		回		
	その他			7,671	
	薬剤				
20 投薬	21 内服 薬剤		5単位	100	
	21 内服 調剤	11 ×	1回	11	
	22 屯服 薬剤		単位		
	23 外用 薬剤		単位		
	23 外用 調剤	×	回		
	25 処方	42 ×	1回	42	
	26 麻毒		回		
	27 調基				
30 注射	31 皮下筋肉内		回		
	32 静脈内		回		
	33 その他		2回	187	
40 処置			回		
	薬剤				
50 手術麻酔			回		
	薬剤				
60 検査病理			7回	875	
	薬剤				
70 画像診断			3回	530	
	薬剤				
80 その他	処方箋		1回	124	
	薬剤				

摘要		点数×回数
⑬	[悪]（CEA、CA19-9）	400×1
	[薬情][手帳]	7×1
⑭	[酸][濃][液][携][呼][酸材]（動脈血酸素飽和度　95%）	7,671×1
㉑	ムコソルバン錠15mg 3T メイアクトMS錠100mg 3T	20×5
㉝	点滴注射「2」	102×1
	ラクテック注500mL 1袋 スルペラゾン静注用0.5g500mg 1瓶 ブドウ糖5%500mL 1袋	85×1
⑥⓪	U-検、沈（鏡検法）	53×1
	B-末梢血液一般、像（自動機械法）	36×1
	B-TP、Alb（BCP改良法）、AST、ALT、LD、T-Bil、ALP、CK、BUN、Crea、Na・Cl、K、T-cho、TG、HDL-cho	103×1
	B-CRP	16×1
	[外迅検]（5項目）	50×1
	ECG12	130×1
	[判尿][判血][判生Ⅰ][判免][検管Ⅰ]	487×1
⑦⓪	胸部X－Pデジタル（撮影1回）[電画]	210×2
	[緊画]（27日16：50）	110×1
⑧⓪	処方箋料「3」	60×1
	[一般2]	8×1
	[特処]	56×1

療養の給付	請求 点	※決定 点	一部負担金額 円
保険	10,391		減額 割(円)免除・支払猶予
公費①	点	※ 点	円
公費②	点	※ 点	円

※高額療養費 円　※公費負担点数 点　※公費負担点数 点

［カルテ解説］

〈算定ポイント〉

●在宅療養指導管理料の算定の可否

⑫ 再診（9日、27日）

●（A001）再診料　150点＝75点×2

●「注8」外来管理加算　104点＝52点×2

〈27日〉

●「注5」休日加算　190点

・日曜日（休診日）の16時40分に緊急来院のため算定する。

⑬ 医学管理等（9日、27日）

●（B001）「3」・ロ（2）悪性腫瘍特異物質治療管理料　400点×1

・悪性腫瘍（大腸癌術後）の確定診断がされた患者に対して腫瘍マーカー検査を行い、その検査結果に基づいて治療管理が行われているため算定する。

※［悪］を算定した場合は、腫瘍マーカー検査名を摘要欄に記載する。

※9日、27日に療養管理が行われているが、在宅療養指導管理料を算定しているため、特定疾患療養管理料は算定できない。

※生活習慣病管理料（Ⅱ）の対象疾患である高血圧症は、主病ではないため当該管理料は算定しない。

●（B011-3）薬剤情報提供料　7点＝薬剤情報提供料　4点＋「注2」手帳記載加算　3点

・処方に対して薬剤情報（文書）を提供し、手帳に記載しているため算定する。

⑭ 在宅医療（9日）

●その他　7,671点＝①＋②

①（C103）「2」在宅酸素療法指導管理料（その他の場合）　2,400点

※動脈血酸素濃度分圧又は動脈血酸素飽和度を摘要欄に記載する。

②在宅療養指導管理材料加算　5,271点＝（C158）酸素濃縮装置加算　4,000点＋（C159）「2」液化酸素装置加算（携帯型液化酸素装置）　880点＋（C159-2）呼吸同調式デマンドバルブ加算　291点＋（C171）「2」在宅酸素療法材料加算（その他の場合）　100点

⑳ 投薬（27日）

●内服薬　①20点×5日分

①ムコソルバン錠15mg 3T（8.60円×3＝25.80円）＋メイアクトMS錠100mg 3T（56.60円×3＝169.80円）＝195.60円→20点

●（F000）「1」・イ．内服薬調剤料　11点×1

●（F100）「3」処方料　42点×1

●（F500）「2」調剤技術基本料

・同一月に処方箋の交付があるため算定できない。

㉚ 注射（27日）

●（G004）「2」点滴注射　102点×1

●薬剤料　85点×1

ラクテック注500mL1袋（231円）＋スルペラゾン静注用0.5g500mg1瓶（378円）＋ブドウ糖5%500mL1袋（243円）＝852円→85点

㊿ 検査（9日、27日）

〈9日〉

●（D000）尿一般　26点＋（D002）沈渣（鏡検法）　27点＝53点。（D026）「1」尿・糞便等検査判断料　34点

●（D005）「5」末梢血液一般　21点＋（D005）「3」末梢血液像（自動機械法）　15点＝36点。（D026）「3」血液学的検査判断料　125点

●（D007）「注」・ハ．TP、Alb（BCP改良法）、AST、ALT、LD、T-Bil、ALP、CK、BUN、Crea、Na・Cl、K、T-cho、TG、HDL-cho（15項目）　103点。（D026）「4」生化学的検査（Ⅰ）判断料　144点

●（D015）「1」CRP　16点。（D026）「6」免疫学的検査判断料　144点

※腫瘍マーカー検査（CEA、CA19-9）、当該検査に係る採血料は、悪性腫瘍特異物質治療管理料に含まれ算定できない。

●（D026）「注4」・イ．検体検査管理加算（Ⅰ）　40点

・施設基準の届出及び上記の検体検査判断料を算定しているため、［検管Ⅰ］を加算する。

●（検体検査実施料）「通則3」外来迅速検体検査加算　50点

・検体検査を行った当日に、検査結果を説明したうえで文書により情報を提供し、結果に基づく診療が行われた場合に5項目を限

度として、厚生労働大臣が定める検体検査の各項目の所定点数にそれぞれ10点を加算する。

● (D208)「1」ECG12　130点

※9日、27日の経皮的動脈血酸素飽和度の費用は、在宅酸素療法指導管理料に含まれ算定できない。

⑦⓪　画像診断（9日、27日）

●胸部X-Pデジタル（撮影1回）電子画像管理　210点（(①+②+③)）×2

①（E001)「1」・イ．診断料　85点

②（E002)「1」・ロ．デジタル撮影料　68点

③（エックス線診断料)「通則4」・イ．電子画像管理加算（単純）　57点

〈27日〉

●「通則3」時間外緊急院内画像診断加算　110点

・日曜日（休診日）に来院し、緊急に画像診断を実施しているため算定する。

※撮影開始日時を摘要欄に記載する。

⑧⓪　処方箋料（9日）

● (F400)「3」処方箋料　60点×1

●「注6」一般名処方加算2　8点×1

・薬価基準抜粋から、交付した処方箋の医薬品1品目（アムロジピン錠）が一般名処方されているため、施設基準により 一般2 を算定する。

●「注4」特定疾患処方管理加算　56点

・特定疾患を主病とする患者に対して、特定疾患に対する薬剤（ウルティブロ吸入用カプセル）が28日分以上処方されているため算定する。

※月1回を限度とする。

3 外来 ③

［レセプト解答］

診療報酬明細書（医科入院外）　令和 6年 10月分

都道府県番号　医療機関コード

1医科　①社・国　3後期　①単独　2本外　8高外一
2公費　2 2併　4六外
3 3併　⑥家外　0高外7

保険者番号	3	1	1	3	0	4	8	7	給付割合 10 9 8 7（　）

被保険者証・被保険者手帳等の記号・番号　1・1009946（枝番）02

公費負担者番号①　公費負担医療の受給者番号①
公費負担者番号②　公費負担医療の受給者番号②

氏名	小堤　衣里
	1男 ②女 1明 2大 3昭 ④平 5令 17・ 1・ 7生
職務上の事由	1職務上　2下船後3月以内　3通勤災害

特記事項

保険医療機関の所在地及び名称　（　　床）

傷病名	診療開始日	転帰	診療実日数
(1)(主)右橈骨遠位端骨折	(1)令和 6年 10月 15日	治ゆ 死亡 中止	保険 5日
(2)腰部打撲傷	(2)令和 6年 10月 15日		公費① 日
(3)右手掌挫創	(3)令和 6年 10月 15日		公費② 日

区分	項目	単価	回数	点数
11 初診	(時間外)・休日・深夜		1回	387点
12 再診	再診	80 ×	4回	320
	外来管理加算	×	回	
	時間外	50 ×	1回	50
	休日	×	回	
	深夜	×	回	
13 医学管理				7
14 在宅	往診		回	
	夜間		回	
	深夜・緊急		回	
	在宅患者訪問診療		回	
	その他			
	薬剤			
20 投薬	21 内服 薬剤		単位	
	21 内服 調剤	11 ×	1回	11
	22 屯服 薬剤		5単位	10
	23 外用 薬剤		単位	
	23 外用 調剤	×	回	
	25 処方	42 ×	1回	42
	26 麻毒		回	
	27 調基			
30 注射	31 皮下筋肉内		回	
	32 静脈内		回	
	33 その他		回	
40 処置			5回	1,401
	薬剤			3
50 手術麻酔			2回	4,326
	薬剤			25
60 検査病理			回	
	薬剤			
70 画像診断			4回	789
	薬剤			
80 その他	処方箋		2回	130
				980
	薬剤			

公費分点数

⑪	初感　初連　初サ　医情2	
⑫	明	1×4
	時外2	4×4
	夜早	50×1
⑬	薬情　手帳	7×1
㉒	ロキソプロフェンナトリウム60mg錠 1T／アルジオキサ錠100mg 1T	2×5
㊵	四肢ギプスシーネ(右前腕) 外	1,092×1
	腰部固定帯固定	35×1
	腰部固定帯加算	170×1
	モーラスパップ30mg 10cm×14cm 2枚	3×1
	創傷処置「1」（100cm²未満）	52×2
㊿	骨折非観血的整復術(右前腕) 外 (15日)	2,856×1
	創傷処理「5」(長径5cm以上10cm未満)／デブリードマン 外 (15日)	1,470×1
	キシロカイン注射液1%10mLV／生理食塩液50mL1V	25×1
⑰	緊画 (15日18：45)	110×1
	両橈骨X-Pデジタル(撮影2回) 電画	224×1
	腰部X-Pデジタル(撮影2回) 電画	287×1
	右橈骨X-Pデジタル(撮影1回) 電画	168×1
⑳	処方箋料「3」(モーラスパップ14枚、1日2枚)	60×2
	一般1	10×1
	リハ総評1	300×1
	運動器リハビリテーション料Ⅱ「イ」1単位	170×2
	運動器リハビリテーション料Ⅱ「イ」2単位	340×1
	〔実施日数：3日　疾患名：右橈骨遠位端骨折　手術日：令和6年10月15日〕	

療養の給付	請求 点	※決定 点	一部負担金額 円
保険	8,481		減額 割(円)免除・支払猶予
公費①	点	※ 点	円
公費②	点	※ 点	円

※高額療養費　円　※公費負担点数　点　※公費負担点数　点

［カルテ解説］

〈算定ポイント〉

●画像診断料の算定
●リハビリテーション料の算定

⑪　初診（15日）

●（A000）初診料　291点

●「注7」時間外加算　85点

・平日の18時30分に緊急来院のため時間外加算を算定する。

●「注11」外来感染対策向上加算　6点

・施設基準の届出により、初診料に加算する。月1回に限り算定可。本文P.53参照。

●「注12」連携強化加算　3点

・施設基準の届出により、初診料に加算する。月1回に限り算定可。本文P.53参照。

●「注13」サーベイランス強化加算　1点

・施設基準の届出により、初診料に加算する。月1回に限り算定可。本文P.53参照。

●「注15」医療情報取得加算２　1点

・施設基準により、マイナンバーカードを保険証として利用し、診療情報の取得に同意した患者に対して初診料に加算する。月1回に限り算定可（本文P.54参照）。
［令和6年12月診療報酬改定による医療情報取得加算の見直し］
患者のマイナ保険証の使用有無にかかわらず、施設基準を満たす場合には、「医療情報取得加算　1点（月1回）」を算定する。

⑫　再診（16日、19日、22日、25日）

●（A001）再診料　320点＝（75点＋「注10」時間外対応加算2　4点＋「注11」明細書発行体制等加算1点）×4

〈19日〉

●「注7」夜間・早朝等加算　50点×1

・施設基準を満たす保険医療機関において、19日土曜日の14時に来院のため算定する。

●（A001）再診料

・19日は同一傷病により整形外科を受診後リハビリテーション科を受診しているが、2以上の傷病に罹（かか）っている患者にそれぞれの傷病につき同時に再診を行った場合であっても、再診料は1回に限り算定する（2以上の保険医又は2以上の診療科にわたる再診の場合も同様）（通則1）。

●「注8」外来管理加算

・16日は処置、19日は処置及びリハビリテーション、22日及び25日はリハビリテーションが行われているため算定できない。

⑬　医学管理等（15日）

●（B011-3）薬剤情報提供料　7点＝薬剤情報提供料　4点＋「注2」手帳記載加算　3点

・処方に対して薬剤情報（文書）を提供し、手帳に記載しているため算定する。

⑳　投薬（15日）

●屯服薬　2点×5回分
ロキソプロフェンナトリウム60mg錠1T（9.80円）＋アルジオキサ錠100mg1T（5.70円）＝15.50円→2点

●（F000）「1」・イ．屯服薬調剤料　11点×1

●（F100）「3」処方料　42点×1

●（F500）「2」調剤技術基本料

・薬剤師勤務の記載がないため算定しない。

㊵　処置（15日、16日、19日）

〈15日〉

●（J122）「3」橈骨ギプスシーネ　1,092点＝①＋②

①四肢ギプス包帯（半肢）　780点

②「通則5」・ロ．時間外加算2　780点×40/100＝312点

・ギプスシーネは、ギプス包帯の点数により算定する。

・橈骨は前腕であり、1肢の半分のため半肢で算定する（本文P.87〈図表1.7.1〉参照）。

・時間外に150点以上の緊急処置を行っているため、時間外加算2を算定する。

〈16日〉

●（J119-2）腰部又は胸部固定帯固定　35点

・同一日に消炎鎮痛等処置「3」（湿布処置）を行っているが、主たるもののみ算定する。

●（J200）腰部、胸部又は頸部固定帯加算（初回のみ）　170点

・腰部固定帯加算は、腰部固定帯を給付する都度算定する。

●薬剤料　3点×1
モーラスパップ30mg2枚（17.10円×2＝34.20円）→3点

〈16日、19日〉

●（J000）「1」創傷処置（100cm^{2}未満）52点×2

外来③

●薬剤料
・15円以下のため算定できない。

㊿ 手術（15日）

●（K044）「2」骨折非観血的整復術（前腕） 2,856点＝①＋②
①骨折非観血的整復術（前腕） 2,040点
②「通則12」・ロ．時間外加算2 2,040点×40/100＝816点
・時間外に緊急手術が行われているため時間外加算2を算定する。
●（K000）「5」創傷処理（長径5cm以上10cm未満） 1,470点＝①＋②
①創傷処理「5」 950点＋**「注3」デブリードマン** 100点＝1,050点
②「通則12」・ロ．時間外加算2 1,050点×40/100＝420点
・時間外に緊急手術が行われているため時間外加算2を算定する。
●薬剤料 25点×1
キシロカイン注射液1% 10mLV（110円）＋生理食塩液50mL1V（141円）＝251円→25点
※手術に使用した外皮用殺菌剤（5%ヒビテン液）は算定できない（「通則2」）。

⑦⓪ 画像診断（15日、19日）

〈15日〉
●「通則3」時間外緊急院内画像診断加算 110点
・時間外に来院し、緊急に画像診断を実施しているため算定する。
※撮影開始日時を摘要欄に記載する。
●両橈骨X-Pデジタル（撮影2回）電子画像管理 224点＝①＋②＋③
①**（E001）「1」・ロ．診断料** 43点＋（43点×1/2）＝64.5点→65点
②**（E002）「1」・ロ．デジタル撮影料** 68点＋（68点×1/2）＝102点
③**（エックス線診断料）「通則4」・イ．電子画像管理加算（単純）** 57点
※健側を患側の対照として撮影しているため、同一部位の扱いとなる（本文P.109〈カルテ例〉参照）。
●腰部X-Pデジタル（撮影2回）電子画像管理 287点＝①＋②＋③
①**（E001）「1」・イ．診断料** 85点＋（85点×1/2）＝127.5点→128点
②**（E002）「1」・ロ．デジタル撮影料** 68点＋（68点×1/2）＝102点
③**（エックス線診断料）「通則4」・イ．電子画像管理加算（単純）** 57点
〈19日〉
●右橈骨X-Pデジタル（撮影1回）電子画像管理 168点＝①＋②＋③
①**（E001）「1」・ロ．診断料** 43点
②**（E002）「1」・ロ．デジタル撮影料** 68点
③**（エックス線診断料）「通則4」・イ．電子画像管理加算（単純）** 57点

⑧⓪ 処方箋料（16日、19日）

●（F400）「3」処方箋料 60点×2
〈19日〉
●「注6」一般名処方加算1 10点×1
・薬価基準抜粋から、交付した処方箋のすべての医薬品（2品目以上）が一般名処方されているため、施設基準により算定する。

⑧⓪ リハビリテーション料（19日、22日、25日）

〈19日〉
●（H003-2）リハビリテーション総合計画評価料1 300点×1
・施設基準の届出及び運動器リハビリテーション（Ⅱ）に対して医師、理学療法士等と共同で作成したリハビリテーション総合実施計画書の内容を本人に説明のうえ交付しているため、リハ総評1を算定する。
〈19日、22日〉
●（H002）「2」・イ.運動器リハビリテーション料（Ⅱ）1単位 170点×2
〈25日〉
●（H002）「2」・イ.運動器リハビリテーション料（Ⅱ）2単位 340点×1
・運動器リハビリテーション料（Ⅱ）2単位（170点×2単位＝340点）
・理学療法士によるリハビリテーションが行われているため、施設基準の届出により「2」イを算定する。
※実施日数、疾患名、手術月日を摘要欄に記載する。
●「注2」早期リハビリテーション加算及び「注3」初期加算
・手術日より30日（初期加算については14日）を限度として算定できるが、大腿骨頸部骨折の患者である要件を満たしていないため算定できない。

4 外来 ④

[レセプト解答]

診療報酬明細書
(医科入院外)

令和 6年 10月分　都道府県番号　医療機関コード

1 医科	①社・国	3 後期	①単独	2 本外	8 高外-
	2 公費		2 2併	4 六外	0 高外7
			3 3併	⑥家外	

保険者番号	0 1 1 3 0 0 1 2	給付割合	10 9 8 7( )
被保険者証・被保険者手帳等の記号・番号	11010203・126(枝番)01		

公費負担者番号①　公費負担医療の受給者番号①
公費負担者番号②　公費負担医療の受給者番号②

氏名	坂本　真弓	特記事項
	1男 ②女 1明 2大 ③昭 4平 5令 58・ 2・ 18生	
職務上の事由	1職務上 2下船後3月以内 3通勤災害	

保険医療機関の所在地及び名称　(250 床)

傷病名	診療開始日	転帰	診療実日数
(1) 尿管結石症（主）	(1) 令和 6年 10月 20日	治ゆ 死亡 中止	保険 3 日
(2) 急性腎盂腎炎	(2) 令和 6年 10月 20日		公費① 日
(3) 鉄欠乏性貧血	(3) 令和 6年 10月 28日		公費② 日

区分	項目	点数	回数	合計	公費分点数
11 初診	時間外・(休日)・深夜		1回	542点	
12 再診	再診	76 ×	2回	152	
	外来管理加算	×	回		
	時間外	×	回		
	休日	×	回		
	深夜	×	回		
13 医学管理				204	
14 在宅	往診		回		
	夜間		回		
	深夜・緊急		回		
	在宅患者訪問診療		回		
	その他				
	薬剤				
20 投薬	21 内服 薬剤		2単位	22	
	21 内服 調剤	11 ×	1回	11	
	22 屯服 薬剤		単位		
	23 外用 薬剤		1単位	6	
	23 外用 調剤	8 ×	1回	8	
	25 処方	42 ×	1回	42	
	26 麻毒		回		
	27 調基				
30 注射	31 皮下筋肉内		1回	34	
	32 静脈内		回		
	33 その他		回		
40 処置			回		
	薬剤				
50 手術麻酔			回		
	薬剤				
60 検査病理			13回	2,585	
	薬剤				
70 画像診断			4回	1,187	
	薬剤			188	
80 その他	処方箋		2回	120	
	薬剤				

区分	内容	点数×回数
⑪	[医情2]	
⑬	[薬情]	4× 1
	[地域夜休]	200× 1
㉑	セフカペンピボキシル塩酸塩錠100mg3T レバミピド錠100mg3T	11× 2
㉓	ボルタレンサポ50mg2個	6× 1
㉛	ソセゴン注射液15mg1A	34× 1
⑳	[緊検]　(20日20:10)	200× 1
	U-検、沈(鏡検法)	53× 1
	B-末梢血液一般、像(自動機械法)	36× 1
	B-T-Bil、AST、ALT、γ-GT、LD、ALP、TP、T-cho、BUN、Crea、BS、TG、Na・Cl、K	103× 1
	B-CRP	16× 1
	S-M、培・同定(尿)	257× 1
	S-ディスク(1菌種)	185× 1
	B-Fe	11× 1
	B-V	40× 2
	超音波(断層撮影法)イ 腎・泌尿器領域	530× 1
	超音波(断層撮影法)イ 腎・泌尿器領域[減]	477× 1
	[判尿][判血][判生I][判免][判微][検管I]	637× 1
⑦	[緊画]　(20日20:25)	110× 1
	腹部X-Pデジタル(撮影1回) [電画]	210× 1
	腎盂造影X-Pデジタル(撮影6回) [電画] 点滴注入	797× 1
	ウログラフイン注60%100mL1V	188× 1
	[写画1]	70× 1
⑧	処方箋料「3」	60× 2

療養の給付	請求 点	※決定 点	一部負担金額 円
保険	5,101		減額 割(円)免除・支払猶予
公費①	点	※ 点	円
公費②	点	※ 点	円

※高額療養費 円　※公費負担点数 点　※公費負担点数 点

外来④

［カルテ解説］

〈算定ポイント〉

●外来診療料の算定

⑪　初診（20日）

●（A000）初診料　291点

●「注7」休日加算　250点

・日曜日の20時に緊急来院のため休日加算を算定する。

●「注15」医療情報取得加算２　1点

・施設基準により、マイナンバーカードを保険証として利用し、診療情報の取得に同意した患者に対して初診料に加算する。月1回に限り加算可（本文P.54参照）。

⑫　再診（21日、28日）

●（A002）外来診療料　152点＝76点×2

⑬　医学管理等（20日）

●（B011-3）薬剤情報提供料　4点×1

・院内処方に対して、薬剤情報（文書）を提供しているため算定する。

●（B001-2-4）地域連携夜間・休日診療料　200点×1

・休日に急性増悪となり緊急来院し受診。施設基準の届出により算定する。

⑳　投薬（20日）

●内服薬　11点×2日分　セフカペンピボキシル塩酸塩錠100mg3T（27.40円×3＝82.20円）＋レバミピド錠100mg3T（10.10円×3＝30.30円）＝112.50円→11点

●外用薬　6点×1
ボルタレンサポ50mg2個（29.00円×2＝58円）→6点

●（F000）「1」・イ．内服薬調剤料　11点×1

●（F000）「1」・ロ．外用薬調剤料　8点×1

●（F100）「3」処方料　42点×1

●（F500）「2」調剤技術基本料

・同一月に処方箋の交付があるため算定できない。

㉚　注射（20日）

●（G000）皮内、皮下及び筋肉内注射　34点＝①＋②

※iMは「皮内、皮下及び筋肉内注射」の略称。

①ソセゴン注射液15mg1A（89円）→9点
②実施料25点

・薬剤名及び実施料25点＋薬剤料9点を合算した点数を摘要欄に記載する。

㊵　検査（20日、21日、28日）

〈20日〉

●（検体検査実施料）「通則1」時間外緊急院内検査加算　200点

・日曜日に来院し、緊急に検体検査を実施しているため算定する。

※検査開始日時を摘要欄に記載する。

●（D000）U-検　26点＋（D002）U-沈（鏡検法）　27点＝53点。（D026）「1」尿・糞便等検査判断料　34点

●（D005）「5」末梢血液一般　21点＋（D005）「3」末梢血液像（自動機械法）　15点＝36点。（D026）「3」血液学的検査判断料　125点

●（D007）「注」・ハ．T-Bil、AST、ALT、γ-GT、LD、ALP、TP、T-cho、BUN、Crea、BS、TG、Na・Cl、K（14項目）　103点。（D026）「4」生化学的検査（Ⅰ）判断料　144点

●（D015）「1」CRP　16点。（D026）「6」免疫学的検査判断料　144点

●（D026）「注4」・イ．検体検査管理加算（Ⅰ）　40点

・施設基準の届出及び検体検査判断料を算定しているため、検管Ⅰを算定する。

●（D400）「1」血液採取：B-V　40点

●（D215）「2」・ロ・(1)．超音波検査（断層撮影法）胸腹部　530点

※胸腹部を算定する場合は、検査を行った領域について摘要欄に該当項目を記載する。

〈21日〉

●（D017）「3」細菌顕微鏡検査（その他）67点＋（D018）「4」細菌培養同定検査（泌尿器からの検体）　190点＝257点。（D026）「7」微生物学的検査判断料　150点

〈28日〉

●（D007）「1」B-Fe　11点

●（D400）「1」血液採取：B-V　40点

※尿一般、沈渣（鏡検法）、末梢血液一般、網赤血球数は外来診療料に含まれ算定できない。

●（D019）「1」細菌薬剤感受性検査（1菌種）　185点

●（D215）「2」・ロ・(1)．超音波検査（断層

撮影法）胸腹部 減　477点＝530点×90/100

・同一月2回目以降は、所定点数の90/100の点数で算定する（**超音波検査等**）「**通則**」。

※胸腹部を算定する場合は、検査を行った領域について摘要欄に該当項目を記載する。

⑦⓪　画像診断（20日、21日）

〈20日〉

●「**通則3**」**時間外緊急院内画像診断加算**　110点

・日曜日に来院し、緊急に画像診断を実施しているため算定する。

※撮影開始日時を摘要欄に記載する。

●**腹部X-Pデジタル（撮影1回）電子画像管理**　210点＝①＋②＋③

① **（E001）「1」・イ．診断料**　85点

② **（E002）「1」・ロ．デジタル撮影料**　68点

③ **（エックス線診断料）「通則4」・イ．電子画像管理加算（単純）**　57点

〈21日〉

●**腎盂造影X-Pデジタル（撮影6回）電子画像管理、点滴注入**　797点＝①＋②＋③＋④

① **（E001）「3」診断料**　72点＋（72点×1/2）×4＝216点

② **（E002）「3」・ロ．デジタル撮影料**　154点＋（154点×1/2）×4＝462点

③ **（エックス線診断料）「通則4」・ハ．電子画像管理加算（造影剤使用）**　66点

④ **（E003）「1」造影剤注入手技：点滴注射（その他）**　53点

・「通則3」より2～5枚目の写真診断と撮影は50/100の点数とし、6枚目以降は算定しない。

●**薬剤料**　188点×1

ウログラフイン注60%100mL1V（1,883円）→188点

●「**通則4**」**画像診断管理加算1（写真診断）**　70点

・施設基準の届出及び腎盂造影に対して、放射線科医による診断・読影文書の報告があるため、写画1 を算定する。

⑧⓪　処方箋料（21日、28日）

● **（F400）「3」処方箋料**　60点×2

外来④

5 外来 ⑤

［レセプト解答］

診療報酬明細書（医科入院外）　令和 6年 10月分

保険種別	1医科 ①社・国 ①単独 ②本外
保険者番号	01130012
給付割合	10 9 8 7（ ）
被保険者証・被保険者手帳等の記号・番号	6040819・1469（枝番）00

氏名	海野　二郎
性別・生年月日	①男 ③昭 38・2・1 生
職務上の事由	1職務上 2下船後3月以内 3通勤災害

傷病名	診療開始日	
(1) 2型糖尿病（主）	(1) 平成 31年 3月 25日	
(2) 高血圧症・脂質異常症	(2) 平成 31年 3月 25日	
(3) 右足第2度熱傷	(3) 令和 6年 10月 10日	
(4)	(4) 令和 年 月 日	

診療実日数　保険 4日

区分	項目	回数	点数
12 再診	再診	×5回	352
14 在宅	その他		1,580
40 処置		4回	540
	薬剤		29
60 検査病理		5回	572
80 その他	処方せん	3回	196

⑫	再感　再連　再サ
	複再（内科）　38×1
	明　1×4
⑭	注　注糖　（自己測定回数:60回）　1,580×1
⑩	熱傷処置「1」（初回処置日:令和6年10月10日）　135×4
	5%ヒビテン液20mL リンデロン-VG軟膏0.12%2g　9×3
	5%ヒビテン液10mL　2×1
⑥⓪	B-末梢血液一般、HbA1c　70×1
	B-TP、Alb（BCP改良法・BCG法）、AST、ALT、γ-GT、LD、T-Bil、ALP、CK、BUN、Cre、UA、Glu、Na・Cl、K、T-cho、TG、HDL-cho、LDL-cho　103×1
	B-V　40×1
	外迅検　（5項目）　50×1
	判血　判生I　検管I　309×1
⑧⓪	処方箋料「3」　60×3
	一般2　8×2

療養の給付	請求 点	※決定 点	一部負担金額 円
保険	3,269		

［カルテ解説］

〈算定ポイント〉

●複数科再診料の算定
●在宅自己注射指導管理料の算定

⑫ 再診（10日、12日、15日、23日）

● **（A001）再診料** 300点＝75点×4

・右足熱傷で受診はしているが、2型糖尿病等で継続受診中の患者となるため再診料を算定する。

● **「注11」明細書発行体制等加算** 4点＝1点×4

・施設基準の届出により、明細書発行体制等加算を再診の都度算定する。

〈10日〉

● **「注15」外来感染対策向上加算** 6点

・施設基準の届出により、再診料に加算する。月1回に限り算定可。本文P.58（P.53）参照。

● **「注16」連携強化加算** 3点

・施設基準の届出により、再診料に加算する。月1回に限り算定可。本文P.58（P.53）参照。

● **「注17」サーベイランス強化加算** 1点

・施設基準の届出により、再診料に加算する。月1回に限り算定可。本文P.58（P.53）参照。

〈12日〉

● **「注3」複数科再診料** 38点

・12日は、外科を受診した後内科を受診。複数科再診料を算定する。

※診療報酬明細書の摘要欄に、受診した2つ目の診療科（内科）の診療科名を記載する。

・**「注8」外来管理加算**について、4日間ともに熱傷処置が行われているため算定できない。

⑬ 医学管理等

・主病の2型糖尿病は、施設基準の届出により「生活習慣病管理料（Ⅱ）」の対象疾患に該当するが、カルテ内に治療計画書の策定、療養計画書の交付についての記載がなく、同月にC101「**在宅自己注射指導管理料**」を算定しているため、当該管理料は算定できない。

⑭ 在宅医療（12日）

● **（C101）在宅自己注射指導管理料2「ロ」** 750点

・カルテ左欄に自己注射1日2回と記載があるので**「ロ」月28回以上**の750点を算定する。

● **（C150）血糖自己測定器加算「4」** 830点

・メディセーフフィットセンサー2箱（60回分）、メディセーフ針2箱（60回分）（血糖自己測定用の試験紙と針。いずれも血糖自己測定器で使用する）と記載があるので**「4」月60回以上測定する場合**の830点を算定する。なおこれらの材料費は、血糖自己測定器加算に含まれる。

㊵ 処置（10日、12日、15日、23日）

● **（J001）熱傷処置「1」** 135点×4

・10日のカルテ左欄に水泡を伴う熱傷の範囲が「8cm×10cm」と記載があるので**熱傷処置「1」100cm²未満**の135点にて算定する。

※診療報酬明細書の摘要欄に初回の処置年月日を記載する。

●**薬剤料**

〈10日、12日、15日〉 9点×3

5%ヒビテン液20mL（19.40円×2＝38.80円）＋リンデロン-VG軟膏0.12%2g（27.70円×2＝55.40円）＝94.20円→9点

〈23日〉 2点×1

5%ヒビテン液10mL（19.40円×1）→2点

㊿ 検査（12日）

● **（D005）「5」末梢血液一般** 21点＋**「9」HbA1c** 49点＝70点。**（D026）「3」血液学的検査判断料** 125点

● **（D007）「注」ハ.TP、Alb（BCP改良法・BCG法）、AST、ALT、γ-GT、LD、T-Bil、ALP、CK、BUN、Cre、UA、Glu、Na·Cl、K、T-cho、TG、HDL-cho、LDL-cho**（18項目） 103点

・T-cho、HDL-cho、LDL-cho3つ同時に算定する場合は、主たるもの2項目のみ算定する。
(D026)「4」生化学的検査（Ⅰ）判断料 144点

● **（D026）「注4」・イ.検体検査管理加算（Ⅰ）** 40点

・施設基準の届出及び検体検査判断料を算定しているため、上記の検体検査判断料に［検管Ⅰ］を加算する。

● **（検体検査実施料）「通則3」外来迅速検体検査加算** 50点

・検体検査を行った当日に、検査結果を説明し文書により情報を提供し、結果に基づく診療が行われた場合に5項目を限度として、厚生労働大臣が定める検体検査の各項目の所定点数にそれぞれ10点を加算する。

● **（D400）血液採取「1」静脈（B-V）** 40点

⑳ 処方箋料（10日、12日、15日）

〈10日〉

● **（F400）「3」処方箋料**　60点×1

● **「注6」一般名処方加算2**　8点×1

・薬価基準抜粋から、交付した処方箋の医薬品1品目（ロキソプロフェンナトリウム錠）が一般名処方されているため算定する。

〈12日〉

● **（F400）「3」処方箋料**　60点×1

● **「注6」一般名処方加算2**　8点×1

・薬価基準抜粋から、交付した処方箋の医薬品1品目（アムロジピン錠5mg）が一般名処方されているため、施設基準により算定する。

〈15日〉

● **（F400）「3」処方箋料**　60点×1

6 入院 ①

［レセプト解答］

診療報酬明細書（医科入院）

令和 6年 10月分

都道府県番号　医療機関コード

1 医科　①社・国　3 後期　①単独　2 2併　3 3併　1 本入　3 六入　⑤家入　7 高入一　9 高入7

保険者番号	3 4 1 3 0 0 2 1	給付割合	10 9 8 7（ ）

被保険者証・被保険者手帳等の記号・番号	15-A-21・367（枝番）02

公費負担者番号①　公費負担医療の受給者番号①

公費負担者番号②　公費負担医療の受給者番号②

区分	精神　結核　療養	特記事項
氏名	吹田　新 ①男　2女　1明　2大　3昭　④平　5令　27・3・12生	
職務上の事由	1 職務上　2 下船後3月以内　3 通勤災害	

保険医療機関の所在地及び名称

傷病名	診療開始日	転帰	診療実日数
(1) 左角膜裂傷（主）	(1) 令和 6年 10月 6日	治ゆ　死亡　中止	保険 3日
	(2) 年 月 日		公費① 日
	(3) 年 月 日		公費② 日

区分			回数	点数
11 初診	時間外・㊡休日・深夜		1回	542点
13 医学管理				775
14 在宅				
20 投薬	21 内服		単位	
	22 屯服		単位	
	23 外用		単位	
	24 調剤		日	
	26 麻毒		日	
	27 調基			
30 注射	31 皮下筋肉内		2回	120
	32 静脈内		回	
	33 その他		1回	17
40 処置			2回	104
	薬剤			12
50 手術麻酔			3回	19,321
	薬剤			47
60 検査病理			10回	1,821
	薬剤			
70 画像診断			回	
	薬剤			
80 その他	薬剤			

公費分点数

区分	摘要	点数×回数
(11)	医情2	
(13)	薬管2（6日）	325×1
	情Ⅰ　情Ⅰ退（令和6年10月8日）	450×1
(31)	パンスポリン筋注用0.25g250mg1瓶（溶解液付）	60×2
(33)	（結膜下注射） デキサート注射液3.3mg1mL1管0.2mL	17×1
(40)	創傷処置「1」	52×2
	クロラムフェニコール0.2g エコリシン眼軟膏0.2g	6×2
(50)	虹彩整復・瞳孔形成術 休（6日）	8,514×1
	閉鎖循環式全身麻酔「5」ロ 休 （1時間20分）（6日）	10,800×1
	液化酸素CE 300L （0.19円×300L×1.3）÷10	7×1
	セボフルラン吸入麻酔液 15mL ソルラクト輸液 250mL 0.2mL クロラムフェニコール0.2g エコリシン眼軟膏0.2g	47×1
(60)	眼底カメラ撮影（蛍光眼底法）	400×1
	眼底三次元画像解析	190×1
	精密眼圧測定	82×1
	細隙灯顕微鏡検査（前眼部及び後眼部）	110×1
	U-検、沈（鏡検法）	53×1
	B-末梢血液一般、像（鏡検法）ESR	55×1
	B-AST、ALT、T-cho、TP、BUN、Crea、 タン分画、ALP、Na・Cl、K、γ-GT （入院時初回加算）	123×1
	B-HBs抗原定性・半定量、HCV抗体定性・定量	131×1
	ECG12	130×1
	判尿　判血　判生Ⅰ　判免　検管Ⅱ	547×1

90 入院

入院年月日　令和 6年 10月 6日

㊖病　診

急一般4　臨修　録管3　医1の50　環境　安全1　感向2　感連　感サ　デ提1

90 入院基本料・加算				点
2,893	×	1 日間		2,893
1,955	×	2 日間		3,910
	×	日間		
	×	日間		
	×	日間		

92 特定入院料・その他

※高額療養費　点　※公費負担点数　点　※公費負担点数　点

97 食事・生活			
基準Ⅰ	670 円×	6 回	
特別	円×	回	
食堂	50 円×	3 日	
環境	円×	日	

基準（生）　円×　回
特別（生）　円×　回
減・免・猶・Ⅰ・Ⅱ・3月超

療養の給付	請求 点	※決定 点	負担金額 円
保険	29,562		減額 割（円）免除・支払猶予
公費①	点	※ 点	円
公費②	点	※ 点	円

食事・生活療養	回	請求 円	※決定 円	（標準負担額）円
保険	6	4,170		2,940
公費①	回	円	※ 円	円
公費②	回	円	※ 円	円

［レセプト解答の摘要欄の続き］

(90)	急一般4（14日以内）、臨修(協力)、録管3、医1の50、環境、安全1、感向2、感連、感サ、デ提1、1級地	2,893×1
	急一般4（14日以内）、環境、1級地	1,955×2

［カルテ解説］

〈算定ポイント〉

●眼科学的検査の算定
●2以上の手術の併施

⑪ 初診（6日）

● **（A000）初診料**　291点

● **「注7」休日加算**　250点

・日曜日の13時に緊急来院のため休日加算を算定する。

● **「注15」医療情報取得加算２**　1点

・施設基準により、マイナンバーカードを保険証として利用し、診療情報の取得に同意した患者に対して初診料に加算する。月1回に限り加算可（本文P.54参照）。
［令和6年12月診療報酬改定による医療情報取得加算の見直し］
患者のマイナ保険証の使用有無にかかわらず、施設基準を満たす場合には、「医療情報取得加算　1点（月1回）」を算定する。

⑬ 医学管理等（6日、8日）

〈6日〉

● **（B008）「2」薬剤管理指導料2**　325点

・施設基準の届出及び薬剤師による薬剤管理指導が行われている。特に安全管理が必要な投薬又は注射を使用している旨の記載がないため、薬管2を算定する。

※算定日を摘要欄に記載する。

〈8日〉

● **（B009）診療情報提供料（Ⅰ）**　450点＝250点＋**「注8」退院患者紹介加算**　200点

・退院日に診療内容・検査結果等の情報を他院に提供しているため、診療情報提供料に「注8」退院時加算を併せて算定する。

※退院年月日を摘要欄に記載する。

㉚ 注射（6日、7日、8日）

〈7日、8日〉

● **（G000）皮内、皮下及び筋肉内注射**

・入院中の患者には、皮内、皮下及び筋肉内注射の実施料は算定できない。

●**薬剤料**　60点×2
パンスポリン筋注用0.25g250mg1瓶（溶解液付）（598円）→60点

〈6日〉

● **（G012）結膜下注射**

・手術当日に手術に関連する注射実施料は算定できない。

●**薬剤料**　17点×1
デキサート注射液3.3mg1mL1管 0.2mL（173円）→17点

・管入り注射液は、保存できないため全総量を算定する。

㊵ 処置（7日、8日）

● **（J000）「1」創傷処置（100㎠未満）**　52点×2

●**薬剤料**　6点×2
クロラムフェニコール0.2g（226.70円×0.2＝45.34円）＋エコリシン眼軟膏0.2g（63.40円×0.2＝12.68円）＝58.02円→6点

(50) 手術（6日）

● **（K269）虹彩整復・瞳孔形成術**　8,514点＝①＋②
①**虹彩整復・瞳孔形成術**　4,730点
②**「通則12」・ロ．休日加算2**　4,730点×80/100＝3,784点

・（K269）虹彩整復・瞳孔形成術4,730点と（K246）角膜・強膜縫合術3,580点の併施。

・同一病巣の手術につき、2以上の手術を同時に行った場合は主たる手術の所定点数を算定する。ただし、第10部手術の「通則14」に掲げる手術及び厚生労働大臣が定める手術同士が行われた場合はこの限りではない（本文P.90参照）。本例は、「通則14」の手術及び厚生労働大臣が定める手術には該当しないため主たる手術の点数のみ算定する。なお、日曜日に緊急手術が行われているため休日加算2を算定する。

(50) 麻酔（6日）

● **（L008）「5」・ロ．閉鎖循環式全身麻酔**
麻酔時間1時間20分　10,800点＝①＋②
①2時間まで6,000点
②**「通則3」休日加算2**　6,000点×80/100＝4,800点

・日曜日に緊急手術に伴う麻酔が行われているため休日加算2を算定する。

●「注3」酸素加算　7点×1
液化酸素CE（0.19円×300L×1.3）=74.10円→74円÷10＝7.4点→7点

●薬剤料　47点×1
セボフルラン吸入麻酔液15mL（27.20円×15＝408円）＋ソルラクト輸液250mL 0.2mL（208円×0.2/250＝0.1664円→0.16円）＋クロラムフェニコール0.2g（226.70円×0.2＝45.34円）＋エコリシン眼軟膏0.2g（63.40円×0.2＝12.68円）＝466.18円→47点

⑥⓪ 検査（6日）

・眼科的検査に対して、緊急院内検査が行われている。眼科学的検査は検体検査には該当せず生体検査に該当。U-検・沈等の検体検査は、入院時検査として行われているため、検体検査「通則1」**時間外緊急院内検査加算**は算定できない。

● **（D256）「2」眼底カメラ撮影（蛍光眼底法）** 400点

● **（D256-2）眼底三次元画像解析** 190点

● **（D264）精密眼圧測定** 82点

● **（D257）細隙灯顕微鏡検査（前眼部及び後眼部）** 110点

● **（D000）U-検** 26点＋**（D002）沈（鏡検法）** 27点＝53点。**（D026）「1」尿・糞便等検査判断料** 34点

● **（D005）「5」末梢血液一般**21点＋**（D005）「6」末梢血液像（鏡検法）** 25点＋**（D005）「1」ESR** 9点＝55点。**（D026）「3」血液学的検査判断料** 125点

● **（D007）「注」・ハ. AST、ALT、T-cho、TP、BUN、Crea、タン分画、ALP、Na・Cl、K、γ-GT**（11項目）103点＋**「注」入院時初回加算** 20点＝123点。**（D026）「4」生化学的検査（Ⅰ）判断料** 144点

● **（D013）「1」HBs抗原定性・半定量** 29点＋**（D013）「5」HCV抗体定性・定量** 102点＝131点。**（D026）「6」免疫学的検査判断料** 144点

● **（D026）「注4」・ロ. 検体検査管理加算（Ⅱ）** 100点

・施設基準の届出及び検体検査判断料を算定しているため、検管Ⅱを算定する。

● **（D208）「1」ECG12** 130点

⑨⓪ 入院料等（6日、7日、8日）

●**入院基本料** 1,912点＝**（A100）「1」急性期一般入院料4** 1,462点＋**「注3」・イ. 初期加算（14日以内）** 450点

●**入院基本料等加算**

① **（A204-2）「2」臨床研修病院入院診療加算（協力型）（初日のみ）** 20点

② **（A207）「3」診療録管理体制加算3（初日のみ）** 30点

③ **（A207-2）「1」・へ. 医師事務作業補助体制加算1（50対1）（初日のみ）** 450点

④ **（A219）療養環境加算** 25点

⑤ **（A234）「1」医療安全対策加算1（初日のみ）** 85点

⑥ **（A234-2）「2」感染対策向上加算2（初日のみ）** 175点

⑦ **（A234-2「注3」）連携強化加算（初日のみ）** 30点

⑧ **（A234-2「注4」）サーベイランス強化加算（初日のみ）** 3点

⑨ **（A245）「1」・イ. データ提出加算1（初日のみ）** 145点

⑩ **（A218）「1」地域加算（1級地）** 18点

〈6日〉
2,893点×1
入院基本料＋①＋②＋③＋④＋⑤＋⑥＋⑦＋⑧＋⑨＋⑩

〈7日、8日〉
1,955点×2
入院基本料＋④＋⑩

⑨⑦ 入院時食事療養費（6日、7日、8日）

●**入院時食事療養費** 4,170円＝①＋②

①**入院時食事療養（Ⅰ）（1食につき）**
670円×6食＝4,020円（7日1食、8日3食、9日2食）

②**食堂加算（1日につき）**
50円×3日＝150円

●**食事標準負担額** 2,940円
（1食につき）490円×6食

7 入院 ②

［レセプト解答］

診療報酬明細書
（医科入院）

令和 6 年 10 月分

都道府県番号　医療機関コード

1 医科	①社・国　2 公費	3 後期	①単独　2 2併　3 3併	①本入　3 六入　5 家入	7 高入一　9 高入7

保険者番号	0	6	1	3	2	0	2	1	給付割合 10 9 8 7（ ）

被保険者証・被保険者手帳等の記号・番号	846・37915（枝番）00

公費負担者番号①		公費負担医療の受給者番号①	
公費負担者番号②		公費負担医療の受給者番号②	

区分	精神　結核　療養	特記事項
氏名	中原　舞子 1男 ②女　1明 2大 ③昭 4平 5令 63・11・21生	
職務上の事由	1職務上　2下船後3月以内　3通勤災害	

保険医療機関の所在地及び名称

傷病名	診療開始日	転帰	診療実日数
(1)（主）左卵巣腫瘍	(1) 令和 6 年 9 月 18 日	治ゆ　死亡　中止	保険 4 日
(2) 子宮筋腫	(2) 令和 6 年 9 月 18 日		公費① 日
(3) 鉄欠乏性貧血	(3) 令和 6 年 9 月 18 日		公費② 日

区分	項目	回数等	点数	公費分点数
11	初診　時間外・休日・深夜	回	点	
13	医学管理		630	
14	在宅			
20 投薬	21 内服	4 単位	36	
	22 屯服	単位		
	23 外用	単位		
	24 調剤	2 日	14	
	26 麻毒	日		
	27 調基			
30 注射	31 皮下筋肉内	回		
	32 静脈内	回		
	33 その他	5 回	438	
40 処置		3 回	113	
	薬剤		4	
50 手術麻酔		8 回	41,026	
	薬剤		282	
60 検査病理		7 回	2,026	
	薬剤			
70 画像診断		回		
	薬剤			
80 その他				
	薬剤			

区分	摘要	点数
⑬	薬管2（28日）	325×1
	肺予	305×1
㉑	オフロキサシン100mg錠　2T	9×4
㉝	ヴィーン3G輸液500mL 2袋 トランサミン注10%10mL 1A アドナ注（静脈用）100mg0.5%20mL 1A	78×3
	点滴注射「2」	102×2
㊵	液化酸素CE380L （0.19円×380L×1.3）÷10	9×1
	創傷処置「1」	52×2
	イソジン液10%10mL	2×2
㊿	子宮筋腫摘出（核出）術（腹式）（29日）	24,510×1
	子宮附属器腫瘍摘出術（開腹）（併施）（29日）	8,540×1
	自己血輸血（液状保存）200mL 1袋	750×1
	輸管Ⅱ	110×1
	閉鎖循環式全身麻酔「5」ロ（1時間55分）（29日）	6,000×1
	液化酸素CE400L （0.19円×400L×1.3）÷10	10×1
	グリセリン浣腸液50%60mL 1個 アトロピン硫酸塩注射液0.05%1mL 1A ドルミカム注射液10mg2mL 1A 亜酸化窒素350 g ヴィーンF輸液500mL 1袋 ドロレプタン注射液25mg 2.5mg 1mL キシロカイン注ポリアンプ1%10mL 1A フェンタニル注射液0.1mg「テルモ」 0.005%2mL 2A セファメジンα点滴用キット1g （生理食塩液100mL付）1キット	282×1
	膀胱留置用ディスポーザブルカテーテル2管 一般（Ⅱ）・標準型　（561円）1本	56×1
	麻管Ⅰ	1,050×1

90 入院	
入院年月日	令和 6 年 10 月 28 日
病　診	90 入院基本料・加算
急一般6	2,327 × 1 日間 2,327
臨修	1,894 × 3 日間 5,682
録管3	× 日間
環境	× 日間
安全2	× 日間
感向2	92 特定入院料・その他
感連	
感サ	
デ提1	

※高額療養費　点　※公費負担点数　点　※公費負担点数　点

97 食事・生活			
基準Ⅰ	670 円×	6 回	
特別	円×	回	
食堂	50 円×	3 日	
環境	円×	日	

基準（生）　円×　回
特別（生）　円×　回
減・免・猶・Ⅰ・Ⅱ・3月超

療養の給付	請求 点	※決定 点	負担金額 円
保険	52,578		減額 割（円）免除・支払猶予
公費①	点	※ 点	円
公費②	点	※ 点	円

食事・生活療養	回	請求 円	※決定 円	（標準負担額）円
保険	6	4,170		2,940
公費①	回	円	※ 円	円
公費②	回	円	※ 円	円

［レセプト解答の摘要欄の続き］

⑥⓪	B-末梢血液一般	21×2
	B-フェリチン定量	102×1
	B-CRP	16×2
	T-M（組織切片） （コ　その他：卵巣、子宮体部）	1,720×1
	判病判	130×1
	（外来にて、判血、判生Ⅰ、判免、検体検査管理加算は請求済み）	
⑨⓪	急一般6（14日以内）、臨修（協力）、録管3、環境、安全2、感向2、感連、感サ、デ提1、2級地	2,327×1
	急一般6（14日以内）、環境、2級地	1,894×3

［カルテ解説］

〈算定ポイント〉

●2以上の手術を同時に行った場合の算定
●入院実日数を超えた部分の調剤料の可否

⑪　初診

・外来にて算定済み。

⑬　医学管理等（28日、29日）

〈28日〉

● **（B008）「2」薬剤管理指導料**　325点

・施設基準の届出及び薬剤師による薬剤管理指導が行われている。特に安全管理が必要な投薬又は注射を使用している旨の記載がないため、薬管2を算定する。

※算定日を摘要欄に記載する。

〈29日〉

● **（B001-6）肺血栓塞栓症予防管理料**　305点

・肺血栓塞栓症予防として、弾性ストッキングを用いて管理が行われているため算定する。

⑳　投薬（30日、31日）

〈30日〉

●**内服薬**　①9点×4日分

①オフロキサシン100mg錠2T（46.30円×2＝92.60円）→9点

〈30日、31日〉

● **（F000）「2」調剤料**　7点×2日分

・4日分投与されているが、入院実日数を超えた部分について、調剤料は算定できない。

● **（F500）「1」調剤技術基本料**

・薬剤管理指導料を算定している月と同一月には、調剤技術基本料は算定できない。

㉚　注射（29日、30日、31日）

〈30日、31日〉

● **（G004）「2」点滴注射**　102点×2

〈29日〉

・手術当日に手術に関連する注射実施料は算定できない。

〈29日、30日、31日〉

●**薬剤料**　78点×3

ヴィーン3G輸液500mL2袋（274円×2＝548円）＋トランサミン注10%10mL1A（100円）＋アドナ注（静脈用）100mg0.5%20mL1A（132円）＝780円→78点

㊵　処置（29日、30日、31日）

〈29日〉

● **（J201）酸素加算**　9点×1

液化酸素CE　380L　0.19円×380L×1.3（補正率）＝93.86円→94円÷10＝9.4点→9点

・29日の帰室後酸素吸入は、手術当日に手術に関連する処置のため算定できない。

〈30日、31日〉

● **（J000）「1」創傷処置（100㎠未満）**　52点×2

●**薬剤料**　2点×2

イソジン液10%10ｍL（24.20円）→2点

㊿　手術（29日）

● **（K872）「1」子宮筋腫摘出（核出）術（腹式）**　24,510点

● **（K888）「1」子宮附属器腫瘍摘出術（両側）（開腹によるもの）**　17,080点×0.5＝8,540点

※同一手術野又は同一病巣につき、「複数手術に係る費用の特例」に掲げる手術を2以上同時に行っているため、主たる手術の所定点数と従たる手術の所定点数の100分の50に相当する点数を算定する（本文P.90参照）。

● **（K920）「4」・イ（1）自己血輸血（6歳以上の患者の場合）（液状保存）**　750点

・外来受診時に自己血貯血を行い、手術時に輸血を行っているため算定する。

● **（K920-2）「2」輸血管理料Ⅱ**　110点

・施設基準の届出及び自己血輸血が行われているため算定する。

(50) 麻酔（29日、30日）

〈29日〉

●（L008）「5」・ロ．閉鎖循環式全身麻酔

麻酔時間1時間55分　6,000点

●「注3」酸素加算　10点×1

液化酸素CE400L　0.19円×400L×1.3（補正率）=98.80円→99円÷10=9.9点→10点

●薬剤料　282点×1

グリセリン浣腸液50%60mL1個（113.10円）+アトロピン硫酸塩注射液0.05%1mL1A（95円）+ドルミカム注射液10mg2mL1A（115円）+亜酸化窒素350g（2.50円×350=875円）+ヴィーンF輸液500mL1袋（191円）+ドロレプタン注射液25mg2.5mg1mL（95円）+キシロカイン注ポリアンプ1%10mL1A（79円）+フェンタニル注射液0.1mg「テルモ」0.005%2mL2A（242円×2=484円）+セファメジンα点滴用キット1g（生理食塩液100mL付）1キット（772円）=2,819.10円→282点

●特定保険医療材料料　56点×1

膀胱留置用ディスポーザブルカテーテル2管一般（Ⅱ）・標準型1本（561円）→56点

〈30日〉

●（L009）「2」麻酔管理料（Ⅰ）　1,050点

・施設基準及び麻酔科医による麻酔前後の診察が行われているため算定する。

(60) 検査（28日、30日）

〈28日〉

●（D005）「5」末梢血液一般　21点

●（D007）「25」フェリチン定量　102点

●（D015）「1」CRP　16点

〈30日〉

●（D005）「5」末梢血液一般　21点

●（D015）「1」CRP　16点

※検体検査判断料、検体検査管理加算は外来で算定済み。その旨を摘要欄に記載する。

〈29日〉

※呼吸心拍監視、経皮的動脈血酸素飽和度測定は、閉鎖循環式全身麻酔と同一日に行われているため算定できない。

(60) 病理診断（29日）

●（N000）「1」病理組織標本作製（組織切片によるもの）　860点×2臓器=1,720点

※病理組織標本作製を算定する場合は、通知（1）の（ア）～（ケ）までの中から該当するものを選択して摘要欄に記載する。なお、選択する臓器又は部位がない場合は（コ）その他として、具体的部位等を記載する。

●（N007）病理判断料　130点

(90) 入院料等（28日、29日、30日、31日）

●入院基本料　1,854点=（A100）「1」急性期一般入院料6　1,404点+「注3」・イ．初期加算（14日以内）　450点

●入院基本料等加算

①（A204-2）「2」臨床研修病院入院診療加算（協力型）（初日のみ）　20点

②（A207）「3」診療録管理体制加算3（初日のみ）　30点

③（A219）療養環境加算（1日につき）　25点

④（A234）「2」医療安全対策加算2（初日のみ）　30点

⑤（A234-2）「2」感染対策向上加算2（初日のみ）　175点

⑥（A234-2）「注3」連携強化加算（初日のみ）　30点

⑦（A234-2）「注4」サーベイランス強化加算（初日のみ）　3点

⑧（A245）「1」・イ．データ提出加算1（初日のみ）　145点

⑨（A218）「2」地域加算（2級地）（1日につき）　15点

〈28日〉

2,327点×1

入院基本料+①+②+③+④+⑤+⑥+⑦+⑧+⑨

〈29日、30日、31日〉

1,894点×3

入院基本料+③+⑨

(97) 入院時食事療養費（28日、30日、31日）

●入院時食事療養費　4,170円=①+②

①入院時食事療養費（Ⅰ）（1食につき）

670円×6食=4,020円（28日2食、30日1食、31日3食）

②食堂加算（1日につき）

50円×3日=150円

●食事標準負担額　2,940円

（1食につき）　490円×6食

8 入院 ③

［レセプト解答］

診療報酬明細書（医科入院）　令和 6年 11月分　都道府県番号　医療機関コード

1 医科　①社・国　3 後期　2 公費　①単独　2 2併　3 3併　①本入　3 六入　5 家入　7 高入一　9 高入7

保険者番号	0	1	1	3	3	0	1	6	給付割合	10 9 8 7（　）

公費負担者番号①　公費負担医療の受給者番号①
公費負担者番号②　公費負担医療の受給者番号②

被保険者証・被保険者手帳等の記号・番号　17459365・251（枝番）00

区分　精神　結核　療養　　特記事項

保険医療機関の所在地及び名称

氏名　中野　康太
①男　2女　1明　2大　③昭　4平　5令　62・8・6生

職務上の事由　1 職務上　2 下船後3月以内　3 通勤災害

傷病名	診療開始日
(1)（主）左自然気胸	(1) 令和 6年 11月 21日
(2) 糖尿病	(2) 令和 6年 11月 21日
(3) 呼吸不全	(3) 令和 6年 11月 27日

転帰　治ゆ　死亡　中止

診療実日数　保険 4日　公費① 日　公費② 日

区分	項目	回数	点数
11	初診　時間外・休日・深夜	回	
13	医学管理		685
14	在宅		
20 投薬	21 内服	3 単位	48
	22 屯服	単位	
	23 外用	単位	
	24 調剤	1 日	7
	26 麻毒	日	
	27 調基		
30 注射	31 皮下筋肉内	3 回	24
	32 静脈内	回	
	33 その他	3 回	219
40 処置		11 回	1,487
	薬剤		16
50 手術麻酔		6 回	68,970
	薬剤		422
60 検査病理		12 回	564
	薬剤		
70 画像診断		3 回	1,340
	薬剤		
80 その他	薬剤		

公費分点数

90 入院　入院年月日　令和 6年 11月 27日

病　診：急一般5　臨修　録管3　医2の75　急50　環境　安全1　感向1　患サポ　デ提2

90 入院基本料・加算

点数	×	日数	点
3,546	×	1 日間	3,546
2,141	×	3 日間	6,423
	×	日間	
	×	日間	
	×	日間	

92 特定入院料・その他

区分	内容	点数×回数
⑬	薬管1（アクトス錠）（27日）	380×1
	肺予	305×1
㉑	セファクロルカプセル250mg 3C	16×3
㉛	ノボリンR注100単位/mL0.3mLV	8×3
㉝	点滴注射「2」	102×1
	ヴィーンF輸液500mL 1袋 ソルデム3A輸液500mL 2袋	54×1
	ソルデム3A輸液500mL 2袋 セフォチアム塩酸塩静注用1g1V	63×1
㊵	持続的胸腔ドレナージ	825×1
	キシロカイン注ポリアンプ1%10mL 1A	8×1
	套管針カテーテル（シングルルーメン・標準型）（1,980円）1本	198×1
	酸素吸入	65×2
	液化酸素CE1,920L （0.19円×1,920L×1.3）÷10	47×1
	液化酸素CE1,480L （0.19円×1,480L×1.3）÷10	37×1
	液化酸素CE1,200L （0.19円×1,200L×1.3）÷10	30×1
	創傷処置「2」	60×2
	イソジンスクラブ液7.5%10mL	4×2
	ドレーン法「1」	50×2

※高額療養費　点　※公費負担点数　点　※公費負担点数　点

97 食事・生活		単価	回数
基準Ⅰ		670 円×	8 回
特別		76 円×	8 回
食堂		50 円×	3 日
環境		円×	日

基準（生）　円×　回
特別（生）　円×　回
減・免・猶・Ⅰ・Ⅱ・3月超

療養の給付	請求 点	※決定 点	負担金額 円
保険	83,751		減額　割（円）免除・支払猶予
公費①	点	※　点	円
公費②	点	※　点	円

食事・生活療養	回	請求 円	※決定 円	（標準負担額）円
保険	8	6,118		3,920
公費①	回	円	※　円	円
公費②	回	円	※　円	円

入院③

［レセプト解答の摘要欄の続き］

㊿	胸腔鏡下肺切除術（肺嚢胞手術・楔状部分切除）（28日）	39,830×1
	超音波凝固切開装置等加算 自動縫合器加算3個	10,500×1
	閉鎖循環式全身麻酔「2」イ （分離肺換気による麻酔53分、側臥位20分、仰臥位62分）（28日） （シ、留意事項通知に規定する糖尿病の患者）	17,320×1
	液化酸素CE640L（0.19円×640L×1.3）÷10	16×1
	グリセリン浣腸液50%60mL1個 ソセゴン注射液15mg1A エフェドリン塩酸塩注射液4%1mL1A アトロピン硫酸塩注射液 0.05% 1mL1A アナペイン注2mg/mL0.2%100mL2袋 キシロカイン注ポリアンプ1%10mL1A ヴィーンF輸液500mL 3袋 セフォチアム塩酸塩静注用1g 1V	422×1
	膀胱留置用ディスポーザブルカテーテル2管一般（Ⅱ）・標準型（561円）1本 套管針カテーテル（シングルルーメン・標準型）（1,980円）1本	254×1
	麻管Ⅰ	1,050×1
⑳	B-BS	11×7
	ECG（12） 減	117×1
	経皮的動脈血酸素飽和度測定	35×2
	呼吸心拍監視（3時間超・7日以内） （算定開始日:令和6年11月29日）	150×2
	（外来にて、判生Ⅰ、検体検査管理加算は請求済み）	
⑰	胸部CT（64列以上マルチスライス型、その他の場合）（2回目以降） 電画	920×1
	胸部X-Pデジタル（1回撮影） 電画	210×2
	（外来にて、コンピューター断層診断は請求済み）	
⑨	急一般5（14日以内）、臨修（協力型）、録管3、医2の75、急50、環境、安全1、感向1、患サポ、デ提2、2級地	3,546×1
	急一般5（14日以内）、急50、環境、2級地	2,141×3

［カルテ解説］

〈算定ポイント〉

●麻酔料の算定

⑪　初診

・外来にて算定済み。

⑬　医学管理等（27日、28日）

〈27日〉

●（B008）「1」薬剤管理指導料　380点

・施設基準の届出及び薬剤師による薬剤管理指導が行われている。持参薬剤の糖尿病用剤（アクトス錠）は、「特に安全管理が必要な医療品」であるため、薬管1を算定する。

※特に安全管理が必要な医薬品の薬剤名と算定日を摘要欄に記載する。

〈28日〉

●（B001-6）肺血栓塞栓症予防管理料　305点

・肺血栓塞栓症予防として、間歇的空気圧迫装置を用いて管理が行われているため算定する。

⑳　投薬（30日）

●内服薬　16点×3日分

セファクロルカプセル250mg3C（54.70円×3＝164.10円）→16点

●（F000）「2」調剤料　7点×1日分

・内服薬が3日分投与されているが、月末のため30日までの調剤料を算定する。

●（F500）「1」調剤技術基本料

・薬剤管理指導料を算定している月と同一月には、調剤技術基本料は算定できない。

㉚　注射（27日、28日、29日）

●（G000）皮内、皮下及び筋肉内注射

・入院中の患者には、皮内、皮下及び筋肉内注射の実施料は算定できない。

〈27日、28日、29日〉

●薬剤料　8点×3

ノボリンR注100単位/mL0.3mL（264円×0.3＝79.20円）→8点

〈29日〉

●（G004）「2」点滴注射　102点×1

〈28日〉

手術当日に手術に関連する注射実施料は算定できない。

●薬剤料

〈28日〉54点×1

ヴィーンF輸液500mL1袋（191円）＋ソルデム3A輸液500mL2袋（176円×2＝352円）＝543円→54点

〈29日〉63点×1

ソルデム3A輸液500mL2袋（176円×2＝352円）＋セフォチアム塩酸塩静注用1g 1V（276円）＝628円→63点

㊵　処置（27日、28日、29日、30日）

〈27日〉

●（J019）持続的胸腔ドレナージ（開始日）

825点×1

●**薬剤料**　8点×1
キシロカイン注ポリアンプ1%10mL1A（79円）→8点
●**特定保険医療材料料**　198点×1
套管針カテーテル（シングルルーメン・標準型）1本（1,980円）→198点
・24時間以上体内留置した場合の要件を満たしているため算定する。
〈27日、29日〉
●**（J024）酸素吸入**　65点×2
・28日の酸素吸入は、手術当日に手術に関連する処置のため算定できない。
〈27日、28日、29日〉
●**（J201）酸素加算**　47点×1、37点×1、30点×1
〈27日〉液化酸素CE（480分×4L/分＝1,920L）
0.19円×1,920L×1.3（補正率）＝474.24円→474円÷10＝47.4点→47点
〈28日〉液化酸素CE（740分×2L/分＝1,480L）
0.19円×1,480L×1.3（補正率）＝365.56円→366円÷10＝36.6点→37点
〈29日〉液化酸素CE（600分×2L/分＝1,200L）
0.19円×1,200L×1.3（補正率）＝296.40円→296円÷10＝29.6点→30点
〈29日、30日〉
●**（J000）「2」創傷処置（100cm²以上500cm²未満）**　60点×2
・手術後の処置（49cm²×3ヶ所＝147cm²）100cm²以上500cm²未満を算定する。
●**薬剤料**　4点×2
イソジンスクラブ液7.5%10mL（36.60円）→4点
●**（J002）「1」ドレーン法（持続的吸引を行うもの）**　50点×2
・28日のドレーン法は、手術当日に手術に関連する処置のため算定できない。

(50)　手術（28日）

●**（K513）「1」胸腔鏡下肺切除術**　39,830点
●**手術医療機器等加算**　10,500点＝①＋②
①**（K931）超音波凝固切開装置等加算**　3,000点
②**（K936）自動縫合器加算3個**　2,500点×3＝7,500点
※**手術医療機器等加算には、対象手術、算定限度個数等があるので注意すること。**

(50)　麻酔（28日、29日）

〈28日〉
●**（L008）「2」・イ．閉鎖循環式全身麻酔**　麻酔時間2時間15分（分離肺換気による53分、側臥位20分、仰臥位62分）17,320点＝①＋②
①**分離肺換気による麻酔（53分）＋側臥位（20分）＋仰臥位（47分）＝2時間**　16,720点
②**「注2」・ホ．仰臥位（15分）＝麻酔管理時間加算**　600点
※**複数の点数の区分に当たる場合は、麻酔時間の基本となる2時間については、その点数の高い区分の麻酔時間から順に充当し、30分又はその端数を増すごとに加算を行う。各々の区分に係る麻酔が30分を超えない場合はそれらの麻酔時間を合計し、その中で実施時間の長い区分から順に加算をする。**
※**「麻酔が困難な患者に行う場合」を算定する場合は、通知（4）のア～ハまでの中から該当するものを摘要欄に記載する。**
●**「注3」酸素加算**　16点×1
液化酸素CE　640L　0.19円×640L×1.3（補正率）＝158.08円→158円÷10＝15.8点→16点
●**薬剤料**　422点×1
グリセリン浣腸液50%60mL1個（113.10円）＋ソセゴン注射液15mg1A（89円）＋エフェドリン塩酸塩注射液4%1mL1A（94円）＋アトロピン硫酸塩注射液0.05%1mL1A（95円）＋アナペイン注2mg/mL0.2%100mL2袋（1,450円×2＝2,900円）＋キシロカイン注ポリアンプ1%10mL1A（79円）＋ヴィーンF輸液500mL3袋（191円×3＝573円）＋セフォチアム塩酸塩静注用1g1V（276円）＝4,219.10円→422点
●**特定保険医療材料料**　254点×1
膀胱留置用ディスポーザブルカテーテル2管一般（Ⅱ）・標準型1本（561円）＋套管針カテーテル（シングルルーメン・標準型）1本（1,980円）＝2,541円→254点
・24時間以上体内留置した場合の要件を満たしているため算定する。
〈29日〉
●**（L009）「2」麻酔管理料（Ⅰ）**　1,050点
・施設基準及び麻酔科医による麻酔前後の診察が行われているため算定する。

(60)　検査（27日、28日、29日、30日）

●**（D007）「1」BS**　11点×7
※**検体検査判断料、検体検査管理加算は外来で算定済み。その旨を摘要欄に記載する。**

〈27日〉

● (D208)「1」ECG12　117点＝130点×90/100

・同一月2回目以降は所定点数の90/100の点数で算定する（呼吸循環機能検査等）「通則1」。

〈27日、29日〉

● (D223)経皮的動脈血酸素飽和度測定　35点×2

・27日は呼吸不全、29日は術後に酸素吸入が行われているため算定する。

〈29日、30日〉

● (D220)「2」・イ．呼吸心拍監視（3時間超・7日以内）　150点×2

※算定開始年月日を摘要欄に記載する。

※28日の呼吸心拍監視、経皮的動脈血酸素飽和度測定、終末呼気炭酸ガス濃度測定は、閉鎖循環式全身麻酔と同一日に行われているため算定できない。

⑦⓪　画像診断（27日、28日、30日）

〈27日〉

●胸部CT(64列以上マルチスライス型、その他の場合)(2回目)電子画像管理　920点=①+②

①（E200）「1」・イ（2）CT撮影（同一月2回目以降）　800点＝1,000点×80/100

②（コンピューター断層撮影診断料）「通則3」電子画像管理加算　120点

・同一月2回目以降は、所定点数の80／100の点数で算定する（コンピューター断層撮影診断料「通則2」。

※胸部CT2回目とあるためコンピューター断層診断は、外来で算定済み。その旨を摘要欄に記載する。

・放射線科医によるCT所見のレポートがあるが、外来で算定済みのため画像診断管理加算（コンピューター断層診断）は算定できない。

〈28日、30日〉

●胸部X-Pデジタル（撮影1回）電子画像管理　210点＝（①＋②＋③）×2

①（E001）「1」・イ．診断料　85点

②（E002）「1」・ロ．デジタル撮影料　68点

③（エックス線診断料）「通則4」・イ．電子画像管理加算（単純）　57点

⑨⓪　入院料等（27日、28日、29日、30日）

●入院基本料　1,901点＝（A100）「1」急性期一般入院料5　1,451点＋「注3」・イ．初期加算（14日以内）　450点

●入院基本料等加算

①（A204-2）「2」臨床研修病院入院診療加算（協力型）（初日のみ）　20点

②（A207）「3」診療録管理体制加算3（初日のみ）　30点

③（A207-2）「2」・ト．医師事務作業補助体制加算2(75対1補助体制加算)（初日のみ）　335点

④（A207-3）「3」50対1急性期看護補助体制加算（入院日から14日を限度）　200点

⑤（A219）療養環境加算（1日につき）　25点

⑥（A234）「1」医療安全対策加算1（初日のみ）　85点

⑦（A234-2）「1」感染対策向上加算1（初日のみ）　710点

⑧（A234-3）患者サポート体制充実加算（初日のみ）　70点

⑨（A245）「2」・イ．データ提出加算2（初日のみ）　155点

⑩（A218）「2」地域加算（2級地）（1日につき）　15点

〈27日〉

3,546点×1

入院基本料＋①＋②＋③＋④＋⑤＋⑥＋⑦＋⑧＋⑨＋⑩

〈28日、29日、30日〉

2,141点×3

入院基本料＋④＋⑤＋⑩

⑨⑦　入院時食事療養費（27日、29日、30日）

●入院時食事療養費　6,118円＝①＋②＋③

①入院時食事療養（Ⅰ）（1食につき）　670円 ×8食 ＝5,360円（27日2食、29日3食、30日3食）

②特別食加算（糖尿病食）（1食につき）　76円 ×8食 ＝608円（27日2食、29日3食、30日3食）

③食堂加算（1日につき）　50円×3日＝150円

●食事標準負担額　3,920円

（1食につき）490円×8食

9 入院 ④

［レセプト解答］

診療報酬明細書（医科入院）　令和 6年 11月分

都道府県番号　医療機関コード

1 医科　①社・国　3 後期　①単独　1 本入　7 高入一　2 公費　2 2併　3 六入　3 3併　⑤家入　9 高入7

保険者番号	0	6	1	4	0	2	2	2	給付割合 10 9 8 7（ ）

被保険者証・被保険者手帳等の記号・番号　226・128（枝番）01

公費負担者番号①　公費負担医療の受給者番号①
公費負担者番号②　公費負担医療の受給者番号②

区分　精神　結核　療養　　特記事項

氏名　飯田　恵美
1男 ②女　1明 2大 ③昭 4平 5令　56・5・15生

職務上の事由　1職務上　2下船後3月以内　3通勤災害

保険医療機関の所在地及び名称

傷病名	診療開始日	転帰	診療実日数
(1)（主）甲状腺悪性腫瘍（乳頭癌）	(1) 令和 6年 10月 28日	治ゆ　死亡　中止	保険 6日
(2)	(2) 年 月 日		公費① 日
(3)	(3) 年 月 日		公費② 日

区分		回	点	公費分点数
11 初診	時間外・休日・深夜			
13 医学管理			5,209	
14 在宅				
20 投薬 21 内服		単位		
22 屯服		単位		
23 外用		単位		
24 調剤		日		
26 麻毒		日		
27 調基				
30 注射 31 皮下筋肉内		回		
32 静脈内		回		
33 その他		4回	500	
40 処置		6回	212	
薬剤				
50 手術麻酔		6回	51,131	
薬剤			433	
60 検査病理		9回	4,832	
薬剤				
70 画像診断		8回	4,687	
薬剤			3,349	
80 その他				
薬剤				

90 入院　入院年月日　令和 6年 11月 25日

病診：急一般5、臨修、録管3、医2の50、急25、環境、がん診、安全1、感向1、デ提2

90 入院基本料・加算
3,875 × 1日間　3,875
2,160 × 5日間　10,800
× 日間
× 日間
× 日間

92 特定入院料・その他

		点数
⑬	薬管2（25日）	325×1
	肺予	305×1
	手前	1,192×1
	手後	1,129×3
㉝	点滴注射「2」	102×1
	ソリタ－T1号輸液500mL6袋 アドナ注（静脈用） 100mg 0.5% 20mL1A トランサミン注10%2.5mL1A セファメジンα注射用1g2V	195×1
	ソリタ－T1号輸液500mL2袋 セファメジンα注射用1g2V	105×1
	セファメジンα注射用1g2V 生理食塩液100mL2V	98×1
㊵	液化酸素CE240L（0.19円×240L×1.3）÷10	6×1
	創傷処置「1」（100cm²未満）	52×3
	ドレーン法「2」（その他のもの）	25×2
㊿	甲状腺悪性腫瘍手術「3」（27日）	33,790×1
	頸部郭清術（両側）	6,000×1
	膀胱留置用ディスポーザブルカテーテル 2管一般（Ⅱ）標準型（561円）1本 吸引留置カテーテル・受動吸引型（フィルム・チューブドレーン／フィルム型）（264円）1本	83×1
	閉鎖循環式全身麻酔「5」ロ（5時間10分）（27日）	10,200×1
	液化酸素CE 310L（0.19円×310L×1.3）÷10	8×1

※高額療養費　点　※公費負担点数　点　※公費負担点数　点

97 食事・生活			
基準Ⅰ	670円×13回	基準（生）	円× 回
特別	円× 回	特別（生）	円× 回
食堂	50円×5日	減・免・猶・Ⅰ・Ⅱ・3月超	
環境	円× 日		

療養の給付	請求 点	※決定 点	負担金額 円
保険	85,028		減額 割(円)免除・支払猶予
公費①	点	※ 点	円
公費②	点	※ 点	円

食事・生活療養	回	請求 円	※決定 円	（標準負担額）円
保険	13	8,960		6,370
公費①	回	円	※ 円	円
公費②	回	円	※ 円	円

[レセプト解答の摘要欄の続き]

㊿	グリセリン浣腸液50%60mL1個 アトロピン硫酸塩注射液0.05%1mL1A ドルミカム注射液10mg2mL1A 亜酸化窒素700g セボフレン吸入麻酔液30mL 1%ディプリバン注500mg50mL1V ロクロニウム臭化物静注液25mg/2.5mL 1V ワゴスチグミン注0.05%1mL1A	433×1
	麻管Ⅰ	1,050×1
60	超音波検査「2」(断層撮影法) 甲状腺	350×1
	フローボリュームカーブ	100×1
	判呼	140×1
	B−TSH	98×1
	B−FT_3、FT_4、サイログロブリン	410×1
	判生Ⅱ 検管Ⅱ	244×1
	術中迅速病理組織標本作製	1,990×1
	病理組織標本作製(組織切片によるもの) コ　その他:甲状腺	860×1
	判組診 病管1	640×1
70	電画 (胸部X−P)	57×1
	シンチグラム (部分・静態) 電画	1,420×1
	塩化タリウム (^{201}T1) 注射液74MBq	3,349×1
	核医学診断「2」	370×1
	核画2	175×1
	頸部~胸部CT (64列以上マルチスライス型、その他の場合) 電画	1,120×1
	コンピューター断層診断	450×1
	コ画2	175×1
	頸部CT (64列以上マルチスライス型、その他の場合) (2回目以降) 電画	920×1
90	急一般5(14日以内)、臨修(協力)、録管3、医2の50、 急25、環境、がん診、安全1、感向1、デ提2、3級地	3,875×1
	急一般5 (14日以内) 、急25、環境、3級地	2,160×5

[カルテ解説]

〈算定ポイント〉

●手術前医学管理料と手術後医学管理料の算定

⑪　初診

・外来にて算定済み。

⑬　医学管理等 (25日、27日、28日、29日、30日)

〈25日〉

● (B008)「2」薬剤管理指導料　325点

・施設基準の届出及び薬剤師による薬剤管理指導が行われている。特に安全管理が必要な投薬又は注射を使用している旨の記載がないため、薬管2を算定する。

※算定日を摘要欄に記載する。

〈27日〉

● (B001-6)肺血栓塞栓症予防管理料　305点

・肺血栓塞栓症予防として、弾性ストッキングを用いて管理が行われているため算定する。

● (B001-4) 手術前医学管理料　1,192点

・手術前に行われる検査結果に基づき、計画的な医学管理を行う保険医療機関において、閉鎖循環式全身麻酔を伴う手術が行われている。当該管理料に包括されている検査項目等が行われているため手術日に算定する。

〈28日、29日、30日〉

● (B001-5)「1」手術後医学管理料　3,387点＝(1,188点×95/100＝1,128.6点)→1,129点×3

・手術後医学管理料を算定する保険医療機関において、入院後10日以内に閉鎖循環式全身麻酔を伴う手術が行われているため、手術の翌日から3日間所定点数を算定する。ただし、同一月に手術前医学管理料を算定する場合は、所定点数の95/100の点数を算定する**「注2」**。

㉚　注射 (27日、28日、29日)

〈28日〉

● (G004)「2」点滴注射　102点×1

・27日は手術当日に手術に関連する注射実施料は算定できない。

・29日の点滴注射実施料は、500mL未満のため算定できない。

●薬剤料

〈27日〉　195点×1

ソリタ-T1号輸液500mL6袋(177円×6＝1,062円)＋アドナ注(静脈用)100mg0.5%20mL1A(132円)＋トランサミン注10%2.5mL1A(65円)＋セファメジンα注射用1g2V(346円×2＝692円)＝1,951円→195点

〈28日〉　105点×1

ソリタ-T1号輸液500mL2袋 (177円×2＝354円)＋セファメジンα注射用1g2V(346円×2＝692円)＝1,046円→105点

〈29日〉　98点×1

セファメジンα注射用1g2V(346円×2＝692円)＋生理食塩液100mL2V(145円×2＝290円)＝982円→98点

㊵　処置 (27日、28日、29日、30日)

〈27日〉

● (J201) 酸素加算　6点×1

液化酸素ＣＥ (120分×2L/分＝240L)

0.19円×240L×1.3 (補正率) ＝59.28円→59円÷10＝5.9点→6点

・27日の酸素吸入は、手術当日に手術に関連する処置のため算定できない。

〈28日、29日、30日〉

●（J000）「1」創傷処置（100cm²未満） 52点×3

●薬剤料

・15円以下のため算定できない。

〈28日、29日〉

●（J002）「2」ドレーン法（その他のもの） 25点×2

・27日のドレーン法は、手術当日に手術に関連する処置のため算定できない。

(50) 手術（27日）

●（K463）「3」甲状腺悪性腫瘍手術（全摘及び亜全摘）（頸部外側区域郭清を伴わないもの） 33,790点

●「通則9」頸部郭清術（両側） 6,000点

・手術に使用した外皮用殺菌剤（イソジン液）は算定できない。

●特定保険医療材料料 83点×1

膀胱留置用ディスポーザブルカテーテル2管一般（Ⅱ）標準型1本（561円）＋吸引留置カテーテル・受動吸引型（フィルム・チューブドレーン・フィルム型）1本（264円）＝825円→83点

・24時間以上体内留置した場合の要件を満たしているため算定する。

(50) 麻酔（27日、28日）

〈27日〉

●（L008）「5」・ロ．閉鎖循環式全身麻酔

麻酔時間5時間10分　10,200点＝①＋②

①2時間まで　6,000点

②「注2」・ホ．麻酔管理時間加算　600点×7＝4,200点

●「注3」酸素加算　8点×1

液化酸素CE310L　0.19円×310L×1.3（補正率）＝76.57円→77円÷10＝7.7点→8点

●薬剤料　433点×1

グリセリン浣腸液50%60mL1個（113.10円）＋アトロピン硫酸塩注射液0.05%1mL1A（95円）＋ドルミカム注射液10mg2mL1A（115円）＋亜酸化窒素700g（2.50円×700＝1,750円）＋セボフレン吸入麻酔液30mL（27.20円×30＝816円）＋1%ディプリバン注500mg50mL1V（1,021円）＋ロクロニウム臭化物静注液25mg/2.5mL 1V（320円）＋ワゴスチグミン注0.05%1mL1A（96円）＝4,326.10円→433点

〈28日〉

●（L009）「2」麻酔管理料（Ⅰ） 1,050点

・施設基準及び麻酔科医による麻酔前後の診察が行われているため算定する。

(60) 検査（25日、26日、30日）

〈25日〉

●（D215）「2」・ロ．超音波検査（断層撮影法）その他（甲状腺） 350点

・25日の尿検査、血液検査、心電図検査は手術前医学管理料に含まれ算定できない。

※手術前医学管理料を算定した月に血液学的検査判断料、生化学的検査（Ⅰ）判断料、免疫学的検査判断料は算定できない。

〈26日〉

●（D200）「2」フローボリュームカーブ　100点

●（D205）呼吸機能検査等判断料　140点

〈27日〉

※経皮的動脈血酸素飽和度測定、終末呼気炭酸ガス濃度測定、呼吸心拍監視は、閉鎖循環式全身麻酔と同一日に行われているため算定できない。

〈28日〉

・尿検査、血液検査は手術後医学管理料に含まれ算定できない。

〈30日〉

●（D008）「6」B-甲状腺刺激ホルモン（TSH） 98点。（D026）「5」生化学的検査（Ⅱ）判断料　144点

●（D026）「注4」・ロ．検体検査管理加算（Ⅱ） 100点

・施設基準の届出及び上記の検体検査判断料を算定しているため、検管Ⅱを加算する。

●（D008）「注」・イ．B-FT₃、FT₄、サイログロブリン（3項目） 410点

・末梢血液一般検査、ECG12は、手術後医学管理料に含まれ算定できない。

(60) 病理診断（27日）

●（N003）術中迅速病理組織標本作製　1,990点

●（N000）「1」病理組織標本作製（組織切片によるもの） 860点

※病理組織標本作製を算定する場合は、通知

入院④

(1)の(ア)～(ケ)までの中から該当するものを選択して摘要欄に記載する。なお、選択する臓器又は部位がない場合は(コ)その他として、具体的部位等を記載する。

● **(N006)「1」病理診断料　組織診断料** 640点＝**組織診断料**　520点＋**「注4」・イ (1) 病理診断管理加算1**　120点

・施設基準及び病理医による術中迅速病理組織標本作製等により作成された組織標本に基づく診断と文書報告が行われているため組織診断料と病理診断管理加算1を算定する。

⑦⓪　画像診断（25日、26日、30日）

〈25日〉

●**電子画像管理加算（胸部X-P）**　57点

・診断料と撮影料は手術前医学管理料に含まれ算定できない。**(エックス線診断料)「通則4」電子画像管理加算（単純）**のみ算定する。

●**シンチグラム（部分・静態）電子画像管理** 1,420点＝①＋②

① **(E100)「1」シンチグラム（部分・静態）**　1,300点

② **(核医学診断料)「通則3」電子画像管理加算**　120点

●**薬剤料**　3,349点

塩化タリウム（^{201}Tl）注射液74MBq（4,526円×7.4＝33,492.40円→3,349点

● **(E102)「2」核医学診断**　370点

● **「通則5」画像診断管理加算2（核医学診断）**　175点

・施設基準の届出及びシンチグラムに対し、放射線科医のレポートがあるため、核画2を算定する。

〈26日〉

●**頸部～胸部CT(64列以上マルチスライス型、その他の場合)電子画像管理**　1,120点＝①＋②

① **(E200)「1」・イ (2) CT撮影**　1,000点

② **(コンピューター断層撮影診断料)「通則3」電子画像管理加算**　120点

● **(E203) コンピューター断層診断**　450点

● **「通則5」画像診断管理加算2（コンピューター断層診断）**　175点

・施設基準の届出及び頸部～胸部CTに対し、放射線科医のレポートがあるため、コ画2を算定する。

〈30日〉

●**頸部CT（64列以上マルチスライス型、その他の場合）(2回目) 電子画像管理**　920点＝①＋②

① **(E200)「1」・イ (2) CT撮影（同一月2回目以降）**　800点＝1,000点×80/100

② **(コンピューター断層撮影診断料)「通則3」電子画像管理加算**　120点

・同一月2回目以降は、所定点数の80/100の点数で算定する**(コンピューター断層撮影診断料)「通則2」**。

・放射線科医のレポートがあるが、26日にコ画2は算定しているため30日は算定できない。

⑨⓪　入院料等(25日、26日、27日、28日、29日、30日)

●**入院基本料**　1,901点＝**(A100)「1」急性期一般入院料5**　1,451点＋**「注3」・イ．初期加算（14日以内）**　450点

●**入院基本料等加算**

① **(A204-2)「2」臨床研修病院入院診療加算（協力型）(初日のみ)**　20点

② **(A207)「3」診療録管理体制加算3（初日のみ）**　30点

③ **(A207-2)「2」・ヘ．医師事務作業補助体制加算2（50対1）(初日のみ)**　415点

④ **(A207-3)「2」25対1急性期看護補助体制加算（看護補助者5割未満）(入院日から14日を限度)**　220点

⑤ **(A219) 療養環境加算（1日につき）**　25点

⑥ **(A232)「1」・ロ．がん拠点病院加算 地域がん診療病院（初日のみ）**　300点

・施設基準を満たす保険医療機関で別の保険医療機関からの紹介により入院した悪性腫瘍と診断された患者であるため算定する。

⑦ **(A234)「1」医療安全対策加算1（初日のみ）**　85点

⑧ **(A234-2)「1」感染対策向上加算1（初日のみ）**　710点

⑨ **(A245)「2」・イ．データ提出加算2（初日のみ）**　155点

⑩ **(A218)「3」地域加算（3級地）(1日につき)**　14点

〈25日〉

3,875点×1日

入院基本料＋①＋②＋③＋④＋⑤＋⑥＋⑦＋⑧＋⑨＋⑩

・救急医療管理加算は、緊急入院を必要とする重症患者等の要件を満たしていないため算定できない。

・患者サポート体制充実加算は、がん拠点病院加算を算定しているため算定できない。

〈26日、27日、28日、29日、30日〉

2,160点×5日

入院基本料＋④＋⑤＋⑩

㊼ 入院時食事療養費（25日、26日、28日、29日、30日）

●入院時食事療養費 8,960円＝①＋②

①**入院時食事療養（Ⅰ）（1食につき）**

670円×13食＝8,710円（25日1食、26日3食、28日3食、29日3食、30日3食）

②**食堂加算（1日につき）**

50円×5日＝250円

●食事標準負担額 6,370円

（1食につき） 490円×13食

10 入院 ⑤

[レセプト解答]

診療報酬明細書（医科入院）　令和 6年 10月分

保険者番号	0 1 1 3 0 0 1 2	給付割合	10 9 8 7 ( )

1 医科　①社・国　①単独　①本入
被保険者証・被保険者手帳等の記号・番号：10482077・201（枝番）00

氏名	太田 光平
性別・生年月日	①男　③昭 41・5・10生

傷病名	診療開始日	転帰
(1) 出血性胃潰瘍（主）	(1) 令和 6年 10月 28日	
(2) 出血性ショック、貧血	(2) 令和 6年 10月 30日	
(3)	(3)	

診療実日数　保険 4日

区分		回数	点数
11 初診	時間外・休日・深夜	1回	292点
13 医学管理			
14 在宅			
20 投薬			
30 注射 33 その他		6回	1,444
40 処置		5回	241
50 手術・麻酔		8回	62,582
50 手術・麻酔	薬剤		4,349
60 検査・病理		17回	2,003
70 画像診断		6回	2,312
80 その他			

入院年月日　令和 6年 10月 28日

病　診：急一般3、臨修、救医1、録管2、医1の30、急25上、環境、重境、安全1、感向1、感指、「以下摘要欄」

90 入院基本料・加算

点数	日数	合計
5,152 ×	1日間	5,152
3,352 ×	1日間	3,352
3,652 ×	2日間	7,304

92 特定入院料・その他

摘要欄

	患サポ、デ提2	
⑪	医情2	
㉝	点滴注射「2」	102×2
	ラクテック注 500mL4袋 アドナ注（静脈用）0.5% 10mL2A トランサミン注 10%2.5mL2A オメプラゾール注用 20mg2V ブドウ糖注射液5% 100mL2V	210×2
	ラクテック注500mL4袋 フルマリン静注用1g2V アドナ注（静脈用）0.5% 10mL2A トランサミン注10%2.5mL2A ブドウ糖注射液5%100mL2V	410×2
㊵	創傷処置「2」	60×1
	ドレーン法「2」	25×1
	液化酸素CE 810L（0.19円×810L×1.3）÷10	20×1
	酸素吸入	65×1
	液化酸素CE 2,880L（0.19円×2,880L×1.3）÷10	71×1
㊿	内視鏡的消化管止血術（28日）	4,600×1
	ガスコンドロップ内用液2%4mL キシロカインゼリー2%5mL キシロカインポンプスプレー8%2g ブスコパン注20mg1A トロンビン10,000単位1袋 生理食塩液20mL1A	160×1
	胃切除術「1」（単純切除術）（30日）	33,850×1
	自動縫合器2個、自動吻合器1個	10,500×1

療養の給付　保険　請求 89,031点

［レセプト解答の摘要欄の続き］

(50)	膀胱留置用ディスポーザブルカテーテル2管一般(Ⅱ)標準型（561円）1本 吸引留置カテーテル･受動吸引型（フィルム･チューブドレーン／フィルム型）(264円)1本	83×1
	保存血液輸血560mL 血液交叉試験2回、不規則抗体	1,407×1
	赤血球液－LR「日赤」400mL由来2袋	3,439×1
	輸管Ⅰ	220×1
	閉鎖循環式全身麻酔「5」イ(3時間55分) (ト.留意事項通知に規定するショック状態の患者) 硬膜外麻酔併施加算(腰部)(3時間55分)(30日)	11,900×1
	液化酸素ＣＥ　900Ｌ （0.19円×900Ｌ×1.3）÷10	22×1
	亜酸化窒素1,770g セボフレン吸入麻酔液31mL イソゾール注射用0.5g 500mg（溶解液付）1V ロクロニウム臭化物静注液25mg/2.5mL 1V アトロピン硫酸塩注射液0.05％1mL2A フェンタニル注射液0.1mg「第一三共」1A 1％ディプリバン注500mg50mL1Ｖ	750×1
(60)	Ｂ－末梢血液一般、像(自動機械法)、網赤血球数	48×1
	Ｂ－TP、Alb(BCP改良法)、ALP、AST、ALT、LD、γ-GT、T-Bil、TG、T-cho、Amy、BUN、Na・Cl、K、Ca、Fe、初回加算	123×1
	Ｂ－出血、PT、APTT、フィブリノゲン定量	85×1
	Ｂ－梅毒トレポネーマ抗体定性、梅毒血清反応(STS)定性	47×1
	Ｂ－HBs抗原定性・半定量、HCV抗体定性・定量	131×1
	Ｂ－ABO、Rh（D）	48×1
	Ｂ－CRP	16×2
	尿一般、沈（鏡検法）	53×2
	Ｂ－末梢血液一般	21×1
	判尿 判血 判生Ⅰ 判免 検管Ⅲ	747×1
	ECG12	130×1
	呼吸心拍監視(3時間超7日以内) （算定開始日：令和6年10月28日）	150×3
	経皮的動脈血酸素飽和度測定	35×1
(70)	胸部Ｘ－Ｐデジタル（撮影1回）電画	210×1
	腹部Ｘ－Ｐデジタル（撮影2回）電画	287×1
	写画１	70×1
	腹部CT（64列以上マルチスライス型）、その他の場合 電画	1,120×1
	コンピューター断層診断	450×1
	コ画２	175×1
(90)	急一般3(14日以内)、臨修(協力型)、救医1(1.吐血、喀血又は重篤な脱水で全身状態不良の状態)(入院後3日以内に実施した主要な診療行為：内視鏡的消化管止血術、胃切除術(単純切除術))、録管2、医1の30、急25上、安全1、感向1、感指、環境、患サポ、デ提2、1級地	5,152×1
	急一般3(14日以内)、救医1(1.吐血、喀血又は重篤な脱水で全身状態不良の状態)(入院後3日以内に実施した主要な診療行為：内視鏡的消化管止血術、胃切除術(単純切除術))、急25上、環境、1級地	3,352×1
	急一般3(14日以内)、救医1(1.吐血、喀血又は重篤な脱水で全身状態不良の状態)(入院後3日以内に実施した主要な診療行為：内視鏡的消化管止血術、胃切除術(単純切除術))、急25上、環境、重境、1級地 緊入	3,652×2

［カルテ解説］

〈算定ポイント〉

●手術料、麻酔料、入院基本等加算の算定

⑪　初診（28日）

● **（A000）初診料**　291点

● **「注15」医療情報取得加算２**　1点

・施設基準により、マイナンバーカードを保険証として利用し、診療情報の取得に同意した患者に対して初診料に加算する。月1回に限り加算可（本文P.54参照）。
［令和6年12月診療報酬改定による医療情報取得加算の見直し］
患者のマイナ保険証の使用有無にかかわらず、施設基準を満たす場合には、「医療情報取得加算　1点（月1回）」を算定する。

㉚　注射（28日、29日、30日、31日）

〈29日、31日〉

● **（G004）「2」点滴注射**　102点×2

〈28日、30日〉

・手術当日に手術に関連する注射実施料は算定できない。

●薬剤料

〈28日、29日〉　210点×2

ラクテック注500mL4袋（231円×4＝924円）＋アドナ注（静脈用）0.5%10mL2A（89円×2＝178円）＋トランサミン注10%2.5mL2A（65円×2＝130円）＋オメプラゾール注用20mg2V（284円×2＝568円）＋ブドウ糖注射液5%100mL2V（150円×2＝300円）＝2,100円→210点

〈30日、31日〉　410点×2

ラクテック注500mL4袋（231円×4＝924円）＋フルマリン静注用1g2V（1,286円×2＝2,572円）＋アドナ注（静脈用）0.5%10mL2A（89円×2＝178円）＋トランサミン注10%2.5mL2A（65円×2＝130円）＋ブドウ糖注射液5%100mL2V（150円×2＝300円）＝4,104円→410点

㊵　処置（30日、31日）

〈31日〉

● **（J000）「2」創傷処置（100cm^{2}以上500cm^{2}未満）**　60点

● **（J002）「2」ドレーン法（その他のもの）**

25点

●（J024）**酸素吸入**　65点

・30日の酸素吸入は、手術当日に手術に関連する処置のため算定できない。ただし、使用した酸素代は算定できる。

●（J201）**酸素加算**

・酸素吸入（1日につき）で使用した酸素代は1日につき算定する。

〈30日〉　20点×1

液化酸素CE（19:30～24:00＝270分×3L/分＝810L）0.19円×810L×1.3（補正率）＝200.07円→200円÷10＝20点

〈31日〉　71点×1

液化酸素CE（0:00～24:00＝24時間＝1,440分×2L/分＝2,880L）0.19円×2,880L×1.3（補正率）＝711.36円→711円÷10＝71.1点→71点

㊿　手術（28日、30日）

〈28日〉

●（K654）**内視鏡的消化管止血術**　4,600点

●**薬剤料**　160点×1

ガスコンドロップ内用液2%4mL（3.40円×4＝13.60円）＋キシロカインゼリー2%5mL（6.30円×5＝31.50円）＋キシロカインポンプスプレー8%2g（27.70円×2＝55.40円）＋ブスコパン注20mg1A（59円）＋トロンビン10,000単位1袋（1,381円）＋生理食塩液20mL1A（62円）＝1,602.50円→160点

※手術と同時に行った内視鏡検査料は算定できないが、薬剤料は手術薬剤として算定する。

〈30日〉

●（K655）「1」**胃切除術（単純切除術）**　33,850点

●**手術医療機器等加算**　10,500点＝①＋②

①（K936）**自動縫合器加算**　2,500点×2＝5,000点

②（K936-2）**自動吻合器加算**　5,500点

※手術医療機器等加算には、対象手術、算定限度個数等があるので注意すること。

●**特定保険医療材料料**　83点×1

膀胱留置用ディスポーザブルカテーテル2管一般（Ⅱ）標準型1本（561円）＋吸引留置カテーテル・受動吸引型（フィルム・チューブドレーン／フィルム型）1本（264円）＝825円→83点

・カテーテル抜去の記載がなく、24時間以上体内留置した場合の要件を満たしているため算定する。

㊿　輸血（30日）

●（K920）「2」**保存血液輸血560mL**　1,407点＝①＋②＋③＋④

①**（イ）1回目200mL**　450点

②**（ロ）2回目以降（360mL）200mL又は端数を増すごとに**　350点×2＝700点

③**「注8」血液交叉試験加算（1袋ごと）**　30点×2＝60点

④**「注6」不規則抗体検査（1月につき）**　197点

※赤血球液-LR400mL由来（280mL）2袋は、400mLの血液から製造された280mLの血液成分製剤のため、280mL×2袋＝560mLを注入量として算定する。

●**薬剤料**　3,439点×1

赤血球液-LR「日赤」400mL由来2袋（17,194円×2＝34,388円）→3,439点

●（K920-2）「1」**輸血管理料Ⅰ**　220点

・施設基準の届出及び保存血液輸血が行われているため算定する。

㊿　麻酔（30日）

●（L008）「5」・イ．**閉鎖循環式全身麻酔**　麻酔時間3時間55分（15:35～19:30）

11,900点＝①＋②＋③＋④

①**2時間まで**　8,300点

②**「注2」・ホ．麻酔管理時間加算**　600点×4＝2,400点

③**「注4」・ロ．硬膜外麻酔併施加算（腰部）2時間まで**　400点

④**「注5」麻酔管理時間加算（腰部）**　200点×4＝800点

・麻酔前の状態がショック（収縮期血圧90mmHg未満）、Hb6.0g／dL未満の貧血状態のため閉鎖循環式全身麻酔は「厚生労働大臣が定める麻酔が困難な患者」に該当する。

※「麻酔が困難な患者に行う場合」を算定する場合は、通知（4）のア～ハまでの中から該当するものを選択して摘要欄に記載する。

●**「注3」酸素加算**　22点×1

液化酸素CE900L　0.19円×900L×1.3（補

正率）＝222.30円→222円÷10＝22.2点→22点

・麻酔管理料（Ⅰ）届出保険医療機関ではあるが、麻酔科医による麻酔前後の診察が行われていないため麻酔管理料は算定できない。

●**薬剤料**　750点×1

亜酸化窒素1,770g（2.50円×1,770＝4,425円）＋セボフレン吸入麻酔液31mL（27.20円×31＝843.20円）＋イソゾール注射用0.5g 500mg（溶解液付）1V（449円）＋ロクロニウム臭化物静注液25mg/2.5mL 1V（320円）＋アトロピン硫酸塩注射液0.05%1mL 2A（95円×2＝190円）＋フェンタニル注射液0.1mg「第一三共」2mL1A（253円）＋1%ディプリバン注500mg50mL1V（1,021円）＝7,501.20円→750点

⑹⓪　検査（28日、29日、31日）

〈28日〉

● **(D005)「5」末梢血液一般**　21点＋**(D005)「3」末梢血液像（自動機械法）**15点＋**(D005)「2」網赤血球数**　12点＝48点。**(D026)「3」血液学的検査判断料**　125点

● **(D026)「注4」・ハ．検体検査管理加算（Ⅲ）**　300点

・施設基準の届出及び上記の検体検査判断料を算定しているため、検管Ⅲを加算する。

● **(D007)「注」・ハ．TP、Alb（BCP改良法）、ALP、AST、ALT、LD、γ-GT、T-Bil、TG、T-cho、Amy、BUN、Na・Cl、K、Ca、Fe**（16項目）　103点＋**「注」入院時初回加算**　20点＝123点。**(D026)「4」生化学的検査（Ⅰ）判断料**　144点

● **(D006)「1」出血時間**　15点＋**(D006)「2」PT**　18点＋**(D006)「7」APTT**　29点＋**(D006)「4」フィブリノゲン定量**　23点＝85点

● **(D012)「4」梅毒トレポネーマ抗体定性**　32点＋**(D012)「1」梅毒血清反応（STS）定性**　15点＝47点。**(D026)「6」免疫学的検査判断料**　144点

● **(D013)「1」HBs抗原定性・半定量**　29点＋**(D013)「5」HCV抗体定性・定量**　102点＝131点

● **(D011)「1」ABO血液型**　24点＋**(D011)「1」Rh（D）血液型**　24点＝48点

● **(D015)「1」CRP**　16点

● **(D000)尿一般**　26点＋**(D002)沈（鏡検法）**　27点＝53点。**(D026)「1」尿・糞便的検査判断料**　34点

● **(D208)「1」ECG12**　130点

※胃・十二指腸ファイバースコピーが行われているが、手術と同時に行った内視鏡検査は算定できない。

〈28日、29日、31日〉

● **(D220)「2」・イ．呼吸心拍監視（3時間超・7日以内）**　150点×3

※算定開始年月日を摘要欄に記載する。

〈31日〉

● **(D000)尿一般**　26点＋**(D002)沈（鏡検法）**　27点＝53点

● **(D005)「5」末梢血液一般**　21点

● **(D015)「1」CRP**　16点

● **(D223)経皮的動脈血酸素飽和度測定**　35点

・術後の酸素吸入が行われているため算定する。

※30日の終末呼気炭酸ガス濃度測定、経皮的動脈血酸素飽和度測定、呼吸心拍監視は、閉鎖循環式全身麻酔と同一日に行われているため算定できない。

⑺⓪　画像診断（28日）

●**胸部X-Pデジタル（撮影1回）電子画像管理**　210点＝①＋②＋③

① **(E001)「1」・イ．診断料**　85点

② **(E002)「1」・ロ．デジタル撮影料**　68点

③ **(エックス線診断料)「通則4」・イ．電子画像管理加算（単純）**　57点

●**腹部X-Pデジタル（撮影2回）電子画像管理**　287点＝①＋②＋③

① **(E001)「1」・イ．診断料**　85点＋（85点×1/2）＝127.5点→128点

② **(E002)「1」・ロ．デジタル撮影料**　68点＋（68点×1/2）＝102点

③ **(エックス線診断料)「通則4」・イ．電子画像管理加算（単純）**　57点

● **「通則4」画像診断管理加算1（写真診断）**　70点

・施設基準の届出及びX-Pに対して、放射線科医のレポートがあるため、写画1を算定する。

●**腹部CT（64列以上マルチスライス型、そ**

入院⑤

の他の場合）電子画像管理　1,120点＝①＋②

① （E200）「1」・イ（2）CT撮影　1,000点

② （コンピューター断層撮影診断料）「通則3」電子画像管理加算　120点

● （E203）コンピューター断層診断　450点

● 「通則5」画像診断管理加算2（コンピューター断層診断）　175点

・施設基準の届出及びCTに対して、放射線科医のレポートがあるため、[コ画2]を算定する。

⑳ 入院料等（28日、29日、30日、31日）

●入院基本料　2,019点＝（A100）「1」急性期一般入院料3　1,569点＋「注3」・イ．初期加算（14日以内）　450点

●入院基本料等加算

① （A204-2）「2」臨床研修病院入院診療加算（協力型）（初日のみ）　20点

② （A205）「1」救急医療管理加算1（入院日から7日を限度）　1,050点

・施設基準届出保険医療機関で緊急入院を要する重症患者に該当するため算定する。

※ [救医1] を算定する場合は、別表7の3の1〜12のうち該当するものを選択し併せて当該重篤な状態に対して、入院後3日以内に実施した検査、画像診断、処置又は手術のうち主要な診療行為等を摘要欄に記載する。

③ （A207）「2」診療録管理体制加算2（初日のみ）　100点

④ （A207-2）「1」・二．医師事務作業補助体制加算1（30対1）（初日のみ）　630点

⑤ （A207-3）「1」25対1急性期看護補助体制加算（看護補助者5割以上）（入院日から14日を限度）　240点

⑥ （A219）療養環境加算（1日につき）　25点

⑦ （A221）「1」重症者等療養環境特別加算（個室の場合）（1日につき）　300点

・施設基準の届出及び医療上の必要から重症者等療養環境特別加算の個室に収容しているため算定する。

⑧ （A234）「1」医療安全対策加算1（初日のみ）　85点

⑨ （A234-2）「1」感染対策向上加算1（初日のみ）　710点

⑩ （A234-2）「注2」指導強化加算（初日のみ）　30点

⑪ （A234-3）患者サポート体制充実加算（初日のみ）　70点

⑫ （A245）「2」・イ．データ提出加算2（初日のみ）　155点

⑬ （A218）「1」地域加算（1級地）（1日につき）　18点

〈28日〉

5,152点×1日

入院基本料＋①＋②＋③＋④＋⑤＋⑥＋⑧＋⑨＋⑩＋⑪＋⑫＋⑬

〈29日〉

3,352点×1日

入院基本料＋②＋⑤＋⑥＋⑬

〈30日、31日〉

3,652点×2日

入院基本料＋②＋⑤＋⑥＋⑦＋⑬

※入院基本料種別欄に書ききれない略号は、摘要欄に記載する。

※病室から病室に移動した日の入院料の算定については、移動先の入院料を算定する。

※救急用自動車、救急医療用ヘリコプターにより搬送され、緊急入院した場合は、摘要欄に [緊入] と記載する。

・㊼食事療養はなし。

1 医療関連法規等

解答一覧

1	2	3	4	5	6	7	8	9	10
○	×	○	×	○	○	○	○	○	○
11	12	13	14	15	16	17	18	19	20
○	○	○	○	○	×	○	○	×	○
21	22	23	24	25	26	27	28	29	30
×	×	○	○	×	×	×	○	○	○
31	32	33	34	35	36	37	38	39	40
×	×	○	○	×	×	×	○	×	○
41	42	43	44	45	46	47	48	49	50
○	○	○	○	○	×	○	×	○	×
51	52	53	54	55	56				
×	×	○	○	○	○				

解答・解説

医療保険制度

1.○ 【健康保険法第55条第1項】
正しい。

2.× 【健康保険法第3条第7項第1号・第2号】
被扶養者の範囲について、配偶者（内縁を含む）・子（養子を含む）・孫・兄弟姉妹・父母（養父母を含む）等の直系尊属は被保険者と同一の世帯に属している必要はない。なお、前述以外の三親等内の親族（義父母等）・内縁の配偶者の父母及び連れ子・内縁の配偶者死亡後のその父母及び連れ子は同一世帯である必要がある。

3.○ 【健康保険法施行規則第50条の2第2項】
正しい。被保険者資格証明書とは、被保険者が被保険者証の手続きや再交付申請等の理由で被保険者証の到着が間に合わない場合、早急に保険医療機関にかかる必要があるときに限り、事業主が作成して被保険者に交付すると、被保険者証と同等の取扱いを受けることができる。

4.× 【健康保険法第38条】
後期高齢者医療の被保険者等となったときはその日から資格を喪失する。なお、①被保険者となったとき、②船員保険の被保険者となったときについても、同様にその日から資格を喪失する。また、③任意継続被保険者となった日から起算して2年を経過したとき、④死亡したとき、⑤保険料（初めて納付すべき保険料を除く）を納付期日までに納付しなかったとき（納付の遅延について正当な理由があると保険者が認めたときを除く）は、その翌日から資格を喪失する（本文P.26演習問題⑥ヒント（1）（2）参照）。

5.○ 【健康保険法第65条第3項第1号】
正しい。

6.○ 【健康保険法第74条第2項・第75条の2・療養担当規則第5条第1項】
正しい。保険医療機関は、患者の一部負担金を任意に減免すること、及び任意に支払いを免除することはできない。ただし、被保険者が、災害その他特別な理由によって支払いが困難と認められた場合にはこの限りではない（本文P.23演習問題③ヒント（1）（2）参照）。

7.○ 【健康保険法第97条第2項】
正しい。

8.○ 【健康保険法第65条・保険医療機関及び保険薬局の指定並びに保険医及び保険薬剤師の登録に関する省令第7条】
正しい。保険医療機関又は保険薬局は、その病院若しくは診療所又は薬局の見やすい箇所に、保険医療機関又は保険薬局である旨を標示しなければならない。

9.○ 【健康保険法第79条第1項】
正しい。

10.○ 【健康保険法第53条】
正しい。

11.○ 【健康保険法第102条】
正しい。被保険者が出産のため会社を休み、その間に給与の支払いを受けなかった場合、会社を休んだ期間を対象として出産手当金が支給される。なお、出産が予定日より遅れた場合には、遅れた期間についても出産手当金が支給される。

12.○ 【健康保険法第68条】
正しい。

13.○ 【健康保険法第110条第2項第1号】
正しい（P.22〈図表1.1.3〉参照）。

14.○ 【国民健康保険法第3条】
正しい。

15.○ 【国民健康保険法第60条】
正しい。なお、健康保険法においても同じ規定がなされている（健康保険法第116条）。

16.× 【健康保険法第37条第1項・第38条第4項】
被保険者の資格を喪失した日から20日以内に行わなければならない。

17.○ 【健康保険法第65条第2項】
正しい。

18.○ 【健康保険法第106条】
正しい。

19.× 【健康保険法第64条】
保険医療機関において、健康保険の診療に従事する医師は、厚生労働大臣の登録を受けた医師でなければならない。

20.○ 【国民健康保険法第6条第9号・第8条第2項】
正しい。

21.× 【健康保険法第73条】
保険医療機関及び保険薬局は療養の給付に関し、保険医及び保険薬剤師は健康保険の診療又は調剤に関し、それぞれ厚生労働大臣又は地方厚生（支）局長の指導を受けなければならない。

療養担当規則

22.× 【療養担当規則第3条】
保険医療機関は、患者から療養の給付を受けることを求められた場合には、電子資格確認または患者の提出する被保険者証によって療養の給付を受ける資格があることを確かめなければならない。住民票では受給資格の確認はできない。

23.○ 【療養担当規則第8条】
正しい。

24.○ 【療養担当規則第11条第2項】
正しい。

25.× 【療養担当規則第10条の1】
保険医療機関は、患者が家庭事情等のため退院が困難であると認められたときは、その旨を全国健康保険協会又は当該健康保険組合に通知しなければならない。
26.× 【療養担当規則第20条の2「へ」】
新医薬品で、薬価基準への収載の日の属する月の翌月の初日から起算して1年（厚生労働大臣が指定するものにあっては、厚生労働大臣が指定する期間）を経過していないものは、14日分を限度として算定する。
27.× 【療養担当規則第20条第3号】
処方箋の使用期間は、交付の日を含めて原則として4日以内である（本文P.31演習問題⑥ヒント（1）参照）。

療養担当規則第5条の4第1項（保険外併用療養費）
28.○ 【療養担当規則第5条「医療機器の治験に係る診療に関する基準」】
正しい。保険外併用の対象となる治験は、患者に対する情報提供を前提として、患者の自由な選択と同意がなされたものに限られる。したがって、治験の内容を患者等に説明することが医療上好ましくないと認められる場合は、保険外併用療養費の支給対象とならない。
29.○ 【療養担当規則第5条第4号】
正しい。
30.○ 【療養担当規則第5条の4「病院の初診に関する基準」】
正しい。
31.× 【療養担当規則第5条の4「特別の療養環境の提供に関する基準」】
免疫力が低下し、感染症に罹患するおそれのある患者を「治療上の必要」により特別療養環境室へ入院させる場合であっても、特別療養環境室に係る特別の料金を求めてはならない。

療養担当規則関連通知（療養の給付と直接関係ないサービス等の取扱い）
32.× 【療養の給付と直接関係ないサービス等の取扱いに関する事務連絡】
患者の自己利用目的によるレントゲンのコピー代である場合（たとえば、裁判所や保険会社への提出物として利用する場合など）は、患者から費用を徴収することができる。ただし、セカンド・オピニオンでの利用目的の場合は、その費用を徴収することはできない。セカンド・オピニオンについては、B010診療情報提供料（Ⅱ）により算定する。
33.○ 【療養の給付と直接関係ないサービス等】
正しい。
34.○ 【療養の給付と直接関係ないサービス等】
正しい。

医療法・医療従事者法

35.× 【診療放射線技師法第26条】
緊急を要する場合であっても、医師又は歯科医師の具体的な指示を受けなければ、放射線を人体に対して照射することはできない。
36.× 【医療法第7条】
病院又は診療所の開設者は、臨床研修等修了医師である必要はない。なお、医師以外の者が病院又は診療所を開設しようとするときは、開設地の都道府県知事（診療所の場合は、その開設地が保健所を設置する市又は特別区の区域にある場合は、当該保健所を設置する市の市長又は特別区の区長）の許可を受ければ開設できる（本文P.39演習問題②ヒント（1）（2）参照）。
37.× 【医療法第15条第3項】
病院又は診療所の管理者は、エックス線装置を備えた場合は所在地の都道府県知事に届け出なければならない。

38. ○ 【医療法第21条、医療法施行規則第20条第7号】
正しい。内科、心療内科、リウマチ科、小児科、外科、整形外科、形成外科、美容外科、脳神経外科、呼吸器外科、心臓血管外科、小児外科、泌尿器科、リハビリテーション科及び放射線科を有する病院は、厚生労働省令の定めるところにより、エックス線装置を有し、かつ、記録を備えておかなければならない。

39. × 【医療法第44条第1項】
医療法人は、その主たる事務所の所在地の都道府県知事の認可を受けなければ、医療法人を設立することができない。

40. ○ 【医療法第4条の3第1項・第6号、医療法施行規則第6条の5の5】
正しい。

41. ○ 【臨床工学技士法第2条】
正しい。

42. ○ 【医療法第8条】
正しい。なお、病院又は診療所を休止、廃止したときも、10日以内に所在地の都道府県知事に届け出なければならない。

43. ○ 【医療法第4条第5項・第22条】
正しい。地域医療支援病院は、1.集中治療室 2.診療に関する諸記録 3.病院の管理及び運営に関する諸記録 4.化学、細菌及び病理の検査施設 5.病理解剖室 6.研究室 7.講義室 8.図書室 9.その他厚生労働省令で定める施設を有し、また記録を備えておかなければならないと定められている。

44. ○ 【医療法第22条の2、医療法施行規則第22条の3】
正しい。特定機能病院は医療法により、1.厚生労働省令で定める員数の医師、歯科医師、薬剤師、看護師その他の従業者2.集中治療室3.診療に関する諸記録4.病院の管理及び運営に関する諸記録5.化学、細菌及び病理の検査施設 6.病理解剖室 7.研究室 8.講義室 9.図書室 10.その他厚生労働省令で定める施設を有しなくてはならない。また、施行規則により、4.については過去2年間にわたる諸記録を備えて置く必要がある。

入院時食事療養費・入院時生活療養費

45. ○ 【「入院時食事療養費に係る食事療養及び入院時生活療養の食事提供たる療養の基準等」】
正しい。入院時食事療養（Ⅰ）又は入院時生活療養（Ⅰ）は、管理栄養士又は栄養士の勤務する病院及び診療所において届出がなされた場合に算定できる。

46. × 【入院時食事療養費に係る食事療養及び入院時生活療養費に係る生活療養の実施上の留意事項について・特別食加算】
特別食として提供される貧血食の対象患者は、その原因が鉄分の欠乏に由来する患者でなければならない。

47. ○ 【入院時食事療養費に係る食事療養及び入院時生活療養費に係る生活療養の実施上の留意事項・その他】
正しい。

介護保険制度

48. × 【介護保険法第52条、介護保険法施行規則第3章保険給付第4節予防給付】
予防給付は、医療保険では保険給付の対象外であるが、介護保険においては給付対象となる（本文P.46基本解説参照）。

49. ○ 【医療保険と介護保険の給付調整に関する留意事項及び相互に関連する事項等について】
正しい（本文P.48演習問題②ヒント（2）参照）。

50. × 【介護保険法第18条第1項、第2項】
要支援状態に対する給付は、予防給付となる。介護給付であれば要介護者が対象となり、予防給付であれば要支援者が対象となって、各々のサービスを利用することができる。

後期高齢者医療制度

51. ×　【高齢者の医療の確保に関する法律第52条第1号】
75歳に達した日（誕生日当日）から後期高齢者医療の被保険者資格を取得する。

52. ×　【高齢者の医療の確保に関する法律第67条】
一般の後期高齢者の療養の給付に係る一部負担金は1割（一定以上所得者は2割）であるが、現役並み所得者の負担割合は3割である（本文P.22〈図表1.1.3〉参照）。

53. ○　【高齢者の医療の確保に関する法律第68条】
正しい。一部負担金を支払う場合においては、当該一部負担金の額に5円未満の端数があるときは、これを切り捨て、5円以上10円未満の端数があるときは、これを10円に切り上げるものとする。なお、後期高齢者だけではなく、医療保険の一部負担金を支払う場合はすべて同様の取り扱いとなる。

公費負担医療制度

54. ○　【感染症の予防及び感染症の患者に対する医療に関する法律第19条第１項】
正しい。緊急その他やむを得ない理由があるときは、特定感染症指定医療機関若しくは第一種感染症指定医療機関以外の病院若しくは診療所であって、当該都道府県知事が適当と認めるものに、当該患者を入院させるべきことを勧告できる。

その他

55. ○　【「特定保険医療材料の材料価格算定に関する留意事項について」気管内チューブの算定】
正しい。

56. ○　【診療報酬明細書の記載要領・第3「2」診療報酬明細書の記載要領に関する事項（16）「診療開始日」欄について】
正しい。

2 初・再診

解答一覧

1	2	3	4	5	6	7	8	9	10
×	○	○	×	○	○	×	○	○	○
11	12	13	14	15	16	17	18	19	20
×	×	○	○	○	○	○	○	○	○
21	22	23	24	25	26	27	28	29	30
○	×	×	○	×	×	○	×	×	○
31	32	33	34	35	36	37	38	39	40
○	×	○	○	○	○	○	○	×	○
41	42	43	44	45	46	47	48	49	50
○	×	○	○	×	○	×	×	○	×
51	52	53							
×	×	×							

解答・解説

初診料

1.× 【A000「注9」、A001「注7」施設基準等】
初・再診料の夜間・早朝等加算は、1週当たりの診療時間が30時間以上でなければならない。

2.○ 【A000】
正しい。患者が任意に診療を中止し、1月以上経過後、再び同一保険医療機関において診療を受ける場合は、その診療が同一病名又は同一症状によるもの（慢性疾患等明らかに同一疾病又は負傷であると推定される場合を除く）であっても、その際の診療は、初診として取り扱うことができる。

3.○ 【A000「注7」「注9」】
正しい（本文P.52時間外等加算参照）。

4.× 【A000対診を行った場合の初診の取り扱い】
対診を行った保険医が勤務する保険医療機関においても、当該患者につき別個の初診料を算定することができる。

5.○ 【A000】
正しい。

6.○ 【A000「注7」】
正しい。深夜であっても、保険医療機関の診療時間内又は診療態勢がとられている場合は、深夜加算を算定できない。

7.× 【A000「注8」】
小児診療体制の一層の確保を目的として、休日を診療日とする小児科標榜の保険医療機関において6歳未満の患者を診察した場合には、休日加算を算定できる。この場合、診療を行う保険医が小児科以外を担当する保険医であっても算定可能である。

8.○ 【A000「注7」、A001「注5」】
正しい。

9．○　【A000】
正しい。なお、逆紹介割合の計算式は、「逆紹介割合（％）＝逆紹介患者数÷（初診の患者数＋再診の患者数）×1,000」となる。
10．○　【A000】
正しい。
11．×　【A000】
診断の結果、疾病と認むべき徴候のない場合にあっても初診料を算定できる。
12．×　【A000「注7」】
休日加算を算定できる患者には、当該休日を休診日とする保険医療機関の診療時間外に、急病等やむを得ない理由により受診した患者が含まれる。休日加算の対象となる休日とは、日曜日及び国民の祝日をいう。なお、1月2日及び3日並びに12月29日、30日及び31日は、休日として取り扱う。
13．○　【A000「2カ所診療所開設の場合の初診料の算定」】
正しい。本院で初診した患者を分院で診療した場合，分院では実際に当該患者について医学的に初診とされる診療行為があったとは考えられないので，分院における初診料は算定できない。本院で診療中の患者から直接分院に往診の請求があった場合も、初診料の取扱いは同様である。
14．○　【A000「初診料の原則」療養担当規則第5条の4】
正しい。
15．○　【A000「注12」施設基準】
正しい。連携強化加算は、外来感染対策向上加算に係る届出を行っている保険医療機関に限り算定できる。なお、他の保険医療機関との連携体制が確保されていることが要件となっている。
16．○　【A000「注11」、A001「注15」初・再診料の施設基準等3の3医科初診料及び医科再診料の外来感染対策向上加算の施設基準】
正しい。
17．○　【A000「注1」】
正しい。
18．○　【A000】
正しい。基本診療料は特に規定する場合を除き初診、再診及び入院診療の際に原則として算定可能な項目であって、診察や治療の有無や内容に関わらず、毎回算定可能な診療料である。患者の傷病について医学的に初診といわれる診療行為があった場合に、初診料を算定する。
19．○　【A000「注10」】
正しい。
20．○　【A000事務連絡】
正しい。
21．○　【A000「注5」】
正しい。総合診療外来等は医療法施行令に掲げられていないため、診療科とみなされない。
22．×　【A000「注9」、A001「注7」施設基準等】
初・再診料の夜間・早朝等加算は、1週当たりの表示診療時間の合計が30時間以上の診療所であり、一定の決まった日又は決まった時間に行われる訪問診療の時間についても、訪問診療を実施する時間を表示している場合に限り、1週当たりの表示診療時間に含めることができる。
23．×　【A000】
検査又は画像診断の設備がない他の保険医療機関により、検査等の判読も含めて画像診断の依頼を受けた場合には、初診料、検査料、画像診断料等をそれぞれ別に算定できる。
24．○　【A000「注7」】
正しい。時間外とされている場合でも、当該保険医療機関が常態として診療応需の態勢をとり、診療時間内と同様の取扱いで診療を行っているときは、時間外の取扱いとはしない。

25.× 【A000「注9」】
土曜日にあっては、正午から午前8時までの間（深夜及び休日を除く）に診察を行った場合、夜間・早朝等加算を算定できる。
26.× 【A000「注1」、A001「注1」、A002「注1」】
「オンライン診療の適切な実施に関する指針」において、「対面診療を適切に組み合わせて行うことが求められる」とされており、保険医療機関においては、対面診療を提供できる体制を有している必要がある。

再診料

27.○ 【A001「注8」】
正しい。
28.× 【A001「注8」エ】
複数科を標榜する保険医療機関において、外来患者が2以上の傷病で複数科を受診し、一方の科で処置又は手術等を行った場合は、他科においては外来管理加算は算定できない。
29.× 【A001「注8」キ】
外来管理加算が算定できない項目には厚生労働大臣が定める生体検査があるが、皮膚科学的検査は含まれていない。
30.○ 【A001「注12」事務連絡】
正しい。
31.○ 【A001「注9」】
正しい。
32.× 【A001「注8」事務連絡】
基本診療料に含まれる処置について、それらを実施した際に使用した薬剤の費用を処置の薬剤料で算定した場合においても、外来管理加算は算定できる。
33.○ 【A001「注8」】
正しい。
34.○ 【A001「注11」事務連絡】
正しい。
35.○ 【A001「注12」オ（ニ）、「注12」施設基準】
正しい。
36.○ 【A001「注12」オ（ハ）（ニ）】
正しい。
37.○ 【A001】
正しい。情報通信機器を用いた再診を行った場合も対面での場合と同様に75点を算定するが、情報通信機器を用いた再診では外来管理加算は算定できない。
38.○ 【A001「注10」事務連絡】
正しい。
39.× 【B001「17」慢性疼痛疾患管理料に関する事務連絡】
慢性疼痛疾患管理料を算定する場合には、当該月内においては外来管理加算は算定できないこととなっている。ただし、月の途中に慢性疼痛疾患管理料の算定対象疾患が発症し、当該管理料を算定した場合には、当該管理料算定の初月に限り、算定日前の外来管理を算定できる。
40.○ 【A001「注9」、「注15」】
正しい。電話再診において、外来感染対策向上加算は算定できない。
41.○ 【A001「注12」】
正しい。地域包括診療加算は患者を診療する担当医を決め、当該担当医が指導及び診療を行った場合に算定する。

42. ×　【A001「注8」】
外来管理加算は、処置、リハビリテーション等（診療報酬点数表にあるものに限る）を行わずに、計画的な医学管理を行った場合に算定できる。外来管理加算より低い眼科学的検査、処置等を行った場合、当該点数を算定せずに外来管理加算を算定することはできない。

外来診療料

43. ○　【A002「注6」】
正しい。

44. ○　【A002「注1」】
正しい。

45. ×　【A002「注6」】
外来診療料に包括される血液形態・機能検査のうち、HbA1c（ヘモグロビンA1c）はその包括検査項目対象外となるが、HbF（ヘモグロビンF）は包括検査項目の対象となる。

46. ○　【A002「注6」】
正しい。なお、検査項目が属する区分（尿・糞便等検査判断料又は血液学的検査判断料の2区分）の判断料について、当該区分に属する検査項目のいずれをも行わなかった場合は、当該判断料は算定できない。

47. ×　【A002「注6】
外来診療料を算定した場合、熱傷に対する処置は別に算定できる。なお、創傷処置100㎠未満のもの及び100㎠以上500㎠未満のものは、外来診療料に含まれる。

48. ×　【A002「注6」】
熱傷処置は外来診療料に包括されず、別に算定できるため、処置料および使用した薬剤料も算定できる。

49. ○　【A002「注4」】
正しい。

50. ×　【A002「注1」】
外来診療料は、許可病床のうち一般病床に係るものの数が200床以上である保険医療機関において算定する。

通則

51. ×　【通則2】
同一の傷病又は互いに関連のある傷病により、医科と歯科を併せて受診した場合は、主たる診療科においてのみ初診料又は再診料（外来診療料を含む）を算定する。

52. ×　【通則2】
初診又は再診の際、手術等の必要を認めたが、いったん帰宅し、後刻又は後日に手術等を受けに来た場合は、初診又は再診に付随する一連の行為とみなされ、別に再診料又は外来診療料は算定できない。

53. ×　【通則3】
医療法に規定する病床に入院中の患者が、当該入院の原因となった傷病以外の傷病により、別の診療科で再診を受けた場合は、再診料（外来診療料含む）は算定できない。

3 入院

解答一覧

1	2	3	4	5	6	7	8	9	10
○	×	×	○	×	○	○	○	×	×
11	12	13	14	15	16	17	18	19	20
○	×	○	×	○	×	○	×	×	×
21	22	23	24	25	26	27	28	29	30
×	○	○	○	×	×	○	×	○	○
31	32	33	34	35	36	37	38	39	40
×	×	×	×	×	○	○	×	×	○
41	42	43	44	45	46	47	48	49	50
×	×	×	○	×	○	○	×	×	○
51	52	53	54	55					
○	×	○	×	×					

解答・解説

通則

1.○ 【通則「退院時処方に係る薬剤料の取扱い」】
正しい。

2.× 【通則「入院期間の確認について（入院料の支払要件）」】
保険医療機関は、患者の入院に際し、患者又はその家族等に対して当該患者の過去3か月以内の入院の有無を確認する。

3.× 【通則「入院中の患者の他医療機関への受診」】
入院中の患者が他医療機関を受診する場合には、入院医療機関は診療に必要な診療情報を、当該他医療機関に文書により提供する。コピー等の費用を含めこれらの診療情報に要する費用は、患者の入院している保険医療機関が負担することとなっている。

4.○ 【通則「入院期間の確認について（入院料の支払い要件）」】
正しい。

5.× 【通則「病棟移動時の入院料」】
同一保険医療機関内の病棟から他の病棟に移動した日の入院料の算定については、移動先の病棟の入院料を算定する。

6.○ 【通則「救急患者として受け入れた患者が、処置室、手術室等において死亡した場合」】
正しい。

入院基本料

7.○ 【A108「注2」】
正しい。

8.○ 【A104「注8」】
正しい。

9.× 【A100「注1」施設基準】
当該病棟において、看護職員の最小必要数の7割以上が看護師であることが要件となる。

10. × 【A103「注５」】
精神病棟入院基本料を算定する患者が、入院に当たり「A238-7精神科救急搬送患者地域連携受入加算」を算定したものである場合には、入院した日から起算して14日を限度として、所定点数に加算する。

11. ○ 【A108「注7」施設基準】
正しい。

12. × 【A105施設基準等】
専門病院は、主として悪性腫瘍患者又は循環器疾患患者を当該病院の一般病棟に7割以上入院させ、高度かつ専門的な医療を行っている病院をいう。

13. ○ 【A101施設基準等】
正しい。

14. × 【A101「注6」】
療養病棟入院基本料の急性期患者支援療養病床初期加算は、療養病棟に入院している患者のうち、急性期医療を担う他の保険医療機関の一般病棟から転院した患者について、転院した日から起算して14日を限度として算定できる。

15. ○ 【A102】
正しい。

入院基本料等加算

16. × 【A233-2「注1」】
入院した日から起算して1月以内の期間にあっては週1回、入院した日から起算して1月を超え6月以内の期間にあっては月1回に限り加算できる。

17. ○ 【A214】
正しい。

18. × 【A210】
メチシリン耐性黄色ブドウ球菌感染症患者については、菌の排出がなくなった後、3週間を限度として算定できる。

19. × 【A247「注2」】
身体的拘束を実施した日は、認知症ケア加算1又は認知症ケア加算2のそれぞれの所定点数の100分の40に相当する点数により算定する。

20. × 【A211】
特殊疾患入院施設管理加算は、重度の肢体不自由児（者）、脊髄損傷等の重度の障害者、重度の意識障害者等を主として入院させる病棟において算定できるが、脳卒中後遺症の患者は除かれる。

21. × 【A247-2】
せん妄ハイリスク患者ケア加算は、せん妄対策を実施したが、結果的にせん妄を発症した患者についても算定可能である。

22. ○ 【A205-3事務連絡】
正しい。

23. ○ 【A220-2】
正しい。保険医療機関に入院している新型インフルエンザの感染症患者及び二類感染症等の感染症患者並びにそれらの疑似症患者について、医師が他者へ感染させるおそれがあると認め、個室かつ陰圧室に入院させた場合には、個室加算及び陰圧室加算を併せて算定できる。

24. ○ 【A247「1」「2」「3」】
正しい。

25. × 【A205「1」】
救急医療管理加算1は、医師が診察等の結果、入院時点で重症であり緊急に入院が必要であると認めた重症患者であれば算定対象となり、継続して当該状態でなくても、入院した日から7日を限度として算定できる。
26. × 【A230】
精神病棟においては総合入院体制加算は算定できず、精神病棟入院時医学管理加算のみを算定する。
27. ○ 【A232】
正しい。がん拠点病院加算を算定した場合は、B005-6-3がん治療連携管理料は算定できない。
28. × 【A208】
入院基本料等加算の乳幼児加算は、当該患児を入院させた場合、及び産婦・生母の入院に伴って健康な乳幼児を在院させた場合は算定できない。
29. ○ 【A233-2事務連絡】
正しい。
30. ○ 【A221】
正しい。
31. × 【A207】
診療録管理体制加算における入院初日とは、第2部通則5に規定する起算日のことをいい、入院期間が通算される再入院の初日は算定できない。
32. × 【A247施設基準】
認知症ケアチームに構成される看護師は、原則週16時間以上、認知症ケアチームの業務に従事していなければならない。
33. × 【A204-2施設基準】
臨床研修病院入院診療加算「1　基幹型」の施設基準において、研修医2.5人につき指導医1人以上であることが要件となる。
34. × 【A236-2】
当該妊娠中に帝王切開術以外の開腹手術（腹腔鏡による手術を含む）を行った患者も、行う予定のある患者も、ハイリスク妊娠管理加算の算定対象となる。
35. × 【A234「1」施設基準】
医療安全対策に係る研修を受けた専従の薬剤師、看護師等が医療安全管理者として配置されていることが施設基準の要件となる。なお、専従とはその業務にだけ、就業時間の少なくとも８割以上、当該診療に従事していることをいう。専任とは、他の業務も兼務できるが、就業時間の少なくとも５割以上、当該診療に従事していることが必要とされている。
36. ○ 【A230-4】
正しい。
37. ○ 【A205「注3」】
正しい。
38. × 【A245】
データ提出加算１及び３は、入院患者に係るデータを提出した場合に算定することができる。データ提出加算２及び４は、入院患者に係るデータに加え、外来患者に係るデータを提出した場合に算定することができる。
39. × 【A236】
褥瘡ハイリスク患者ケア加算は、当該入院期間中１回に限り算定するが、入院期間が通算される再入院であっても別に算定できる。
40. ○ 【A213】
正しい。

41.× 【A224】
無菌治療室管理加算は、無菌室に入室した日を起算日として90日を限度として算定できる。
42.× 【A237施設基準等】
ハイリスク分娩等管理加算の「1 ハイリスク分娩管理加算」は、当該保険医療機関内に常勤の助産師が3名以上配置されていなければならない。
43.× 【A200】
総合入院体制加算は、入院した日から起算して14日を限度として算定できる。

特定入院料

44.○ 【A301-3事務連絡】
正しい。
45.× 【A300「注5」】
薬毒物中毒を疑って検査を実施した結果、実際には薬毒物中毒ではなかった場合には算定できない。
46.○ 【A310「注1」】
正しい。
47.○ 【A308「注3」】
正しい。
48.× 【A300「3」ロ、「4」ロ・A301「2」ロ、「4」ロ、「6」ロ】
第2度熱傷30%程度以上の患者が対象となる。
49.× 【A300】
一般病棟に入院中の患者が、症状の増悪等をきたしたことにより同一施設内の救命救急センターに転棟した場合は、救命救急入院料は算定できない。救命救急入院料は、救命救急医療に係る入院初期の医療を重点的に評価したものであり、症状の安定等により他病棟に転棟した患者又は他病棟に入院中の患者が症状の増悪等により転棟してきた場合にあっては、算定できない。
50.○ 【A307「注3」】
正しい。
51.○ 【A311】
正しい。

短期滞在手術等基本料

52.× 【診療報酬明細書の記載要領・第3「1」(8)】
短期滞在手術等基本料1については入院外の診療報酬明細書を使用するが、3については入院の診療報酬明細書を使用する。
53.○ 【A400事務連絡】
正しい。K093-2関節鏡下手根管開放手術は短期滞在手術等基本料3に該当し、算定日は手術を行った日となる。
54.× 【A400】
短期滞在手術等基本料1は、DPC対象病院においても算定できる。なお、短期滞在手術等基本料3については、DPC／PDPSによる包括評価となり、算定不可となる。
55.× 【A400】
短期滞在手術等基本料は、患者が退院後概ね3日間、1時間以内で当該医療機関に来院可能な距離にいることが要件となるが、短期滞在手術等基本料3は要件から除かれる。

4 医学管理等

解答一覧

1	2	3	4	5	6	7	8	9	10
○	×	×	○	×	○	○	○	○	○
11	12	13	14	15	16	17	18	19	20
○	×	×	×	○	○	○	○	○	○
21	22	23	24	25	26	27	28	29	30
○	○	○	○	○	○	○	×	○	○
31	32	33	34	35	36	37	38	39	40
×	○	×	○	○	○	×	○	×	○
41	42	43	44	45	46	47	48	49	50
×	×	○	×	×	○	○	×	×	×
51	52								
○	○								

解答・解説

特定疾患療養管理料

1．○ 【B000「注2」】

正しい。初診日及び入院中、また、退院の日及び初診の日から1月以内に行った管理の費用は、算定できない。

2．× 【B000】

特定疾患療養管理料は、プライマリケア機能を担う地域のかかりつけ医師による計画的な療養上の管理を評価したものであるため、対診又は依頼により検査のみを行っている保険医療機関にあっては算定できない。

3．× 【B000】

特定疾患療養管理料は、許可病床数が200床以上の病院においては算定できない。

4．○ 【B000】

正しい。

外来栄養食事指導料・入院栄養食事指導料・集団栄養食事指導料

5．× 【B001「10」「注2」】

入院栄養食事指導料2は、診療所において、入院中の患者であって、別に厚生労働大臣が定めるものに対して、保険医療機関の医師の指示に基づき当該保険医療機関以外の管理栄養士が具体的な献立等によって指導を行った場合に、入院中２回に限り算定する。

6．○ 【B001「9」】

正しい。

7．○ 【B001「11」】

正しい。

特定薬剤治療管理料

8．○ 【B001「2」】

正しい。

9.○　【B001「2」】
正しい。同一患者に対して異なる薬剤を投与した場合はそれぞれ算定できる。
10.○　【B001「2」】
正しい。臓器移植術を受け、臓器移植における拒否反応の抑制を目的として免疫抑制剤を投与している患者は、特定薬剤治療管理料１の対象患者、対象疾患及び対象薬剤の要件に該当する。

小児特定疾患カウンセリング料

11.○　【B001「4」】
正しい。なお、家族又は同居者から虐待を受けている又はその疑いがある者も含まれる。
12.×　【B001「4」】
電話によるカウンセリングは、医師又は公認心理師が行った場合であっても算定できない。
13.×　【B001「4」】
患者の家族等に対してカウンセリングを行った場合は、患者を伴った場合に限り算定する。

手術前医学管理料・手術後医学管理料

14.×　【B001-5「注4」】
尿・糞便等検査判断料、血液学的検査判断料、生化学的検査（Ⅰ）判断料を算定している患者は手術後医学管理料を算定できないが、生化学的検査（Ⅱ）判断料を算定している患者は手術後医学管理料を算定できる。
15.○　【B001-4「注3」】
正しい。
16.○　【B001-5「注3」】
正しい。

診療情報提供料

17.○　【B009「注5」】
正しい。
18.○　【B009】
正しい。
19.○　【B009】
正しい。

その他

20.○　【B001「26」「注2」】
正しい。
21.○　【B001「7」「注2」「注3」】
正しい。
22.○　【B001-9及び事務連絡】
正しい。
23.○　【B008事務連絡】
正しい。
24.○　【B001「3」】
正しい。悪性腫瘍特異物質治療管理料を算定する場合、D009腫瘍マーカー検査に係る費用（採血料を含む）が含まれ、それに係る費用は別に算定できない。
25.○　【B001「27」事務連絡】
正しい。

26.○　【B001-2-9「注1」】
正しい。
27.○　【B005-10及び事務連絡】
正しい。B009診療情報提供料（1）は別に算定できない。
28.×　【B001「12」「注3」、第2章特掲診療料に関する通則】
心臓ペースメーカー指導管理料は、B000特定疾患療養管理料を算定している患者については算定できない。
29.○　【B005-11】
正しい。
30.○　【B005-7-3「注1」】
正しい。
31.×　【B001「30」「注2」】
初診料を算定する初診の日に行った指導又は当該初診の日の同月内に行った指導の費用は初診料に含まれる。
32.○　【B006】
正しい。
33.×　【B001-2-9事務連絡】
月初めに遡(さかのぼ)って地域包括診療料の算定を取り消し、出来高算定に戻すことも可能である。
34.○　【B001「15」】
正しい。
35.○　【B001「6」「注1」】
正しい。
36.○　【B001「17」「注1」】
正しい。
37.×　【B001-3-2】
ニコチン依存症管理料は、初回算定日より起算して1年を超えた日からでなければ、再度算定することはできない。
38.○　【B001-2-2】
正しい。
39.×　【B009-2】
電子的診療情報評価料は、提供された情報が当該保険医療機関の依頼に基づくものであった場合は、算定できない。
40.○　【B012】
正しい。
41.×　【B001「16」「注3」】
喘息治療管理料2は、6歳未満又は65歳以上の喘息の患者であって、吸入ステロイド薬を服用する際に吸入補助器具を必要とするものに対して、吸入補助器具を患者に提供し、服薬指導等を行った場合に、初回に限り算定する。
42.×　【B001「27」「注1」】
糖尿病透析予防指導管理料は、入院中の患者以外の糖尿病患者（通院する患者のことをいい、在宅での療養を行う患者を除く）のうち、医師が糖尿病透析予防に関する指導の必要性があると認めた場合に、月1回に限り算定する。
43.○　【B001-2-8「注3」】
正しい。
44.×　【B001-8「注」】
臍ヘルニア圧迫指導管理料は、医師が1歳未満の乳児に対する臍ヘルニアについて療養上の必要な指導を行った場合に、患者1人につき1回に限り算定する。

45. ×　【B012】

出産育児一時金若しくは出産手当金に係る証明書又は意見書を作成する場合、傷病手当金意見書交付料は算定できない。

46. ○　【B005-12 事務連絡】

正しい。

47. ○　【B007-2】

正しい。

48. ×　【B001「1」】

ウイルス疾患指導料の算定に当たり、HIVの感染者に対して指導を行った場合には、「ロ ウイルス疾患指導料２」を算定する。

49. ×　【B001-3-2】

初回のニコチン依存症管理料を算定した日から起算して12週間にわたり計５回の禁煙治療を行った場合に算定する。

50. ×　【B006「注2」】

救急救命士の行った処置等の費用は、救急救命管理料の所定点数に含まれ別に算定できない。

51. ○　【B005-11】

正しい。

52. ○　【B001-6「注2」】

正しい。肺血栓塞栓症の予防を目的として使用される弾性ストッキング（患者の症状により弾性包帯を含む）又は間歇的空気圧迫装置の費用や、当該材料を用いた処置に要する費用は所定点数に含まれ、別に算定できない。

5 在宅医療

解答一覧

1	2	3	4	5	6	7	8	9	10
○	×	×	×	○	○	×	×	×	○
11	12	13	14	15	16	17	18	19	20
○	×	×	×	○	×	×	×	×	○
21	22	23	24	25	26	27	28	29	30
×	○	○	○	×	○	×	○	○	×
31	32	33	34	35	36	37	38		
○	○	○	×	○	○	○	○		

解答・解説

通則

1.○ 【在宅療養支援病院の施設基準】
正しい。

(在宅患者診療・指導料)

在宅患者訪問診療料（Ⅰ）・（Ⅱ）

2.× 【C001「注1」特掲診療料の施設基準等・別表第7「在宅患者訪問診療料等に規定する疾病等」】
在宅患者訪問診療料の算定は週3回までの訪問を限度とするが、厚生労働大臣が定める疾病等の患者に該当する場合にはこの限りではない。筋萎縮性側索硬化症はこれに該当する疾病となる。設問の場合は、週5回の在宅患者訪問診療料を算定することができる。

3.× 【C001「注7」「注8」】
往診又は訪問診療を行い、在宅で患者を看取った場合には、看取り加算を所定点数に加算できるが、死亡診断を行った場合であっても死亡診断加算は当該加算と併せて算定できない。

4.× 【C001事務連絡】
「ロ 同一建物居住者の場合」の所定点数を算定する。

その他

5.○ 【C004】
正しい。

6.○ 【C008「注4」】
正しい。

7.× 【C007「注4」事務連絡】
衛生材料等提供加算は、訪問看護指示料又は精神科訪問看護指示料を算定した月のみ算定が可能となる。

8.× 【C013施設基準】
医師、看護師及び管理栄養士からなる在宅褥瘡対策チームを構成していることが、在宅患者訪問褥瘡管理指導料の施設基準の要件の1つとなる。

9．× 【C005-2】
在宅患者訪問点滴注射管理指導料には、必要な回路等の費用が含まれており、別に算定できない。

10．○ 【C008「注3」】
正しい。

11．○ 【C006】
正しい。

12．× 【C004】
同一の搬送において、複数の保険医療機関の医師が診療を行った場合は、主に診療を行った医師の所属する保険医療機関が診療報酬請求を行い、それぞれの費用の分配は相互の合議に委ねることとする。

13．× 【C010】
月２回以上医療関係職種間で文書等により共有された診療情報を基に、患者又はその家族等に対して指導等を行った場合に、月１回に限り算定できる。

14．× 【C007】
複数の訪問看護ステーション等に訪問看護指示書を交付しても、訪問看護指示料は１人の患者について１月に１回を限度に算定する。

15．○ 【C000「注2」】
正しい。

16．× 【C007「注1」、療養担当規則第19条の4】
保険医が、その患者に指定訪問看護の必要があると認めた場合には、当該患者の選定する訪問看護ステーションに指示書を交付しなければならない。

17．× 【C000】
往診を求められ患家に赴いたが、既に他医に受診していたため、診察を行わないで帰った場合の往診料は、療養の給付の対象とはならず、患家の負担となる。

（在宅療養指導管理料）

在宅療養指導管理材料加算

18．× 【C157「注」】
酸素ボンベ加算は、チアノーゼ型先天性心疾患の患者に対して酸素ボンベを使用し、在宅療養指導管理を行った場合は算定できない。

19．× 【C151】
注入器を処方した場合は、在宅療養指導管理料の所定点数に注入器加算300点を算定する。

20．○ 【C101、C151】
正しい。

21．× 【C153】
注入器用注射針加算は、針付一体型の製剤を処方した場合には算定できない。

22．○ 【通則１】
正しい。2以上の指導管理を行っている場合は、主たる指導管理の所定点数のみを算定するが、在宅療養指導管理材料加算及び当該2以上の指導管理に使用した薬剤、特定保険医療材料の費用はすべて算定できる。

その他

23．○ 【C117】
正しい。

24．○ 【C101「注2」「注3」】
正しい。

25. × 【C110-2「注2」】
植込型脳・脊髄刺激装置の植込術を行った日から起算して3月以内の期間に行った場合に導入期加算として当該指導管理料の所定点数に140点を加算できる。
26. ○ 【C107-2】
正しい。
27. × 【在宅療養指導管理料・通則2】
同一の患者に対して、在宅療養指導管理のうち2以上の指導管理を行っている場合は、主たる指導管理の所定点数のみ算定する。
28. ○ 【C104】
正しい。なお、当該指導管理に係る薬剤以外の薬剤については算定できる。
29. ○ 【C100】
正しい。
30. × 【C100】
退院前在宅療養指導管理料を算定できるのは、あくまでも退院した場合であり、病状の悪化等により退院できなかった場合には算定できない。
31. ○ 【C102-2】
正しい。
32. ○ 【C105-3】
正しい。
33. ○ 【C112】
正しい。在宅気管切開患者指導管理料を算定している患者（入院中の患者を除く）については、創傷処置（気管内ディスポーザブルカテーテル交換を含む）、爪甲除去（麻酔を要しないもの）、穿刺排膿後薬液注入、喀痰吸引及び干渉低周波去痰器による喀痰排出の費用は算定できない。
34. × 【C107】
在宅人工呼吸指導管理料の対象となる患者は、病状が安定し、在宅での人工呼吸療法を行うことが適当と医師が認めた者となる。ただし、睡眠時無呼吸症候群の患者（Adaptive Servo Ventilation（ASV）を使用する者を含む）は含まれない。
35. ○ 【C103】
正しい。在宅酸素療法指導管理料を算定している患者は、「処置の部」に掲げる酸素吸入、突発性難聴に対する酸素療法、酸素テント、間歇的陽圧吸入法、体外式陰圧人工呼吸器治療、喀痰吸引、干渉低周波去痰器による喀痰排出、鼻マスク式補助換気法、これらに係る酸素代、薬剤及び特定保険医療材料に係る費用も含めてすべて算定できない。
36. ○ 【C112】
正しい。在宅気管切開患者指導管理を実施する保険医療機関又は緊急時に入院するための施設は、1.酸素吸入設備、2.レスピレーター、3.気道内分泌物吸引装置、4.動脈血ガス分析装置（常時実施できる状態であるもの）、5.胸部エックス線撮影装置（常時実施できる状態であるもの）を備えなければならない。
37. ○ 【C109「注2」】
正しい。
38. ○ 【C101】
正しい。点滴注射のほか、皮内、皮下及び筋肉内注射、静脈内注射の費用も算定できない。

6 投薬・注射

解答一覧

1	2	3	4	5	6	7	8	9	10
×	×	○	○	○	×	×	○	○	○
11	12	13	14	15	16	17	18	19	20
○	○	○	×	○	×	○	○	×	×
21	22	23	24	25	26	27	28	29	30
×	○	×	○	×	×	○	○	×	○
31	32	33	34	35	36	37	38	39	40
×	○	○	×	○	○	×	×	×	○
41	42	43	44	45	46	47	48	49	50
○	○	○	○	○	○	×	○	○	○
51	52	53							
×	×	×							

解答・解説

（投薬）

処方料

1.× 【F100「注5」、F400「注4」】
特定疾患処方管理加算は、特定疾患に対する薬剤の処方期間が28日以上の場合に算定できる。ただし、当該患者に処方された薬剤の処方期間がすべて28日以上である必要はない。

2.× 【F100「注5」事務連絡】
特定疾患処方管理加算は、特定疾患に対する投薬であれば外用薬でも算定できる。

3.○ 【F100「注8」】
正しい。

4.○ 【F100「注3」】
正しい。

5.○ 【F100「1」】
正しい。

6.× 【F100「注5」、F400「注4」】
特定疾患処方管理加算は、診療所だけではなく、許可病床数200床未満の病院も算定できる。

7.× 【F100「注5」、F400「注4」】
特定疾患処方管理加算は、B000特定疾患療養管理料とは異なり、初診料を算定した初診の日においても算定できる。

8.○ 【F100「注4」】
正しい。

通則

9.○ 【通則】
正しい。

10.○ 【通則】
正しい。

11.○ 【通則】
正しい。
12.○ 【通則】
正しい。

処方箋料

13.○ 【F400】
正しい。なお、2以上の診療科で異なる医師が処方した場合は、それぞれの処方につき処方箋料を算定することができる。
14.× 【F400「注6」事務連絡】
銘柄名が併記されている場合、一般名処方加算は算定できない。
15.○ 【F400】
正しい。
16.× 【F400】
処方箋に記載する医薬品名は、原則として薬価基準に記載されている名称を記載することとされているが、一般名による記載でも差し支えない。ただし、保険医療機関と保険薬局との間で約束された約束処方による医薬品名の省略、記号等による記載は認められない。

その他

17.○ 【F000】
正しい。
18.○ 【F500】
正しい。
19.× 【F000】
トローチ剤又は亜硝酸アミル等の嗅薬は、いずれも外用薬として投薬に係る費用を算定する。
20.× 【F000「2」】
入院中の患者に対して投薬を行った場合の調剤料は、1日につき所定点数7点を算定する。なお、外来患者に対しては1回の処方に係る調剤につき所定点数を算定する。
21.× 【F500「注4」】
調剤技術基本料は、同一月にB008薬剤管理指導料又はC008在宅患者訪問薬剤管理指導料を算定している場合には、算定できない。
22.○ 【F500「注3」】
正しい。
23.× 【F000「注」】
入院患者に対する麻薬等加算は、1日につき1点を、調剤料の所定点数に加算する。なお、1処方につき1点を加算するのは、入院中の患者以外の患者の場合となる。
24.○ 【F000】
正しい。トローチ剤は外用薬として投薬に係る費用を算定するため、処方された全総量を1調剤の薬剤料として算定する。
25.× 【F500「注2」】
同一の患者につき同一月内に調剤技術基本料を算定すべき投薬を2回以上行った場合には、月1回に限り算定する。
26.× 【F200】
固形剤と内用液剤を調剤する場合には、服用時点及び服用回数が同じものも、1剤として算定せずにそれぞれ算定する。
27.○ 【F000】
正しい。

（注射）

通則

28. ○　【通則3】

正しい。

29. ×　【通則4】

抗悪性腫瘍剤局所持続注入の実施時に、精密持続点滴を行った場合には、精密持続点滴注射加算を算定できる。

30. ○　【通則「医薬品サンプルについて」】

正しい。

31. ×　【通則4】

精密持続点滴注射加算は、1歳未満の乳児に対して精密持続点滴注射を行う場合に算定できる。

32. ○　【通則6施設基準】

正しい。

33. ○　【通則5】

正しい。

34. ×　【通則4】

G005中心静脈注射又はG006植込型カテーテルによる中心静脈注射の回路より精密持続点滴注射を行った場合は、精密持続点滴注射加算を算定できる。

35. ○　【通則3】

正しい。

36. ○　【通則6施設基準】

正しい。

37. ×　【通則3】

生物学的製剤注射加算は、植込型カテーテルによる中心静脈注射の回路より生物学的製剤を注入した場合に算定できる。

38. ×　【通則4】

G003抗悪性腫瘍剤局所持続注入の実施時に精密持続点滴を行った場合は、精密持続点滴注射加算を算定できる。

39. ×　【通則8】

心臓内注射及び痔核注射等の簡単な注射に係る費用は、薬剤料のみ算定し、実施料は算定できない。

無菌製剤処理料

40. ○　【G020施設基準】

正しい。

41. ○　【G020施設基準】

正しい。

42. ○　【G020】

正しい。

その他

43. ○　【G005-3】

正しい。

44. ○　【G003】

正しい。

45. ○ 【G005-4】
正しい。
46. ○ 【G000】
正しい。
47. × 【G100】
アレルギー疾患減感作療法において使用した薬剤料については、やむを得ず廃棄した場合の薬液量も含め、使用量に応じて薬価により算定する。
48. ○ 【G006】
正しい。
49. ○ 【G000】
正しい。
50. ○ 【G010】
正しい。
51. × 【G003-3】
肝動脈塞栓を伴う抗悪性腫瘍剤肝動脈内注入は、抗悪性腫瘍剤注入用肝動脈塞栓材の使用量を決定する目的で当該塞栓材のみを注入する場合、その必要性が高い場合に限り、月１回に限り算定できる。
52. × 【G012-2】
眼球注射に際し患者の血液を採取する場合は、所定点数に採血料を加算して算定できる。
53. × 【G005-3】
末梢留置型中心静脈注射用カテーテル挿入を、６歳未満の乳幼児に対して行った場合は500点を所定点数に加算する。

7 処置

解答一覧

1	2	3	4	5	6	7	8	9	10
○	×	○	×	×	×	○	○	○	○
11	12	13	14	15	16	17	18	19	20
○	×	○	○	○	○	○	○	○	○
21	22	23	24	25	26	27	28	29	
×	○	○	○	○	○	×	○	×	

解答・解説

通則

1．○ 【通則1】
正しい。処置に当たって通常使用される包帯（頭部・頸部・躯幹固定用伸縮性包帯を含む）、ガーゼ等の衛生材料は所定点数に含まれており、別に算定できない。

2．× 【通則3、J086「注2」】
点眼だけではなく洗眼についても基本診療料に含まれ、別に眼処置の所定点数を算定できない。

3．○ 【通則8】
正しい。耳鼻咽喉科小児抗菌薬適正使用支援加算は、インフルエンザの患者、インフルエンザの疑われる患者、新型コロナウイルス感染症の患者、新型コロナウイルス感染症が疑われる患者については、算定できない。

高気圧酸素治療

4．× 【J027「2」】
高気圧酸素治療「2 その他のもの」は、重症の低酸素脳症の患者に対して行う場合は、一連につき10回を限度として算定できる。

その他

5．× 【J000「注3」】
6歳未満に対する乳幼児加算は、「5」の6,000cm^{2}以上の場合にのみ算定できる。

6．× 【J044】
救命のための気管内挿管に併せて人工呼吸を行った場合は、J045人工呼吸の所定点数を合わせて算定できる。

7．○ 【J050「注2」】
正しい。気管内洗浄（気管支ファイバースコピーを使用した場合を含む）と同時に行う喀痰吸引、干渉低周波去痰器による喀痰排出又は酸素吸入は、所定点数に含まれる。

8．○ 【J039】
正しい。

9．○ 【J047】
正しい。

10．○ 【J026「注1」、J045「注1」】
正しい。同時に行う喀痰吸引、干渉低周波去痰器による喀痰排出、酸素吸入、突発性難聴に対する酸素療法は、それぞれの所定点数に含まれ別に算定できない。

11. ○ 【J038】
正しい。
12. × 【J003-4「注2」】
多血小板血漿処置に伴って行われた採血等の費用は、所定点数に含まれる。
13. ○ 【J001-4「注1」】
正しい。
14. ○ 【J001】
正しい。
15. ○ 【J017】
正しい。
16. ○ 【J022】
正しい。
17. ○ 【J026「注1」】
正しい。
18. ○ 【J052-2】
正しい。熱傷温浴療法は、体表面積の30%以上の広範囲熱傷に対する全身温浴として、入院中の患者に対し受傷後60日以内に行われたものについて算定する。
19. ○ 【J118】
正しい。
20. ○ 【J003-2】
正しい。
21. × 【J000-2】
下肢創傷処置を算定する場合は、創傷処置及び爪甲除去（麻酔を要しないもの）は併せて算定できず、穿刺排膿後薬液注入も併せて算定できない。
22. ○ 【J038「注14」】
正しい。なお、透析時運動指導等加算は、人工腎臓を実施している患者に対して、医師、看護師、理学療法士又は作業療法士が、療養上必要な訓練等について指導を行った場合に、当該指導を開始した日から起算して90日を限度として所定点数に加算する。
23. ○ 【J000】
正しい。
24. ○ 【J025】
正しい。使用したソーダライム等の二酸化炭素吸着剤の費用は、酸素テントの所定点数に含まれる。ソーダライムは、酸素テントを使用する際にCO_2を取り除くための吸着剤である。空気を再利用する際にCO_2を除去しないと、患者がCO_2を吸い込んでしまうことになるため、呼気中に含まれるCO_2を吸着する素材であるソーダライムを設置し、強制的にCO_2を取り除く。
25. ○ 【J004】
正しい。
26. ○ 【J000-2】
正しい。
27. × 【J042】
連続携行式腹膜灌流は、導入期の14日の間に限り、導入期加算として、1日につき当該灌流の所定点数に500点を加算できる。
28. ○ 【J007-2】
正しい。
29. × 【J095】
耳処置とは、外耳道入口部から鼓膜面までの処置であり、耳浴及び耳洗浄が含まれており、包括して片側（一側）・両側の区別なく、1回につき所定点数を算定できる。

8 手術・輸血・麻酔

解答一覧

1	2	3	4	5	6	7	8	9	10
×	○	×	×	○	○	×	×	○	×
11	12	13	14	15	16	17	18	19	20
○	○	○	×	○	○	×	×	○	○
21	22	23	24	25	26	27	28	29	30
○	×	○	×	○	×	×	×	×	×
31	32	33	34	35	36	37	38	39	40
×	×	×	×	×	○	○	×	×	○
41	42	43	44	45	46	47	48	49	50
○	○	○	○	×	○	○	○	○	○
51	52	53	54	55	56	57			
×	×	○	×	○	○	×			

解答・解説

（手術）

手術料

1.× 【K721事務連絡】
長径1cmのポリープを3個切除した場合は、内視鏡的大腸ポリープ・粘膜切除術「1　長径2cm未満」で算定する。

2.○ 【K059】
正しい。

3.× 【K476「注1」】
インドシアニングリーンを用いたリンパ節生検を行った場合には、乳癌センチネルリンパ節生検加算1として、5,000点を所定点数に加算する。

4.× 【K169「注1」】
脳腫瘍覚醒下マッピングを用いて実施した場合は、脳腫瘍覚醒下マッピング加算として、4,500点を所定点数に加算する。

5.○ 【K142-7】
正しい。

6.○ 【K268】
正しい。

7.× 【K780-2】
生体腎移植術の所定点数には、灌流の費用が含まれる。

8.× 【K318】
鼓膜形成手術に伴う鼓膜又は皮膚の移植については、別に算定できない。

9.○ 【K546施設基準】
正しい。

10.× 【K665】
胃瘻カテーテルを抜去し閉鎖した場合は算定できない。

11. ○ 【K096-2】
正しい。
12. ○ 【K697-5「注2」】
正しい。
13. ○ 【K552】
正しい。
14. × 【K046「注」】
骨折観血的手術の緊急整復固定加算は、大腿骨近位部の骨折に対して、骨折後48時間以内に整復固定を行った場合に所定点数に4,000点を加算する。
15. ○ 【K917】
正しい。
16. ○ 【K917-3】
正しい。
17. × 【K545】
開胸心臓マッサージに併せて行ったカウンターショックの点数は、所定点数に含まれず、別に算定する。
18. × 【K601】
人工心肺実施のために血管を露出し、カニューレ、カテーテル等を挿入した場合の手技料は、所定点数に含まれ、別に算定できない。
19. ○ 【K007】
正しい。
20. ○ 【K259】
正しい。
21. ○ 【K010】
正しい。なお、瘢痕拘縮とは、熱傷や手術後に傷あとが硬く盛り上がると同時に縮まる「ひきつれ」のことである。
22. × 【K193-2、K193-3】
レックリングハウゼン病偽神経腫切除術について、露出部に係る長さが全体の50％以上の場合は、K193-2「露出部」の所定点数により、50％未満の場合は、K193-3「露出部以外」の所定点数により算定する。なお、「露出部」とは、頭部、頸部、上肢にあっては肘関節以下及び下肢にあっては膝関節以下をいう。
23. ○ 【K657、K657-2】
正しい。悪性腫瘍に対する手術であっても、リンパ節郭清等を伴わない単純な全摘・消化管吻合術を行った場合には単純全摘術により算定する。
24. × 【K000「注3」】
デブリードマンの加算は、汚染された挫創に対して行われるブラッシング又は汚染組織の切除等であって、通常麻酔下で行われる程度のものを行った場合に、当初の1回に限り100点を算定する。

通則

25. ○ 【通則14】
正しい。主たる手術の所定点数のみを算定する同一手術野又は同一病巣の手術に該当する組み合わせの例として、「虫垂切除術」と「盲腸縫縮術」が挙げられている。
26. × 【通則7】
「通則７」の極低出生体重児加算は、当該手術の所定点数の100分の400に相当する点数を加算できるが、手術時体重が1,500g未満の児に対して実施した場合となるため設問の場合は該当しない。なお、K735先天性巨大結腸症手術を手術時体重2,000g未満の児に実施した場合は、「通則8」の乳幼児加算の100分の100に相当する点数を加算する。

27. ×　【通則20事務連絡】
術前に行う栄養管理を患者の入院前に外来において実施した場合にも、周術期栄養管理実施加算を算定できる。

28. ×　【通則「臓器等移植における組織適合性試験及び臓器等提供者に係る感染症検査の取扱い」（２）「ウ」】
K259角膜移植術において、臓器等移植に際し行った臓器等提供者に係る感染症検査は、所定点数に含まれ、別に算定できない。

29. ×　【通則「臓器等移植における組織適合性試験及び臓器等提供者に係る感染症検査の取扱い（１）「ウ」】
K780-2生体腎移植術の臓器等の移植者に係る組織適合性試験の費用は、所定点数に含まれ、別に算定できない。

30. ×　【通則12】
時間外等の加算は、手術料については加算の対象となるが、輸血料に対しては算定できない。

31. ×　【通則1、K817「2」】
内視鏡を用いた手術を行った場合は、これと同時に行う内視鏡検査料は別に算定できない。

手術医療機器等加算

32. ×　【K936】
K655胃切除術に当たって自動縫合器を使用した場合は、３個を限度として自動縫合器加算の所定点数に使用個数を乗じて得た点数を、手術の所定点数に加算する。

33. ×　【K939-7「注2」】
K406口蓋腫瘍摘出術の「1　口蓋粘膜に限局するもの」を行うにあたり、レーザー手術装置を使用した場合は、当該手術の所定点数に「レーザー機器加算1」を加算する。

（輸血）

輸血料

34. ×　【K920「4」】
自己血輸血は、当該保険医療機関において手術を行う際に予め貯血しておいた自己血（自己血貯血）を、手術時及び手術後3日以内に輸血を行った場合に算定できる。

35. ×　【K922「3」、通則「臓器移植における組織適合性試験及び臓器等提供者に係る感染症検査の取扱い」】
臍帯血移植に用いられた臍帯血に係る組織適合性試験の費用は、所定点数に含まれる。

36. ○　【K923「摘要欄」診療報酬請求書・明細書の記載要領】
正しい。

37. ○　【K920「5」】
正しい。

38. ×　【K920「2」】
血小板濃厚液の注入は、「2」保存血液輸血により算定する。

39. ×　【K920-2】
輸血管理料は、赤血球濃厚液（浮遊液を含む）、血小板濃厚液、自己血の輸血、新鮮凍結血漿、アルブミン製剤の輸注を行った場合に、月１回を限度として算定する。

（麻酔）

麻酔料

40.○　【L010事務連絡】
正しい。

41.○　【L008「注7」】
正しい。

42.○　【L001-2】
正しい。

43.○　【L007】
正しい。なお、ガス麻酔器を使用する麻酔の実施時間は、麻酔器に接続した時間を開始時間とし、当該麻酔器から離脱した時間を終了時間とする。

44.○　【L009】
正しい。

45.×　【L008-2】
体温維持療法は、心肺蘇生後の患者に対し、直腸温36℃以下で24時間以上維持した場合に、開始日から3日間に限り算定する。

46.○　【L004】
正しい。

47.○　【L009「注5」】
正しい。なお、「周術期」とは、手術が決定した患者の術中だけではなく、外来又は入院、麻酔・手術、術後回復、退院・社会復帰までの手術前後を含めた一連の期間のことをいう。

48.○　【L009「注4」】
正しい。K151-2広範囲頭蓋底腫瘍切除・再建術は、「注4」に掲げる手術に該当し、マスク又は気管内挿管による閉鎖循環式全身麻酔の実施時間が8時間を超えた場合は、長時間麻酔管理加算として7,500点を所定点数に加算できる。

49.○　【L008-2】
正しい。

50.○　【L010】
正しい。

51.×　【L008】
マスク又は気管内挿管による閉鎖循環式全身麻酔の実施時間は、当該麻酔器を患者に接続した時点を開始時間とし、患者が当該麻酔器から離脱した時点を終了時刻として算定する。

52.×　【L008】
ガス麻酔器を使用する閉鎖式・半閉鎖式等の全身麻酔を20分以上実施した場合は、マスク又は気管内挿管による閉鎖循環式全身麻酔の所定点数を算定できる。

通則

53.○　【通則】
正しい。閉鎖循環式全身麻酔以外の麻酔の術中に起こる偶発事故に対する処置（酸素吸入、人工呼吸）及び注射（強心剤等）等の費用は、麻酔の所定点数と別に算定することができる。

54.×　【通則】
麻酔が前処置と局所麻酔のみによって行われる場合の麻酔の手技料は、手術料等に含まれ算定できない。ただし、薬剤を使用した場合は、それぞれの部の薬剤料として算定できる。

神経ブロック料

55.○ 【L104】

正しい。

56.○ 【L100】

正しい。

57.× 【L100、L101】

同一名称の神経ブロックを複数か所に行った場合も、2種類以上の神経ブロックを行った場合においても、主たるもののみ算定する。

9 検査・病理診断

解答一覧

1	2	3	4	5	6	7	8	9	10
○	○	○	○	○	○	×	○	×	×
11	12	13	14	15	16	17	18	19	20
○	×	○	○	×	○	×	○	○	×
21	22	23	24	25	26	27	28	29	30
○	×	○	×	○	○	×	×	○	×
31	32	33	34	35	36	37	38	39	40
○	○	×	×	○	○	×	×	×	○
41	42	43	44	45	46	47	48	49	50
×	○	×	○	○	×	×	○	○	○
51	52								
○	○								

解答・解説

(検査通則)

1.○ 【通則「検査料の一般事項」】
正しい。

2.○ 【通則「基本診療料に含まれる検査」】
正しい。血圧測定や6誘導未満の心電図検査等の簡単な検査は、基本診療料に含まれ別に算定することはできない。設問の血液比重測定も簡単な検査の１つである。

3.○ 【通則「検査料の一般事項」】
正しい。

(検体検査)

尿・糞便等検査

4.○ 【D002、D002-2】
正しい。

5.○ 【D003「9」】
正しい。

6.○ 【D004「2」】
正しい。なお、関節液検査は、関節水腫を有する患者であって、結晶性関節炎が疑われる者に対して実施した場合、一連につき１回に限り算定する。

7.× 【D002-2「注2」】
尿沈渣（フローサイトメトリー法）は、当該保険医療機関内で検査を行った場合に算定できる。

8.○ 【D001「18」】
正しい。

9.× 【D004-2「1」注1】
悪性腫瘍遺伝子検査の「イ 処理が容易なもの」に掲げる検査を3項目以上実施した場合には、所定点数にかかわらず6,000点を算定する。12,000点を算定できるのは、「ロ 処理が複雑なもの」に掲げる検査を行った場合である。

通則・加算等

10. ×　【検体検査実施料「通則3」事務連絡】
複数科で行われる厚生労働大臣が定めるすべての検体検査について要件を満たす場合には、併せて1日5項目を限度として算定できる。

11. ○　【D025】
正しい。

12. ×　【検体検査実施料「通則3」事務連絡】
当日、当該医療機関で実施を指示した厚生労働大臣が定める検体検査について、要件を満たすことが必要である。ただし、要件を満たせば外注検査に対しても加算できる。

13. ○　【D026】
正しい。

血液学的検査

14. ○　【D006-21】
正しい。なお、所期の目的を達するために複数回実施した場合であっても、一連として算定する。

15. ×　【D005「3」「4」「6」】
同一検体について、「4」の好酸球数及び「3」の末梢血液像（自動機械法）又は「6」の末梢血液像（鏡検法）を行った場合は、主たる検査の所定点数のみを算定する。

16. ○　【D005「3」「6」「14」】
正しい。

生化学的検査（Ⅰ）

17. ×　【D007「8」】
マンガン（Mn）は、当該患者に対して3月に1回に限り算定できる。

18. ○　【D007「1」「7」】
正しい。

免疫学的検査

19. ○　【D015「17」「24」】
正しい。

20. ×　【D012「28」】
ノロウイルス抗原定性は、①3歳未満の患者、②65歳以上の患者、③悪性腫瘍の診断が確定している患者、④臓器移植後の患者、⑤抗悪性腫瘍剤、免疫抑制剤、又は免疫抑制効果のある薬剤を投与中の患者のいずれかに該当する患者について、当該ウイルス感染症が疑われる場合に算定する。

21. ○　【D012「7」「8」】
正しい。

22. ×　【D012「24」】
RSウイルス抗原定性は、入院中の患者、1歳未満の乳児又はパリビズマブ製剤の適応となる患者について、当該ウイルス感染症が疑われる場合に算定できる。3歳未満の患者は、対象とならない。

23. ○　【D011「6」】
正しい。

微生物学的検査

24. ×　【D018】
症状等から同一起因菌によると判断される場合であって、当該起因菌を検索する目的で異なった部位から、又は同一部位の数か所から検体を採取した場合は、主たる部位又は1か所のみの所定点数を算定する。

25.○　【D020】

正しい。

（生体検査）

26.○　【D210】

正しい。

27.×　【D217】

骨粗鬆症の診断及びその経過観察の際に、4月に1回を限度として算定できる。なお、診療報酬明細書の摘要欄に前回の実施日（初回の場合は初回である旨）を記載する。

28.×　【D291-2事務連絡】

重篤なアレルギー反応を起こした場合の治療に要する費用は、当該負荷検査の所定点数には含まれず、別に算定できる。

29.○　【D235-2】

正しい。

30.×　【D239-3事務連絡】

意識障害のため検査不能な項目があった場合、検査ができなかった理由（「意識障害のため測定不能」など）を記載すれば所定点数を算定できる。

31.○　【D206「注7」】

32. ○　【D226】

正しい。なお、中心静脈圧測定を算定中にカテーテルの挿入手技を行った場合（手術に関連して行う場合を除く）は、カテーテルの挿入に伴う画像診断及び検査の費用は算定できない。

33. ×　【D222】

経皮的血液ガス分圧測定は、出生時体重が1,000g以上1,500g未満の新生児に行った場合は60日を限度として算定する。なお、90日を限度として算定するのは、出生時体重が1,000g未満の新生児に行った場合である。

34.×　【D313「注4」】

大腸内視鏡検査「2　カプセル型内視鏡によるもの」の内視鏡的留置術加算は、15歳未満の患者に対して、内視鏡的挿入補助具を用いて行った場合に所定点数に加算できる。

35.○　【D209】

正しい。なお、当該保険医療機関以外の医療機関で描写した負荷心電図について診断を行った場合は、1回につき70点を算定する。

36.○　【D286-2】

正しい。

37.×　【D222-2】

重症下肢血流障害が疑われる患者に対し、虚血肢の切断等のために経皮的に血中のPO_2を測定した場合に、3月に1回に限り算定する。

38.×　【D291-2】

食物アレルギーが強く疑われる16歳未満の小児に対し、食物負荷検査を実施した場合に、12月に3回を限度として算定する。

39.×　【D216-2事務連絡】

残尿測定検査の「1 超音波検査によるもの」については、月2回を上限とし、2回目も所定点数の100分の100で算定する。

（診断穿刺・検体採取料）

40.○ 【D416「2」】

正しい。

41.× 【D419「6」事務連絡】

診断穿刺・検体採取料のその他の検体採取の「6 鼻腔・咽頭拭い液採取」について、同日に複数検体の検査を行った場合、当該検査の所定点数は1日につき1回の算定となる。

42.○ 【D409-2】

正しい。D500薬剤として算定する。

（病理診断）

43.× 【N006】

病理判断料が含まれない入院料を算定する病棟に入院中の患者に対して、病理判断料を算定する場合は、同一月内に当該患者が病理判断料の含まれる入院料を算定する病棟に転棟した場合であっても、当該病理判断料を算定することができる。

44.○ 【通則】

正しい。

45.○ 【N003-2】

正しい。内視鏡検査（膵癌又は胃粘膜下腫瘍が疑われる患者に対して超音波内視鏡下穿刺吸引生検法の実施時に限る）も含む。

46.× 【N006「注1」】

当該保険医療機関以外の保険医療機関（衛生検査所を含む）で作製された病理標本に基づく診断を行った場合は、月1回に限り当該診断料を算定する。

47.× 【N004「注1」】

細胞診の「注1」婦人科材料等液状化検体細胞診加算は、採取と同時に行った場合に算定できるものであり、過去に穿刺し又は採取した検体等から標本作製し診断を行った場合には算定できない。

48.○ 【N000】

正しい。

49.○ 【N002】

正しい。

50.○ 【N000】

正しい。

51.○ 【N006】

正しい。

52.○ 【N004】

正しい。

10 画像診断

解答一覧

1	2	3	4	5	6	7	8	9	10
○	○	○	×	○	×	○	○	×	○
11	12	13	14	15	16	17	18	19	20
×	○	×	×	○	○	○	○	×	×
21	22	23	24	25					
○	×	○	○	○					

解答・解説

核医学診断料

1.○ 【E101-5】
正しい。

2.○ 【E101-2「2」】
正しい。^{18}FDGを用いたポジトロン断層撮影は、てんかん、心疾患若しくは血管炎の診断又は悪性腫瘍（早期胃癌を除き、悪性リンパ腫を含む）の病期診断若しくは転移・再発の診断を目的として行う。

3.○ 【E101-2】
正しい。

4.× 【E101-2】
ポジトロン断層撮影と同時に同一の機器を用いてCT撮影を行った場合は、ポジトロン断層撮影の所定点数に含まれ、別に算定できない。

5.○ 【E101-5】
正しい。

6.× 【E101-2「2」】
^{18}FDGを用いたポジトロン断層撮影について、悪性腫瘍（早期胃癌を除き、悪性リンパ腫を含む）等の病期診断又は転移・再発の診断を目的とした場合に限り認められるものであり、スクリーニングを目的とした場合には認められない。

7.○ 【E101-2】
正しい。

エックス線診断料

8.○ 【E002「4」】
正しい。

9.× 【E003】
造影剤使用撮影を行うに当たって、造影剤を注入した場合は、造影剤注入手技料を算定できる。ただし、同一日にG001静脈内注射又はG004点滴注射を算定した場合は造影剤注入手技の「1 点滴注射」の所定点数は重複して算定できない。

10.○ 【通則2「『同一の部位』とは」】
正しい。

11. ×【E000】
腸管の透視診断を時間を隔てて数回行い、その時間が数時間にわたる場合には、概ね2時間に1回を基準とし、2回以上として算定できる。

12. ○【E003】
正しい。

13. ×【E000】
撮影の時期決定や準備手段又は他の検査、注射、処置及び手術の補助手段として行う透視については算定できない。

14. ×【E001】
写真診断においては、肩関節部、肩胛骨又は鎖骨は、単純撮影の「1」の「イ」により算定する。なお、耳、副鼻腔は頭部として、骨盤、腎、尿管、膀胱は腹部として、それぞれ「1」の「イ」により算定する。また、頸部、腋窩、股関節部にあっても同じく「1」の「イ」により算定する。

15. ○【E002】
正しい。

コンピューター断層撮影診断料

16. ○【E202「注3」】
正しい。

17. ○【E202】
正しい。

18. ○【E202「注4」施設基準】
正しい。心臓MRI撮影加算の施設基準として、「1.5テスラ以上のMRI装置を有している」「画像診断管理加算2、3又は4に関する施設基準を満たす」ことが要件である。画像診断管理加算2、3又は4の施設基準として、放射線科を標榜している病院（4は特定機能病院）が要件である。

19. ×【E202】
造影剤を使用して磁気共鳴コンピューター断層撮影を行った場合は、閉鎖循環式全身麻酔に限り麻酔手技料を別に算定できる。

通則等

20. ×【通則3】
時間外緊急院内画像診断加算は、当該保険医療機関内で撮影及び診断を行った場合に限り算定でき、他の保険医療機関で撮影されたフィルムを診断した場合は、休日であっても算定できない。

21. ○【E400】
正しい。

22. ×【通則「画像診断に当たって通常使用される患者の衣類の費用」】
画像診断に当たって通常使用される患者の衣類の費用は、画像診断の所定点数に含まれるため、患者から実費徴収することはできない。なお、処置、検査、手術においても同様である。

23. ○【診療報酬請求書・明細書の記載要領「画像診断」欄について】
正しい。

24. ○【通則6】
正しい。なお、画像診断管理加算2、3又は4は、送信側で撮影された核医学診断、CT撮影及びMRI撮影について同様に行われた場合に算定できる。

25. ○【E400「注1」】
正しい。エックス線写真撮影の際に失敗等により再撮影をした場合については、再撮影に要した費用は、患者の故意又は重大な過失による場合を除き、当該保険医療機関の負担となる。6歳未満の乳幼児の胸部単純撮影又は腹部単純撮影は損耗量が多いため、材料価格に1.1を乗じて得た額を10円で除して得た点数とするという取り決めがある。

11 リハビリテーション

解答一覧

1	2	3	4	5	6	7	8	9	10
○	○	○	×	○	×	×	○	×	×
11	12	13	14	15	16	17	18	19	20
○	○	×	×	○	×	×	○	○	×
21	22	23	24	25	26				
×	×	○	○	○	×				

解答・解説

疾患別リハビリテーション料

1.○ 【H002事務連絡】
正しい。

2.○ 【H000】
正しい。

3.○ 【通則4】
正しい。1日6単位を限度とするが、厚生労働大臣が定める患者「脳血管疾患等の患者のうちで発症後60日以内のもの」については、1日9単位を限度として算定できる。

4.× 【通則「リハビリテーションの一般的事項」】
届出保険医療機関内において、入院中の患者について治療又は訓練の専門施設外で訓練を実施した場合であっても、疾患別リハビリテーション料を算定できる。

5.○ 【H001-2】
正しい。

6.× 【H001-2】
廃用症候群リハビリテーション料の所定点数には、徒手筋力検査及びその他のリハビリテーションに付随する諸検査が含まれる。

7.× 【H001特掲診療料の施設基準等別表第9の5「脳血管疾患等リハビリテーション料の対象患者」】
高次脳機能障害の患者も、脳血管疾患等リハビリテーション料の対象となる患者に含まれる。

8.○ 【H002施設基準】
正しい。

9.× 【H001】
脳血管疾患等リハビリテーションは、理学療法士等と患者が1対1で行う場合に算定できるが、当該リハビリテーションの従事者1人あたりの実施単位数は、1日18単位を標準とし、週108単位までとされる。

10.× 【H000「注1」、施設基準等別表第9の8「心大血管疾患リハビリテーションの対象患者」】
治療を継続することにより改善の期待ができると医師が判断した場合には、心大血管疾リハビリテーション料の上限日数である150日を超えて所定点数を算定することができる。「狭心症」の患者は、この上限日数を超えて算定することができる患者に該当する。

11.○ 【H000「注6」】
正しい。

12.○ 【H002】
正しい。

その他

13.× 【H005】
視能訓練は、両眼視機能に障害のある患者に対して、その両眼視機能回復のため矯正訓練を行った場合、1日につき1回を限度として算定する。

14.× 【H008事務連絡】
必ずしも集団コミュニケーション療法室で行う必要はないため、算定できる。

15.○ 【H008】
正しい。

16.× 【H007-4事務連絡】
あん摩マッサージ指圧師がリンパ浮腫複合的治療を実施する場合の「指示及び報告」は、毎回の治療において必要である。

17.× 【H003-4事務連絡】
目標設定等支援・管理料とリハビリテーション総合計画評価料は、同一月に併せて算定できる。

18.○ 【H003-2事務連絡】
正しい。月の途中で転院した場合のリハビリテーション総合計画評価料は、算定要件を満たすものであれば、転院前及び転院先の保険医療機関において、それぞれ算定できる。

19.○ 【H007-2】
正しい。

20.× 【H007】
障害児（者）リハビリテーションを実施するに当たっては、開始時及びその後3か月に1回以上、患者又はその家族に対して実施計画の内容を説明し、その要点を診療録に記載又は添付しなければならない。

21.× 【H004「2」「注2」】
摂食機能療法の「2 30分未満の場合」は、脳卒中の発症後14日以内の患者に対し、15分以上の摂食機能療法を行った場合に算定できる。なお、脳卒中の発症後14日以内の患者であっても、30分以上の摂食機能療法を行った場合には、「1 30分以上の場合」を算定できる。

22.× 【H007-3】
認知症患者リハビリテーションを算定している患者については、疾患別リハビリテーション料、障害児（者）リハビリテーション料だけでなく、がん患者リハビリテーション料も別に算定できない。

23.○ 【H008施設基準等別表第10の2の3「集団コミュニケーション療法の対象患者」】
正しい。

24.○ 【H006施設基準等別表第10「難病患者リハビリテーション料の対象患者」】
正しい。

25.○ 【H007-2】
正しい。

26.× 【H006】
難病患者リハビリテーションの実施時間は、患者1人当たり1日につき6時間を標準とする。

12 精神科専門療法・放射線治療

解答一覧

1	2	3	4	5	6	7	8	9	10
×	○	○	○	○	○	○	×	×	○
11	12	13	14	15	16	17	18	19	20
○	○	○	×	○	×	○	×	×	×
21	22	23	24	25	26	27	28	29	30
×	×	×	○	○	○	○	○	○	○
31	32	33	34	35	36	37	38	39	40
○	○	○	○	×	○	○	×	×	×

解答・解説

(精神科専門療法)

精神科専門療法料

1.× 【I006】
通院集団精神療法は、1回に10人に限り、1日につき1時間以上実施した場合に、開始日から6月を限度として週2回に限り算定できる。

2.○ 【I014】
正しい。

3.○ 【I008-2】
正しい。なお、I009精神科デイ・ケア、I010精神科ナイト・ケア、I010-2精神科デイ・ナイト・ケアも同様に可能である。

4.○ 【I001】
正しい。対象精神疾患の患者に対して、入院精神療法に併せてI004心身医学療法が算定できる自律訓練法、森田療法等の療法を行った場合であっても、入院精神療法のみにより算定する。

5.○ 【I003「注」】
正しい。診療に要した時間が45分を超えたときに限り算定する。

6.○ 【I003-2「注4」】
正しい。

7.○ 【I001事務連絡】
正しい。

8.× 【I002】
通院・在宅精神療法は、同時に複数の患者又は複数の家族を対象に集団的に行われた場合には算定できない。

9.× 【I004「注1」】
心身医学療法は、精神科を標榜する保険医療機関以外の保険医療機関においても算定できる。

10.○ 【I002】
正しい。

11.○ 【I006-2「注4」】
正しい。

12.○ 【I007】
正しい。

13.○　【I011】
正しい。
14.×　【I003-2「注2」】
認知療法・認知行動療法は、精神科を標榜する保険医療機関以外の保険医療機関においても算定できる。
15.○　【I001】
正しい。
16.×　【I010】
精神科ナイト・ケアの開始時間は午後4時以降とし、実施される内容の種類にかかわらず、その実施時間は患者1人当たり1日につき4時間を標準とする。
17.○　【I000「注2」】
正しい。当該麻酔に伴う薬剤料及び特定保険医療材料料は別途算定できる。
18.×　【I007】
精神科作業療法に要する消耗材料及び作業衣等については、当該保険医療機関の負担となり、患者から費用を徴収できない。
19.×　【I012】
同一の患者が訪問看護ステーションにおいて訪問看護療養費を算定した月については、精神科訪問看護・指導料を算定できない。
20.×　【I015「注2」】
早期加算の対象となる患者は、当該療法の算定を開始してから1年以内又は精神病床を退院して1年以内の患者であることが要件となる。
21.×　【I001】
入院精神療法を行う患者に対して、同じ日に入院精神療法とI003標準型精神分析療法を行った場合は標準型精神分析療法により算定する。

（放射線治療）

放射線治療料

22.×　【M000】
放射線治療管理料について、画像診断を実施し、その結果の線量分布図に基づいた照射計画を作成した場合には、照射計画の作成費用は当該放射線治療管理料に含まれ算定できないが、画像診断の所定点数は別に算定できる。
23.×　【M000「注3」事務連絡】
外来放射線治療加算は放射線治療管理料の加算であるが、放射線治療管理料を算定しない日についても算定できる。
24.○　【M002】
正しい。
25.○　【M001「注3」】
正しい。
26.○　【M004「注7」】
正しい。
27.○　【M000-2「注4」】
正しい。なお、放射線同位元素を投与した日とは、通知により「放射線同位元素を内用した日」をいう。
28.○　【M003】
正しい。

29. ○ 【M000-2「注2」】
正しい。
30. ○ 【M001】
正しい。
31. ○ 【M001】
正しい。なお、2方向以上の照射であっても当該所定点数のみにより算定する。
32. ○ 【M000-2】
正しい。
33. ○ 【M000-2「注1」】
正しい。
34. ○ 【M004】
正しい。
35. × 【M001-3】
薬物療法による疼痛管理が困難な三叉神経痛に対する治療も「定位放射線治療における頭頸部に対する治療の場合」の患者に該当し、所定点数を算定できる。
36. ○ 【M001「3」施設基準】
正しい。
37. ○ 【M001-4】
正しい。
38. × 【M001-2】
数か月間の一連の治療過程に複数回の治療を行った場合であっても、所定点数は1回のみ算定する。
39. × 【M005】
実際に照射を行った総量又は原材料として用いた血液の総量のうちいずれか少ない量により算定する。たとえば、200ｍＬの血液から製造された30ｍＬの血液成分製剤については30ｍＬとして算定する。
40. × 【M005】
放射線を照射した血液製剤を使用した場合は、薬剤料に併せて血液照射は別に算定できない。

13 学科試験問題演習（第60回認定試験）

解答一覧

1	2	3	4	5	6	7	8	9	10
b	e	a	b	c	d	a	b	c	e
11	12	13	14	15	16	17	18	19	20
a	d	c	e	d	a	b	d	e	c

解答・解説

問1

(1) × 【健康保険法第64条】
保険医療機関において、健康保険の診療に従事する医師は、厚生労働大臣の登録を受けた医師でなければならない。

(2) ○ 【健康保険法第37条第1項・第38条第4項】
正しい。

(3) ○ 【健康保険法第55条第1項】
正しい。被保険者に係る療養の給付は、同一の疾病について、労働者災害補償保険法、国家公務員災害補償法又は地方公務員災害補償法若しくは同法に基づく条例の規定により、これらに相当する給付を受けることができる場合には、行われない。

(4) × 【高齢者の医療の確保に関する法律第52条第1項】
後期高齢者医療の被保険者の資格を取得する時期は、75歳に達した日（誕生日当日）である。

問2

(1) × 【保険医療機関及び保険薬局の指定並びに保険医及び保険薬剤師の登録に関する省令第8条第2項】
都道府県等が行う国民健康保険の被保険者は、生活保護による保護を受けるに至った日から、その資格を喪失する。

(2) × 【療養担当規則第5条の4「予約に基づく診察に関する事項」】
保険外併用療養費における予約診察について、予約料を徴収しない時間帯の確保に当たっては、各医師の同一診療時間帯に、予約患者とそうでない患者を混在させても差し支えない。

(3) × 【医療法第44条第1項】
医療法人は、主たる事務所の所在地の都道府県知事の認可を受けなければ、これを設立できない。

(4) ○ 【障害者の日常生活及び社会生活を総合的に支援するための法律第52条】
正しい。

問3

(1) ○ 【保険医療機関及び保険薬局の指定並びに保険医及び保険薬剤師の登録に関する省令第8条第2項】
正しい。

(2) ○ 【入院時食事療養費に係る食事療養及び入院時生活療養費に係る生活療養の実施上の留意事項について・3特別食加算】
正しい。

(3) × 【健康保険法第71条】
医師が保険医になるためには、保険医登録申請書と必要書類を地方社会保険事務局長へ届け出る必要がある。

(4) × 【療養担当規則第11条の3】
保険医療機関は、厚生労働大臣が定める療養の給付の担当に関する事項について、地方厚生局長又は地方厚生支局長に定期的に報告を行わなければならない。

問4

(1) × 【療養担当規則関連通知「療養の給付と直接関係ないサービス等の取扱い」】
手術後に使用する腹帯の費用は、療養の給付と直接関係ないサービスとして患者から実費を徴収できる。

(2) ○ 【療養担当規則第5条の4「医療機器の治験に係る診療に関する基準」】
正しい。保険外併用療養費の対象となる治験は、患者の自由な選択と同意がなされたものに限られるものとなるため、医療上好ましくないと認められる場合は支給対象にはならない。

(3) ○ 【療養担当規則第5条の4「特別の療養環境の提供に関する基準」】
正しい。

(4) × 【医療法第8条】
臨床研修等修了医師が診療所を開設したときは、開設後10日以内に診療所の所在地の都道府県知事に届け出なければならない。

問5

(1) ○ 【A000初診料・通則】
正しい。

(2) × 【A000初診料「注11」、A001再診料「注15」施設基準】
外来感染対策向上加算の施設基準の要件として、院内感染管理者により、職員を対象として、少なくとも年2回、定期的に院内感染対策に関する研修を行う必要がある。

(3) ○ 【A000初診料「注1」】
正しい。

(4) ○ 【A000初診料】
正しい。

問6

(1) ○ 【A001再診料「注8」】
正しい。

(2) ○ 【A001再診料「注13」】
正しい。

(3) ○ 【A002外来診療料「注6」】
正しい。

(4) ○ 【A001再診料「注12」施設基準】
正しい。

問7

(1) ○ 【入院料等・通則「退院時処方に係る薬剤料の取扱い」】
正しい。

(2) ○ 【A104特定機能病院入院基本料「注8」】
正しい。

(3) × 【A205救急医療管理加算1】救急医療管理加算１の算定対象となるのは、医師が診察等の結果、入院時点で重症であり緊急に入院が必要であると認めた重症患者であり、入院時において重症患者の状態であれば算定でき、当該加算の算定期間中、継続して当該状態でなくても算定できる。

(4) × 【厚生労働大臣の定める入院患者数の基準及び医師等の員数の基準並びに入院基本料の算定方法・別紙１ 入院患者数に係る平均入院患者数の計算方法「２」】
入院日数には、当該患者が入院した日を含むが、退院した日は含まれない。

問8

(1) × 【A219療養環境加算】
特別の療養環境の提供に係る病室については、療養環境加算の対象とはならない。

(2) ○ 【A233リハビリテーション・栄養・口腔連携体制加算】
正しい。

(3) ○ 【A231-3依存症入院医療管理加算】
正しい。

(4) × 【A234-3患者サポート体制充実加算の施設基準】
患者サポート体制充実加算の施設基準の要件として、患者又はその家族からの疾病に関する医学的な質問並びに生活上及び入院上の不安等、さまざまな相談に対応する窓口を設置していることがあるが、当該窓口は、医療安全対策加算に規定する窓口と兼用であっても差し支えない。

問9

(1) ○ 【B001「8」皮膚科特定疾患指導管理料】
正しい。

(2) × 【B001「31」腎代替療法指導管理料】
血液透析、腹膜透析、腎移植等の腎代替療法のうち、いずれについても情報提供しなければならない。

(3) ○ 【B001-4手術前医学管理料】
正しい。

(4) ○ 【B010診療情報提供料（Ⅱ）】
正しい。

問10

(1) × 【B001「7」難病外来指導管理料】
難病外来指導管理料は、B000特定疾患療養管理料又はB001「8」皮膚科特定疾患指導管理料を算定している患者については算定できない。

(2) × 【B005-4ハイリスク妊産婦共同管理料（Ⅰ）】
ハイリスク妊産婦共同管理料（Ⅰ）は、C004救急搬送診療料と併せて算定できる。

(3) × 【B009診療情報提供料（Ⅰ）事務連絡】
紹介先の医療機関を特定しないで診療状況を示す文書を交付した場合には、当該情報提供料は算定できない。

(4) ○ 【B012傷病手当金意見書交付料】
正しい。

問11

(1) ○ 【C110在宅自己疼痛管理指導管理料】
正しい。

(2) ○ 【C012在宅患者共同診療料】
正しい。
(3) × 【C007訪問看護指示料「注4」事務連絡】
衛生材料等提供加算は、訪問看護指示料又は精神科訪問看護指示料を算定した月にのみ算定できる。
(4) × 【C101-2在宅小児低血糖症患者指導管理料】
在宅小児低血糖症患者指導管理料は、12歳未満の小児低血糖症の患者に対して、重篤な低血糖の予防のために適切な指導管理を行った場合に算定できる。

問12

(1) ○ 【D004「7」IgE定性（涙液）】
正しい。
(2) ○ 【D007「13」有機モノカルボン酸】
正しい。
(3) ○ 【D010「8」先天性代謝異常症検査・イ 尿中有機酸分析】
正しい。
(4) ○ 【D204基礎代謝測定】
正しい。

問13

(1) ○ 【D209負荷心電図検査】
正しい。
(2) × 【画像診断・通則「遠隔画像診断による画像診断管理加算」】
遠隔画像診断を行った場合は、送信側の保険医療機関において撮影料、診断料及び画像診断管理加算を算定できる。
(3) ○ 【D219ノンストレステスト】
正しい。ノンストレステストは、羊水異常症等の対象患者に対し算定でき、入院中の患者に対して行った場合には１週間につき３回に限り、入院中以外の患者に対して行った場合には１週間につき１回に限り算定できる。なお、１週間の計算は暦週による。
(4) ○ 【D007「９」ケトン体「19」ケトン体分画】
正しい。

問14

(1) × 【再診料「労働者災害補償保険法の療養補償給付を同時に受けている場合」】
健康保険法の療養の給付と労働者災害補償保険法の療養補償給付を同時に受けている場合には、再診料・外来診療料及び処方料は、主たる疾病の再診料等として算定する。
(2) × 【F100処方料「注5」事務連絡】
特定疾患処方管理加算は、特定疾患に対する投薬であれば、外用薬でも算定できる。
(3) × 【G012-2自家血清の眼球注射】
眼球注射に際し、自家血清のために患者の血液を採取する場合には、所定点数に採血料を加算して算定できる。
(4) ○ 【投薬の部・通則】
正しい。

問15

(1) ○ 【G006植込型カテーテルによる中心静脈注射】
正しい。

(2) ○ 【注射の部・通則6】
正しい。
(3) ○ 【H000 心大血管疾患リハビリテーション料】
正しい。
(4) ○ 【H003呼吸器リハビリテーション料・事務連絡】
正しい。

問16

(1) ○ 【I011精神科退院指導料】
正しい。
(2) ○ 【I002通院・在宅精神療法】
正しい。
(3) × 【H001脳血管疾患等リハビリテーション料】
脳血管疾患等リハビリテーション料の対象となる患者には、舌悪性腫瘍等の手術による構音障害を有する患者が含まれる。
(4) × 【I002-2精神科継続外来支援・指導料】
精神科継続外来支援・指導料は、患者1人につき1日に1回に限り算定する。

問17

(1) × 【J043-3ストーマ処置】
C109在宅寝たきり患者処置指導管理料を算定している患者に対して行ったストーマ処置の費用は算定できない。
(2) ○ 【I005 入院集団精神療法】
正しい。
(3) ○ 【I007精神科作業療法】
正しい。
(4) × 【K657-2腹腔鏡下胃全摘術】
悪性腫瘍に対する手術であっても、リンパ節郭清等を伴わない単純な切除・消化管吻合術、又は単純な全摘・消化管吻合術を行った場合には、腹腔鏡下胃全摘術の「1 単純全摘術」の所定点数により算定する。

問18

(1) ○ 【J001-2絆創膏固定術】
正しい。
(2) ○ 【J043-6人工膵臓療法】
正しい。
(3) ○ 【手術の部・通則15】
正しい。
(4) ○ 【K013-2全層植皮術「注」】
正しい。

問19

(1) × 【J001-5長期療養患者褥瘡等処置「注1」】
長期療養患者褥瘡等処置は、入院期間が1年を超える入院中の患者に対して褥瘡処置を行った場合に、その範囲又は回数にかかわらず、所定点数を算定できる。
(2) × 【J028インキュベーター】
使用した滅菌精製水の費用は、所定点数に含まれ別に算定できない。

(3) × 【ギプス「通則」】
ギプスベッド又はギプス包帯の修理を行ったときは、修理料として所定点数の100分の10に相当する点数を算定できる。

(4) ○ 【J039血漿交換療法】
正しい。

問20

(1) ○ 【K920輸血「4」自己血輸血】
正しい。

(2) × 【M003電磁波温熱療法】
使用するセンサー等の消耗品の費用は、電磁波温熱療法の所定点数に含まれ別に算定できない。

(3) ○ 【L005上・下肢伝達麻酔】
正しい。

(4) ○ 【M000-2放射性同位元素内用療法管理料「4」B細胞性非ホジキンリンパ腫に対するもの「注3」】
正しい。